La Cousine Bette

Sylvain Ledda est professeur de littérature française à l'université de Rouen, membre du CÉRÉdI. Spécialiste du romantisme, il consacre ses travaux à cette période, notamment à Alfred de Musset et Alexandre Dumas. Il a publié *La Confession d'un enfant du siècle*, ainsi que les *Nouvelles* et les *Contes* de Musset dans la collection GF.

Stéphanie Adjalian-Champeau est maître de conférences à l'université de Rouen, membre du CÉRÉdI. Spécialiste du roman au XIXᵉ siècle, elle a consacré une partie de ses travaux aux frères Goncourt.

BALZAC

La Cousine Bette

●

PRÉSENTATION
DOSSIER
par Sylvain Ledda

NOTES
CHRONOLOGIE
BIBLIOGRAPHIE
par Stéphanie Adjalian-Champeau

GF Flammarion

© 2015, Flammarion, Paris.
ISBN : 978-2-0813-5879-9
N° d'édition : L.01EHPN000719.N001
Dépôt légal : mai 2015

Pour Yvan Leclerc

Présentation

> Chaque homme a sa passion qui le mord
> au fond du cœur, comme chaque fruit
> son ver.
>
> Alexandre Dumas [1]

La vengeance enfante une énergie sans nom. Elle nourrit les passions souterraines, les désirs secrets, les haines farouches. Ceux qui s'y consacrent trouvent vigueur et vie dans son accomplissement. *La Cousine Bette* puise ainsi son puissant intérêt dans l'absolu d'une vengeance implacable, celle d'une vieille fille, Lisbeth Fischer, la cousine Bette, qui travaille à la destruction systématique d'une famille – sa famille. Le poison de jalousie qu'elle distille répand autour d'elle son venin mortifère ; la toile arachnéenne qu'elle tisse empiège ceux qui ont ouvert la boîte de Pandore de ses passions contrariées. Nul ne sortira indemne de ce *thriller* réaliste, pas même le lecteur de Balzac, habitué au mercure fluide de la passion romantique. Ici, l'acier trempé de la revanche, sans commisération ni mesure, le tient constamment en haleine. Avec *Le Comte de Monte-Cristo*, *La Cousine Bette* est l'un des plus sidérants récits de vengeance que la littérature française ait produits. Mais là où demeure un souffle

---

1. *Le Comte de Monte-Cristo*, t. II, éd. Jean-Yves Tadié, Gallimard, « Folio », 1998, p. 759.

d'idéal chez Dumas – Edmond Dantès se venge pour une cause que nous estimons juste –, Balzac laisse béante la brèche du pessimisme. L'ironie de la fable trahit un regard désenchanté sur son temps, époque de spéculations, de vices et de compromissions. « *La Cousine Bette* prendra place à côté de mes grandes œuvres », prophétisait-il en 1846[1]. La postérité lui donne raison. Chef-d'œuvre moderne, ce récit noir de jais est bien l'une des cimes de la création romanesque du XIXe siècle.

COUSIN, COUSINE : PAYSAGE ÉDITORIAL

La Cousine Bette forme avec *Le Cousin Pons* le diptyque des *Parents pauvres*. En 1847, ces « deux jumeaux de sexe opposé[2] » sont intégrés aux *Scènes de la vie parisienne* de *La Comédie humaine*. Publiée en quarante et un feuilletons dans *Le Constitutionnel*, entre le 8 octobre et le 3 décembre 1846, *La Cousine Bette* avance de concert avec *Le Cousin Pons*. Les deux récits sont construits sur un schéma diamétralement opposé : Sylvain Pons est mené à la ruine par son entourage, Lisbeth Fischer machine une épouvantable trame pour anéantir sa famille. Tous deux sont des cousins, autrement dit des parents secondaires issus de branches latérales ; pauvres, ils vivent en parasites, portent des vêtures démodées et semblent mener une existence médiocre. Pourtant l'un et l'autre cultivent un jardin secret : Sylvain collectionne les antiques de grande valeur, Lisbeth accumule mille objets de ressentiment contre les siens, qui la croient bonne et dévouée. Le secret qui conduit à la chute sert de soubassement à l'intrigue des *Parents pauvres*. La comparaison des romans trahit d'ailleurs bien des phénomènes de

---

1. Balzac, *Lettres à madame Hanska*, t. II, éd. Roger Pierrot, Robert Laffont, « Bouquins », 1990, p. 405.
2. *Ibid.*, p. 213.

contamination[1]. Selon Balzac, les deux œuvres forment
« les deux éternelles faces d'un même fait[2] ». Dans ce
cycle romanesque, Balzac invente deux existences appa-
remment modestes, grâce à un mécanisme romanesque
tracé sur le même patron.

La « bilogie[3] » des *Parents pauvres* intervient après
une relative période d'amuïssement de la verve balzacienne. Depuis *Modeste Mignon*, paru en 1844, Balzac
n'a pas offert à son lecteur de denrées substantielles. Rien
en tout cas de vraiment neuf : queues de romans, idées
de nouvelles, récits brefs publiés dans la presse, articles,
projets avortés – certes, une bonne part de *Splendeurs et
misères des courtisanes* date de 1846, mais il n'a pas de
projet nouveau. Plusieurs éléments extérieurs et intimes
expliquent cette traversée du désert. En 1846, le paysage
littéraire a considérablement évolué depuis que Balzac
est entré dans la carrière, au début des années 1820. Avec
l'avènement du journal à grand tirage, le feuilleton a
envahi les colonnes, et cette littérature facile, que Balzac
juge « bâtarde », remporte un très grand succès auprès
des lecteurs, comme le rappelle Eugène de Mirecourt :

> On mettait à la mode les romans dialogués et accidentés,
> œuvres rapides et folles qui se pliaient aux exigences de la
> colonne, tenaient le lecteur en suspens par des combinaisons
> stupides de chandelle éteinte, de porte close ou de chausse-
> trape béante, renonçaient aux détails de mœurs, à la peinture

---

1. Voir l'étude fondamentale d'André Lorant, *Les Parents pauvres
d'Honoré de Balzac, La Cousine Bette, Le Cousin Pons. Étude historique
et critique*, Genève, Droz, 1967, t. 1, p. 9. Pour une étude exhaustive
des sources du roman, on pourra consulter cet ouvrage, ainsi que l'édition de *La Cousine Bette* par Anne-Marie Meininger (dans *La Comédie
humaine*, t. VII, *Études de mœurs*, éd. Pierre-Georges Castex, Gallimard,
« Bibliothèque de la Pléiade », 1977).

2. « À don Michele Angelo Cajetani, prince de Teano », p. 52.

3. Victor Hugo emploie ce néologisme dans la Préface de *Lucrèce
Borgia* pour montrer la contiguïté entre ce drame et *Le roi s'amuse* :
« Dans la pensée de l'auteur, si le mot *bilogie* n'était pas un mot barbare, ces deux pièces ne feraient qu'une bilogie *sui generis*, qui pourrait
avoir pour titre : *Le Père et la Mère.* »

de caractères, tiraient à ligne, encombraient la place et s'étalaient d'un bout du journalisme à l'autre en flasques et désolantes tartines.

Balzac voulut lutter contre cet envahissement et rester lui-même[1].

Le contexte de parution de *La Cousine Bette* signale ici la nécessité pour Balzac de s'adapter aux contraintes éditoriales du feuilleton, même si depuis 1836 un nombre croissant de ses œuvres paraît dans la presse. Le créateur de *La Comédie humaine* dédaigne pourtant cette production feuilletonesque, d'autant plus qu'elle vient de signer la réussite de son principal rival, Eugène Sue[2]. Publiés dans le *Journal des Débats* de juin 1842 à octobre 1843, *Les Mystères de Paris* ont en effet connu un prodigieux succès qu'envie Balzac, toujours en quête de gloire et d'argent ; cet engouement se poursuit avec la parution du *Juif errant* entre juin 1844 et août 1845 dans *Le Constitutionnel*, journal où paraîtra *La Cousine Bette*. Dans le genre du roman de cape et d'épée, Alexandre Dumas se taille une place royale grâce aux *Trois Mousquetaires*, qui paraissent dans les colonnes du *Siècle* en 1844 ; il renouvelle l'exploit avec le magistral *Comte de Monte-Cristo*, publié dans le *Journal des Débats* entre août 1844 et janvier 1846. À l'horizon de *La Cousine Bette*, le paysage éditorial est donc encombré par le feuilleton. Or Balzac se sent mal à son aise dans ce marigot éditorial. Voit-il les feux de sa gloire s'éteindre sous les succès des autres ? Au début 1846, sa correspondance témoigne d'un certain découragement, d'autant plus amer que, sur le plan personnel, l'horizon est, lui aussi, enténébré. Criblé de dettes, épuisé par le travail qu'il

---

1. Eugène de Mirecourt, *Balzac*, Paris, J.-P. Roret, « Portraits contemporains », 1854, p. 74. Habituellement sans aménité envers les écrivains romantiques (Dumas, Musset...), Mirecourt est dans l'ensemble élogieux avec Balzac.

2. Sur ce point, voir l'article d'Alex Lascar, « Balzac et Sue : échanges à feuilletons mouchetés », *L'Année balzacienne*, n° 11, PUF, 2010, p. 201-225.

mène depuis vingt-cinq ans, loin de Mme Hanska qu'il n'a toujours pas épousée, le romancier remâche les raisons de désespérer.

L'embellie se produit à partir de juin 1846, quand il fait part à sa maîtresse d'un projet de nouvelle qui portera sur une « parente pauvre accablée d'injures [1] ». Il entame d'abord l'écriture du *Cousin Pons*, qu'il abandonne pour *La Cousine Bette*. Grâce aux échanges épistolaires avec Mme Hanska, on suit pas à pas les progrès du récit. Au cours de l'été 1846, la nouvelle évolue ainsi pour épouser la forme d'un « roman terrible [2] ». Balzac écrit rapidement, consacre la seconde moitié d'août 1846 à sa nouvelle composition, qu'il achève entre octobre et novembre. Le 20 novembre, il avoue même que « 20 chapitres ont été écrits *currente calamo* [3], faits la veille pour le lendemain, sans épreuves ». Outre l'urgence de fournir des pages au jour le jour, comme l'exige le feuilleton, cet aveu témoigne d'une grande maîtrise, perceptible à la lecture de ce récit sans scories, qui trace avec une impeccable netteté sa ligne narrative. Louis Véron, qui dirige *Le Constitutionnel*, presse Balzac de terminer l'œuvre commandée. Sans doute flaire-t-il le chef-d'œuvre : « Finissez cette histoire, ce sera un de vos meilleurs tableaux. Tous les portraits sont vivants, et *La Cousine Bette* est une étude neuve et charmante. Vous avez même trouvé moyen de la rendre gaie [4]. » Caresses d'éditeur inquiet ou éloges sincères, les mots de Véron visent juste. Le succès de *La Cousine Bette* auprès des lecteurs est immédiat. Fort de son triomphe feuilletonesque, Balzac

---

1. *Lettres à madame Hanska*, *op. cit.*, p. 213. L'idée est peut-être plus ancienne. En 1838, Balzac évoquait déjà l'idée d'un récit sur les parents pauvres. Voir André Lorant, *Les Parents pauvres d'Honoré de Balzac*, *op. cit.*, p. 47 *sq.*

2. *Lettres à madame Hanska, op. cit.*, p. 232.

3. Expression proverbiale qui signifie « au courant de la plume », autrement dit rapidement et dans un style relâché.

4. Balzac, *Correspondance*, t. V, éd. Roger Pierrot, Garnier, 1969, p. 158.

ragaillardi peut écrire à Mme Hanska le 1er novembre :
« *La Cousine Bette* est un chef-d'œuvre [1]. »

Cette réussite, le romancier l'a stratégiquement élaborée. On l'a vu : Balzac, à l'époque, souhaite se positionner dans le paysage littéraire et tenir la dragée haute aux faiseurs de feuilletons ; en publiant son roman sous cette forme, il combat sur le même terrain qu'Eugène Sue et Alexandre Dumas. Il distille ainsi dans son histoire l'imaginaire du roman noir et du mélodrame triste, genres dont on retrouve le personnel et les situations : des figures ténébreuses, passionnées, marginales ; des situations puissantes voire extraordinaires, des retours inattendus, de nombreux rebondissements, sans oublier la présence d'un Paris inquiétant, capitale fuligineuse de tous les vices. Tout dans *La Cousine Bette*, du sordide quartier du Doyenné jusqu'à l'influence occulte de Vautrin, montre que Balzac a su se glisser dans le fourreau du roman urbain et surpasser Sue sur le terrain des ombres. Mais ne s'agit-il pas d'un *artefact*, d'une poétique feuilletonesque de surface ?

La Cousine Bette reste un roman profondément balzacien. Contrairement à Eugène Sue, Balzac ne flatte pas le goût manichéen du public pour l'horreur et le *pathos*. Son propos n'est pas au service d'un discours prétendument moralisateur, loin s'en faut. Il ne déploie pas non plus de message politique sur une classe émergente, les ouvriers, qu'incarnerait à elle seule la cousine Bette – trop individualiste pour emblématiser quelque mouvement populaire ou collectif que ce soit. Le monde de Balzac est celui de la bourgeoisie, petite et grande ; sa sphère est celle de l'aristocratie, impériale ou ancienne. L'univers qu'il peint a « la forme enfoncée dans la matière [2] ». Son terrain d'expertise demeure l'observation

1. *Lettres à madame Hanska, op. cit.*, p. 396.
2. Molière, *Les Précieuses ridicules*, V, *Théâtre complet*, éd. Georges Forestier et Claude Bourqui, Gallimard, « Bibliothèque de la Pléiade », 2010, p. 12.

des passions. Le lecteur est donc prié de ne pas se méprendre : Balzac n'utilise pas le feuilleton comme tribune pour quelque idéal *socialiste*.

Avec ce roman d'un genre neuf, l'auteur de *La Comédie humaine* déjoue toutefois « l'horizon d'attente » et brise certains clichés déjà cristallisés autour de sa poétique. Dans *La Cousine Bette*, point de longues descriptions qui ne soient d'habiles scénographies pour dynamiser l'action ; point d'arrêt sur décor qui ne fasse tableau, au sens théâtral du terme ; point de digressions qui n'épaississent les noirceurs du présent ; point de détails superflus qui épicent les scènes ; nulle analepse qui ne nourrisse quelque critique morale ; point de situations mélodramatiques sans une forte tension dramatique... ou une bonne dose d'humour ! Le récit avance, implacable. En publiant son roman dans *Le Constitutionnel*, Balzac, loin de vendre son âme au feuilleton, reprend les grands principes de son art en les densifiant. Ainsi le système des personnages « reparaissants » rattache *La Cousine Bette* à la fresque de *La Comédie humaine* par un fil de soie plutôt que par des ficelles trop visibles[1]. Le lecteur retrouvera bien des noms familiers – Bixiou, Lousteau, Claude Vignon... – sans que ces personnages interviennent véritablement sur l'intrigue. Seuls Crevel, déjà présent dans *César Birotteau* (1837), le maréchal Hulot, héros des *Chouans* (1829), et Vautrin, chef de la police secrète, apparaissent aux moments stratégiques de la fable. D'autres personnages n'appartiennent qu'à *La Cousine Bette* : le baron Hulot et son épouse Adeline ; les jeunes gens, enfants Hulot et Crevel, Steinbock et Montès de Montéjanos. La *maestria* de

---

1. « Les personnages reparaissants, note Dominique Massonnaud, ne permettent pas d'inscrire dans l'œuvre tout entière une linéarité diachronique ou compositionnelle, puisqu'ils sont présents sur le mode nouveau d'une revenance textuelle qui se refuse à en faire des figures de premier plan récurrentes, garantes de la linéarité d'une série éditoriale » (*Faire vrai. Balzac et l'invention de l'œuvre-monde*, Genève, Droz, 2014, p. 316).

l'auteur apparaît enfin sous les traits des deux plus remarquables inventions du roman : Lisbeth Fischer et Valérie Marneffe.

UNE DETTE ENVERS LE RÉEL

Balzac a exprimé dans sa correspondance sa doulou-reuse dette à l'égard du réel pour la composition de ses personnages : « Je vais me mettre sur *La Cousine Bette*, roman terrible, car le caractère principal sera composé de ma mère, de Mme Valmore et de la tante Rosalie », confie-t-il à Mme Hanska [1]. Sa mère pour la méchanceté et Marceline Desbordes-Valmore pour la tristesse d'une destinée. Quant à Rosalie (Rosalie Rzewuska, tante de Mme Hanska), elle avait mis en garde sa nièce contre Balzac. Aux yeux du romancier, mère et tante sont des obstacles au bonheur matrimonial, fonction agonistique que Balzac assigne à la cousine Bette dans son roman. Mais le nœud gordien de la combinaison se trouve sur-tout dans le rapport mère-fils. Depuis 1841, le torchon brûle. De conflits en disputes, de non-dits en éclats, la relation atteint de tels degrés de violence que Balzac mul-tiplie les constats désolants : « elle m'a ruiné par calcul et à plaisir », écrit-il à Mme Hanska [2]. La ruine rappelle assez exactement le motif central du roman et l'entreprise de Lisbeth Fischer : détruire sa famille par calcul et même par plaisir. Devenue « l'ennemie » en 1846, la mère du romancier constituerait donc un éloquent modèle de haine pour créer cette parente malfaisante, qui annonce la Folcoche d'Hervé Bazin dans *Vipère au poing*.

Balzac laisse également entendre à Mme Hanska qu'elle trouvera bien des motifs d'identification en lisant son roman : est-elle la muse qui lui inspire le personnage sublime d'Adeline Hulot, dont l'amour n'a d'égal que

---

1. *Lettres à madame Hanska*, 28 juin 1846, *op. cit.*, p. 232.
2. *Ibid.*, p. 547.

la beauté pérenne ? L'identification achoppe quelque peu face à la réalité. Mais l'aveu témoigne du désir de complaire à l'Étrangère qui, à l'automne 1846, porte le fruit de leurs amours[1]. Le roman est donc doublement *adressé*, doublement cathartique, écrit contre une mère haïe et pour une femme aimée. Le transfert des passions réelles dans la fiction semble ici incontestable.

Les similitudes entre les personnages de la fiction et la réalité ne s'arrêtent pas là. De nombreuses conjectures ont été suggérées pour identifier le modèle du baron Hulot d'Ervy[2]. Jean-Bertrand Barrère a établi un rapprochement convaincant entre Hector Hulot et Victor Hugo, dont les patronymes sont très proches phonétiquement[3]. Le soir du 3 juillet 1845, Victor Hugo est pris en flagrant délit d'adultère avec l'une de ses maîtresses, la jeune Léonie Biard. Le mari jaloux dépêche le commissaire du quartier pour constater le crime. Comme l'exige la loi régie par le Code civil, la femme adultère est emprisonnée. Hugo, récent pair de France, échappe à la condamnation. Mais ces « petites misères de la vie extraconjugale » font du bruit[4]. Cet événement de la vie de Hugo est transposé dans *La Cousine Bette*. Comme

1. Les espoirs de paternité de Balzac se terminent tragiquement le 1er décembre 1846, quand il apprend la fausse couche de Mme Hanska. Voir Roger Pierrot, *Honoré de Balzac*, Fayard, 1994, p. 441.

2. Voir le chapitre qu'André Lorant consacre aux sources de ce personnage dans *Les Parents pauvres d'Honoré de Balzac*, *op. cit.*, p. 98-151.

3. Jean-Bertrand Barrère, « Hugo jaugé par Balzac ou l'étrange cas onomastique de *La Cousine Bette* », *Mercure de France*, janvier 1950, p. 100 *sq*. Outre la proximité onomastique entre Hugo et Hulot, on signalera aussi le prénom du fils Hulot, Victorin, diminutif de Victor.

4. L'expression est de Jean-Marc Hovasse. Dans la biographie qu'il consacre à Victor Hugo, il rappelle les sordides enjeux financiers du flagrant délit d'adultère : « La loi autorisant le divorce, promulguée en 1792, était abolie depuis 1816 ; si le mari arrivait à prouver que la femme le trompait, quels que fussent par ailleurs les griefs qu'elle pouvait avoir contre lui, le jugement était rendu entièrement en sa faveur » (*Victor Hugo*, t. I, *Avant l'exil (1802-1851)*, Fayard, 2001, p. 959).

Hugo, Hulot dispose d'une garçonnière où s'ébattre ; comme Hugo, il échappe à la justice grâce à son entregent. Non sans malice de la part de Balzac, Crevel est doté d'une ancienne boutique transformée en un nid d'amour assez sordide. Et le narrateur de saupoudrer le vaudeville de quelques remarques personnelles : « Que peut faire, que peut dire un homme surpris dans un lit qui ne lui appartient pas, même à titre de location, avec une femme qui ne lui appartient pas davantage [1] ? »

Mais n'est-ce pas surtout Balzac lui-même qui se peint sous les traits des vieux libertins Crevel et Hulot, jouisseurs impénitents, décatis et ridicules ? Ne sont-ce pas ses propres angoisses d'écrivain qu'il projette dans les turpitudes de ces pères prodigues ? Le récit exprimerait dès lors les affres d'un artiste vieillissant et inquiet, qui ressent tout ensemble lassitude et urgence de créer. *La Cousine Bette* serait à cet égard une œuvre spéculaire et cathartique, composée pour lutter contre l'absence de Mme Hanska qu'il désire ardemment épouser, contre la peur de la mort et les hantises sexuelles, contre la crainte terrible de ne pouvoir terminer l'œuvre engagée, contre la solitude enfin, qu'il ressent plus que jamais dans une société qu'il méprise et qui lui inspire le dégoût. Les points d'ancrage dans le réel sont nombreux. Les anecdotes d'alcôve, autant que les différents emprunts au vécu qu'avoue Balzac dans sa correspondance, permettent de reconstituer sa création des *Scènes de la vie parisienne*. Conformément aux principes énoncés dans l'Avant-propos de *La Comédie humaine*, ces scènes offrent « le tableau des goûts, des vices et de toutes les choses effrénées qu'excitent les mœurs particulières aux capitales où se rencontrent à la fois l'extrême bien et l'extrême mal [2] ». La projection avouée par le romancier de figures réelles dans la fiction ne doit pas occulter un

---

1. *La Cousine Bette*, p. 387.
2. Avant-propos de *La Comédie humaine*, t. I, éd. Pierre-Georges Castex, Gallimard, « Bibliothèque de la Pléiade », 1976, p. 18.

plus grand dessein, et surtout la part d'imagination qui préside à la création de l'œuvre.

LA COUSINE BETTE : COMPLEXITÉ D'UN PERSONNAGE BALZACIEN

Lisbeth Fischer, affectueusement surnommée « la cousine Bette » par sa famille, est une provinciale issue du monde paysan. En perdant le *Lis* de son prénom, elle est devenue *Beth* ou plutôt *Bette*, ne gardant de son nom de baptême que cet hypocoristique qui sonne drôlement à l'oreille. *Bette* est l'homophone de *bête*, mais la *bette* désigne également une « plante potagère à feuilles larges et à grosses côtes [1] ». L'onomastique dévalorise d'emblée la cousine, puisqu'elle la rapproche de l'animal, voire du légume.

Si le titre suggère la modestie du personnage, il définit aussi Lisbeth Fischer par sa position familiale et ses origines. Comme on l'a vu, Bette est d'abord la cousine des Hulot : elle est alliée au couple Adeline-Hector par une branche latérale. Recueillie par charité et parce que aux yeux d'Adeline les liens du sang sont sacrés, elle est un « parasite intégré » au clan Hulot. Lisbeth s'inscrit dans le second cercle familial, après les enfants et l'époux. Sa situation de cousine l'empêche d'accéder directement à l'héritage, puisque, dans le droit français, enfants et petits-enfants prévalent sur les cousins germains. Et quand bien même elle pourrait hériter de sa cousine, Adeline est sans fortune [2]. À bien des égards, le personnage est donc marginalisé.

---

1. Définition du *Trésor de la langue française*.
2. Les dots promises par Hulot sont virtuelles ou inexactes. Ainsi, il avoue à Wenceslas, qui va épouser Hortense, que son fils n'a rien touché. Quant à la dot d'Hortense, elle passe de 200 000 à 60 000 francs, grevée d'une rente octroyée à la cousine Bette par le baron. Nous remercions ici Michel Lichtlé de nous avoir fourni ces précisions sur le droit et l'héritage dans le roman.

Sa marginalité est également géographique. Les désignations « la Lorraine » ou « la Vosgienne » s'imposent en effet comme les référents fixes de la caractérisation – toutes les tentatives pour faire d'elle une Parisienne accomplie échoueront. Au sein de *La Comédie humaine*, les origines surdéterminent en effet les tempéraments, selon une anthropologie morale communément admise par les contemporains de Balzac, et dont témoigne *La France pittoresque* d'Abel Hugo :

> Vivant dans des habitations isolées, ils [les Vosgiens] ont les mœurs un peu rudes, et en raison de la grande liberté à laquelle ils sont accoutumés, ils se montrent fiers et très susceptibles ; ils s'offensent aisément, aiment à se venger, et en manquent rarement l'occasion. [...] Les femmes de la montagne apprêtent les lins, les chanvres, tissent les toiles et les blanchissent. Les hommes que les travaux de la campagne laissent sans occupation une grande partie de l'année, partagent les travaux des femmes. – La fidélité règne dans les mariages : une fille qui s'est laissé séduire reste déshonorée, et son séducteur couvert de mépris, si celui-ci ne répare pas sa faute. – On remarque que les montagnards des Vosges sont très intelligents, et ont de l'aptitude pour les arts et pour les sciences. Ils imitent facilement et sont capables d'invention. Les instruments dont ils se servent, d'une grande simplicité, et proportionnés au genre de travail auquel ils les destinent, sont presque toujours inventés par eux [1].

Balzac puise dans ce creuset régionaliste les notations pittoresques qui composent son personnage. Les périphrases « la Lorraine » ou « la Vosgienne » expliquent ainsi sa rudesse mais aussi sa ténacité dans la lutte. Le lien irréfragable du personnage à sa terre natale éclaire surtout l'entêtement de ses représailles, comme le suggèrent les constats d'Abel Hugo sur le caractère supposé vengeur des Vosgiens.

---

1. Abel Hugo, *La France pittoresque ou Description pittoresque, topographique et statistique des départements et colonies de la France*, Paris, Delloye, 1835, vol. 3, p. 241.

L'anthropologie balzacienne ne se limite toutefois pas à une seule aire géographique, et le roman étend le spectre cartographique à d'autres espaces fortement connotés. Ainsi, le caractère de Lisbeth migre volontiers vers la Corse. Ses déportements jaloux sont assimilés à une *vendetta*, manifestation la plus représentative du tempérament insulaire. Cette filiation est précisément invoquée quand se produit la découverte par Lisbeth du stratagème d'Hortense pour séduire Wenceslas :

> En un instant, la cousine Bette était redevenue elle-même. En un instant, ce caractère de Corse et de Sauvage, ayant brisé les faibles attaches qui le courbaient, avait repris sa menaçante hauteur, comme un arbre s'échappe des mains de l'enfant qui l'a plié jusqu'à lui pour y voler des fruits verts [1].

Dans l'imaginaire romantique, la Corse est associée à une brutalité sauvage [2] que ne démentent pas les dénouements de *Colomba* ou de *Mateo Falcone* de Mérimée, ni l'univers moral de *La Vendetta*, nouvelle que Balzac publie en 1830 : « Notre *vendetta* fait partie de nous-mêmes : qui n'épouse pas ma vengeance, n'est pas de ma famille », déclare le personnage du père [3]. S'agrègent à cette caractérisation d'autres évocations, plus exotiques encore. Pour mettre en relief le caractère inouï de la cousine Bette, Balzac la compare à un « Mohican », autrement dit à une redoutable adversaire : « En un moment donc la cousine Bette devint le Mohican dont les pièges sont inévitables, dont la dissimulation est impénétrable, dont la décision rapide est fondée sur la perfection inouïe des organes [4]. » Une telle caractérisation n'est pas tout uniment dépréciative, car elle signale la ruse, nourrie de

---

1. *La Cousine Bette*, p. 192.
2. Voir l'ouvrage de référence de Pierrette Jeoffroy-Faggianelli, *L'Image de la Corse dans la littérature romantique française. Le mythe corse*, PUF, 1978.
3. Balzac, *La Vendetta*, *Nouvelles et contes*, dans *La Comédie humaine*, t. I, *op. cit.*, p. 1079.
4. *La Cousine Bette*, p. 193.

l'impossible maîtrise des passions, et l'emprise de
l'instinct sur la raison. L'analogie n'est pas neuve chez
Balzac, grand admirateur de Fenimore Cooper et de son
célèbre roman, *Le Dernier des Mohicans*, paru en 1826 :
selon le mot de Vautrin dans *Le Père Goriot*, Paris est
« une forêt du Nouveau Monde où s'agitent vingt
espèces de peuplades sauvages [1] ». La cousine ne manque
finalement pas de charisme, sans doute parce que Balzac
lui confère une férocité qui fait sa force et son
exception [2].

Le dénominateur commun de toutes ces origines
mêlées en Lisbeth porte un nom : la sauvagerie. Le sauvage est potentiellement dangereux dans le monde civilisé, parce qu'il obéit à ses pulsions et à ses passions. La
cousine Bette incarne la sauvagerie moderne : rétive aux
lois des hommes, elle n'obéit qu'aux siennes. Son personnage permet ainsi à Balzac de gloser sur le sauvage, objet
de fascination en ce qu'il constitue une exception monstrueuse et un choc dans la civilisation :

> Le Sauvage n'a que des sentiments, l'homme civilisé a des
> sentiments et des idées. Aussi, chez les Sauvages, le cerveau
> reçoit-il pour ainsi dire peu d'empreintes, il appartient alors
> tout entier au sentiment qui l'envahit, tandis que chez
> l'homme civilisé, les idées descendent sur le cœur qu'elles
> transforment ; celui-ci est à mille intérêts, à plusieurs senti-
> ments, tandis que le Sauvage n'admet qu'une idée à la fois.
> C'est la cause de la supériorité momentanée de l'enfant sur
> les parents et qui cesse avec le désir satisfait ; tandis que, chez
> l'homme voisin de la Nature, cette cause est continue. La
> cousine Bette, la sauvage Lorraine, quelque peu traîtresse,
> appartenait à cette catégorie de caractères plus communs

---

1. *Le Père Goriot*, dans *La Comédie humaine*, t. III, *Études de mœurs*,
éd. Pierre-Georges Castex, Gallimard, « Bibliothèque de la Pléiade »,
1976, p. 143.
2. Sur le « Sauvage » chez Balzac, voir en particulier Anne-Marie
Baron, *Balzac ou les Hiéroglyphes de l'imaginaire*, Honoré Champion,
2002, p. 22-23.

chez le peuple qu'on ne pense, et qui peut en expliquer la conduite pendant les révolutions[1].

Si l'éthologie balzacienne fait de la singularité de Bette un cas tératologique, c'est que la passion aliénée aux instincts trahit aussi l'animal dans la femme, autrement dit une sorte de monstruosité de la nature. La Bette est d'abord une « Chèvre », pour avoir refusé obstinément tous les partis qu'on lui présentait ; puis elle est comparée à une « mule », dont elle a « l'entêtement » ; aux yeux de Valérie, elle est même une « tigresse » ; après s'être assuré une sécurité matérielle, Lisbeth se désigne enfin elle-même comme une « lionne »[2]. Cette évolution des animaux de la ferme aux grands félins ne signifie pas un quelconque ennoblissement du personnage, mais une dérive vers la cruauté. La métamorphose animale aboutit à une forme de vie encore plus inquiétante, arachnéenne : « Lisbeth, de même qu'une araignée au centre de sa toile, observait toutes les physionomies », précise le narrateur[3]. L'araignée, dernière incarnation de cette mégère inapprivoisée, présente d'évidentes connotations diaboliques – Balzac s'est-il ici souvenu que l'araignée était une figure de l'*ananké* (la fatalité) chez Hugo ? Ce carnaval des animaux dévoile la nature hybride de Lisbeth mais explique aussi son énergie, la puissance de ses passions et, dans une certaine mesure, son matérialisme. N'a-t-elle pas observé « la vengeance partout dans la nature, les insectes périss[a]nt pour satisfaire le besoin de se venger quand on les attaque[4] » ? Le portrait de Lisbeth répond au système que Balzac présente dans l'Avant-propos de *La Comédie humaine* : « la comparaison entre l'Humanité et l'Animalité[5] » fait naître des prodiges – ce personnage est l'un d'eux.

1. *La Cousine Bette*, p. 100.
2. *Ibid.*, respectivement p. 99, p. 305 et p. 250.
3. *Ibid.*, p. 265.
4. *Ibid.*, p. 551.
5. Avant-propos de *La Comédie humaine*, *op. cit.*, p. 7.

Dans le système balzacien, animalité et sauvagerie ne sont pas uniquement abominables. Poussée à l'extrême chez la cousine Bette, la sauvagerie procède d'une énergie supérieure, à l'image de l'instinct protecteur qu'elle déploie pour sauver Wenceslas et le ramener à la vie, à l'image de la force qu'elle puise pour voir une dernière fois sa Valérie. En ce sens, il n'est en rien surprenant que cette « fille bizarre » s'énamoure de Steinbock, dont le nom signifie littéralement « capricorne » en allemand, ou « chamois », comme le traduit approximativement Balzac. Dans la jungle des passions, seul un autre sauvage pourra dompter la Bette : ce sera Montès de Montéjanos, « le Brésilien métamorphosé en tigre [1] ».

« QUELLE IMAGINATION ONT LES VIEILLES FILLES ! »

Sur le plan social, Lisbeth Fischer est une vieille fille, une femme de quarante-trois ans qui a sciemment refusé de se marier. Ce type de personnage occupe une place de choix dans *La Comédie humaine* et Bette a ses devancières, au premier rang desquelles Rose Cormon, héroïne de *La Vieille Fille* (1836). Face à Mlle Thuillier, Mlle Rogron, Pauline de Villenoix et bien d'autres [2], Lisbeth Fischer est d'une tout autre trempe, même si elle présente certains invariants propres à ce caractère romanesque. Le lecteur de 1846 n'est donc pas étonné de voir s'incarner la cousine Bette dans ce type qui, avec la grisette et l'étudiant pauvre, fait partie du personnel du feuilleton urbain ou des physiologies. Ce choix a toutefois des incidences sur l'intrigue et sur les rapports complexes que Balzac établit entre son personnage et le monde. La vieille fille est une mal aimée, enlaidie avec l'âge, desséchée par des passions altérées, déçues ou mortes. Pis

---

1. *La Cousine Bette*, p. 535.
2. Voir p. 91, n. 2.

encore, elle rêve de positions sociales qui lui échappent, faute d'un mariage avantageux. Contrairement à Mlle Cormon, Bette est économiquement fragile. Sans protection, elle doit travailler et n'améliore l'ordinaire qu'en trouvant appui dans une famille bienveillante ; à force de volonté, elle a quelque peu progressé dans l'échelle sociale, accédant au statut d'ouvrière experte en passementerie, autrement dit de « contremaître ». Son statut de vieille fille lui confère une certaine autorité auprès des grisettes qu'elle supervise, étant devenue « la plus habile ouvrière de la maison Pons où elle dirigeait la fabrication [1] ». Face aux Hulot et à la société des années 1840, elle cumule cependant un double handicap : elle est une parente sans fortune et une femme sans mari.

L'opacité de la vie sexuelle des vieilles filles produirait des comportements bizarres. Ce sont en effet les mystères des draps froids des vieilles filles que le romancier s'ingénie à déchiffrer en les défroissant. Si la figure de la vieille fille intéresse Balzac, c'est qu'elle implique la solitude affective, la frustration sexuelle, les passions rentrées : « La Virginité, commente le narrateur au chapitre 28, comme toutes les monstruosités, a des richesses spéciales, des grandeurs absorbantes. La vie, dont les forces sont économisées, a pris chez l'individu vierge une qualité de résistance et de durée incalculable [2]. » Dans la pensée de Balzac, la rétention des passions charnelles influe sur l'état psychique, les mouvements de l'âme, mais aussi sur les régions mentales où siège la volonté : « Lorsque les gens chastes ont besoin de leur corps ou de leur âme, qu'ils recourent à l'action ou à la pensée, ils trouvent alors de l'acier dans leurs muscles ou de la science infuse dans leur intelligence, une force diabolique ou la magie noire de la Volonté [3]. » L'état de vieille fille, qui suppose le renoncement aux plaisirs de la chair ou une chasteté

1. *La Cousine Bette*, p. 94.
2. *Ibid.*, p. 192-193.
3. *Ibid.*, p. 193.

contrainte, offre des ressorts romanesques évidents. La passion sera d'autant plus violente qu'elle aura été long-temps contenue. À l'image de « l'éruption », employée par Balzac pour décrire le moment où Bette bascule vers la destruction, le cœur volcan de la vieille fille couve le feu sous la glace [1].

La célibataire existe par comparaison avec les femmes mariées. Lisbeth Fischer évolue dans l'ombre des belles qui l'environnent, au premier rang desquelles Adeline Hulot, comparée à la Récamier dans sa jeunesse. Lisbeth n'a pas sa beauté naturelle et c'est là que s'ouvre, comme une plaie, la ligne de faille originelle ; c'est là que se niche le *trauma* qui motive ses actes. La conscience d'être laide est une lucidité amère. Moins aimée car moins jolie que sa cousine, Bette entretient envers elle une détestation fondée sur un constat pragmatique : la naissance distri-bue la beauté selon une loi naturelle qui n'est pas juste. Son désir de vengeance s'enracine ainsi dans un senti-ment de jalousie primitif, né pendant l'enfance et qui se manifeste à l'âge adulte par des pulsions agressives : « Cette fille qui, bien observée, eût présenté le côté féroce de la classe paysanne, était toujours l'enfant qui voulait arracher le nez de sa cousine, et qui peut-être, si elle n'était devenue raisonnable, l'aurait tuée en un paroxysme de jalousie [2]. »

Cette violence dirigée contre Adeline s'insurge aussi contre la Vie, qui ne l'a pas épargnée. De ces sentiments saumâtres, on ne se départit qu'avec la mort. Adeline, qui ne voit pas qu'elle nourrit un serpent dans son sein, ne peut qu'attribuer les étranges fantaisies de sa cousine à son célibat : « Quelle imagination ont les vieilles

---

1. Michael Lucey a justement remarqué le rôle de la « métaphore volcanique » pour décrire les affects de la cousine Bette. Sa lecture *gender* du roman analyse également la dimension *queer* du personnage central. Voir son ouvrage *Les Ratés de la famille. Balzac et les formes sociales de la sexualité*, trad. Didier Éribon, Fayard, 2008, p. 204 *sq.*

2. *La Cousine Bette*, p. 99.

filles [1] ! » s'étonne la baronne Hulot. Si Adeline s'aveugle jusqu'à la fin en qualifiant sa parente de « pauvre Bette », Balzac donne quelques menues raisons de plaindre cette sauvage, née indigente, à qui l'on a soustrait l'unique objet de son amour comme on prive un enfant pauvre de son unique joujou.

OBSCURS JOUETS DE LA PASSION

La Cousine Bette est le roman des passions contrariées, poussées à leur paroxysme par le besoin duel de posséder et d'anéantir. La relation entre Lisbeth Fischer et Wenceslas Steinbock emblématise cet excès de sentiments qui conduit à l'*hybris*, à la démesure. Ici, la temporalité romanesque joue pleinement son rôle de catalyseur tragique. Découvert mourant en 1833, le jeune homme a été tenu secret (Lisbeth n'ayant pas révélé sa relation à son entourage) jusqu'en 1838, année où commence le récit proprement dit. Le temps de la passion excède ainsi celui de l'action, et cette durée explique la force prise par cette relation pour Lisbeth Fischer. Quand s'ouvre le récit, les années ont déjà fait leur travail de sédimentation et rendu indestructible la passion de cette nouvelle Jocaste. Or, devançant les divans des psychanalystes, Balzac montre comment cette drôle de fable amoureuse obéit au phénomène du transfert.

Comme l'a montré Nicole Mozet, le récit rétrospectif de la rencontre relève en effet du conte de fées [2] : il était une fois un beau prince polonais sauvé par une pauvre bienfaitrice providentielle… Balzac introduit le conte des amours de la cousine Bette comme une scène de genre, durant laquelle une parente âgée raconte une histoire à une petite fille émerveillée, en l'occurrence Hortense

---

1. *Ibid.*, p. 104.
2. Nicole Mozet, *Balzac au pluriel*, PUF, « Écrivains », 1990, p. 145.

Hulot. La vie rendue par un souffle, l'admiration, le sommeil, tous ces *topoï* du conte ravissent Hortense et éveillent sa curiosité de princesse. Or la belle histoire est un leurre bien ironique car les contes de fées n'existent pas dans la vraie vie. En sauvant Wenceslas de la mort, Lisbeth lui a donné le jour ; en lui rendant le souffle, elle a aussi ouvert toute grande la fenêtre de ses passions contenues : « la vieille fille s'était promis de protéger ce pauvre enfant, qu'elle avait admiré dormant [1] ». L'épisode du suicide cache en réalité une scène de cristallisation tragique. À sens unique.

La jeunesse de Wenceslas vient combler un désir impérieux d'aimer que tout interdit à Bette, son âge, son physique, sa pauvreté. Mais le besoin de dominer prend le pas sur la passion heureuse, le doux plaisir cède face à la volonté de pouvoir. Ce n'est donc pas la jalousie mais la possessivité que Balzac scrute à travers le processus mortifère de la passion, fondé sur la violence de l'une et l'assujettissement de l'autre. À mesure qu'il devient le jouet d'une emprise, Wenceslas voit la transformation de sa mère nourricière en marâtre tyrannique. Aussi l'intervention d'Hortense Hulot dans l'histoire de Wenceslas s'apparente-t-elle à une seconde Providence, qui tire le sculpteur des griffes de Lisbeth. La douleur de la dépossession soulève alors une lame de fond. Mais la passion est tenace ; malgré la trahison, ce n'est point vers Wenceslas qu'elle dirige ses foudres mais vers sa petite cousine, devenue rivale, et vers Adeline, qui aimante toutes ses haines. Sa passion de mère-dragon l'empêche de détruire celui qu'elle a aimé. Elle conservera pour lui une tendresse irrationnelle.

Une fois Wenceslas ravi par Hortense, Balzac montre comment le vide laissé par la passion doit se remplir – car les passions ne souffrent pas de vacance. C'est ici que Valérie Marneffe entre en scène, jouant d'abord le rôle de substitut, avant d'occuper toutes les pensées de

---

1. *La Cousine Bette*, p. 136.

Lisbeth. Selon Taine, « Balzac aime sa Valérie : c'est pourquoi il l'explique et la grandit. Il ne travaille pas à la rendre odieuse mais intelligible [1] ». Le soin que le romancier apporte à éclairer la relation extraordinaire entre Bette et Valérie accrédite cette thèse. Remarquable de cynisme, Valérie est le pion lucide de Bette, mais aussi la vraie reine de l'échiquier balzacien, elle qui règne sur cinq hommes en même temps : Crevel, Hulot, Montès, Steinbock et son vilain sous-chef d'époux, Marneffe. Une telle *maestria* ne manque ni de piquant ni d'audace. Obsédée par l'argent et par le confort matériel, Valérie n'est ni aveugle ni dupe face aux agissements de Lisbeth, sa bonne amie. Manipulée par elle, elle sait aussi tirer avantage de son statut et frotte sa nature de calculatrice au granit de la Bette. La rencontre de la courtisane avide et de la vieille fille vengeresse produit ainsi un monstre femelle : l'une régit la tête, l'autre agit par le corps ; l'intelligence instinctive de Bette s'incarne dans les instincts lascifs de Valérie. Cette fusion est suggérée par la nature ambiguë des liens qui les unissent :

> Elle [Lisbeth] adorait d'ailleurs Valérie, elle en avait fait sa fille, son amie, son amour ; elle trouvait en elle l'obéissance des créoles, la mollesse de la voluptueuse ; elle babillait avec elle tous les matins avec bien plus de plaisir qu'avec Wenceslas [2].

La gradation – « fille », « amie », « amour » – traduit ici la substitution de Wenceslas par Valérie. On notera que la motivation première qui suscite le rapprochement entre les deux femmes (la vengeance, l'avidité) évolue vers des raisons plus troubles (le plaisir, la jouissance du mal), dictées par la passion de Lisbeth pour Valérie. La seule réaction de Lisbeth à l'annonce de la mort imminente de Valérie trahit cet attachement démesuré. La passion donne un dernier ressort d'énergie à Bette pour aller visiter sa « chérie » sur son lit d'agonie.

---

1. *Essais de critique et d'histoire*, Paris, Hachette, 1858, p. 196.
2. *La Cousine Bette*, p. 255.

Valérie est un objet de passion pour Lisbeth parce qu'elle est douée d'un pouvoir que la vieille fille comprend mais ne possède pas : elle a la science des caresses, le don des chatteries, le sens inné des plaisirs de la chair. En mettant son corps au service des pulsions destructrices de Lisbeth, Valérie l'intègre à son propre fantasme érotique. On se chatouille, on se câline, mais c'est pour mieux jouir des destructions orchestrées[1]. La dilution des deux femmes crée dès lors un précipité opaque, qui procède moins d'un lesbianisme latent, plus ou moins conscient, que d'une rupture d'ordre moral, d'un hiatus dans la civilisation bourgeoise :

> Le contraste de la mâle et sèche nature de la Lorraine avec la jolie nature créole de Valérie servit la calomnie. Mme Marneffe avait d'ailleurs, sans le savoir, donné du poids aux commérages par le soin qu'elle prit de son amie, dans un intérêt matrimonial qui devait, comme on va le voir, rendre complète la vengeance de Lisbeth[2].

Opposées à Adeline, que Valérie appelle « la vieille », les deux complices sont bien des *diaboliques* qui s'admirent mutuellement et se contemplent dans le miroir du bonheur dans le crime. Il y a un peu du pacte faustien dans ce contrat tacite que les deux femmes nouent pour détruire. Mais si Lisbeth est un avatar de Méphisto, comme l'était Vautrin pour Eugène de Rastignac, elle est aussi un Pygmalion ténébreux. Valérie et Wenceslas prennent en effet forme sous ses doigts de manipulatrice. L'image du sculpteur est ainsi subtilement renversée, puisque c'est Bette qui sculpte le matériau ductile des personnages qu'elle réifie : Wenceslas d'abord, qui se laisse mener à la lisière ; Valérie ensuite, dont la nature créole et languide ne demande qu'à être transformée en une « Galatée d'une

---

1. Ce schéma est identique à celui que Claude Chabrol, le plus balzacien des réalisateurs français, met en place dans *La Cérémonie* (1995).
2. *La Cousine Bette*, p. 248.

nouvelle espèce [1] ». Les passions d'amour et de haine qui
animent Bette lui font adopter à la fois la posture de
Méphistophélès et de Pygmalion, pour donner forme
humaine à l'*anima* de la vengeance. Une telle attitude
impose un pacte à la vie à la mort.

LA CHUTE DE LA MAISON HULOT

Le titre du roman attire l'attention sur la modeste cousine, mais n'est-ce pas là un de ces trompe-l'œil dont
Balzac est familier ? Le lecteur ne voit pas agir la cousine
Bette à chaque page du roman. Elle motive certes l'intrigue par l'assouvissement de sa vengeance, mais une fois
animée sa machine infernale, le relais du désastre est pris
par d'autres personnages, en particulier par le baron
Hulot, « père prodigue [2] », et par Valérie Marneffe. L'une
des réussites du roman tient à ce que la cousine Bette
n'est pas sans cesse sous les feux de l'action mais agit
comme « une sorte d'extériorité souveraine », selon le
mot très juste de Françoise Gaillard [3]. Personnage principal parce qu'elle tisse le fil des destinées, cette Parque
moderne occupe un emploi de seconde zone. Elle est la
confidente, la parente à qui l'on dit de petits secrets, la
bonne amie, l'émissaire des menues informations. Son
statut intermédiaire, entre domesticité et petite-bourgeoisie,
lui permet de circuler dans toutes les sphères de la
société ; comme l'araignée à laquelle Balzac la compare,
elle se tient dans les coins, ne vient pas briller dans la
lumière, reste à la périphérie des conversations, observe

---

1. L'expression est de Musset (*Les Caprices de Marianne*, II, 1, dans
Théâtre complet, éd. Simon Jeune, Gallimard, « Bibliothèque de la
Pléiade », 1990, p. 86).
2. Voir p. 76, n. 2.
3. « La stratégie de l'araignée (notes sur le réalisme balzacien) »,
Balzac et Les Parents pauvres, éd. Françoise Van Rossum-Guyon et
Michiel Van Brederode, SEDES, 1981, p. 179.

sa famille – dès la première scène, elle est « mise de côté »
par Adeline. Une fois qu'il a posé les fondements de la
haine, révélé sa jalousie et son désir de vengeance, Balzac
laisse infuser le mal, quitte à ne pas offrir à son instigatrice la première place dans le décor romanesque. Le récit
fonctionne alors comme le jeu des capucins de cartes :
une première chute en provoque une deuxième, puis une
troisième... jusqu'à l'écroulement du château.

Avant Zola et son *Histoire naturelle et sociale d'une
famille sous le Second Empire*, Balzac décrit l'épopée
morale et politique d'une famille sous la monarchie de
Juillet. L'intrigue se déploie en effet entre 1838 et 1846
autour des Hulot, famille bourgeoise qui connaît une
lente déchéance matérielle depuis la Restauration, à
cause d'un père imprévoyant, dévoré par ses passions
sexuelles. Or pour Balzac, « ce sera l'histoire de bien des
familles[1] », comme si « le cas Hulot » n'avait rien
d'exceptionnel dans le contexte socio-économique qu'il
peint. La dissection des mœurs Hulot est donc aussi
l'autopsie d'une époque, gangrenée par la passion du
pouvoir et l'obsession de l'argent. Il n'est d'ailleurs pas
anodin que la majeure partie de l'intrigue se déroule sous
le ministère de François Guizot, héraut de la bourgeoisie
triomphante et inventeur probable de la formule « Enri-
chissez-vous ! » qui fit florès :

> Vous voulez avancer à votre tour ; vous voulez faire des
> choses que n'aient pas faites vos pères. Vous avez raison ; ne
> poursuivez donc plus, pour le moment, la conquête des
> droits politiques ; vous la tenez d'eux, c'est leur héritage. À
> présent, usez de ces droits ; fondez votre gouvernement,
> affermissez vos institutions, éclairez-vous, enrichissez-vous,
> améliorez la condition morale et matérielle de notre France :
> voilà les vraies innovations ; voilà ce qui donnera satisfaction
> à cette ardeur de mouvement, à ce besoin de progrès qui
> caractérise cette nation[2].

---

1. *Lettres à madame Hanska*, *op. cit.*, p. 232.
2. François Guizot, *Histoire parlementaire de France*, Paris, Michel-
Lévy frères, 1864, vol. 4, p. 68. Ce discours est remarquablement ana-

Le point culminant de la politique de Guizot, qu'emblématise ce discours de 1843, correspond très précisément à la chute du baron Hulot. La contemporanéité de l'écriture et de l'intrigue fait ainsi résonner l'ambition économique d'un pays et l'histoire singulière d'une famille. À travers ce récit, Balzac montre l'avers d'une réussite, l'échec des principes de Guizot appliqués aux Hulot, sans oublier les « affaires » du règne de Louis-Philippe : agiotage sur les rentes, spéculations immobilières, compromissions liées aux scandales d'Algérie. Le roman se ressent de toutes ces secousses sismiques.

C'est donc la contamination de la sphère politique par l'économie qui embourbe l'épopée d'Hector Hulot. Sur ce plan, la trajectoire de Rastignac offre un parfait contrepoint à celle du baron. En 1846, dans un récit presque contemporain de *La Cousine Bette*, *Les Comédiens sans le savoir*, Balzac fait apparaître une dernière fois le célèbre ambitieux. Eugène de Rastignac a désormais quarante-six ans et vient de réaliser ses ambitions : il est pair de France, ministre de la Justice, et possède 300 000 francs de rente. Contrairement à Hector Hulot qui brûle ses passions au présent, Rastignac a bien digéré le discours de Guizot et intégré le cours de l'Histoire ; il a su louvoyer, utiliser finement ses relations féminines, c'est-à-dire s'adapter aux conditions morales et financières de son temps. La faille de la famille Hulot, dans laquelle Lisbeth s'engouffre, n'est donc pas seulement privée ou intime, liée aux déportements d'un vieux libertin : elle est aussi collective, historique et économique.

En observant sa famille, la cousine a pu constater sa gêne matérielle, l'enlisement progressif dans les dettes, la perte du prestige qui faisait sa grandeur. Le mobilier et le décor de la maison Hulot disent à eux seuls le délabrement. Dès la première partie du roman, la magnificence semble fanée : « sur les fauteuils rongés, sur les draperies

lysé dans l'*Histoire des droites en France* dirigée par Jean-François Sirinelli (Gallimard, 1992, p. 80 *sq.*).

noircies et sur la soie balafrée[1] » s'étend l'empire du manque d'argent. L'écroulement financier est déjà visible avant même qu'une « Machiavel en jupons » n'en parachève l'accomplissement. La réussite de sa vengeance ne provient pas tout uniment de sa jalousie ou du rapt de Wenceslas ; son dessein est favorisé par un contexte socio-économique propice aux désastres. Sur ce plan, Michel Butor questionne le rattachement de *La Cousine Bette* aux *Scènes de la vie parisienne*, lors même que le roman peint les affaires privées d'une famille :

> Les perturbations que l'histoire contemporaine apporte aux relations de parenté apparaissent particulièrement bien dans les grandes capitales, et dans la capitale par excellence. C'est là que nous pouvons observer les tensions qui existent à l'intérieur d'une même famille entre les différentes classes ou sphères de la société[2].

La condition matérielle de Lisbeth Fischer doit être prise en compte pour comprendre son acharnement à détruire sa famille. Ouvrière en passementerie, elle est au-dessous de ses cousins Hulot, qui ont, sous l'Empire, connu une fortune matérielle et mondaine – Adeline n'a-t-elle pas été « distinguée » par l'Empereur ? Lisbeth, elle, est restée la cousine pauvre chez des parents riches. En laissant peu de chance aux Hulot de se relever d'une banqueroute orchestrée, elle ne fait qu'accélérer un processus de ruine déjà avancé, tout en prenant une revanche financière. Et même si elle voit se déliter l'aisance des Hulot, elle continue à vivre symboliquement dans l'idée qu'elle leur est matériellement inférieure, ce qui alimente sa haine. À défaut de pouvoir supplanter Adeline en beauté et en vertu, elle la dominera sur le terrain de la possession. En inventant le mariage de Lisbeth avec le maréchal – qui échoue quand ce dernier meurt de honte

---

1. *La Cousine Bette*, p. 98.
2. Michel Butor, *Improvisations*, dans *Œuvres complètes*, t. XI, éd. Mireille Calle-Gruber, La Différence, 2010, p. 725.

et de chagrin –, Balzac dévoile l'aspect financier des trac-
tations matrimoniales. Si le romancier insiste tant sur la
ruine pécuniaire, c'est que l'argent est *le* sésame dans la
société qu'il peint. Comme dans bien des romans dont
l'action se déroule sous la monarchie de Juillet (*Le
Député d'Arcis*, par exemple), les aléas de la spéculation
financière gangrènent les familles. La menace de la pauvreté rend ainsi obsessionnelle la question de la rente, qui
est l'un des *leitmotive* de l'univers balzacien, *a fortiori*
dans *La Cousine Bette*, où chacun tente de se mettre à
l'abri du besoin. En ce sens, la passion haineuse de la
cousine Bette est un *révélateur de société*, comme l'a très
justement noté Pierre Barbéris[1]. La vengeance individuelle ne saurait être efficace seule. En s'appuyant sur
une crise économique plus grande, l'action de la cousine
Bette prend des proportions épiques.

La Cousine Bette montre aussi comment les exhalai-
sons de la passion dissipent l'or dans les lits extraconju-
gaux. Hulot et Crevel représentent la dilapidation du
patrimoine. Ils incarnent « une société bourgeoise en
proie à une dégradation générale des valeurs (déchéance
des valeurs familiales, politiques, mise en cause même de
la création artistique) [...], un monde dans lequel le
sexuel et le politique sont en étroite corrélation, et cela
jusqu'aux microstructures économico-sociales liées aux
jeux de force intersubjectifs et personnels[2] ». Rien ne va
plus dans cette société de sexe et d'argent ; la bourgeoisie
qu'incarnent les deux Géronte en goguette se délite et les
fortunes récemment conquises se perdent dans la venelle
des lits ou sur les tapis des maîtresses. L'oisiveté, mère
de tous les vices, plonge ses racines dans les mouvements
de l'Histoire. Le bonapartiste Hulot, actif sous l'Empire,
se trouve désœuvré sous la Restauration, pour des raisons politiques : « inoccupé de 1818 à 1823, le baron
Hulot s'était mis en service actif auprès des femmes »,

1. Voir Dossier, p. 621-622.
2. *Balzac et Les Parents pauvres, op. cit.*, p. 8.

note ironiquement le narrateur[1]. Les fractures historiques se mesurent ici à l'aune des sensations électriques
que procurent les aventures érotiques, substituts d'une
action virile positivement orientée. Le terrain de la
conquête s'est déplacé et le héros de l'Empire, victime de
l'Histoire, occupe son énergie à des exploits d'entresol.

Sur ce point, le roman de Balzac exemplifie magistralement la vacuité de la débauche et des passions stériles
qu'avait décrite Musset en 1836 dans *La Confession d'un
enfant du siècle*. Dans ce roman, les déportements sexuels
étaient l'une des réponses à la crise historique majeure
survenue après les guerres napoléoniennes. Chez Balzac,
ce ne sont plus les fils de l'Empire qui sont victimes du
mal du siècle, ce sont désormais les pères prodigues,
« hommes à passions », dissipateurs et érotomanes. Face
au vide métaphysique laissé par l'Histoire, de nouveaux
dieux culminent au ciel de Juillet. Ils s'appellent désormais « Son Altesse Divine Madame la Banque[2] » ou le
« bourbier » de ces dames. Dans un univers où triomphe
un ancien boutiquier, dans un monde où Célestin Crevel
fait une leçon de morale à la chaste Adeline, quelle est
la place de l'espérance ?

PRÉCIS DE DÉCOMPOSITION

La Cousine Bette s'ingénie à désenchanter les valeurs
traditionnellement positives : l'amour, la famille, l'amitié,
le travail, la foi, l'art. La chute de la maison Hulot emblématise ainsi le motif de la décomposition qui surdétermine le roman. Tout s'écroule, le physique, le moral, les
meubles, l'argent, les héros, et même les idéaux du
romantisme romanesque que malmène Balzac. Sous sa
plume, Hulot et Crevel incarnent l'affaissement de la

---

1. *La Cousine Bette*, p. 87.
2. *Ibid.*, p. 413.

société de Juillet. Leurs corps qui s'empâtent, leurs ceintures qui ne contiennent plus le gras des ans, offrent l'image d'une société ventripotente et moribonde.

Or la ruine de la noblesse d'Empire (Hulot) et des sphères du négoce (Crevel) est en partie due à un rapport fantasmatique au passé. Hulot et Crevel sont décalés dans leur époque car ils vivent leur sexualité « à l'ancienne ». Outre leur forte dépendance érotique, ils affichent un anachronisme qui consiste à agir vers 1840 comme on vivait sous l'Empire ou sous la Régence. Le baron Hulot, pur produit de l'ère napoléonienne, n'a pas su saisir le tournant de la Restauration et encore moins celui de Juillet 1830. Son attachement viscéral à cette période glorieuse de l'Histoire, celle qui vit naître sa fortune et son titre, se fixe dans son obsession sexuelle. Sa nostalgie d'Empire devient ridicule déréliction dans le monde affairiste de Juillet, celui des ministères, de la Bourse et des rentes. Hulot, qui s'est lui-même attribué la particule d'Ervy, vit sur les débris de sa jeunesse dorée, celle de 1809. Il a trente ans de retard.

> Les grands de l'Empire ont égalé, dans leurs folies, les grands seigneurs d'autrefois. Sous la Restauration, la noblesse s'est toujours souvenue d'avoir été battue et volée ; aussi, mettant à part deux ou trois exceptions, est-elle devenue économe, sage, prévoyante, enfin bourgeoise et sans grandeur. Depuis, 1830 a consommé l'œuvre de 1793. En France, désormais, on aura de grands noms, mais plus de grandes maisons, à moins de changements politiques, difficiles à prévoir. Tout y prend le cachet de la personnalité. La fortune des plus sages est viagère. On y a détruit la Famille [1].

Contrairement à son fils, le pragmatique Victorin, le baron refuse de voir que le monde a changé. Si son frère, le maréchal Hulot, a su au contraire conserver sa grandeur, c'est par sa probité de marbre, jusqu'à l'honneur sans faille qui choisit la mort plutôt que l'infamie. C'est

---

1. *Ibid.*, p. 191.

aussi que le maréchal Hulot est un vrai militaire, qui a combattu contre les chouans dans les armées républi-caines. Or sa mort sublime et tragique met en lumière l'échec d'Hector Hulot et faisande un peu plus sa noblesse factice. La fin du frère aîné marque la perte définitive des valeurs d'honneur et de probité rattachées à une période de gloire révolue. Pourtant, l'exemple de cette mort n'interrompt pas le processus de défection ni la fuite en avant d'Hector Hulot, avili par ses passions sans retour.

Plus encore que Hulot, Crevel justifie ses turpitudes à grand renfort d'admiration pour une époque révolue, la Régence (1715-1723), qu'il étend à tout le XVIIIᵉ siècle libertin. Ce boutiquier parvenu, qui a fait sa fortune sur le nom de César Birotteau, est certes moins obsolète que Hulot par son sens des affaires et sa malice. Or c'est avec ce personnage, et non avec celui de Hulot, que s'épanouit la vraie satire de Balzac. Crevel est la cible de maintes comparaisons cocasses et d'analogies grin-çantes. Sa voix est celle du matérialiste cynique, pour qui tout est monnayable, à commencer par les femmes. Cette ontologie boutiquière lui dicte la leçon de morale qu'il inflige à Adeline venue implorer son aide :

> Vous vous abusez, cher ange, si vous croyez que c'est le roi Louis-Philippe qui règne, et il ne s'abuse pas là-dessus. Il sait comme nous tous qu'au-dessus de la Charte, il y a la sainte, la vénérée, la solide, l'aimable, la gracieuse, la belle, la noble, la jeune, la toute-puissante pièce de cent sous[1] !

La péroraison narcissique du discours complète le tableau despotique de ce bourgeois perverti : il propose à Adeline d'être sa maîtresse contre le paiement de ses dettes car, selon ses principes, tout s'achète et tout se vend. En 1846, tout se négocie avec et par l'argent, signe pathognomonique d'une décomposition morale sans retour possible, que Crevel symbolise. « Le petit père

---

1. *Ibid.*, p. 413.

Crevel, c'est bien la bourgeoisie qui a perdu son cœur »,
note Pierre Barbéris [1]. Or Crevel s'illusionne lui aussi,
malgré son pragmatisme financier et la culture de surface
qu'il affiche : il se voit en grand seigneur méchant
homme (« grand seigneur au petit pied », écrit Balzac [2]),
roué libertin auquel il se compare sans modestie. Avec
ironie, Balzac convoque un bric-à-brac libertin : le maréchal de Richelieu, *Les Liaisons dangereuses*, l'abbé
Dubois, le temps des parties fines, des petits pavillons et
des soupers coquins. Or le « tropisme Régence » de
Crevel est d'un ridicule achevé : en 1845, son parc aux
cerfs [3] est une arrière-boutique plutôt immonde. Balzac
complète ironiquement la satire en faisant mourir Crevel
comme meurent les libertins corrompus dans les romans :
dévoré par un mal qui a toute l'apparence de la petite
vérole [4].

Ce monde gangrené par l'argent, par la concupiscence
et les obsessions de vieux roquentins, a les pieds dans la
boue. « Le monde est un bourbier, tâchons de rester sur
les hauteurs », recommandait la duchesse de Langeais [5].
Dans *La Cousine Bette*, le motif de la fange symbolise
l'état de dégradation des valeurs morales de la société.
« Sauvez une famille entière de la ruine, de la honte, du
désespoir, empêchez-la de rouler dans un bourbier où la
fange se fera avec du sang ! » supplie Adeline Hulot. La
boue représente en effet les « monstruosités morales »,
comme le rappelle Chapuzot [6]. Alex Lascar l'a bien
montré, la boue balzacienne est « matière mais signe
d'une étonnante ductilité, matière mentale [7] ». Dans le

1. *Mythes balzaciens*, Armand Colin, 1972, p. 265.
2. *La Cousine Bette*, p. 202.
3. Voir p. 204, n. 1.
4. La maladie qui emporte Valérie et Crevel est probablement le
pian. Elle a cependant toute les apparences de la petite vérole.
5. *Le Père Goriot*, *op. cit.*, p. 115.
6. *La Cousine Bette*, p. 411 et 497.
7. Alex Lascar, « De la boue balzacienne », *L'Année balzacienne*,
nº 10, PUF, 2009, p. 125.

Paris de *La Cousine Bette*, il ne fait pas spécialement
crotté car la boue est essentiellement un relais métaphorique. Ce n'est pas celle qu'on trouve dans les caniveaux
mais dans les salons, derrière les paravents, dans les âmes.
Cette vase offre la double image de l'avilissement et de
l'enlisement. « Elle sera dans la boue, et moi ! je serai
comtesse de Forzheim !... », prophétise la cousine
Bette [1]. Synonyme de ruine matérielle et de délitement
social, la boue emblématise le dernier stade avant la fin.
Dans le roman, le principal symptôme de cette maladie
morale, c'est la prostitution. Les demeures des courtisanes sont désignées comme des « bourbiers », qu'il
s'agisse des appartements de Josépha ou de Valérie Marneffe. Balzac montre tous les étages de la prostitution,
des hôtels particuliers des comédiennes entretenues,
Jenny Cadine et Josépha, jusqu'aux bouges où crou-
pissent Atala Judici et consœurs. La vertueuse Adeline
Hulot découvre ainsi avec horreur la jeune Atala, « ce
chef-d'œuvre féminin dans la boue de la prostitution [2] ».
La boue, expression ultime de la dégradation, finit par
maquiller concrètement Valérie Marneffe, dont le visage
décomposé n'est plus qu'un « tas de boue ». Du côté des
lecteurs, l'embourbement moral et social semble avoir été
bien compris. Pendant qu'elle lit *La Cousine Bette* dans
Le Constitutionnel, Hortense Allart, qui correspond avec
Sainte-Beuve, conclut son analyse (très critique) du
roman en ces termes :

> Je lis, dans *Le Constitutionnel*, *Les Parents pauvres* de
> Balzac. Vous n'avez pas d'idée quelle bassesse, quel ton
> ignoble avec beaucoup de verve, d'esprit, de talent sans
> doute. Cet homme voit sans juger et sans discernement. Vous
> disiez bien qu'on salirait sa main à toucher la sienne. La fin
> sera peut-être morale, ou ce sera une satire des mœurs du

---

1. *La Cousine Bette*, p. 257.
2. *Ibid.*, p. 563.

jour ; nous naviguons dans un bourbier. C'est pis qu'Eugène
Sue philanthrope [1].

LE ROMANTISME HÉROÏQUE AU PILORI

La décomposition n'affecte pas seulement la famille, la
société et toutes les valeurs positives qui devraient les
fonder (le mariage, l'amour, le respect, etc.). Balzac
donne également un bon coup d'étrivière au romantisme, en dégradant les structures actantielles qui
cimentent son héroïsme. Faut-il ici voir une conséquence
métatextuelle du roman-feuilleton sur la poétique romanesque de Balzac ? Wenceslas et Victorin, les deux jeunes
figures masculines du roman, n'ont rien d'héroïque. Ce
ne sont pas même des roués comme l'étaient Maxime
de Trailles ou Eugène de Rastignac, et encore moins des
amoureux passionnés à la manière d'un Félix de Vandenesse. Steinbock vit sur les débris d'une famille illustre,
dont la gloire est passée dans le laminoir de l'Histoire.
Auteur d'un unique chef-d'œuvre, il se laisse couler dans
le *farniente*. Victorin est un bourgeois, un homme d'ordre
qui s'effraie des aventures – la forme même de son
prénom rapetisse *victor*, qui signifie « victorieux » en
latin. Le sentiment de ratage est particulièrement net
dans le cas de Steinbock, qui ne réussit même pas un
suicide « à la Chatterton » ou à la manière d'Escousse et

---

1. Lettre du 25 octobre 1846, dans Hortense Allart de Méritens,
Nouvelles Lettres à Sainte-Beuve (1832-1864), éd. Lorin A. Uffenbeck,
Genève, Droz, 1965, p. 49. Rappelons ici qu'en 1839, Sainte-Beuve,
dans son compte rendu d'*Un grand homme de province à Paris*, avait
utilisé la métaphore de la boue pour décrire l'univers balzacien : « Vous
voyez que j'hésite encore à me précipiter dans ce nouveau récit. Cela
me fait mal de trier ces affreux détails, de découdre lambeaux par lambeaux, ces haillons de pourpre maladroitement attachés à ces haillons
de bure. Mais, encore une fois, il le faut ; donc fermons les yeux, rete-
nons notre haleine, mettons à nos jambes les bottes imperméables des
égoutiers, et marchons tout à notre aise dans cette fange, puisque cela
vous plaît » (*Revue de Paris*, 3e série, t. VII, 1839, p. 155).

Lebras, poètes morts dans la misère en 1832. Là où Vigny montrait l'artiste oppressé et poussé à la mort par une société inique, Balzac peint un artiste indécis qui manque sa sortie, se réfugie dans le mariage avant de se lover dans la corruption d'une Valérie Marneffe. Balzac joue avec les clichés du suicide romantique, montrant son personnage incapable d'accéder au statut de héros romantique grâce à sa mort. Sur le plan artistique, Steinbock est également une figure de l'échec. Contrairement au néophyte Nicolas Poussin dans *Le Chef-d'œuvre inconnu*, Steinbock n'est pas animé par l'insatiable curiosité de l'artiste qui cherche à percer les mystères de son art. Le romancier ne lui accorde pas la « virilité » suffisante, moteur de la création, pour accéder à l'état de grâce du créateur. Le thème du génie, cher à Balzac depuis ses premiers essais, trouve dans ce personnage une résonance morose et terne. Les grands idéaux de l'artiste, les aspirations sublimes semblent définitivement usés.

Autre signe de cet enterrement de première classe du romantisme héroïque, le nom d'Atala, qui renvoie inévitablement le lecteur à la belle figure jadis inventée par Chateaubriand. En 1801, Atala était une jeune vierge salvatrice et sublime ; en 1846, Atala est une prostituée sans avenir. Chateaubriand est tombé dans le caniveau. Quant au mot « romantique », il n'est employé qu'une fois dans le récit, pour décrire non pas les sublimes passions du cœur ou les grands tourments de l'individu face à l'Histoire, mais les petites manœuvres perverses de Valérie Marneffe [1].

FAUT-IL EN RIRE ?

On se souvient que Véron, directeur du *Constitutionnel*, jugeait *La Cousine Bette* un roman « gai » et

---

1. *La Cousine Bette*, p. 175.

« charmant ». L'histoire est en effet d'autant plus terrible qu'elle est émaillée de notations cocasses ou humoristiques, et la peinture des passions est d'autant plus tragique qu'elle s'accompagne d'une galerie de ridicules. Les portraits sont mordants, souvent sans concession. Même les « purs », les cœurs nobles, n'échappent pas au vitriol de l'ironie. Les sombres manœuvres n'excluent en rien l'humour, si noir soit-il. Dans sa gangue, *La Cousine Bette* laisse entrevoir des pépites d'ironie et des joyaux de moquerie, à commencer par les choix onomastiques et lexicaux qui trahissent un ludisme évident : Crevel, Bijou, Bette, Atala sont autant de noms qui font sourire. Et si Josépha n'est pas de la « gnognote », Valérie Marneffe se présente comme une « louloutte »[1]. Toutes ces déflagrations humoristiques du langage permettent la respiration du récit.

La densité tragique de la fable est bien souvent équilibrée par les tours du narrateur, ses commentaires, la mise en place d'un système tragi-comique qui alluvionne la composition du roman. La puissante inscription du théâtre dans le récit produit ainsi des décrochages, qui fonctionnent comme des effets de distanciation ou des apartés : grâce aux notations comiques ou satiriques, le lecteur cesse d'adhérer pleinement à la fable pour (sou)rire avec le narrateur. La présence de l'art dramatique, comme système de caractérisation ou comme modèle de composition, brise alors l'illusion romanesque, *a fortiori* quand les allusions au théâtre sont drôles ou incongrues. Les figures masculines sont les principales victimes de cette caractérisation par le théâtre. Ici c'est Crevel, singeant Napoléon ou prenant des poses dignes des pires comédiens et qui jette « sur Mme Hulot un regard comme Tartuffe en jette à Elmire, quand un acteur de province croit nécessaire de marquer les intentions de ce rôle, à Poitiers ou à Coutances[2] ».

1. *Ibid.*, p. 292 et 421.
2. *Ibid.*, p. 58.

Plus loin, Crevel se prend pour Lucrèce Borgia quand il pastiche l'une des répliques du drame de Hugo pour interpeller Hulot : « Avec toi, mon cher confrère, Gubetta, mon vieux complice [1]... » Hulot n'est pas en reste, qui cabotine, joue les vieux beaux, teint ses favoris et porte une ceinture qui l'amincit. Bien qu'il ait vieilli et grossi, il tient encore son emploi de jeune premier amoureux.

Annoncé dès la dédicace par la double référence à Molière et à Diderot, le théâtre est également sollicité dans la composition de tableaux, au sens dramatique du terme. L'*incipit* et le dénouement offrent ainsi deux grandes scènes de théâtre. La rencontre entre Crevel et Adeline est littéralement scénographiée : portes et rideaux qu'on ferme, personnages côté jardin en coulisses, comparaisons et métaphores théâtrales, recours à la téichoscopie... [2]. Le roman installe une comédie qui bientôt se muera en drame. Mais d'emblée les emplois et les rôles ne fonctionnent pas ensemble : le gros Crevel est un mauvais acteur, qui ne joue pas dans la même pièce qu'Adeline Hulot, héroïne d'un drame bourgeois et bientôt victime de mélodrame. Le dénouement, lui aussi, se réfère au théâtre. Il prend d'abord toute l'apparence d'une tragédie domestique à l'issue bien morale : revenu au logis, le père de famille joue à nouveau son rôle fédérateur et réunit autour de lui la cellule familiale atomisée. La famille réconciliée peut enfin vivre en paix. Mais l'irruption d'une figure farcesque vient faire de cette tragédie domestique un mauvais vaudeville. Mme Hulot surprend son infatigable mari, qui lutine une grosse fille de cuisine normande à qui il promet la baronnie. Adeline, en parfaite héroïne de mélodrame, meurt de chagrin et le

---

1. *Ibid.*, p. 300.
2. La téichoscopie est un procédé par lequel un acteur présent sur scène rend compte de ce qui est à portée de vue (hors scène) et que le public ne voit pas.

baron-barbon convole en justes noces avec Mlle Piquetard, dont le nom peu flatteur à l'oreille semble emprunté
à une pièce de Scribe ou, plus tard, de Feydeau. Le
pathos est ici dévoré par le ridicule d'un vaudeville
sordide.

L'affleurement majeur du théâtre se manifeste dans le
recours constant aux structures du grotesque scénique et
de la caricature bouffonne. Anne Ubersfeld l'a montré,
le grotesque est une puissance de déflagration qui fait
agir ensemble le rire et la mort[1]. Dans le roman de
Balzac, cet ingrédient signale les fissures d'une société où
l'unité familiale se délite. « La surcharge caricaturale,
note Maurice Ménard, aboutit à un comique qui dit la
possibilité d'un bouleversement dans l'étrange et le tragique[2]. » Lue sous l'angle du baron Hulot et de Crevel,
la fable est aussi une farce tragique révélée par le grotesque. Les deux « pères Ubu », Crevel et Hulot, qui
citent Molière, Racine et Victor Hugo et malmènent les
bienséances comme les convenances par leurs déportements, sont deux forces grotesques qui vont. Ils défient
la société. Les nombreuses références au « bas corporel »
rattachent également leurs pérégrinations à une farce terrible. Le rire ou le sourire que procure la peinture de
leurs turpitudes procède d'un comique théâtralisé. Leur
nature grotesque participe du processus de désacralisa-
tion des valeurs fondatrices de la société : le mariage, la
famille et, au-delà de ces données sociales et culturelles,
les sphères du Bien et de la Vertu. Ce n'est point ici un
rire rabelaisien qui est convoqué, mais plutôt ce que les
contemporains de Balzac appelaient déjà « le rire noir »
de Molière, modèle indiscutable de la satire comique.

---

1. Voir en particulier la définition qu'elle donne du grotesque dans
son essai, *Le Roi et le Bouffon. Études sur le théâtre de Hugo de 1830
à 1839*, José Corti, 2001.

2. Maurice Ménard, *Balzac et le comique dans La Comédie humaine*,
PUF, 1983, p. 94.

Plus noirs encore sont les rapprochements opérés par Balzac entre les personnages de son roman et Shakespeare. L'auteur de *Hamlet* est convoqué pour caractériser le baron Montès, qui a toute l'apparence d'un Othello, avec son « air sombre » et sa « puissance musculaire ». Lisbeth Fischer, quant à elle, est à la fois le traître « Iago » et l'infâme « Richard III » [1], personnages mauvais et physiquement inquiétants. Balzac joue ici sur l'identité sexuelle de la cousine, qu'il virilise et dégrade en l'associant au grotesque shakespearien. Mais il rappelle aussi son crime en l'assimilant à « une nonne sanglante », personnage de religieuse sanguinaire inspirée du *Moine* de Lewis, et qui fit frémir tout Paris en février 1835 dans le mélodrame *La Nonne sanglante* [2]. Le grotesque corrode ici les soubassements du système moral de la société louis-philipparde.

La métaphore et la comparaison théâtrales, omniprésentes dans le roman, saturent la caractérisation. Comme l'a montré Elisheva Rosen, Balzac recourt aux registres mélodramatiques et grotesques pour mettre en place le sens tragi-comique du roman [3]. Mais pas seulement. De manière plus large, c'est tout l'univers du théâtre qui est convoqué à des fins critiques, pour décrire les agissements des personnages et révéler le *theatrum mundi* de leurs manœuvres : acteurs, pièces, lexique théâtral, citations de répliques, la référence dramatique cimente la diégèse. Rappelons également que c'est une mésaventure de coulisses qui motive la première vengeance : Crevel veut punir Hulot pour lui avoir soufflé Jenny Cadine et la belle Josépha. La caractérisation d'Adeline Hulot procède, elle aussi, du hiératisme de la tragédie et des excès

---

1. *La Cousine Bette*, p. 269 et 192.
2. Voir Patrick Berthier, « Un (mélo)drame romantique exemplaire : *La Nonne sanglante* (1835) », *Mélodrames et romans noirs. 1750-1890*, dir. Simone Bernard-Griffiths et Jean Sgard, Toulouse, Presses universitaires du Mirail, 2000, p. 365-379.
3. « Le pathétique et le grotesque dans *La Cousine Bette* », *Balzac et Les Parents pauvres, op. cit.*, p. 121-133.

du mélodrame larmoyant. Conforme aux genres dramatiques qu'elle incarne, le personnage est d'abord noble et sublime avant de s'effarer, de supplier et de tomber dans les pleurs : non sans ironie, Balzac lui fait même verser une invraisemblable larme *post mortem*. La caractérisation est ici poussée à l'extrême.

Faut-il rire de Hulot ou de Crevel, sourire de l'improbable mariage du baron avec Agathe Piquetard, pleurer avec Adeline Hulot ? Allusions, commentaires, citations ne sont pas seulement des clins d'œil amusés. Ainsi la référence à Gubetta au chapitre 52, personnage qui incarne sans doute le mieux le grotesque dans *Lucrèce Borgia*, livre peut-être la morale de l'histoire : « C'est qu'une bonne action est bien plus difficile à faire qu'une mauvaise [1]. »

ALL IS TRUE

En saisissant bien le sens de cette composition, on reconnaîtra que j'accorde aux faits constants, quotidiens, secrets ou patents, aux actes de la vie individuelle, à leurs causes et à leurs principes autant d'importance que jusqu'alors les historiens en ont attaché aux événements de la vie publique des nations [2].

La Cousine Bette obéit aux principes d'attention aiguë au réel formulés par Balzac en 1842 dans l'Avant-propos de *La Comédie humaine*. La vengeance de Bette s'est accomplie, mais en partie seulement. Le maréchal et son oncle Fischer, victimes indirectes de sa machination, y ont laissé leur vie. Et, en mourant, Hulot l'aîné prive la cousine Bette d'un mariage avantageux. Les « méchants », au premier rang desquels Valérie, sont

1. Victor Hugo, *Lucrèce Borgia*, I, 1re partie, 3, dans *Théâtre*, t. I, éd. Anne Ubersfeld, Robert Laffont, « Bouquins », 1985, p. 983.
2. Avant-propos de *La Comédie humaine*, *op. cit.*, p. 17.

punis, frappés d'un mal ignoble. Mais ces morts ne procèdent pas d'une justice distributive qui frapperait les mauvaises âmes et récompenserait les bonnes. La cousine Bette ne sera pas dénoncée. Sa mort sera même pleurée. Là où Molière déjoue publiquement les agissements de son Tartuffe, Balzac fait disparaître son personnage « bêtement » d'une tuberculose, comme on en mourait au XIXe siècle. Point de vengeance du Ciel contre cette méchante femme, qui ne croit pas en Dieu mais qui fut un peu le diable. À tout prendre, le lecteur pourrait considérer que le roman se termine bien, puisque les enfants Hulot et Crevel retrouvent la fortune et la paix. Mais que de ravages pour recouvrer ce semblant d'équilibre ! Et surtout, quel avenir familial ? Les enfants Hulot, après avoir eu pour mère une femme exemplaire, devront composer avec une nouvelle belle-mère, grosse fille de cuisine normande, « sténographie de la laideur dans son détail le plus sordide », commente Arlette Michel[1]. Le vernis de la réconciliation s'écaille sous les dernières turpitudes d'un vieillard inépuisable. Tels sont les recoins des familles bourgeoises et l'ironie des soupentes.

Ce déclassement final parachève la cruauté du récit. Dix ans avant *Madame Bovary*, Balzac arase définitivement la surface grenue des mœurs bourgeoises. *La Cousine Bette* n'a-t-elle pas été une thérapie de choc pour Flaubert ? C'est ce que nous suggère Maxime Du Camp :

> Du moment que tu as une invincible tendance au lyrisme, il faut choisir un sujet où le lyrisme serait si ridicule que tu seras forcé de te surveiller et d'y renoncer. Prends un sujet terre à terre, un de ces incidents dont la vie bourgeoise est pleine, quelque chose comme *La Cousine Bette* ou *Le Cousin Pons* de Balzac... [2].

La Cousine Bette reflète tout l'art de Balzac : des passions profondes et contradictoires arrimées à une époque

---

1. *Le Réel et la beauté dans le roman balzacien*, Honoré Champion, 2001, p. 176.
2. Maxime Du Camp, *Souvenirs littéraires*, Éditions Complexe, « Le regard littéraire », 2002, p. 91.

dominée par la matière. À cet égard, La Cousine Bette est bien une scène de la vie parisienne, capitale des égarements du cœur et de la bourse. Mais le roman est aussi un drame de la vie privée, un tableau de la vie politique, une étude de mœurs, et surtout une peinture de la vie moderne[1]. Tout Balzac en somme, et le meilleur de Balzac.

Sylvain LEDDA

1. Voir la belle synthèse que Nathalie Preiss consacre à la modernité de Balzac : « Politique et poétique des temps modernes », dans Honoré de Balzac, PUF, 2009, p. 75 sq.

NOTE SUR L'ÉDITION

La Cousine Bette paraît dans *Le Constitutionnel* entre le 8 octobre et le 3 décembre 1846, en quarante et un feuilletons composés de trente-deux chapitres. En 1846, Balzac s'est engagé à publier le roman chez l'éditeur Chlendowski, non sans avoir corrigé la première version. L'édition dite Chlendowski de *La Cousine Bette*, parue en 1847, est à l'usage des cabinets de lecture. Pour faciliter l'accès au texte et conformément aux éditions destinées aux cabinets de lecture, Balzac divise son roman en cent trente-deux chapitres, élargissant ainsi considérablement le principe adopté pour la version préoriginale du *Constitutionnel*. Balzac amende à nouveau son texte pour sa parution dans *Le Musée littéraire* du *Siècle*, du 7 septembre au 1er novembre 1847. Pour cette édition, il supprime les chapitres et fournit un sous-titre à chaque épisode des *Parents pauvres* : *La Cousine Bette* est sous-titrée *Le Père prodigue*, attirant l'attention du lecteur sur Lisbeth Fischer et sur le baron Hulot. Cette édition est proche de celle qui forme le tome XVII, volume complémentaire de *La Comédie humaine*, publié en 1848 chez Furne et Cie.

Pour cette nouvelle édition de *La Cousine Bette*, nous reproduisons l'édition Furne. Toutefois, nous avons réintroduit les cent trente-deux titres de chapitres de l'édition Chlendowski. Plusieurs raisons motivent ce choix. Outre l'aspect pratique qu'offre le repérage des titres dans un roman assez dense, ces derniers permettent de ressaisir la manière dont les lecteurs ont pu découvrir l'œuvre. On appréciera surtout l'inventivité de Balzac : tantôt sérieux, parfois énigmatiques, souvent ironiques, voire comiques, les titres sont un précieux indice des intentions sous-jacentes du romancier. Pour cette édition, l'orthographe a été modernisée et parfois corrigée. Les italiques voulus par Balzac ont été conservés. Les passages retranchés qui figuraient dans *Le Constitutionnel* sont indiqués en notes, et les notes de l'édition du *Constitutionnel*, ainsi que les deux principales variantes de l'édition Chlendowski, sont reproduites en annexes. Certaines notes ont été reprises de l'édition d'André Lorant (GF-Flammarion, 1977), tout comme la chronologie et la bibliographie, ici corrigées et mises à jour.

La Cousine Bette

À don Michele Angelo Cajetani, prince de Teano [1]

Ce n'est ni au prince romain, ni à l'héritier de l'illustre maison de Cajetani qui a fourni des papes à la Chrétienté, c'est au savant commentateur de Dante que je dédie ce petit fragment d'une longue histoire [2].

Vous m'avez fait apercevoir la merveilleuse charpente d'idées sur laquelle le plus grand poète italien a construit son poème, le seul que les modernes puissent opposer à celui d'Homère. Jusqu'à ce que je vous eusse entendu, LA DIVINE COMÉDIE me semblait une immense énigme, dont le mot n'avait été trouvé par personne, et moins par les commentateurs que par qui que ce soit. Comprendre ainsi

---

1. Cette dédicace vaut pour *La Cousine Bette* et *Le Cousin Pons*, conçus comme les deux volets du diptyque intitulé *Les Parents pauvres*. Le 15 juin 1846, Balzac écrivait à Mme Hanska : « Voici ce que je vais écrire [...] l'*Histoire des parents pauvres*, *Le Bonhomme Pons* [...] puis *La Cousine Bette* » ; et, le lendemain : « *Le Vieux Musicien* [titre envisagé pour *Le Cousin Pons*] est *le parent pauvre*, accablé d'injures, plein de cœur, *La Cousine Bette* est *la parente pauvre*, accablée d'injures, vivant dans l'intérieur de 3 ou 4 familles et prenant vengeance de toutes ses douleurs. »

2. Michelangelo Caetani, prince de Teano, duc de Sermoneta (1804-1882) avait épousé en 1840 Caliste Rzewuska, fille de la comtesse Rosalie Rzewuska, opposée au mariage de sa nièce, Mme Hanska, avec Balzac. Caliste, qui était morte au moment où Balzac écrivit *La Cousine Bette*, avait été au courant de sa correspondance avec Mme Hanska. Ils avaient beaucoup fréquenté Caetani lors de leur voyage à Rome au printemps de 1846 : cet aristocrate très lettré avait, au cours de leurs conversations, fait profiter Balzac de sa connaissance approfondie de Dante et de sa *Divine Comédie*.

Dante, c'est être grand comme lui ; mais toutes les gran-deurs vous sont familières.

Un savant français se ferait une réputation, gagnerait une chaire et beaucoup de croix, à publier, en un volume dogmatique, l'improvisation par laquelle vous avez charmé l'une de ces soirées où l'on se repose d'avoir vu Rome. Vous ne savez peut-être pas que la plupart de nos professeurs vivent sur l'Allemagne, sur l'Angleterre, sur l'Orient ou sur le Nord, comme des insectes sur un arbre ; et, comme l'insecte, ils en deviennent partie intégrante, empruntant leur valeur de celle du sujet. Or, l'Italie n'a pas encore été exploitée à chaire ouverte. On ne me tiendra jamais compte de ma discrétion littéraire. J'aurais pu, vous dépouillant, devenir un homme docte de la force de trois Schlegel[1] ; tandis que je vais rester simple docteur en médecine sociale, le vétérinaire des maux incurables, ne fût-ce que pour offrir un témoignage de reconnaissance à mon cice-rone[2], et joindre votre illustre nom à ceux des Porcia, des San Severino, des Pareto, des di Negro, des Belgiojoso[3], qui représenteront dans LA COMÉDIE HUMAINE cette alliance intime et continue de l'Italie et de la France que déjà le Bandello, cet évêque, auteur de contes très drola-tiques, consacrait de la même manière, au XVIᵉ siècle, dans ce magnifique recueil de nouvelles d'où sont issues plusieurs pièces de Shakespeare, quelquefois même des rôles entiers, et textuellement.

Les deux esquisses que je vous dédie constituent les deux éternelles faces d'un même fait. Homo duplex, *a dit notre*

---

1. Allusion à Johann Adolf Schlegel (1721-1793), poète et pasteur allemand, et à ses deux fils, August Wilhelm (1767-1845) et Friedrich (1772-1829), qui fondèrent la revue *Athenäeum* (1798-1800) et le cercle romantique d'Iéna.
2. Guide qui explique aux touristes les curiosités d'une ville, d'un musée, d'un monument.
3. Membres de l'aristocratie italienne auxquels Balzac avait dédié respectivement *Splendeurs et misères des courtisanes*, *Les Employés*, *Le Message*, *Étude de femme* et *Gaudissart II*.

grand Buffon, pourquoi ne pas ajouter : Res duplex [1] *?
Tout est double, même la vertu. Aussi Molière présente-t-il
toujours les deux côtés de tout problème humain ; à son
imitation, Diderot écrivit un jour :* CECI N'EST PAS UN
CONTE, *le chef-d'œuvre de Diderot peut-être, où il offre la
sublime figure de Mlle de Lachaux immolée par Gardanne* [2]*, en regard de celle d'un parfait amant tué par sa
maîtresse. Mes deux nouvelles sont donc mises en pendant,*

---

1. « L'homme est double » et « Toute chose est double ». Sur le principe de duplication généralisée qui gouverne *La Cousine Bette*, voir
l'introduction d'Anne-Marie Meininger à son édition du roman (Gallimard, « Bibliothèque de la Pléiade », 1977, p. 8-13 ; désormais désignée
par l'abréviation « Pléiade »). Balzac, qui a découvert l'œuvre de
Buffon dans sa jeunesse, a toujours admiré cet auteur, qui constitue
une source d'inspiration majeure pour *La Comédie humaine* où il est
cité à de nombreuses reprises. Par l'expression *homo duplex*, Buffon
veut dire que l'homme est formé de deux principes différents, l'âme,
principe spirituel, et le corps, principe animal et matériel. Balzac, également imprégné de la lecture d'auteurs mystiques, en conclut que par
un côté, l'homme touche aux anges et par l'autre, aux bêtes, dans une
sorte de chaîne des êtres dont l'idée le fascine. Il formule cette conception notamment par l'intermédiaire de Félix de Vandenesse :
« L'homme est composé de matière et d'esprit ; l'animalité vient aboutir
en lui, et l'ange commence à lui » (*Le Lys dans la vallée*). Le tragique
est que l'homme est sans cesse menacé de retomber dans l'animalité
brutale s'il laisse ses instincts le déborder : il devient alors plus bestial
que les pires des bêtes. La métaphore animale omniprésente dans
La Comédie humaine souligne l'animalité des humains, le « matériau »
pulsionnel et instinctif qui les fonde en partie et menace constamment
de les submerger. « Comme la Grâce pour les jansénistes, la qualité
d'homme ne s'acquiert point, mais elle peut se perdre, et l'espèce a ses
damnés, promis à l'enfer de l'animalité » (Michèle Duchet, présentation
de Buffon, *De l'homme*, L'Harmattan, 2006, p. 11).

2. Balzac admirait ce conte, qu'il cite déjà dans *La Muse du département* (1843). Gardeil (et non Gardanne) et Mlle de La Chaux, amie de
Condillac et de d'Alembert, ont réellement existé. Dans ce conte écrit
vraisemblablement en 1772, Diderot oppose l'histoire des amours du
bon Tanié et de la cruelle et rapace Mme Reymer à celle de la délicate
et passionnée Mlle de La Chaux et de l'ingrat et cynique Gardeil. Les
symptômes des crises de nerfs de Mlle de La Chaux (tremblements,
frissons de fièvre, renversement de la tête sur le dos du fauteuil, etc.)
font penser à ceux qui caractérisent, dans *La Cousine Bette,* les crises
d'Adeline Hulot.

comme deux jumeaux de sexe différent. C'est une fantaisie littéraire à laquelle on peut sacrifier une fois, surtout dans un ouvrage où l'on essaie de représenter toutes les formes qui servent de vêtement à la pensée. La plupart des disputes humaines viennent de ce qu'il existe à la fois des savants et des ignorants, constitués de manière à ne jamais voir qu'un seul côté des faits ou des idées ; et chacun de prétendre que la face qu'il a vue est la seule vraie, la seule bonne. Aussi le Livre Saint a-t-il jeté cette prophétique parole : Dieu livra le monde aux discussions [1]. *J'avoue que ce seul passage de l'Écriture devrait engager le Saint-Siège à vous donner le gouvernement des deux Chambres pour obéir à cette sentence commentée, en 1814, par l'ordonnance de Louis XVIII.*

Que votre esprit, que la poésie qui est en vous protègent les deux épisodes des PARENTS PAUVRES

De votre affectionné serviteur,

De Balzac.

Paris, août-septembre 1846.

---

1. Ecclésiaste, III, 11. Balzac cite la phrase d'après la traduction de la Vulgate (traduction latine de la Bible), très éloignée du texte original.

1

Où la passion va-t-elle se nicher ?

Vers le milieu du mois de juillet de l'année 1838, une de ces voitures nouvellement mises en circulation sur les places de Paris et nommées des *milords*[1], cheminait, rue de l'Université, portant un gros homme de taille moyenne, en uniforme de capitaine de la garde nationale.

Dans le nombre de ces Parisiens accusés d'être si spirituels, il s'en trouve qui se croient infiniment mieux en uniforme que dans leurs habits ordinaires, et qui supposent chez les femmes des goûts assez dépravés pour imaginer qu'elles seront favorablement impressionnées à l'aspect d'un bonnet à poil et par le harnais militaire.

La physionomie de ce capitaine appartenant à la deuxième légion respirait un contentement de lui-même qui faisait resplendir son teint rougeaud et sa figure passablement joufflue. À cette auréole que la richesse acquise dans le commerce met au front des boutiquiers retirés, on devinait l'un des élus de Paris, au moins ancien adjoint de son arrondissement. Aussi, croyez que le ruban de la Légion d'honneur ne manquait pas sur la poitrine, crânement bombée à la prussienne. Campé fièrement dans le coin du milord, cet homme décoré laissait errer son regard sur les passants qui souvent, à Paris, recueillent ainsi d'agréables sourires adressés à des beaux yeux absents.

Le milord arrêta dans la partie de la rue comprise entre la rue Belle-Chasse et la rue de Bourgogne, à la

---

1. Cabriolet à quatre roues et à deux places dont le siège est relevé. Plus loin dans le roman, dans une scène qui sert de pendant à celle-ci, Crevel arrivera chez la baronne en « petit coupé brun à un cheval » (chap. 87). Le changement de véhicule est révélateur de la réussite sociale du parfumeur parvenu.

porte d'une grande maison nouvellement bâtie sur une portion de la cour d'un vieil hôtel à jardin. On avait respecté l'hôtel qui demeurait dans sa forme primitive au fond de la cour diminuée de moitié.

À la manière seulement dont le capitaine accepta les services du cocher pour descendre du milord, on eût reconnu le quinquagénaire. Il y a des gestes dont la franche lourdeur a toute l'indiscrétion d'un acte de naissance. Le capitaine remit son gant jaune [1] à sa main droite, et, sans rien demander au concierge, se dirigea vers le perron du rez-de-chaussée de l'hôtel d'un air qui disait : « Elle est à moi ! » Les portiers de Paris ont le coup d'œil savant, ils n'arrêtent point les gens décorés, vêtus de bleu, à démarche pesante ; enfin ils connaissent les riches.

Ce rez-de-chaussée était occupé tout entier par M. le baron Hulot d'Ervy, commissaire ordonnateur sous la République, ancien intendant général d'armée, et alors directeur d'une des plus importantes administrations du ministère de la Guerre, conseiller d'État, grand officier de la Légion d'honneur, etc.

Ce baron Hulot s'était nommé lui-même d'Ervy, lieu de sa naissance, pour se distinguer de son frère, le célèbre général Hulot, colonel des grenadiers de la Garde impériale, que l'Empereur avait créé comte de Forzheim [2], après la campagne de 1809. Le frère aîné, le comte, chargé de prendre soin de son frère cadet, l'avait, par prudence paternelle, placé dans l'administration militaire où, grâce à leurs doubles services, le baron obtint et mérita la faveur de Napoléon. Dès 1807, le baron Hulot était intendant général des armées en Espagne.

---

1. Le gant jaune est l'un des attributs du dandy. Célestin Crevel, ancien parfumeur enrichi (voir *infra*, p. 62, n. 1), est le type du parvenu dont l'avènement signe le triomphe définitif de la bourgeoisie sur l'aristocratie et les anciens « lions » de la Restauration et des débuts de la monarchie de Juillet.

2. Voir chapitre 41, p. 257, et, en annexe, la note de Balzac dans le feuilleton du *Constitutionnel*.

Après avoir sonné, le capitaine bourgeois fit de grands efforts pour remettre en place son habit, qui s'était autant retroussé par-derrière que par-devant, poussé par l'action d'un ventre piriforme. Admis aussitôt qu'un domestique en livrée l'eut aperçu, cet homme important et imposant suivit le domestique, qui dit en ouvrant la porte du salon : « Monsieur Crevel ! »

En entendant ce nom, admirablement approprié à la tournure de celui qui le portait, une grande femme blonde, très bien conservée, parut avoir reçu comme une commotion électrique et se leva.

– Hortense, mon ange, va dans le jardin avec ta cousine Bette, dit-elle vivement à sa fille qui brodait à quelques pas d'elle.

Après avoir gracieusement salué le capitaine, Mlle Hortense Hulot sortit par une porte-fenêtre, en emmenant avec elle une vieille fille sèche qui paraissait plus âgée que la baronne, quoiqu'elle eût cinq ans de moins.

– Il s'agit de ton mariage, dit la cousine Bette à l'oreille de sa petite cousine Hortense sans paraître offensée de la façon dont la baronne s'y prenait pour les renvoyer, en la comptant pour presque rien.

La mise de cette cousine eût au besoin expliqué ce sans-gêne.

Cette vieille fille portait une robe de mérinos [1], couleur raisin de Corinthe, dont la coupe et les lisérés dataient de la Restauration, une collerette brodée qui pouvait valoir trois francs, un chapeau de paille cousue à coques de satin bleu bordées de paille comme on en voit aux revendeuses de la Halle. À l'aspect de souliers en peau de chèvre dont la façon annonçait un cordonnier du dernier ordre, un étranger aurait hésité à saluer la cousine Bette comme une parente de la maison, car elle ressemblait tout à fait à une couturière en journée. Néanmoins la

---

1. *Mérinos* : tissu fait avec la laine du mouton mérinos, mouton de race espagnole donnant une laine très fine.

vieille fille ne sortit pas sans faire un petit salut affec-
tueux à M. Crevel, auquel ce personnage répondit par
un signe d'intelligence.

— Vous viendrez demain, n'est-ce pas, mademoiselle Fischer ? dit-il.

— Vous n'avez pas de monde ? demanda la cousine
Bette.

— Mes enfants et vous, voilà tout, répliqua le visiteur.

— Bien, répondit-elle, comptez alors sur moi.

— Me voici, madame, à vos ordres, dit le capitaine de
la milice bourgeoise en saluant de nouveau la baronne
Hulot.

Et il jeta sur Mme Hulot un regard comme Tartuffe
en jette à Elmire, quand un acteur de province croit
nécessaire de marquer les intentions de ce rôle, à Poitiers
ou à Coutances.

— Si vous voulez me suivre par ici, monsieur, nous
serons beaucoup mieux que dans ce salon pour causer
d'affaires, dit Mme Hulot en désignant une pièce voisine
qui, dans l'ordonnance de l'appartement, formait un
salon de jeu.

Cette pièce n'était séparée que par une légère cloison du
boudoir dont la croisée donnait sur le jardin, et
Mme Hulot laissa M. Crevel seul pendant un moment, car
elle jugea nécessaire de fermer la croisée et la porte du boudoir, afin que personne ne pût y venir écouter. Elle eut
même la précaution de fermer également la porte-fenêtre
du grand salon, en souriant à sa fille et à sa cousine qu'elle
vit établies dans un vieux kiosque [1] au fond du jardin. Elle
revint en laissant ouverte la porte du salon de jeu, afin
d'entendre ouvrir celle du grand salon, si quelqu'un y
entrait. En allant et venant ainsi, la baronne, n'étant
observée par personne, laissait dire à sa physionomie toute

---

1. Dans le manuscrit, Balzac écrit : « espèce de kiosque ». À partir
de la version du *Constitutionnel*, il substitue « vieux kiosque » à la première formule et ajoute plus loin « kiosque en ruines » (chap. 6) pour
établir une correspondance entre le décor et la tragédie d'Adeline.

sa pensée ; et qui l'aurait vue, eût été presque épouvanté de son agitation. Mais en revenant de la porte d'entrée du grand salon au salon de jeu, sa figure se voila sous cette réserve impénétrable que toutes les femmes, même les plus franches, semblent avoir à commandement.

Pendant ces préparatifs au moins singuliers, le garde national examinait l'ameublement du salon où il se trouvait. En voyant les rideaux de soie, anciennement rouges, déteints en violet par l'action du soleil, et limés sur les plis par un long usage, un tapis d'où les couleurs avaient disparu, des meubles dédorés et dont la soie marbrée de taches était usée par bandes, des expressions de dédain, de contentement et d'espérance se succédèrent naïvement sur sa plate figure de commerçant parvenu. Il se regardait dans la glace, par-dessus une vieille pendule Empire, en se passant lui-même en revue, quand le froufrou de la robe de soie lui annonça la baronne. Et il se remit aussitôt en position.

Après s'être jetée sur un petit canapé, qui certes avait été fort beau vers 1809, la baronne indiquant à Crevel un fauteuil dont les bras étaient terminés par des têtes de sphinx bronzées dont la peinture s'en allait par écailles en laissant voir le bois par places, lui fit signe de s'asseoir.

– Ces précautions que vous prenez, madame, seraient d'un charmant augure pour un...

– Un amant, répliqua-t-elle en interrompant le garde national.

– Le mot est faible, dit-il en plaçant sa main droite sur son cœur et roulant des yeux qui font presque toujours rire une femme quand elle leur voit froidement une pareille expression, amant ! amant ! dites ensorcelé ?

2

De beau-père à belle-mère

– Écoutez, monsieur Crevel, reprit la baronne trop sérieuse pour pouvoir rire, vous avez cinquante ans, c'est dix ans de moins que M. Hulot, je le sais ; mais, à mon âge, les folies d'une femme doivent être justifiées par la beauté, par la jeunesse, par la célébrité, par le mérite, par quelques-unes des splendeurs qui nous éblouissent au point de nous faire tout oublier, même notre âge [1]. Si vous avez cinquante mille livres de rente [2], votre âge contrebalance bien votre fortune ; ainsi de tout ce qu'une femme exige, vous ne possédez rien...

— Et l'amour ? dit le garde national en se levant et s'avançant, un amour qui...

— Non, monsieur, de l'entêtement ! dit la baronne en l'interrompant pour en finir avec cette ridiculité.

— Oui, de l'entêtement et de l'amour, reprit-il, mais aussi quelque chose de mieux, des droits...

— Des droits ? s'écria Mme Hulot qui devint sublime de mépris, de défi, d'indignation. Mais, reprit-elle, sur ce ton, nous ne finirons jamais, et je ne vous ai pas demandé de venir ici pour causer de ce qui vous en a fait bannir malgré l'alliance de nos deux familles...

— Je l'ai cru...

— Encore ! reprit-elle. Ne voyez-vous pas, monsieur, à la manière leste et dégagée dont je parle d'amant,

----

1. Balzac pense probablement à lui-même et à Mme Hanska. La comtesse, née en 1801, lui a caché son âge véritable ; dans le manuscrit, il hésite sur celui de son héroïne. Il parle d'abord d'« une grande femme blonde (environ quarante ans) » ; et, dans cette réplique d'Adeline à Crevel, les ratures suggèrent l'indécision de l'auteur : « mais à mon âge, à quarante-sept huit sept ans ».

2. La monnaie est restée très stable en France de 1803 (date de la création du franc germinal) à 1914. Dans la première moitié du siècle, on parle encore couramment de *livres*, de *sous* et de *deniers*, monnaies en usage sous l'Ancien Régime. Une livre équivaut à un franc. Selon Roger Pierrot dans son édition de *La Cousine Bette*, il faut multiplier par 22,5 les francs balzaciens pour se faire une idée très approximative de la valeur en nouveaux francs (LGF, 1972 ; rééd. 2000 ; édition désormais désignée par l'abréviation « LGF »). Pour avoir une idée de la somme en euros, il faut ensuite diviser par 6,55 : cinquante mille livres représentent un million cent vingt-cinq mille nouveaux francs, soit environ cent soixante-douze mille euros... de rente.

d'amour, de tout ce qu'il y a de plus scabreux pour une femme, que je suis parfaitement sûre de rester vertueuse ? Je ne crains rien, pas même d'être soupçonnée en m'enfermant avec vous. Est-ce là la conduite d'une femme faible ? Vous savez bien pourquoi je vous ai prié de venir !...

— Non, madame, répliqua Crevel en prenant un air froid.

Il se pinça les lèvres et se remit en position.

— Eh bien ! je serai brève pour abréger notre mutuel supplice, dit la baronne Hulot en regardant Crevel.

Crevel fit un salut ironique dans lequel un homme du métier eût reconnu les grâces d'un ancien commis voyageur.

— Notre fils a épousé votre fille...

— Et si c'était à refaire !... dit Crevel.

— Ce mariage ne se ferait pas, répondit vivement la baronne, je m'en doute. Néanmoins, vous n'avez pas à vous plaindre. Mon fils est non seulement un des premiers avocats de Paris, mais encore le voici député depuis un an, et son début à la Chambre est assez éclatant pour faire supposer qu'avant peu de temps il sera ministre. Victorin a été nommé deux fois rapporteur de lois importantes, et il pourrait déjà devenir, s'il le voulait, avocat général à la Cour de cassation. Si donc vous me donnez à entendre que vous avez un gendre sans fortune...

— Un gendre que je suis obligé de soutenir, reprit Crevel, ce qui me semble pis, madame. Des cinq cent mille francs constitués en dot à ma fille, deux cents ont passé, Dieu sait à quoi !... à payer les dettes de monsieur votre fils, à meubler *mirobolamment* [1] sa maison, une maison de cinq cent mille francs qui rapporte à peine

---

1. Le mot *mirobolant*, apparu en 1836, est tout récent à l'époque où Balzac écrit *La Cousine Bette* ; le romancier l'emploie aussi dans *Le Cousin Pons*, dans les *Contes drolatiques* ainsi que dans ses lettres à Mme Hanska lorsqu'il évoque les objets découverts dans ses chasses au « bric-à-brac ».

quinze mille francs, puisqu'il en occupe la plus belle partie, et sur laquelle il redoit deux cent soixante mille francs... Le produit couvre à peine les intérêts de la dette. Cette année, je donne à ma fille une vingtaine de mille francs pour qu'elle puisse nouer les deux bouts. Et mon gendre, qui gagnait trente mille francs au Palais, disait-on, va négliger le Palais pour la Chambre...

– Ceci, monsieur Crevel, est encore un hors-d'œuvre, et nous éloigne du sujet. Mais, pour en finir là-dessus, si mon fils devient ministre, s'il vous fait nommer officier de la Légion d'honneur, et conseiller de Préfecture à Paris, pour un ancien parfumeur [1], vous n'aurez pas à vous plaindre ?...

– Ah ! nous y voici, madame. Je suis un épicier, un boutiquier, un ancien débitant de pâte d'amande, d'eau de Portugal, d'huile céphalique [2], on doit me trouver bien honoré d'avoir marié ma fille unique au fils de monsieur le baron Hulot d'Ervy, ma fille sera baronne. C'est Régence, c'est Louis XV, Œil-de-Bœuf [3] ! c'est très bien... J'aime Célestine comme on aime une fille unique, je l'aime tant que, pour ne lui donner ni frère ni sœur, j'ai accepté tous les inconvénients du veuvage à Paris (et dans la force de l'âge, madame !), mais sachez bien que, malgré cet amour insensé pour ma fille, je n'entamerai pas ma fortune pour votre fils dont les dépenses ne me paraissent pas claires, à moi, ancien négociant...

– Monsieur, vous voyez en ce moment même, au ministère du Commerce, M. Popinot, un ancien droguiste de la rue des Lombards...

---

1. Dans le roman *César Birotteau*, Crevel, d'abord commis à la *Reine des Roses* – le magasin du parfumeur Birotteau –, rachète ensuite cette boutique à son ancien patron.

2. Huile de beauté pour les cheveux inventée par César Birotteau.

3. Allusion à l'ouvrage de Georges Touchard-Lafosse (1780-1847), *Chroniques de l'Œil-de-Bœuf, des petits appartements de la cour et des salons de Paris sous Louis XIV, la Régence, Louis XV et Louis XVI* (1829-1833). Le mot venait de l'œil-de-bœuf (fenêtre ronde ou ovale) qui éclairait l'antichambre du roi à Versailles.

– Mon ami, madame !... dit le parfumeur retiré ; car moi, Célestin Crevel, ancien premier commis du père César Birotteau, j'ai acheté le fonds dudit Birotteau, beau-père de Popinot, lequel Popinot était simple commis dans cet établissement, et c'est lui qui me le rappelle, car il n'est pas fier (c'est une justice à lui rendre) avec les gens bien posés et qui possèdent soixante mille francs de rente.

– Eh bien ! monsieur, les idées que vous qualifiez par le mot Régence ne sont donc plus de mise à une époque où l'on accepte les hommes pour leur valeur personnelle ? et c'est ce que vous avez fait en mariant votre fille à mon fils...

– Vous ne savez pas comment s'est conclu ce mariage !... s'écria Crevel. Ah ! maudite vie de garçon ! Sans mes déportements, ma Célestine serait aujourd'hui la vicomtesse Popinot !

– Mais, encore une fois, ne récriminons pas sur des faits accomplis, reprit énergiquement la baronne. Parlons du sujet de plainte que me donne votre étrange conduite. Ma fille Hortense a pu se marier, le mariage dépendait entièrement de vous, j'ai cru à des sentiments généreux chez vous, j'ai pensé que vous auriez rendu justice à une femme qui n'a jamais eu dans le cœur d'autre image que celle de son mari, que vous auriez reconnu la nécessité pour elle de ne pas recevoir un homme capable de la compromettre, et que vous vous seriez empressé, par honneur pour la famille à laquelle vous vous êtes allié, de favoriser l'établissement d'Hortense avec M. le conseiller Lebas... Et vous, monsieur, vous avez fait manquer ce mariage...

– Madame, répondit l'ancien parfumeur, j'ai agi en honnête homme. On est venu me demander si les deux cent mille francs de dot attribués à Mlle Hortense seraient payés. J'ai répondu textuellement ceci : « Je ne le garantirais pas. Mon gendre, à qui la famille Hulot a constitué cette somme en dot, avait des dettes, et je crois que si M. Hulot d'Ervy mourait demain, sa veuve serait sans pain. » Voilà, belle dame.

– Auriez-vous tenu ce langage, monsieur, demanda Mme Hulot en regardant fixement Crevel, si pour vous j'eusse manqué à mes devoirs ?...

– Je n'aurais pas eu le droit de le dire, chère Adeline, s'écria ce singulier amant en coupant la parole à la baronne, car vous trouveriez la dot dans mon portefeuille...

Et joignant la preuve à la parole, le gros Crevel mit un genou en terre et baisa la main de Mme Hulot, en la voyant plongée par ces paroles dans une muette horreur qu'il prit pour de l'hésitation.

– Acheter le bonheur de ma fille au prix de... Oh ! levez-vous, monsieur, ou je sonne.

L'ancien parfumeur se releva très difficilement. Cette circonstance le rendit si furieux, qu'il se remit en position. Presque tous les hommes affectionnent une posture par laquelle ils croient faire ressortir tous les avantages dont les a doués la nature. Cette attitude, chez Crevel, consistait à se croiser les bras à la Napoléon, en mettant sa tête de trois quarts[1], et jetant son regard comme le peintre le lui faisait lancer dans son portrait[2], c'est-à-dire à l'horizon.

– Conserver, dit-il avec une fureur bien jouée, conserver sa foi à un libert...

---

1. « – Auriez-vous la prétention de singer l'empereur ? dit Mme de Vaudremont en mettant sa tête de trois quarts pour contempler le maître des requêtes d'un air ironique », écrit Balzac dans la nouvelle *La Paix du ménage* (1829). Gaudissart, à ses débuts, donne dix sous à des marmitons « par un geste digne de Napoléon son idole » (*César Birotteau*). Devenu directeur de théâtre, « il passait habituellement sa main droite dans son gilet, en tenant sa bretelle gauche, et il se mettait la tête de trois quarts en jetant son regard dans le vide » (*Le Cousin Pons*).
2. Le portrait dont il est question ici est sans doute le célèbre portrait de Gros (1771-1835), *Bonaparte au pont d'Arcole* (château de Versailles, 1796).

pierre deux coups, une bonne action et une bonne amie.
J'ai été heureux cinq ans. La petite a l'une de ces voix
qui sont la fortune d'un théâtre, et je ne peux la qualifier
autrement qu'en disant que c'est Duprez en jupon [1]. Elle
m'a coûté deux mille francs par an, uniquement pour lui
donner son talent de cantatrice. Elle m'a rendu fou de la
musique, j'ai eu pour elle et pour ma fille une loge aux
Italiens. J'y allais alternativement un jour avec Célestine,
un jour avec Josépha…

    – Comment, cette illustre cantatrice ?…

    – Oui, madame, reprit Crevel avec orgueil, cette
fameuse Josépha me doit tout… Enfin, quand la petite
eut vingt ans, en 1834, croyant l'avoir attachée à moi
pour toujours, et devenu très faible avec elle, je voulus lui
donner quelques distractions, je lui laissai voir une jolie
petite actrice, Jenny Cadine, dont la destinée avait
quelque similitude avec la sienne. Cette actrice devait
aussi tout à un protecteur qui l'avait élevée à la brochette [2]. Ce protecteur était le baron Hulot…

    – Je le sais, monsieur, dit la baronne d'une voix calme
et sans la moindre altération.

    – Ah ! bah ! s'écria Crevel de plus en plus ébahi. Bien !
Mais savez-vous que votre monstre d'homme a *protégé*
Jenny Cadine, à l'âge de treize ans ?

    – Eh bien ! monsieur, après ? dit la baronne.

    – Comme Jenny Cadine, reprit l'ancien négociant, en
avait vingt, ainsi que Josépha, lorsqu'elles se sont

---

    1. Le grand ténor Gilbert Louis Duprez (1806-1896) créa notam-
ment le rôle d'Arnold dans *Guillaume Tell* de Rossini (1829), et triompha dans l'air *Mathilde, idole de mon âme*, parodié plus loin par
Hortense Hulot. Balzac parle également de « Philippe II en jupon » à
propos de Renée de l'Estorade (*Mémoires de deux jeunes mariées*), de
ces « Carêmes en jupon » qui existent au fond des provinces (*La
Rabouilleuse*), et, à propos de Mme Marneffe, de ces « Machiavels en
jupon » (*infra*, chap. 37). Quel étrange ballet de travestis !

    2. *Brochette* : petit bâton servant à donner la becquée aux petits
oiseaux. *Élever à la brochette* : élever un enfant ou une jeune fille avec
beaucoup d'attention, de minutie et de soin.

connues, le baron jouait le rôle de Louis XV vis-à-vis de Mlle de Romans[1], dès 1826, et vous aviez alors douze ans de moins...

— Monsieur, j'ai eu des raisons pour laisser à M. Hulot sa liberté.

— Ce mensonge-là, madame, suffira sans doute à effacer tous les péchés que vous avez commis, et vous ouvrira la porte du paradis[2], répliqua Crevel d'un air fin qui fit rougir la baronne. Dites cela, femme sublime et adorée, à d'autres, mais pas au père Crevel, qui, sachez-le bien, a trop souvent banqueté dans des parties carrées avec votre scélérat de mari, pour ne pas savoir tout ce que vous valez ! Il s'adressait parfois des reproches, entre deux vins, en me détaillant vos perfections. Oh ! je vous connais bien : vous êtes un ange. Entre une jeune fille de vingt ans et vous, un libertin hésiterait, moi je n'hésite pas.

— Monsieur !...

— Bien, je m'arrête... Mais apprenez, sainte et digne femme, que les maris, une fois gris, racontent bien des choses de leurs épouses chez leurs maîtresses qui en rient, comme des crevées[3].

Des larmes de pudeur, qui roulèrent entre les beaux cils de Mme Hulot, arrêtèrent net le garde national et il ne pensa plus à se remettre en position.

---

1. Mlle Romans était une des « biches » du Parc-aux-Cerfs, pavillon dans lequel Mme de Pompadour faisait venir de très jeunes filles pour satisfaire l'appétit sexuel du roi Louis XV. Crevel, qui se plaît à citer des exemples historiques, anoblit cette protégée de Louis XV, de même qu'il appelle Valérie Mme *de* Marneffe.

2. La lettre de Balzac adressée à Mme Hanska le 14 juillet 1845, où se retrouve cette même expression, éclaire la dimension autobiographique du personnage de Crevel : « Toi seule as versé dans cette vie quelques coupes de bonheur pur, comme une huile miraculeuse qui rendait de la force et de la santé au lutteur brisé. Cela seul t'ouvrirait les portes du paradis si tu avais des fautes à te reprocher. »

3. « Manger, boire, ronfler, rire, comme un crevé, c'est-à-dire avec excès » (Littré).

– Je reprends, dit-il. Nous nous sommes liés, le baron
et moi, par nos coquines. Le baron, comme tous les gens
vicieux, est très aimable, et vraiment bon enfant. Oh !
m'a-t-il plu, ce drôle-là ! Non, il avait des inventions...
enfin laissons là ces souvenirs... Nous sommes devenus
comme deux frères... Le scélérat, tout à fait Régence,
essayait bien de me dépraver, de me prêcher le saint-
simonisme en fait de femmes[1], de me donner des idées
de grand seigneur, de justaucorps bleu[2] ; mais, voyez-
vous, j'aimais ma petite à l'épouser, si je n'avais pas
craint d'avoir des enfants. Entre deux vieux papas, amis
comme... comme nous l'étions, comment voulez-vous
que nous n'ayons pas pensé à marier nos enfants ? Trois
mois après le mariage de son fils avec ma Célestine, Hulot
(je ne sais pas comment je prononce son nom, l'infâme !

1. Sur ces idées saint-simoniennes, voir Jean Ygaunin, *Paris à
l'époque de Balzac et dans La Comédie humaine. La ville et la société*
(Nizet, 1992, p. 115) : « On trouve même, chez les saint-simoniens
s'inspirant de Fourier (*Théories des quatre mouvements et des destinées
générales*, 1808), l'idée de l'établissement, à côté des épouses et des
demoiselles, d'une "corporation amoureuse", nécessaire à une société
où tout obéira à la volupté. À la prostitution payée, on substituera une
prostitution hygiénique. Le rôle social et économique est certain : par
son goût du luxe et des bijoux, la courtisane fait rentrer dans le cycle
commercial l'argent produit par l'industrie et le commerce. Elle favorise
aussi le développement des arts. [...] Le Père Enfantin voit dans ces
femmes l'expression de la liberté. "Ne trouvant pas leur époux dans un
homme, elles ont ouvert leurs bras à l'humanité tout entière." C'est
l'opposé de l'esclave du sérail. »
2. L'expression *justaucorps bleu*, employée trois fois dans le roman,
et toujours par Crevel (voir chap. 50 et chap. 52), désigne les maréchaux
et grands seigneurs de la fin du XVIIᵉ siècle et de l'époque Régence,
comme le maréchal de Richelieu, évoqué six fois dans l'œuvre. Le justaucorps est la veste que portaient les hommes de 1680 environ à la fin
du XVIIIᵉ siècle, ample, fendue dans le dos, sans col, avec de larges
revers de manche sur les avant-bras. La rareté de son étoffe, le parement
avec des galons d'or, la présence de boutons précieux en font un vêtement de cour et un signe de reconnaissance pour la noblesse. Pour se
distinguer des autres corps sociaux, les maréchaux de France avaient
adopté dès le début du XVIIIᵉ siècle une tenue très codifiée, et notamment l'habit bleu, le bleu rappelant la couleur de l'écu du roi de France.

car il nous a trompés tous les deux, madame !...), eh
bien ! l'infâme m'a soufflé ma petite Josépha. Ce scélérat
se savait supplanté par un jeune conseiller d'État et par
un artiste (excusez du peu !) dans le cœur de Jenny
Cadine, dont les succès étaient de plus en plus *esbrou-
fants*[1], et il m'a pris ma pauvre petite maîtresse, un
amour de femme ; mais vous l'avez vue assurément aux
Italiens où il l'a fait entrer par son crédit. Votre homme
n'est pas aussi sage que moi, qui suis réglé comme un
papier de musique (il avait été déjà pas mal entamé par
Jenny Cadine qui lui coûtait bien près de trente mille
francs par an). Eh bien ! sachez-le, il achève de se ruiner
pour Josépha[2]. Josépha, madame, est juive, elle se
nomme Mirah (c'est l'anagramme de Hiram), un chiffre
israélite pour pouvoir la reconnaître, car c'est une enfant
abandonnée en Allemagne (les recherches que j'ai faites
prouvent qu'elle est la fille naturelle d'un riche banquier
juif). Le théâtre, et surtout les instructions que Jenny
Cadine, Mme Schontz, Malaga, Carabine ont données
sur la manière de traiter les vieillards, à cette petite que
je tenais dans une voie honnête et peu coûteuse, ont développé chez elle l'instinct des premiers Hébreux pour l'or
et les bijoux, pour le Veau d'or ! La cantatrice célèbre,
devenue âpre à la curée, veut être riche, très riche. Aussi
ne dissipe-t-elle rien de ce qu'on dissipe pour elle. Elle
s'est essayée sur le sieur Hulot, qu'elle a plumé net, oh !
plumé, ce qui s'appelle *rasé* ! Ce malheureux, après avoir
lutté contre un des Keller et le marquis d'Esgrignon, fous

1. Les italiques signalent que le mot, dérivé de l'italien, était un néologisme à l'époque (le verbe *esbroufer* est daté de 1835 par le Robert,
le substantif *esbroufeur* de 1837).
2. Ce personnage est inspiré de la célèbre tragédienne Rachel (1821-
1858) dont la cupidité était connue. Rachel était la maîtresse de Louis
Véron (1798-1867), ancien directeur de l'Opéra de Paris, propriétaire,
depuis 1844, du *Constitutionnel* – où Balzac publia *La Cousine Bette*
en feuilleton à la fin de l'année 1846 – et principale source d'inspiration
pour la création du personnage de Crevel (voir Pléiade, introduction
p. 47-50 et note p. 1249).

tous deux de Josépha, sans compter les idolâtres inconnus, va se la voir enlever par ce duc si puissamment riche
qui protège les arts. Comment l'appelez-vous ?... un
nain ?... ah ! le duc d'Hérouville. Ce grand seigneur a
la prétention d'avoir à lui seul Josépha, tout le monde
courtisanesque en parle, et le baron n'en sait rien ; car il
en est au treizième arrondissement [1] comme dans tous les
autres : l'amant est, comme les maris, le dernier instruit.
Comprenez-vous mes droits, maintenant ? Votre époux,
belle dame, m'a privé de mon bonheur, de la seule joie
que j'ai eue depuis mon veuvage. Oui, si je n'avais pas eu
le malheur de rencontrer ce vieux roquentin [2], je posséde-
rais encore Josépha ; car, moi, voyez-vous, je ne l'aurais
jamais mise au théâtre, elle serait restée obscure, sage, et
à moi. Oh ! si vous l'aviez vue, il y a huit ans : mince et
nerveuse, le teint doré d'une Andalouse, comme on dit,
les cheveux noirs et luisants comme du satin, un œil à
longs cils bruns qui jetait des éclairs, une distinction de
duchesse dans les gestes, la modestie de la pauvreté, de
la grâce honnête, de la gentillesse comme une biche sauvage. Par la faute du sieur Hulot, ces charmes, cette
pureté, tout est devenu piège à loup, chatière à pièces de
cent sous. La petite est la reine des impures, comme on
dit. Enfin elle *blague* [3], aujourd'hui, elle qui ne connaissait rien de rien, pas même ce mot-là !

En ce moment, l'ancien parfumeur s'essuya les yeux
où roulaient quelques larmes. La sincérité de cette douleur agit sur Mme Hulot qui sortit de la rêverie où elle
était tombée.

---

1. Paris, du temps de Balzac, ne comptait que douze arrondissements (ce n'est que sous le Second Empire, en janvier 1860, que la
capitale passa de douze à vingt arrondissements). Le 13ᵉ arrondissement était celui des couples illégitimes, le monde des lorettes et des
courtisanes, et « se marier dans le 13ᵉ arrondissement » voulait dire :
vivre en union libre, former un couple illégitime.
2. Vieillard ridicule qui veut jouer au jeune homme.
3. Les italiques soulignent que le mot, à l'époque, est un néologisme.

4

Attendrissement subit du parfumeur

— Eh bien ! madame, est-ce à cinquante-deux ans qu'on retrouve un pareil trésor ? À cet âge, l'amour coûte trente mille francs par an, j'en ai su le chiffre par votre mari, et moi, j'aime trop Célestine pour la ruiner. Quand je vous ai vue, à la première soirée que vous nous avez donnée, je n'ai pas compris que ce scélérat de Hulot entretînt une Jenny Cadine… Vous aviez l'air d'une impératrice. Vous n'avez pas trente ans, madame, reprit-il, vous me paraissez jeune, vous êtes belle. Ma parole d'honneur, ce jour-là j'ai été touché à fond, je me disais : « Si je n'avais pas ma Josépha, puisque le père Hulot délaisse sa femme, elle m'irait comme un gant. » Ah ! pardon ! c'est un mot de mon ancien état. Le parfumeur revient de temps en temps, c'est ce qui m'empêche d'aspirer à la députation. Aussi, lorsque j'ai été si lâchement trompé par le baron, car entre vieux drôles comme nous, les maîtresses de nos amis devraient être sacrées, me suis-je juré de lui prendre sa femme. C'est justice. Le baron n'aurait rien à dire, et l'impunité nous est acquise. Vous m'avez mis à la porte comme un chien galeux aux premiers mots que je vous ai touchés de l'état de mon cœur ; vous avez redoublé par là mon amour, mon entêtement, si vous voulez, et vous serez à moi.

— Et comment ?

— Je ne sais pas, mais ce sera. Voyez-vous, madame, un imbécile de parfumeur (retiré !) qui n'a qu'une idée en tête, est plus fort qu'un homme d'esprit qui en a des milliers. Je suis *toqué* de vous, et vous êtes ma vengeance ! c'est comme si j'aimais deux fois. Je vous parle à cœur ouvert, en homme résolu. De même que vous me dites : « je ne serai pas à vous », je cause froidement avec vous. Enfin, selon le proverbe, je joue cartes sur table. Oui, vous serez à moi, dans un temps donné… Oh ! vous auriez cinquante ans, vous seriez encore ma maîtresse. Et ce sera, car moi j'attends tout de votre mari...

Mme Hulot jeta sur ce bourgeois calculateur un regard si fixe de terreur, qu'il la crut devenue folle, et il s'arrêta.

– Vous l'avez voulu, vous m'avez couvert de votre mépris, vous m'avez défié, j'ai parlé ! dit-il en éprouvant le besoin de justifier la sauvagerie de ses dernières paroles.

– Oh ! ma fille, ma fille ! s'écria la baronne d'une voix de mourante.

– Ah ! je ne connais plus rien ! reprit Crevel. Le jour où Josépha m'a été prise, j'étais comme une tigresse à qui l'on a enlevé ses petits... Enfin, j'étais comme je vous vois en ce moment. Votre fille ! c'est, pour moi, le moyen de vous obtenir. Oui, j'ai fait manquer le mariage de votre fille !... et vous ne la marierez point sans mon secours ! Quelque belle que soit Mlle Hortense il lui faut une dot...

– Hélas ! oui ! dit la baronne en s'essuyant les yeux.

– Eh bien ! essayez de demander dix mille francs au baron, reprit Crevel qui se remit en position.

Il attendit pendant un moment, comme un acteur qui *marque un temps*.

– S'il les avait, il les donnerait à celle qui remplacera Josépha ! dit-il en forçant son *medium* [1]. Dans la voie où il est, s'arrête-t-on ? Il aime d'abord trop les femmes ! (Il y a en tout un juste milieu, comme a dit notre roi [2].) Et

---

1. *Médium* : registre des sons entre le grave et l'aigu. Par « forcer son médium », Balzac semble vouloir dire que, dans son excitation, Crevel parle d'une voix plus aiguë que d'habitude. D'autres personnages balzaciens utilisent ce registre. Au début de *Modeste Mignon*, Latournelle prend « le médium de sa voix par excès de précaution ». Dans *La Vieille Fille*, la voix du Chevalier de Valois plaît par « un médium étoffé ». D'après Louise de Chaulieu, Macumer, son Espagnol amoureux, « parlait bas, dans le médium plein de son délicieux organe » (*Mémoires de deux jeunes mariées*).

2. Principe politique fondamental de la monarchie de Juillet : « Nous cherchons à nous tenir dans un juste milieu également éloigné des excès du pouvoir populaire et des abus du pouvoir royal. » (Réponse de Louis-Philippe, à la fin de janvier 1831, à l'adresse de la ville de

puis la vanité s'en mêle ! C'est un bel homme ! Il vous
mettra tous sur la paille pour son plaisir. Vous êtes déjà
d'ailleurs sur le chemin de l'hôpital. Tenez, depuis que je
n'ai mis les pieds chez vous, vous n'avez pas pu renouveler le meuble de votre salon. Le mot GÊNE est vomi par
toutes les lézardes de ces étoffes. Quel est le gendre qui
ne sortira pas épouvanté des preuves mal déguisées de la
plus horrible des misères, celle des gens comme il faut ?
J'ai été boutiquier, je m'y connais. Il n'y a rien de tel que
le coup d'œil du marchand de Paris pour savoir découvrir
la richesse réelle et la richesse apparente… Vous êtes sans
le sou, dit-il à voix basse. Cela se voit en tout, même sur
l'habit de votre domestique. Voulez-vous que je vous
révèle d'affreux mystères qui vous sont cachés ?…

— Monsieur, dit Mme Hulot qui pleurait à mouiller
son mouchoir, assez ! assez !

— Eh bien ! mon gendre donne de l'argent à son père,
et voilà ce que je voulais vous dire, en débutant, sur le
train de votre fils. Mais je veille aux intérêts de ma fille…
soyez tranquille.

— Oh ! marier ma fille et mourir !… dit la malheureuse
femme qui perdit la tête.

— Eh bien ! en voici le moyen, reprit Crevel.

Mme Hulot regarda Crevel avec un air d'espérance qui
changea si rapidement sa physionomie, que ce seul mouvement aurait dû attendrir Crevel et lui faire abandonner
son projet ridicule.

Gaillac.) À propos de la « monarchie tempérée par des émeutes »,
Balzac, à qui l'on doit cette formule, écrit dans *Politique des deux ministères* : « Les actes du ministère ne répondent donc ni à un vrai système
de guerre, ni à un franc système de paix ; aussi l'opinion a-t-elle spirituellement nommé la pensée du gouvernement un *juste milieu* ; c'est-
à-dire une ligne également éloignée de la paix et de la guerre, un principe tournant sur lui-même, et qui, dans la sphère politique, se trouve
à l'extrémité de toutes les extrémités. » A.-M. Meininger note que le
possessif « notre » est chargé d'intentions satiriques « à l'égard de celui
qui se voulait le roi des Français et qui fut surtout le roi des Crevel »
(Pléiade, p. 1251).

5

Comment on peut marier
les belles filles sans fortune

– Vous serez belle encore dix ans, reprit Crevel en position, ayez des bontés pour moi, et Mlle Hortense est mariée. Hulot m'a donné le droit, comme je vous disais, de poser le marché, tout crûment, et il ne se fâchera pas. Depuis trois ans, j'ai fait valoir mes capitaux, car mes fredaines ont été restreintes. J'ai trois cent mille francs de gain en dehors de ma fortune, ils sont à vous...

– Sortez, monsieur, dit Mme Hulot, sortez, et ne reparaissez jamais devant moi. Sans la nécessité où vous m'avez mise de savoir le secret de votre lâche conduite dans l'affaire du mariage projeté pour Hortense... Oui, lâche... reprit-elle à un geste de Crevel. Comment faire peser de pareilles inimitiés sur une pauvre fille, sur une belle et innocente créature ?... Sans cette nécessité qui poignait mon cœur de mère, vous ne m'auriez jamais reparlé, vous ne seriez plus rentré chez moi. Trente-deux ans d'honneur, de loyauté de femme ne périront pas sous les coups de M. Crevel...

– Ancien parfumeur, successeur de César Birotteau, *À la Reine des Roses*, rue Saint-Honoré, dit railleusement Crevel, ancien adjoint au maire, capitaine de la garde nationale, chevalier de la Légion d'honneur, absolument comme mon prédécesseur...

– Monsieur, reprit la baronne, M. Hulot, après vingt ans de constance, a pu se lasser de sa femme, ceci ne regarde que moi ; mais vous voyez, monsieur, qu'il a mis bien du mystère à ses infidélités, car j'ignorais qu'il vous eût succédé dans le cœur de Mlle Josépha...

– Oh ! s'écria Crevel, à prix d'or, madame... Cette fauvette lui coûte plus de cent mille francs depuis deux ans. Ah ! ah ! vous n'êtes pas au bout...

— Trêve à tout ceci, monsieur Crevel. Je ne renoncerai pas pour vous au bonheur qu'une mère éprouve à pouvoir embrasser ses enfants sans se sentir un remords au cœur, à se voir respectée, aimée par sa famille, et je rendrai mon âme à Dieu sans souillure...

— Amen ! dit Crevel avec cette amertume diabolique qui se répand sur la figure des gens à prétention quand ils ont échoué de nouveau dans de pareilles entreprises. Vous ne connaissez pas la misère à son dernier période [1], la honte... le déshonneur... J'ai tenté de vous éclairer, je voulais vous sauver, vous et votre fille !... eh bien ! vous épellerez la parabole moderne du *père prodigue* [2], depuis la première jusqu'à la dernière lettre. Vos larmes et votre fierté me touchent, car voir pleurer une femme qu'on aime, c'est affreux !... dit Crevel en s'asseyant. Tout ce que je puis vous promettre, chère Adeline, c'est de ne rien faire contre vous, ni contre votre mari ; mais n'envoyez jamais aux renseignements chez moi. Voilà tout !

— Que faire, donc ? s'écria Mme Hulot.

Jusque-là, la baronne avait soutenu courageusement les triples tortures que cette explication imposait à son cœur, car elle souffrait comme femme, comme mère et comme épouse. En effet, tant que le beau-père de son fils s'était montré rogue et agressif, elle avait trouvé de la force dans la résistance qu'elle opposait à la brutalité du boutiquier ; mais la bonhomie qu'il manifestait au milieu de son exaspération d'amant rebuté, de beau garde national humilié, détendit ses fibres montées à se briser ; elle

---

1. Au genre masculin, le mot *période* s'emploie dans des expressions comme *au plus haut période*, *au dernier période*, pour signifier « au plus haut degré », « au paroxysme » (emploi vieilli ou littéraire).
2. Qui inverse la parabole du fils prodigue, contée dans l'Évangile par le Christ (voir Luc, XV, 11-32) : le fils prodigue, ayant parcouru le monde et dilapidé sa fortune au lieu de suivre les commandements de son père, revient chez celui-ci. Le père lui réserve bon accueil, et, à son autre fils, qui s'en étonne, répond : « Il fallait festoyer et se réjouir, parce que ton frère que voici était mort et il est vivant, il était perdu et il est retrouvé. » Rappelons que *Le Père prodigue* est le sous-titre de *La Cousine Bette* à partir de la publication dans *Le Siècle* fin 1847.

se tordit les mains, elle fondit en larmes, et elle était dans un tel état d'abattement stupide, qu'elle se laissa baiser les mains par Crevel à genoux.

— Mon Dieu ! que devenir ? reprit-elle en s'essuyant les yeux. Une mère peut-elle voir froidement sa fille dépérir sous ses yeux ? Quel sera le sort d'une si magnifique créature, aussi forte de sa vie chaste auprès de sa mère, que de sa nature privilégiée ! Par certains jours, elle se promène dans le jardin, triste, sans savoir pourquoi ; je la trouve avec des larmes dans les yeux.

— Elle a vingt et un ans, dit Crevel.

— Faut-il la mettre au couvent ? demanda la baronne, car dans de pareilles crises, la religion est souvent impuissante contre la nature, et les filles les plus pieusement élevées perdent la tête [1]... Mais levez-vous donc, monsieur, ne voyez-vous pas que, maintenant, tout est fini entre nous, que vous me faites horreur, que vous avez renversé la dernière espérance d'une mère !...

— Et si je la relevais ?... dit-il.

Mme Hulot regarda Crevel avec une expression délirante qui le toucha ; mais il refoula la pitié dans son cœur, à cause de ce mot : *Vous me faites horreur !* La Vertu est toujours un peu trop tout d'une pièce, elle ignore les nuances et les tempéraments à l'aide desquels on louvoie dans une fausse position.

— On ne marie pas aujourd'hui, sans dot, une fille aussi belle que l'est Mlle Hortense, reprit Crevel en reprenant son air pincé. Votre fille est une de ces beautés effrayantes pour les maris ; c'est comme un cheval de luxe qui exige trop de soins coûteux pour avoir beaucoup d'acquéreurs. Allez donc à pied avec une pareille femme au bras ? tout le monde vous regardera, vous suivra, désirera votre épouse. Ce succès inquiète beaucoup de gens qui ne veulent pas avoir des amants à tuer ; car, après

1. Dans l'édition du *Siècle*, Balzac supprime la réplique scabreuse de Crevel : « La tête ! dit railleusement Crevel. Ah ! ah ! vous appelez cela la tête ! »

tout, on n'en tue jamais qu'un. Vous ne pouvez, dans la situation où vous êtes, marier votre fille que de trois manières : par mon secours, vous n'en voulez pas ! et d'un ; en trouvant un vieillard de soixante ans, très riche, sans enfants, et qui voudrait en avoir, c'est difficile, mais cela se rencontre, il y a tant de vieux qui prennent des Josépha, des Jenny Cadine, pourquoi n'en rencontrerait-on pas un qui ferait la même bêtise légitimement ?... Si je n'avais pas ma Célestine et nos deux petits enfants, j'épouserais Hortense. Et de deux ! La dernière manière est la plus facile...

Mme Hulot leva la tête, et regarda l'ancien parfumeur avec anxiété.

– Paris est une ville où tous les gens d'énergie qui poussent comme des sauvageons sur le territoire français, se donnent rendez-vous, et il y grouille bien des talents, sans feu ni lieu, des courages capables de tout, même de faire fortune... Eh bien ! ces garçons-là... (Votre serviteur en était dans son temps, et il en a connu !... Qu'avait du Tillet ? Qu'avait Popinot, il y a vingt ans ?... ils pataugeaient tous les deux dans la boutique du papa Birotteau, sans autre capital que l'envie de parvenir, qui, selon moi, vaut le plus beau capital !... On mange des capitaux, et l'on ne se mange pas le moral !... Qu'avais-je, moi ? l'envie de parvenir, du courage. Du Tillet est l'égal aujourd'hui des plus grands personnages. Le petit Popinot, le plus riche droguiste de la rue des Lombards, est devenu député, le voilà ministre...) Eh bien ! l'un de ces *condottieri* [1], comme on dit, de la commandite [2], de la

---

1. Au Moyen Âge, nom donné aux chefs de soldats mercenaires, en Italie. Balzac emploie ce mot au sens d'« aventurier », de « conquérant », et le terme apparaît dans *L'Interdiction* au sujet de Ferdinand du Tillet, « ce jeune *condottière* de l'intelligence », comme dans *Splendeurs et misères des courtisanes* au sujet de Blondet, « ce brillant *condottière* de la plume ».

2. Société formée de deux sortes d'associés, les uns solidairement et indéfiniment tenus des dettes sociales, c'est-à-dire intégralement responsables (*commandités* ou *gérants*), les autres tenus dans les limites de leur apport (*commanditaires*).

plume ou de la brosse, est le seul être, à Paris, capable d'épouser une belle fille sans le sou, car ils ont tous les genres de courage. M. Popinot a épousé Mlle Birotteau sans espérer un liard de dot. Ces gens-là sont fous ! ils croient à l'amour, comme ils croient à leur fortune et à leurs facultés !... Cherchez un homme d'énergie qui devienne amoureux de votre fille et il l'épousera sans regarder au présent. Vous m'avouerez que, pour un ennemi, je ne manque pas de générosité, car ce conseil est contre moi.

— Ah ! monsieur Crevel, si vous vouliez être mon ami, quitter vos idées ridicules !...

— Ridicules ? madame, ne vous démolissez pas ainsi, regardez-vous... Je vous aime et vous viendrez à moi ! Je veux dire un jour à Hulot : « Tu m'as pris Josépha, j'ai ta femme !... » C'est la vieille loi du talion ! Et je poursuivrai l'accomplissement de mon projet, à moins que vous ne deveniez excessivement laide. Je réussirai, voici pourquoi, dit-il, en se mettant en position et regardant Mme Hulot.

6

Le capitaine perd la bataille

— Vous ne rencontrerez ni un vieillard, ni un jeune homme amoureux, reprit-il après une pause, parce que vous aimez trop votre fille pour la livrer aux manœuvres d'un vieux libertin, et que vous ne vous résignerez pas, vous, baronne Hulot, sœur du vieux lieutenant général qui commandait les vieux grenadiers de la vieille Garde, à prendre l'homme d'énergie là où il sera ; car il peut se trouver simple ouvrier, comme tel millionnaire d'aujourd'hui se trouvait simple mécanicien il y a dix ans, simple conducteur de travaux, simple contremaître de fabrique. Et alors, en voyant votre fille, poussée par ses vingt ans, capable de vous déshonorer, vous vous direz : « Il vaut mieux que ce soit moi qui me déshonore ; et si M. Crevel veut me garder le secret, je vais gagner la dot de ma fille, deux cent mille francs, pour dix ans d'attachement à cet ancien marchand de gants... le père Crevel !... » Je vous ennuie, et ce que je dis est profondément immoral, n'est-ce pas ? Mais si vous étiez mordue par une passion irrésistible, vous vous feriez, pour me céder, des raisonnements comme s'en font les femmes qui aiment[1]... Eh bien ! l'intérêt d'Hortense vous les mettra dans le cœur, ces capitulations de conscience...

— Il reste à Hortense un oncle.

— Qui, le père Fischer ?... il arrange ses affaires, et par la faute du baron encore, dont le râteau passe sur toutes les caisses qui sont à sa portée.

— Le comte Hulot...

— Oh ! votre mari, madame, a déjà fricassé les économies du vieux lieutenant général, il en a meublé la maison de sa cantatrice. Voyons, me laisserez-vous partir sans espérance ?

— Adieu, monsieur. On guérit facilement d'une passion pour une femme de mon âge, et vous prendrez des idées chrétiennes. Dieu protège les malheureux...

La baronne se leva pour forcer le capitaine à la retraite, et elle le repoussa dans le grand salon.

— Est-ce au milieu de pareilles guenilles que devrait vivre la belle Mme Hulot ? dit-il.

Et il montrait une vieille lampe, un lustre dédoré, les cordes du tapis, enfin les haillons de l'opulence qui faisaient de ce grand salon blanc, rouge et or, un cadavre des fêtes impériales.

— La vertu, monsieur, reluit sur tout cela. Je n'ai pas envie de devoir un magnifique mobilier en faisant de

---

1. La version du *Constitutionnel* traduit chez Crevel la force de l'idée fixe. On lit à cet endroit dans le manuscrit : « Si vous aviez une passion irrésistible, vous feriez des raisonnements, n'est-ce pas ? »

cette beauté, que vous me prêtez, *des pièges à loups, des chatières à pièces de cent sous* !

Le capitaine se mordit les lèvres en reconnaissant les expressions par lesquelles il venait de flétrir l'avidité de Josépha.

– Et pour qui cette persévérance ? demanda-t-il.

En ce moment la baronne avait éconduit l'ancien parfumeur jusqu'à la porte.

– Pour un libertin !... ajouta-t-il en faisant une moue d'homme vertueux et millionnaire.

– Si vous aviez raison, monsieur, ma constance aurait alors quelque mérite, voilà tout.

Elle laissa le capitaine après l'avoir salué comme on salue pour se débarrasser d'un importun, et se retourna trop lestement pour le voir une dernière fois en position. Elle alla rouvrir les portes qu'elle avait fermées, et ne put remarquer le geste menaçant par lequel Crevel lui dit adieu. Elle marchait fièrement, noblement, comme une martyre au Colysée. Elle avait néanmoins épuisé ses forces, car elle se laissa tomber sur le divan de son boudoir bleu, comme une femme près de se trouver mal, et elle resta les yeux attachés sur le kiosque en ruines où sa fille babillait avec la cousine Bette.

Depuis les premiers jours de son mariage jusqu'en ce moment, la baronne avait aimé son mari, comme Joséphine a fini par aimer Napoléon, d'un amour admiratif, d'un amour maternel, d'un amour lâche. Si elle ignorait les détails que Crevel venait de lui donner, elle savait cependant fort bien que, depuis vingt ans, le baron Hulot lui faisait des infidélités ; mais elle s'était mis sur les yeux un voile de plomb, elle avait pleuré silencieusement, et jamais une parole de reproche ne lui était échappée. En retour de cette angélique douceur, elle avait obtenu la vénération de son mari, et comme un culte divin autour d'elle. L'affection qu'une femme porte à son mari, le respect dont elle l'entoure, sont contagieux dans la famille. Hortense croyait son père un modèle accompli d'amour conjugal. Quant à Hulot fils, élevé dans l'admiration du baron, en qui chacun voyait un des géants qui secondèrent Napoléon, il savait devoir sa position au nom, à la place et à la considération paternelle : d'ailleurs, les impressions de l'enfance exercent une longue influence, et il craignait encore son père ; aussi eût-il soupçonné les irrégularités révélées par Crevel, déjà trop respectueux pour s'en plaindre, il les aurait excusées par des raisons tirées de la manière de voir des hommes à ce sujet.

Maintenant il est nécessaire d'expliquer le dévouement extraordinaire de cette belle et noble femme ; et voici l'histoire de sa vie en peu de mots.

7

Une belle vie de femme

Dans un village situé sur les extrêmes frontières de la Lorraine, au pied des Vosges, trois frères, du nom de Fischer, simples laboureurs, partirent, par suite des réquisitions républicaines, à l'armée dite du Rhin.

En 1799, le second des frères, André, veuf et père de Mme Hulot, laissa sa fille aux soins de son frère aîné, Pierre Fischer, qu'une blessure reçue en 1797 avait rendu incapable de servir, et fit quelques entreprises partielles dans les Transports Militaires, service qu'il dut à la protection de l'ordonnateur Hulot d'Ervy. Par un hasard assez naturel, Hulot, qui vint à Strasbourg, vit la famille Fischer. Le père d'Adeline et son jeune frère étaient alors soumissionnaires des fourrages en Alsace.

Adeline, alors âgée de seize ans, pouvait être comparée à la fameuse Mme du Barry, comme elle, fille de la Lorraine [1]. C'était une de ces beautés complètes, foudroyantes, une de ces femmes semblables à

1. Mme du Barry, favorite de Louis XV guillotinée en 1793, était née à Vaucouleurs, en Lorraine, en 1743.

Mme Tallien [1], que la Nature fabrique avec un soin particulier ; elle leur dispense ses plus précieux dons : la distinction, la noblesse, la grâce, la finesse, l'élégance, une chair à part, un teint broyé dans cet atelier inconnu où travaille le hasard. Ces belles femmes-là se ressemblent toutes entre elles. Bianca Capello dont le portrait est un des chefs-d'œuvre de Bronzino [2], la Vénus de Jean Goujon dont l'original est la fameuse Diane de Poitiers [3], la signora Olympia dont le portrait est à la galerie Doria [4], enfin Ninon [5], Mme du Barry, Mme Tallien,

---

1. Thérésa Cabarrus (1773-1835) : amie des Girondins, elle fut surnommée d'abord Notre-Dame de Bon Secours parce qu'elle aida de nombreux prisonniers à échapper à la guillotine, puis Notre-Dame de Thermidor, car ce fut en partie pour la sauver que son amant Jean Lambert Tallien (1767-1820) participa au 9 thermidor an II, qui provoqua la chute et la mort de Robespierre. Mariée en secondes noces avec Tallien, femme d'esprit, amie de nombreux artistes, elle fut l'une des reines du Directoire. Elle se remaria plus tard avec le prince François Joseph de Riquet de Caraman.

2. Bianca Capello (1548-1587) : dame vénitienne de la Renaissance. Le duc François Ier de Médicis, épris d'elle, l'épousa en secondes noces en 1579. Elle mourut avec lui en octobre 1587 probablement des suites d'un empoisonnement à l'arsenic lors d'un dîner chez son beau-frère Ferdinand de Médicis, à qui on attribue ce crime. Passionné par l'étude des poisons, par les crimes cachés et par le XVIe siècle, Balzac ne pouvait qu'être intéressé par ce personnage. Il avait peut-être vu le tableau de Bronzino, qui se trouve à la galerie des Offices à Florence, lors de son voyage en Italie au printemps 1846.

3. La très belle Diane de Poitiers (1499-1566) fut pendant plus de vingt ans la favorite du roi Henri II, qui avait dix-neuf ans de moins qu'elle.

4. Olimpia Maidalchini (1594-1657) était surnommée *la Papesse Olimpia*. Elle épousa en secondes noces le très riche Pamphilio Pamphili, dont la famille était installée à Rome. Elle se lia d'amitié avec son beau-frère, le cardinal Pamphili, qui, devenu pape sous le nom d'Innocent X, fit d'elle sa conseillère et son inspiratrice, ce qui lui valut des ennemis. Elle fut à l'origine de travaux et de remaniements importants à Rome et mourut empoisonnée en 1657, peu de temps après la mort du pape Innocent X. Balzac avait pu voir son portrait lors de son voyage à Rome en 1846.

5. Anne de Lenclos (1616-1706), dite Ninon de Lenclos. Célèbre par sa beauté, son esprit cultivé et ses mœurs libres, elle tint un salon où se réunissait l'élite intellectuelle de son temps.

Mlle George [1], Mme Récamier [2], toutes ces femmes, restées belles en dépit des années, de leurs passions ou de
leur vie à plaisirs excessifs, ont dans la taille, dans la
charpente, dans le caractère de la beauté des similitudes
frappantes, et à faire croire qu'il existe dans l'océan des
générations un courant aphrodisien d'où sortent toutes
ces Vénus, filles de la même onde salée !

Adeline Fischer, une des plus belles de cette tribu
divine, possédait les caractères sublimes, les lignes ser-
pentines, le tissu vénéneux de ces femmes nées reines. La
chevelure blonde que notre mère Ève a tenue de la main
de Dieu, une taille d'impératrice, un air de grandeur, des
contours augustes dans le profil, une modestie villageoise
arrêtaient sur son passage tous les hommes, charmés
comme le sont les amateurs devant un Raphaël [3] ; aussi,
la voyant, l'ordonnateur fit-il de Mlle Adeline Fischer
sa femme dans le temps légal, au grand étonnement des
Fischer, tous nourris dans l'admiration de leurs
supérieurs.

L'aîné, soldat de 1792, blessé grièvement à l'attaque
des lignes de Wissembourg, adorait l'empereur Napoléon
et tout ce qui tenait à la Grande Armée. André et Johann
parlaient avec respect de l'ordonnateur Hulot, ce protégé
de l'Empereur à qui, d'ailleurs, ils devaient leur sort, car
Hulot d'Ervy, leur trouvant de l'intelligence et de la probité, les avait tirés des charrois de l'armée pour les mettre
à la tête d'une Régie d'urgence. Les frères Fischer avaient

---

1. Marguerite Weimer (1787-1867), dite Mlle George : cette comédienne française fut l'une des plus célèbres de la période napoléonienne,
avec Mlle Mars. Elle interpréta avec talent les principaux rôles de la
tragédie classique. D'une grande beauté dans sa jeunesse, elle fut peu à
peu gagnée par une obésité qui suscita des moqueries cruelles et l'obligea à se retirer.

2. Juliette ou Julie Récamier (1777-1849), qui fut notamment l'amie
de Benjamin Constant et de Chateaubriand, tint, du Directoire à la
monarchie de Juillet, un salon qui réunit l'élite intellectuelle de son
temps. Sous l'Empire, elle fut une figure majeure de l'opposition à
Napoléon.

3. Voir p. 158, n. 1.

rendu des services pendant la campagne de 1804. Hulot, à la paix, leur avait obtenu cette fourniture des fourrages en Alsace, sans savoir qu'il serait envoyé plus tard à Strasbourg pour y préparer la campagne de 1806.

Ce mariage fut, pour la jeune paysanne, comme une Assomption [1]. La belle Adeline passa sans transition des boues de son village dans le paradis de la Cour impériale. En effet, dans ce temps-là, l'ordonnateur, l'un des travailleurs les plus probes, les plus actifs de son corps, fut nommé baron, appelé près de l'Empereur, et attaché à la Garde impériale. Cette belle villageoise eut le courage de faire son éducation par amour pour son mari, de qui elle fut exactement folle. L'ordonnateur en chef était d'ailleurs, en homme, une réplique d'Adeline en femme. Il appartenait au corps d'élite des beaux hommes. Grand, bien fait, blond, l'œil bleu et d'un feu, d'un jeu, d'une nuance irrésistibles, la taille élégante, il était remarqué parmi les d'Orsay, les Forbin, les Ouvrard [2], enfin dans le bataillon des beaux de l'Empire. Homme à conquêtes et imbu des idées du Directoire en fait de femmes, sa carrière galante fut alors interrompue pendant assez longtemps par son attachement conjugal.

Pour Adeline, le baron fut donc, dès l'origine, une espèce de Dieu qui ne pouvait faillir ; elle lui devait tout : la fortune, elle eut voiture, hôtel, et tout le luxe du temps ; le bonheur, elle était aimée uniquement ; un titre, elle était baronne ; enfin la célébrité, on l'appela la belle Mme Hulot, à Paris ; enfin, elle eut l'honneur de refuser

---

1. Dans la religion catholique, enlèvement miraculeux de la Sainte Vierge au Ciel par les anges. Cette fête est célébrée le 15 août. L'image est hardie pour parler d'une ascension sociale.
2. Albert Grimaud, baron d'Orsay (1772-1843), fut l'ami de la duchesse d'Abrantès, une des maîtresses de Balzac. A.-M. Meininger note qu'il « fut cependant moins éblouissant que son fils Alfred, le dandy le plus fameux de son temps aussi bien à Paris qu'à Londres » (Pléiade, p. 1254). Louis Nicolas, comte de Forbin (1777-1841), peintre et archéologue, fut membre de l'Académie des beaux-arts. Gabriel Ouvrard (1770-1846) était un financier et munitionnaire des armées.

les hommages de l'Empereur qui lui fit présent d'une rivière en diamants, et qui la distingua toujours, car il demandait de temps en temps : « Et la belle Mme Hulot, est-elle toujours sage ? » en homme capable de se venger de celui qui aurait triomphé là où il avait échoué.

Il n'est donc pas besoin de beaucoup d'intelligence pour reconnaître, dans une âme simple, naïve et belle, les motifs du fanatisme que Mme Hulot mêlait à son amour. Après s'être bien dit que son mari ne saurait jamais avoir de torts envers elle, elle se fit, dans son for intérieur, la servante humble, dévouée et aveugle de son créateur. Remarquez d'ailleurs qu'elle était douée d'un grand bon sens, de ce bon sens du peuple qui rendit son éducation solide. Dans le monde, elle parlait peu, ne disait de mal de personne, ne cherchait pas à briller ; elle réfléchissait sur toute chose, elle écoutait, et se modelait sur les plus honnêtes femmes, sur les mieux nées.

En 1815, Hulot suivit la ligne de conduite du prince de Wissembourg, l'un de ses amis intimes, et fut l'un des organisateurs de cette armée improvisée dont la déroute termina le cycle napoléonien à Waterloo. En 1816, le baron devint une des bêtes noires du ministère Feltre [1], et ne fut réintégré dans le corps de l'intendance qu'en 1823, car on eut besoin de lui pour la guerre d'Espagne. En 1830, il reparut dans l'administration comme quart de ministre, lors de cette espèce de conscription levée par Louis-Philippe dans les vieilles bandes napoléoniennes. Depuis l'avènement au trône de la branche cadette [2],

---

1. Henri Clarke, ministre de la Guerre de Napoléon de 1807 à 1814, fut nommé duc de Feltre après avoir repoussé les Anglais à Walcheren (1809). Rallié aux Bourbons en 1814, il suivit Louis XVIII à Gand pendant les Cent-Jours. Ministre de la Guerre sous Louis XVIII de septembre 1815 à la fin de 1818, il fut fait pair et maréchal de France. Roger Pierrot note : « il brisa les carrières de ses anciens compagnons d'armes suspectés de fidélité à l'Empereur. Balzac le cite défavorablement dans *La Vendetta* et dans *La Rabouilleuse* » (LGF, p. 50).

2. C'est-à-dire de la famille d'Orléans (descendant de Philippe d'Orléans, frère de Louis XIV), arrivée au trône avec Louis-Philippe d'Orléans en juillet 1830 après la révolution des Trois Glorieuses, qui mit fin à la Restauration et marqua le début de la monarchie de Juillet.

dont il fut un actif coopérateur, il restait directeur indispensable au ministère de la Guerre. Il avait d'ailleurs obtenu son bâton de maréchal, et le roi ne pouvait rien de plus pour lui, à moins de le faire ou ministre ou pair de France.

Inoccupé de 1818 à 1823, le baron Hulot s'était mis en service actif auprès des femmes. Mme Hulot faisait remonter les premières infidélités de son Hector au grand *finale* de l'Empire. La baronne avait donc tenu, pendant douze ans, dans son ménage, le rôle de *prima donna assoluta*[1], sans partage. Elle jouissait toujours de cette vieille affection invétérée que les maris portent à leurs femmes quand elles se sont résignées au rôle de douces et vertueuses compagnes, elle savait qu'aucune rivale ne tiendrait deux heures contre un mot de reproche, mais elle fermait les yeux, elle se bouchait les oreilles, elle voulait ignorer la conduite de son mari au-dehors. Elle traitait enfin son Hector comme une mère traite un enfant gâté. Trois ans avant la conversation qui venait d'avoir lieu, Hortense reconnut son père aux Variétés, dans une loge d'avant-scène du rez-de-chaussée, en compagnie de Jenny Cadine, et s'écria : « Voilà papa. – Tu te trompes, mon ange, il est chez le maréchal », répondit la baronne. La baronne avait bien vu Jenny Cadine ; mais au lieu d'éprouver un serrement au cœur en la voyant si jolie, elle se dit en elle-même : « Ce mauvais sujet d'Hector doit être bien heureux. » Elle souffrait néanmoins, elle s'abandonnait secrètement à des rages affreuses ; mais, en revoyant son Hector, elle revoyait toujours ses douze années de bonheur pur, et perdait la force d'articuler une seule plainte. Elle aurait bien voulu que le baron la prît pour sa confidente ; mais elle n'avait jamais osé lui

---

1. « Premier rôle féminin absolu » : dans l'opéra italien du XIXe siècle, la *prima donna* est la cantatrice qui tient le rôle principal – souvent, mais pas nécessairement, un rôle de soprano. Le titre de *prima donna assoluta* est donné, occasionnellement, à une cantatrice particulièrement remarquable.

er à entendre qu'elle connaissait ses fredaines, par
pect pour lui. Ces excès de délicatesse ne se rencontrent que chez ces belles filles du peuple qui savent
recevoir des coups sans en rendre ; elles ont dans les
veines les restes du sang des premiers martyrs. Les filles
bien nées, étant les égales de leurs maris, éprouvent le
besoin de les tourmenter, et de marquer, comme on
marque les points au billard, leurs tolérances par des
mots piquants, dans un esprit de vengeance diabolique,
et pour s'assurer, soit une supériorité, soit un droit de
revanche.

8

Hortense

La baronne avait un admirateur passionné dans son
beau-frère, le lieutenant général Hulot, le vénérable commandant des grenadiers à pied de la Garde impériale, à
qui l'on devait donner le bâton de maréchal pour ses
derniers jours. Ce vieillard après avoir, de 1830 à 1834,
commandé la division militaire où se trouvaient les
départements bretons, théâtre de ses exploits en 1799 et
1800, était venu fixer ses jours à Paris, près de son frère,
auquel il portait toujours une affection de père. Ce cœur
de vieux soldat sympathisait avec celui de sa belle-sœur ;
il l'admirait, comme la plus noble, la plus sainte créature
de son sexe. Il ne s'était pas marié, parce qu'il avait voulu
rencontrer une seconde Adeline, inutilement cherchée à
travers vingt pays et vingt campagnes. Pour ne pas
déchoir dans cette âme de vieux républicain sans
reproche et sans tache, de qui Napoléon disait : « Ce
brave Hulot est le plus entêté des républicains, mais il ne
me trahira jamais », Adeline eût supporté des souffrances
encore plus cruelles que celles qui venaient de l'assaillir.
Mais ce vieillard âgé de soixante-douze ans, brisé par

trente campagnes, blessé pour la vingt-septième fois à Waterloo, était pour Adeline une admiration et non une protection. Le pauvre comte, entre autres infirmités, n'entendait qu'à l'aide d'un cornet !

Tant que le baron Hulot d'Ervy fut bel homme, les amourettes n'eurent aucune influence sur sa fortune ; mais à cinquante ans, il fallut compter avec les grâces. À cet âge, l'amour chez les vieux hommes se change en vice ; il s'y mêle des vanités insensées. Aussi, vers ce temps, Adeline vit-elle son mari devenu d'une exigence incroyable pour sa toilette, se teignant les cheveux et les favoris, portant des ceintures et des corsets. Il voulut rester beau à tout prix. Ce culte pour sa personne, défaut qu'il poursuivait jadis de ses railleries, il le poussa jusqu'à la minutie. Enfin, Adeline s'aperçut que le Pactole qui coulait chez les maîtresses du baron prenait sa source chez elle. Depuis huit ans, une fortune considérable avait été dissipée, et si radicalement, que lors de l'établissement du jeune Hulot, deux ans auparavant, le baron avait été forcé d'avouer à sa femme que ses traitements constituaient toute leur fortune.

– Où cela nous mènera-t-il ? fut la réponse d'Adeline.

– Sois tranquille, répondit le conseiller d'État, je vous laisse les émoluments de ma place, et je pourvoirai à l'établissement d'Hortense et à notre avenir en faisant des affaires.

La foi profonde de cette femme dans la puissance et la haute valeur, dans les capacités et le caractère de son mari, avait calmé cette inquiétude momentanée.

Maintenant la nature des réflexions de la baronne et ses pleurs, après le départ de Crevel, doivent se concevoir parfaitement. La pauvre femme se savait depuis deux ans au fond d'un abîme, mais elle s'y croyait seule. Elle ignorait comment le mariage de son fils s'était fait, elle ignorait la liaison d'Hector avec l'avide Josépha ; enfin, elle espérait que personne au monde ne connaissait ses douleurs. Or, si Crevel parlait si lestement des dissipations du baron, Hector allait perdre sa considération. Elle entrevoyait dans les grossiers discours de l'ancien parfumeur irrité, le compérage odieux auquel était dû le mariage du jeune avocat. Deux filles perdues avaient été les prêtresses de cet hymen, proposé dans quelque orgie, au milieu des dégradantes familiarités de deux vieillards ivres ! – Il oublie donc Hortense ! se dit-elle, il la voit cependant tous les jours, lui cherchera-t-il donc un mari chez ses vauriennes ? La mère, plus forte que la femme, parlait en ce moment toute seule, car elle voyait Hortense riant, avec sa cousine Bette, de ce fou rire de la jeunesse insouciante, et elle savait que ces rires nerveux étaient des indices tout aussi terribles que les rêveries larmoyantes d'une promenade solitaire dans le jardin.

Hortense ressemblait à sa mère, mais elle avait des cheveux d'or, ondés naturellement et abondants à étonner. Son éclat tenait de celui de la nacre. On voyait bien en elle le fruit d'un honnête mariage, d'un amour noble et pur dans toute sa force. C'était un mouvement passionné dans la physionomie, une gaieté dans les traits, un entrain de jeunesse, une fraîcheur de vie, une richesse de santé qui vibraient en dehors d'elle et produisaient des rayons électriques. Hortense appelait le regard. Quand ses yeux d'un bleu d'outremer, nageant dans ce fluide qu'y verse l'innocence, s'arrêtaient sur un passant, il tressaillait involontairement. D'ailleurs pas une seule de ces taches de rousseur, qui font payer à ces blondes dorées leur blancheur lactée [1], n'altérait son teint. Grande, potelée sans être grasse, d'une taille svelte dont la noblesse égalait celle de sa mère, elle méritait ce titre de déesse si prodigué dans les anciens auteurs. Aussi, quiconque voyait Hortense dans la rue, ne pouvait-il retenir cette exclamation : « Mon Dieu ! la belle fille ! » Elle était si

---

1. Les ratures du manuscrit font apparaître la *palette* du romancier, qui s'efforce de trouver la teinte la plus appropriée au visage de la jeune fille : « D'ailleurs pas une seule de ces taches de rousseur qui font les payer aux à ces blondes dorées leur teint de lys, rose, blanche, jasmin blancheur lait lactée. »

vraiment innocente, qu'elle disait en rentrant : « Mais qu'ont-ils donc tous, maman, à crier : la belle fille ! quand tu es avec moi ? n'es-tu pas plus belle que moi ?... » Et, en effet, à quarante-sept ans passés, la baronne pouvait être préférée à sa fille par les amateurs de couchers de soleil [1] ; car elle n'avait encore, comme disent les femmes, rien perdu *de ses avantages*, par un de ces phénomènes rares, à Paris surtout, où, dans ce genre, Ninon a fait scandale, tant elle a paru voler la part des laides au XVIIe siècle.

En pensant à sa fille, la baronne revint au père, elle le vit, tombant de jour en jour par degrés jusque dans la boue sociale, et renvoyé peut-être un jour du ministère. L'idée de la chute de son idole, accompagnée d'une vision indistincte des malheurs que Crevel avait prophétisés, fut si cruelle pour la pauvre femme qu'elle perdit connaissance à la façon des extatiques.

9
Un caractère de vieille fille [2]

La cousine Bette, avec qui causait Hortense, regardait de temps en temps pour savoir quand elles pourraient

---

1. Balzac emploie cette image à propos de Mme Évangélista, belle-mère redoutable de Paul de Manerville, dans *Le Contrat de mariage* : « À quarante ans, Mme Évangélista était belle d'une beauté semblable à celle de ces magnifiques couchers de soleil qui couronnent en été les journées sans nuages. »

2. Balzac, depuis sa jeunesse, a toujours été obnubilé par le personnage du célibataire en général, et de la vieille fille en particulier. Il s'intéresse à la question du célibat, notamment celui des femmes, sur le plan individuel et psychologique comme sur le plan social. Dans l'optique conservatrice qui est la sienne, la famille, ciment de la société, est un rempart à l'individualisme effréné qui caractérise la société post-révolutionnaire, marquée par la course à la réussite sociale et à l'argent. Seule la famille peut contrer l'individualisme destructeur qui transforme le monde en une jungle où les plus forts égorgent les plus faibles... Dans cette optique, le célibataire n'est plus pour lui qu'un

rentrer au salon ; mais sa jeune cousine la lutinait si bien de ses questions au moment où la baronne rouvrit la porte-fenêtre, qu'elle ne s'en aperçut pas.

Lisbeth Fischer, de cinq ans moins âgée que Mme Hulot, et néanmoins fille de l'aîné des Fischer, était loin d'être belle comme sa cousine ; aussi avait-elle été prodigieusement jalouse d'Adeline. La jalousie formait la base de ce caractère plein d'*excentricités*, mot trouvé par les Anglais pour les folies non pas des petites mais des grandes maisons [1]. Paysanne des Vosges, dans toute l'extension du mot, maigre, brune, les cheveux d'un noir luisant, les sourcils épais et réunis par un bouquet, les bras longs et forts, les pieds épais, quelques verrues dans sa face longue et *simiesque*, tel est le portrait concis de cette vierge [2].

---

fruit sec, un parasite... Sur le plan psychologique, Balzac est taraudé par la question des effets de la frustration (sexuelle, affective) sur les individus, notamment sur les femmes, dont la vocation essentielle, dans son optique, est l'amour et la maternité. Quels seront les effets de ce qu'il appelle, au chapitre 31 de *La Cousine Bette*, « les instincts comprimés de la femme » ? Il semble qu'il n'y ait pour lui guère de moyen terme, entre la vieille fille haineuse et destructrice (la cousine Bette, Sophie Gamard dans *Le Curé de Tours*, l'atroce Sylvie Rogron dans *Pierrette*) et la figure de vieille fille sainte, qui trouve une issue « verticale » à l'échec de sa vie terrestre dans la piété, le renoncement et la charité (Pauline Salomon de Villenoix dans *Le Curé de Tours*, Eugénie Grandet...). Certes, on pourra objecter que la célibataire Rose Cormon, dans *La Vieille Fille* (1836), n'est ni sainte ni maléfique, mais, au fil du temps, la vision du romancier s'assombrit, et ses personnages semblent de moins en moins capables de dépasser leurs frustrations et leurs blessures.

1. Jeu de mots : une « folie » ou « petite maison » était, au XVIIIe siècle, une riche maison de plaisance qui servait souvent d'abri aux débauches des grands seigneurs.

2. Balzac est fasciné par les théories « phrénologiques » de Gall et « physiognomonistes » de Lavater. En 1822, il avait acheté et fait relier une édition en dix volumes de l'ouvrage de Lavater, penseur et théologien suisse de langue allemande (1741-1801) qui connut un grand succès avec sa *Physiognomonie* (1775-1778), art d'interpréter les traits du visage pour découvrir le caractère et la personnalité du sujet. C'est dire si les portraits balzaciens sont à lire sur un double plan. Les traits ici attribués à Bette sont souvent ceux que Balzac donne à ses vieilles

La famille, qui vivait en commun, avait immolé la fille vulgaire à la jolie fille, le fruit âpre, à la fleur éclatante. Lisbeth travaillait à la terre, quand sa cousine était dorlotée ; aussi lui arriva-t-il un jour, trouvant Adeline seule, de vouloir lui arracher le nez[1], un vrai nez grec que les vieilles femmes admiraient. Quoique battue pour ce méfait, elle n'en continua pas moins à déchirer les robes et à gâter les collerettes de la privilégiée.

Lors du mariage fantastique de sa cousine, Lisbeth avait plié devant cette destinée, comme les frères et les sœurs de Napoléon plièrent devant l'éclat du trône et la puissance du commandement. Adeline, excessivement bonne et douce, se souvint à Paris de Lisbeth, et l'y fit venir, vers 1809, dans l'intention de l'arracher à la misère en l'établissant. Dans l'impossibilité de marier, aussitôt qu'Adeline le voulait, cette fille aux yeux noirs, aux sourcils charbonnés, et qui ne savait ni lire ni écrire, le baron commença par lui donner un état ; il mit Lisbeth en apprentissage chez les brodeurs de la Cour impériale, les fameux Pons frères[2].

---

filles. La maigreur est souvent liée chez lui à la sécheresse de cœur, à la dureté, à la rigidité morale ; les cheveux très noirs s'opposent à la blondeur tendre et vaporeuse des femmes faites pour l'amour ; les autres traits soulignent l'origine roturière du personnage. On notera toutefois que, dans ce roman où le lecteur est emporté dans un tumultueux mouvement de mélodrame, le portrait de la vieille fille est, comme les descriptions, nettement plus « concis », pour reprendre le terme de Balzac, que dans d'autres récits.

1. Balzac semble s'être souvenu, pour ce détail, des querelles de jeunesse entre Ève Hanska et sa sœur aînée Aline, qui lui aurait assommé le nez à coups de poing.

2. Rappelons que Michel Sallembier, grand-oncle de Balzac, fut brodeur-passementier et drapier. À propos des frères Pons, Balzac pense certainement à la famille Dallemagne, dont plusieurs membres furent brodeurs du roi, puis brodeurs de l'Empereur. Dans l'introduction manuscrite du roman, Balzac substitue dans la marge « Pons (frères) » à « Dallemagne ». Charles Sédillot, modèle de Rivet, ancien propriétaire d'un magasin de mousselines et calicots en gros, juge au tribunal de commerce, cousin de la mère de Balzac, fut chargé par celle-ci en 1846 d'intervenir auprès d'Honoré au sujet du remboursement de ses dettes.

La cousine, nommée Bette par abréviation, devenue ouvrière en passementerie d'or et d'argent, énergique à la manière des montagnards, eut le courage d'apprendre à lire, à compter et à écrire ; car son cousin, le baron, lui avait démontré la nécessité de posséder ces connaissances pour tenir un établissement de broderie. Elle voulait faire fortune : en deux ans, elle se métamorphosa. En 1811, la paysanne fut une assez gentille, une assez adroite et intelligente première demoiselle.

Cette partie, appelée passementerie d'or et d'argent, comprenait les épaulettes, les dragonnes, les aiguillettes, enfin cette immense quantité de choses brillantes qui scintillaient sur les riches uniformes de l'armée française et sur les habits civils. L'Empereur, en Italien très ami du costume, avait brodé de l'or et de l'argent sur toutes les coutures de ses serviteurs, et son empire comprenait cent trente-trois départements. Ces fournitures assez habituellement faites aux tailleurs, gens riches et solides, ou directement aux grands dignitaires, constituaient un commerce sûr.

Au moment où la cousine Bette, la plus habile ouvrière de la maison Pons où elle dirigeait la fabrication, aurait pu s'établir, la déroute de l'Empire éclata. L'olivier de la paix que tenaient à la main les Bourbons effraya Lisbeth, elle eut peur d'une baisse dans ce commerce, qui n'allait plus avoir que quatre-vingt-six au lieu de cent trente-trois départements à exploiter [1], sans compter l'énorme réduction de l'armée. Épouvantée enfin par les diverses chances de l'industrie, elle refusa les offres du baron qui la crut folle. Elle justifia cette opinion en se brouillant avec M. Rivet, acquéreur de la maison Pons, à qui le baron voulait l'associer, et elle redevint simple ouvrière.

La famille Fischer était alors retombée dans la situation précaire d'où le baron Hulot l'avait tirée.

---

1. À cause de la perte des territoires français à la suite de la chute de Napoléon et du traité de Paris du 30 mai 1814.

Ruinés par la catastrophe de Fontainebleau [1], les trois frères Fischer servirent en désespérés dans les corps francs de 1815 [2]. L'aîné, père de Lisbeth, fut tué. Le père d'Adeline, condamné à mort par un conseil de Guerre, s'enfuit en Allemagne, et mourut à Trêves en 1820. Le cadet Johann vint à Paris implorer la reine de la famille, qui, disait-on, mangeait dans l'or et l'argent, qui ne paraissait jamais aux réunions qu'avec des diamants sur la tête et au cou, gros comme des noisettes et donnés par l'Empereur. Johann Fischer, alors âgé de quarante-trois ans, reçut du baron Hulot une somme de dix mille francs pour commencer une petite entreprise de fourrages à Versailles, obtenue au ministère de la Guerre par l'influence secrète des amis que l'ancien intendant général y conservait.

Ces malheurs de famille, la disgrâce du baron Hulot, une certitude d'être peu de chose dans cet immense mouvement d'hommes, d'intérêts et d'affaires, qui fait de Paris un enfer et un paradis, domptèrent la Bette. Cette fille perdit alors toute idée de lutte et de comparaison avec sa cousine, après en avoir senti les diverses supériorités ; mais l'envie resta cachée dans le fond du cœur, comme un germe de peste qui peut éclore et ravager une ville, si l'on ouvre le fatal ballot de laine où il est comprimé. De temps en temps elle se disait bien : « Adeline et moi, nous sommes du même sang, nos pères étaient frères, elle est dans un hôtel, et je suis dans une mansarde. » Mais, tous les ans, à sa fête et au jour de l'an, Lisbeth recevait des cadeaux de la baronne et du baron ; le baron, excellent pour elle, lui payait son bois pour l'hiver ; le vieux général Hulot la recevait un jour à dîner,

---

1. La première abdication de Napoléon, signée à Fontainebleau en avril 1814.

2. Groupes de combattants organisés par Napoléon, en plus de l'armée officielle, à son retour de l'île d'Elbe au printemps 1815. Enrichis par la politique guerrière de l'Empire, les frères Fischer se battent pour son maintien.

son couvert était toujours mis chez sa cousine. On se moquait bien d'elle, mais on n'en rougissait jamais. On lui avait enfin procuré son indépendance à Paris, où elle vivait à sa guise.

Cette fille avait en effet peur de toute espèce de joug. Sa cousine lui offrait-elle de la loger chez elle ?... Bette apercevait le licou de la domesticité ; maintes fois le baron avait résolu le difficile problème de la marier ; mais séduite au premier abord, elle refusait bientôt en tremblant de se voir reprocher son manque d'éducation, son ignorance et son défaut de fortune ; enfin, si la baronne lui parlait de vivre avec leur oncle et d'en tenir la maison à la place d'une servante-maîtresse qui devait coûter cher, elle répondait qu'elle se marierait encore bien moins de cette façon-là.

La cousine Bette présentait dans les idées cette singularité qu'on remarque chez les natures qui se sont développées fort tard, chez les Sauvages qui pensent beaucoup et parlent peu. Son intelligence paysanne avait d'ailleurs acquis, dans les causeries de l'atelier, par la fréquentation des ouvriers et des ouvrières, une dose du mordant parisien. Cette fille, dont le caractère ressemblait prodigieusement à celui des Corses, travaillée inutilement par les instincts des natures fortes, eût aimé à protéger un homme faible ; mais à force de vivre dans la capitale, la capitale l'avait changée à la surface. Le poli parisien faisait rouille sur cette âme vigoureusement trempée. Douée d'une finesse devenue profonde, comme chez tous les gens voués à un célibat réel [1], avec le tour piquant qu'elle imprimait à ses idées, elle eût paru redoutable dans toute autre situation. Méchante, elle eût brouillé la famille la plus unie.

----

1. Donc chez les gens voués à la chasteté. Cette idée est récurrente chez Balzac : la chasteté constitue un réservoir de forces, l'énergie que les autres dépensent dans les relations amoureuses s'accumule chez les gens chastes et leur permet d'accomplir de grandes choses. Cette idée deviendra un lieu commun chez les écrivains réalistes et naturalistes.

Pendant les premiers temps, quand elle eut quelques espérances dans le secret desquelles elle ne mit personne, elle s'était décidée à porter des corsets, à suivre les modes, et obtint alors un moment de splendeur pendant lequel le baron la trouva mariable. Lisbeth fut alors la brune piquante de l'ancien roman français. Son regard perçant, son teint olivâtre, sa taille de roseau pouvaient tenter un major en demi-solde [1] ; mais elle se contenta, disait-elle en riant, de sa propre admiration. Elle finit d'ailleurs par trouver sa vie heureuse, après en avoir élagué les soucis matériels, car elle allait dîner tous les jours en ville, après avoir travaillé depuis le lever du soleil. Elle n'avait donc qu'à pourvoir à son déjeuner et à son loyer ; puis on l'habillait et on lui donnait beaucoup de ces provisions acceptables, comme le sucre, le café, le vin, etc.

En 1837, après vingt-sept ans de vie, à moitié payée par la famille Hulot et par son oncle Fischer, la cousine Bette, résignée à ne rien être, se laissait traiter sans façon ; elle se refusait elle-même à venir aux grands dîners en préférant l'intimité qui lui permettait d'avoir sa valeur, et d'éviter des souffrances d'amour-propre. Partout, chez le général Hulot, chez Crevel, chez le jeune Hulot, chez Rivet, successeur des Pons avec qui elle s'était raccommodée et qui la fêtait, chez la baronne, elle semblait être de la maison. Enfin partout elle savait amadouer les domestiques en leur payant de petits pourboires de temps en temps, en causant toujours avec eux pendant quelques instants avant d'entrer au salon. Cette familiarité par laquelle elle se mettait franchement au niveau des gens, lui conciliait leur bienveillance subalterne, très essentielle aux parasites. – C'est une bonne et brave fille ! était le mot de tout le monde sur elle. Sa complaisance, sans bornes quand on ne l'exigeait pas,

---

1. Militaire qui touche une demi-solde – et plus particulièrement soldat de l'Empire, sous la Restauration.

était d'ailleurs, ainsi que sa fausse bonhomie, une nécessité de sa position. Elle avait fini par comprendre la vie
en se voyant à la merci de tout le monde ; et voulant
plaire à tout le monde, elle riait avec les jeunes gens à
qui elle était sympathique par une espèce de patelinage [1]
qui les séduit toujours, elle devinait et épousait leurs
désirs, elle se rendait leur interprète, elle leur paraissait
être une bonne confidente, car elle n'avait pas le droit de
les gronder. Sa discrétion absolue lui méritait la
confiance des gens d'un âge mûr, car elle possédait,
comme Ninon, des qualités d'homme. En général, les
confidences vont plutôt en bas qu'en haut. On emploie
beaucoup plus ses inférieurs que ses supérieurs dans les
affaires secrètes ; ils deviennent donc les complices de nos
pensées réservées, ils assistent aux délibérations ; or,
Richelieu se regarda comme arrivé quand il eut le droit
d'assistance au conseil. On croyait cette pauvre fille dans
une telle dépendance de tout le monde, qu'elle semblait
condamnée à un mutisme absolu. La cousine se surnom-
mait elle-même le confessionnal de la famille [2]. La
baronne seule, à qui les mauvais traitements qu'elle avait
reçus, pendant son enfance, de sa cousine plus forte
qu'elle quoique moins âgée, gardait une espèce de
défiance. Puis, par pudeur, elle n'eût confié qu'à Dieu ses
chagrins domestiques.

Ici peut-être est-il nécessaire de faire observer que la
maison de la baronne conservait toute sa splendeur aux
yeux de la cousine Bette, qui n'était pas frappée, comme
le marchand parfumeur parvenu, de la détresse écrite sur
les fauteuils rongés, sur les draperies noircies et sur la
soie balafrée. Il en est du mobilier avec lequel on vit
comme de nous-mêmes. En s'examinant tous les jours,
on finit, à l'exemple du baron, par se croire peu changé,

---

1. Manière insinuante, artificieuse ; douceur hypocrite.
2. A.-M. Meininger souligne la parenté entre le portrait de Bette et
celui de Pons (voir Pléiade, p. 1257, n. 2).

jeune, alors que les autres voient sur nos têtes une chevelure tournant au chinchilla, des accents circonflexes à
notre front, et de grosses citrouilles dans notre abdomen.
Cet appartement, toujours éclairé pour la cousine Bette
par les feux du Bengale des victoires impériales, resplendissait donc toujours.

Avec le temps, la cousine Bette avait contracté des
manies de vieille fille, assez singulières. Ainsi, par
exemple, elle voulait, au lieu d'obéir à la mode, que la
mode s'appliquât à ses habitudes, et se pliât à ses fantaisies toujours arriérées. Si la baronne lui donnait un joli
chapeau nouveau, quelque robe taillée au goût du jour,
aussitôt la cousine Bette retravaillait chez elle, à sa façon,
chaque chose, et la gâtait en s'en faisant un costume qui
tenait des modes impériales et de ses anciens costumes
lorrains. Le chapeau de trente francs devenait une loque,
et la robe un haillon. La Bette était, à cet égard, d'un
entêtement de mule ; elle voulait se plaire à elle seule et
se croyait charmante ainsi ; tandis que cette assimilation,
harmonieuse en ce qu'elle la faisait vieille fille de la tête
aux pieds, la rendait si ridicule, qu'avec le meilleur vouloir, personne ne pouvait l'admettre chez soi les jours
de gala.

Cet esprit rétif, capricieux, indépendant, l'inexplicable
sauvagerie de cette fille, à qui le baron avait par quatre
fois trouvé des partis (un employé de son administration,
un major, un entrepreneur des vivres, un capitaine en
retraite), et qui s'était refusée à un passementier, devenu
riche depuis, lui méritait le surnom de Chèvre que le
baron lui donnait en riant. Mais ce surnom ne répondait
qu'aux bizarreries de la surface, à ces variations que nous
nous offrons tous les uns aux autres en état de société.
Cette fille qui, bien observée, eût présenté le côté féroce
de la classe paysanne, était toujours l'enfant qui voulait
arracher le nez de sa cousine, et qui peut-être, si elle
n'était devenue raisonnable, l'aurait tuée en un
paroxysme de jalousie. Elle ne domptait que par la

connaissance des lois et du monde, cette rapidité naturelle avec laquelle les gens de la campagne, de même que les Sauvages, passent du sentiment à l'action. En ceci peut-être consiste toute la différence qui sépare l'homme naturel de l'homme civilisé. Le Sauvage n'a que des sentiments, l'homme civilisé a des sentiments et des idées. Aussi, chez les Sauvages, le cerveau reçoit-il pour ainsi dire peu d'empreintes, il appartient alors tout entier au sentiment qui l'envahit, tandis que chez l'homme civilisé, les idées descendent sur le cœur qu'elles transforment ; celui-ci est à mille intérêts, à plusieurs sentiments, tandis que le Sauvage n'admet qu'une idée à la fois. C'est la cause de la supériorité momentanée de l'enfant sur les parents et qui cesse avec le désir satisfait ; tandis que, chez l'homme voisin de la Nature, cette cause est continue. La cousine Bette, la sauvage Lorraine, quelque peu traîtresse, appartenait à cette catégorie de caractères plus communs chez le peuple qu'on ne pense, et qui peut en expliquer la conduite pendant les révolutions [1].

Au moment où cette Scène commence, si la cousine Bette avait voulu se laisser habiller à la mode ; si elle s'était, comme les Parisiennes, habituée à porter chaque nouvelle mode, elle eût été présentable et acceptable ; mais elle gardait la roideur d'un bâton. Or, sans grâces, la femme n'existe point à Paris. Ainsi, la chevelure noire, les beaux yeux durs, la rigidité des lignes du visage, la

---

1. Pour Nicole Mozet, la cousine Bette est une figure du peuple, « dont elle symbolise les envies et les violences » (*Balzac au pluriel*, PUF, « Écrivains », 1990, p. 145). Plus loin, l'auteur note : « la peur de la femme et la peur du peuple, tous deux assimilés à la pure violence, sont deux phobies jumelles qui manifestent l'une et l'autre la même hantise de la castration. [...] Dans son roman de 1846, Balzac exploite à nouveau, dans un système très complexe qui multiplie les relations d'un pôle à l'autre, la symétrie fantasmatique du peuple et des femmes qu'il partage avec toute son époque et qu'il avait déjà mise en scène, mais par simple juxtaposition, dans *La Fille aux yeux d'or* » (*ibid.*, p. 155). On peut également voir dans la Bette plus qu'une figure du Peuple, une figure du Sauvage, comme l'indique l'image du Mohican employée à son sujet au chapitre 28.

sécheresse calabraise du teint qui faisaient de la cousine
Bette une figure du Giotto [1], et desquels une vraie Parisienne eût tiré parti, sa mise étrange surtout, lui donnaient une si bizarre apparence, que parfois elle
ressemblait aux singes habillés en femmes, promenés par
les petits Savoyards. Comme elle était bien connue dans
les maisons unies par les liens de famille où elle vivait,
qu'elle restreignait ses évolutions sociales à ce cercle,
qu'elle aimait son chez-soi, ses singularités n'étonnaient
plus personne, et disparaissaient au-dehors dans
l'immense mouvement parisien de la rue, où l'on ne
regarde que les jolies femmes.

10

L'amoureux de Bette

Les rires d'Hortense étaient en ce moment causés par
un triomphe remporté sur l'obstination de la cousine
Bette, elle venait de lui surprendre un aveu demandé
depuis trois ans. Quelque dissimulée que soit une vieille
fille, il est un sentiment qui lui fera toujours rompre le
jeûne de la parole, c'est la vanité ! Depuis trois ans, Hortense, devenue excessivement curieuse en certaine
matière, assaillait sa cousine de questions où respirait
d'ailleurs une innocence parfaite : elle voulait savoir
pourquoi sa cousine ne s'était pas mariée. Hortense, qui
connaissait l'histoire des cinq prétendus refusés, avait
bâti son petit roman, elle croyait à la cousine Bette une
passion au cœur, et il en résultait une guerre de plaisanteries. Hortense disait : « Nous autres jeunes filles ! » en
parlant d'elle et de sa cousine. La cousine Bette avait, à
plusieurs reprises, répondu d'un ton plaisant : « Qui vous
dit que je n'ai pas un amoureux ? » L'amoureux de la

---

1. Les figures du peintre toscan Giotto (1267-1337) frappent par leur
dépouillement, leur profil anguleux et leur sévérité.

cousine Bette, faux ou vrai, devint alors un sujet de
douces railleries. Enfin, après deux ans de cette petite
guerre, la dernière fois que la cousine Bette était venue,
le premier mot d'Hortense avait été : « Comment va ton
amoureux ? – Mais bien, avait-elle répondu ; il souffre un
peu, ce pauvre jeune homme. – Ah ! il est délicat ? avait
demandé la baronne en riant. – Je crois bien, il est
blond... Une fille charbonnée comme je le suis ne peut
aimer qu'un blondin, couleur de la lune. – Mais
qu'est-il ? que fait-il ? dit Hortense. Est-ce un prince ?
– Prince de l'outil, comme je suis reine de la bobine. Une
pauvre fille comme moi peut-elle être aimée d'un propriétaire ayant pignon sur la rue et des rentes sur l'État, ou
d'un duc et pair, ou de quelque Prince Charmant de tes
contes de fées [1] ? – Oh ! je voudrais bien le voir... s'était
écriée Hortense en souriant. – Pour savoir comment est
tourné celui qui peut aimer une vieille chèvre ? avait
répondu la cousine Bette. – Ce doit être un monstre de
vieil employé à barbe de bouc ? avait dit Hortense en
regardant sa mère. – Eh bien ! c'est ce qui vous trompe,
mademoiselle. – Mais tu as donc un amoureux ? avait
demandé Hortense d'un air de triomphe. – Aussi vrai que
tu n'en as pas ! avait répondu la cousine d'un air piqué.
– Eh bien ! si tu as un amoureux, Bette, pourquoi ne
l'épouses-tu pas ?... avait dit la baronne en faisant un
signe à sa fille. Voilà trois ans qu'il est question de lui, tu
as eu le temps de l'étudier, et s'il t'est resté fidèle, tu ne
devrais pas prolonger une situation fatigante pour lui.
C'est d'ailleurs une affaire de conscience ; et puis, s'il est
jeune, il est temps de prendre un bâton de vieillesse. » La
cousine Bette avait regardé fixement la baronne, et
voyant qu'elle riait, elle avait répondu : « Ce serait marier
la faim et la soif [2] ; il est ouvrier, je suis ouvrière, si nous

---

1. *La Cousine Bette*, comme beaucoup de récits balzaciens, est un
anti-conte de fées (voir N. Mozet, *Balzac au pluriel, op. cit.*, p. 145).
2. Balzac fait une remarque semblable à propos d'Athanase Granson, jeune homme pauvre, amoureux de Mlle Cormon, dans *La Vieille
Fille* : « Une belle jeune fille riche, il ne l'obtiendrait pas dans un pays
où tout est calcul ; une belle fille pauvre, il lui est interdit de l'aimer ;

avions des enfants, ils seraient des ouvriers... Non, non,
nous nous aimons d'âme... C'est moins cher ! – Pourquoi le caches-tu ? avait demandé Hortense. – Il est en
veste, avait répliqué la vieille fille en riant. – L'aimes-tu ?
avait demandé la baronne. – Ah ! je crois bien ! je l'aime
pour lui-même, ce chérubin[1]. Voilà quatre ans que je le
porte dans mon cœur. – Eh bien ! si tu l'aimes pour lui-
même, avait dit gravement la baronne, et s'il existe, tu
serais bien criminelle envers lui. Tu ne sais pas ce que
c'est que d'aimer. – Nous savons toutes ce métier-là en
naissant !... dit la cousine. – Non, il y a des femmes qui
aiment et qui restent égoïstes, et c'est ton cas !... » La
cousine avait baissé la tête, et son regard eût fait frémir
celui qui l'aurait reçu, mais elle avait regardé sa bobine.
– En nous présentant ton amoureux prétendu, Hector
pourrait le placer, et le mettre dans une situation à faire
fortune. – Ça ne se peut pas, avait dit la cousine Bette.
– Et pourquoi ? – C'est une manière de Polonais[2], un
réfugié... – Un conspirateur... s'était écriée Hortense.
Es-tu heureuse !... A-t-il eu des aventures ?... – Mais il
s'est battu pour la Pologne. Il était professeur dans le
gymnase dont les élèves ont commencé la révolte, et
comme il était placé là par le grand-duc Constantin[3], il

---

ce serait, comme disent les provinciaux, marier la faim et la soif ; enfin
une solitude monacale est dangereuse au jeune âge. »
  1. Comme la cousine Rosalie aimait un jeune savant, d'un amour
inconnu, caché et sans retour. D'après Laure Surville, Balzac s'est en
effet souvenu, lors de la création de son roman, d'une bluette intitulée
La Cousine Rosalie, consacrée au souvenir d'une de leurs vieilles
parentes, nouvelle qu'elle a publiée sous le pseudonyme de Lélio dans
Le Journal des enfants en 1844, et reprise dans *Le Compagnon du foyer*
en 1854 (texte reproduit dans Pléiade, p. 1231-1240). L'amour de Bette
pour Wenceslas a un caractère nettement captatif ; il n'est nullement
désintéressé.
  2. Steinbock est dit plus loin livonien (voir chap. 16). La Livonie
avait été cédée par la Pologne à la Suède en 1660, puis était échue à la
Russie en 1721 lors de la paix de Nystadt.
  3. Constantin (1779-1831), grand-duc de Russie, frère du tsar
Alexandre II, commandant supérieur des troupes polonaises de 1815 à
1825, puis vice-roi de Pologne, refusa de faire marcher l'armée russe
contre ses sujets polonais révoltés. Depuis l'arrivée des réfugiés polo-

n'a pas de grâce à espérer... – Professeur de quoi ?...
– De beaux-arts !... – Et il est arrivé à Paris après la
déroute ?... – En 1833, il avait fait l'Allemagne à pied...
– Pauvre jeune homme ! Et il a ?... – Il avait à peine
vingt-quatre ans lors de l'insurrection, il a vingt-neuf ans
aujourd'hui... – Quinze ans de moins que toi, avait dit
alors la baronne. – De quoi vit-il ?... avait demandé Hortense. – De son talent... – Ah ! il donne des leçons ?...
– Non, avait dit la cousine Bette, il en reçoit et de
dures !... – Et son petit nom, est-il joli ?... – Wenceslas !
– Quelle imagination ont les vieilles filles ! s'était écriée
la baronne. À la manière dont tu parles, on te croirait,
Lisbeth. – Ne vois-tu pas, maman, que c'est un Polonais
tellement fait au knout [1], que Bette lui rappelle cette
petite douceur de sa patrie ?

Toutes trois elles s'étaient mises à rire, et Hortense
avait chanté : *Wenceslas ! idole de mon âme* [2] ! au lieu de :
Ô Mathilde... Et il y avait eu comme un armistice pendant quelques instants.

Ces petites filles, avait dit la cousine Bette en regardant
Hortense quand elle était revenue près d'elle, ça croit
qu'on ne peut aimer qu'elles. – Tiens, avait répondu Hortense en se trouvant seule avec sa cousine, prouve-moi
que Wenceslas n'est pas un conte, et je te donne mon
châle de cachemire jaune. – Mais il est comte !... – Tous
les Polonais sont comtes ! – Mais il n'est pas polonais, il

---

nais, à la suite de la révolution de 1830, la question polonaise reste à
l'ordre du jour de la vie politique en France. La révolte des serfs de
Galicie, la répression cruelle du mouvement insurrectionnel par les
troupes autrichiennes, russes et prussiennes, l'annexion du grand-duché
de Cracovie, le 6 novembre 1846, *pendant* la publication du roman,
confèrent une actualité extraordinaire au personnage de Wenceslas
Steinbock, qui se dégrade en antihéros au fil des pages.

1. Instrument de supplice de l'ancienne Russie, sorte de fouet à
lanières de cuir terminées par des crochets ou des boules de métal.

2. Parodie d'*Ô Mathilde, idole de mon âme*, air du *Guillaume Tell* de
Rossini (1829), où triompha le ténor Duprez dont il était question au
chapitre 3 (p. 67).

est de Li... va... Lith... – Lithuanie ?... – Non... – Livonie ?... – C'est cela ! – Mais comment se nomme-t-il ?
– Voyons, je veux savoir si tu es capable de garder un
secret... – Oh ! cousine, je serai muette... – Comme un
poisson ? – Comme un poisson !... – Par ta vie éternelle ?
– Par ma vie éternelle ! – Non, par ton bonheur sur cette
terre ? – Oui. – Eh bien ! il se nomme le comte Wenceslas
Steinbock ! – Il y avait un des généraux de Charles XII
qui portait ce nom-là [1]. – C'était son grand-oncle ! Son
père à lui s'est établi en Livonie après la mort du roi de
Suède ; mais il a perdu sa fortune lors de la campagne
de 1812, et il est mort, laissant le pauvre enfant, à l'âge
de huit ans, sans ressources. Le grand-duc Constantin, à
cause du nom de Steinbock, l'a pris sous sa protection,
et l'a mis dans une école... – Je ne me dédis pas, avait
répondu Hortense, donne-moi une preuve de son existence, et tu as mon châle jaune ! Ah ! cette couleur est le
fard des brunes. – Tu me garderas le secret ? – Tu auras
les miens. – Eh bien ! la prochaine fois que je viendrai,
j'aurai la preuve. – Mais la preuve, c'est l'amoureux, avait
dit Hortense.

11

Entre vieille et jeune fille

La cousine Bette, en proie depuis son arrivée à Paris à
l'admiration des cachemires [2], avait été fascinée par l'idée

---

1. Général de Charles XII, cité par Voltaire dans son *Histoire de
Charles XII, roi de Suède* (1731).
2. Les héroïnes bourgeoises de *La Comédie humaine* affectionnent ce
tissu. Dans *La Maison du Chat-qui-pelote*, Mme Guillaume perd son
cachemire au Salon ; « Mme Lebas avait sur les épaules un cachemire
dont la magnificence attestait la générosité avec laquelle son mari
s'occupait d'elle. » Dans *César Birotteau*, le parfumeur met dans un
fiacre sa femme « enlaidie d'un chapeau à plumes et du dernier châle
donné, le cachemire qu'elle avait désiré pendant quinze ans ».

de posséder ce cachemire jaune donné par le baron à sa femme, en 1808, et qui, selon l'usage de quelques familles, avait passé de la mère à la fille en 1830. Depuis dix ans, le châle s'était bien usé ; mais ce précieux tissu, toujours serré dans une boîte en bois de sandal[1], semblait, comme le mobilier de la baronne, toujours neuf à la vieille fille. Donc, elle avait apporté dans son réticule[2] un cadeau qu'elle comptait faire à la baronne pour le jour de sa naissance, et qui, selon elle, devait prouver l'existence du fantastique amoureux.

Ce cadeau consistait en un cachet d'argent, composé de trois figurines adossées, enveloppées de feuillages et soutenant le globe. Ces trois personnages représentaient la Foi, l'Espérance et la Charité[3]. Les pieds reposaient sur des monstres qui s'entre-déchiraient, et parmi lesquels s'agitait le serpent symbolique. En 1846, après le pas immense que Mlle de Fauveau, les Wagner, les Jeannest[4], les Froment-Meurice[5], et des sculpteurs en bois

---

1. *Sandal* ou *santal* : bois clair, odorant, utilisé en ébénisterie.

2. Petit sac à main ou bourse.

3. Allégories des trois vertus dites « théologales » dans la religion chrétienne, c'est-à-dire les vertus qui ont Dieu lui-même pour objet et qui sont les plus importantes pour le salut. Les autres vertus, dites « cardinales », sont la justice, la prudence, la tempérance et la force.

4. Félicité de Fauveau : femme sculpteur. Charles Appolinaire Wagner : bronzier, Louis François et son fils Émile Jeannest : sculpteurs.

5. Froment-Meurice (1802-1855) : brillant orfèvre surnommé « le Cellini de son temps » par ses contemporains et « l'ouvrier magicien » par Victor Hugo, et qui puisait son inspiration dans les productions du Moyen Âge et de la Renaissance. Le style de la pièce d'orfèvrerie évoquée dans les lignes qui suivent rappelle directement celui de ses œuvres. Dans les années 1845-1846, Balzac lui fit de nombreuses commandes : un bracelet-Pompadour et une coupe à bagues pour Mme Hanska, une broche pour Anna, et lui confia la fabrication de la fameuse cassette en malachite, conservée par Marcel Bouteron jusqu'à sa mort. Sous les noms de Florent et Chanor, Balzac crée les doubles romanesques de Froment-Meurice qui fut l'un des témoins pressentis de son mariage secret avec Mme Hanska en France, projet abandonné après la fausse-couche de celle-ci.

comme Liénard[1], ont fait faire à l'art de Benvenuto Cellini, ce chef-d'œuvre ne surprendrait personne ; mais en ce moment, une jeune fille experte en bijouterie, dut rester ébahie en maniant ce cachet, quand la cousine Bette le lui eut présenté, en lui disant : « Tiens, comment trouves-tu cela ? » Les figures, par leur dessin, par leurs draperies et par leur mouvement, appartenaient à l'école de Raphaël ; par l'exécution elles rappelaient l'école des bronziers florentins que créèrent les Donatello, Brunelleschi, Ghiberti, Benvenuto Cellini, Jean de Bologne, etc. La Renaissance, en France, n'avait pas tordu de monstres plus capricieux que ceux qui symbolisaient les mauvaises passions. Les palmes, les fougères, les joncs, les roseaux qui enveloppaient les Vertus étaient d'un effet, d'un goût, d'un agencement à désespérer les gens du métier. Un ruban reliait les trois têtes entre elles, et sur les champs qu'il présentait dans chaque entre-deux des têtes, on voyait un W, un chamois et le mot *fecit*[2].

– Qui donc a sculpté cela ? demanda Hortense.

– Eh bien ! mon amoureux, répondit la cousine Bette. Il y a là dix mois de travail ; aussi, gagné-je davantage à faire des dragonnes… Il m'a dit que Steinbock signifiait en allemand *animal des rochers* ou chamois[3]. Il compte signer ainsi ses ouvrages… Ah ! j'aurai ton châle…

– Et pourquoi ?

– Puis-je acheter un pareil bijou ? le commander ? c'est impossible ; donc il m'est donné. Qui peut faire de pareils cadeaux ? un amoureux !

Hortense, par une dissimulation dont se serait effrayée Lisbeth Fischer, si elle s'en était aperçue, se garda bien d'exprimer toute son admiration, quoiqu'elle éprouvât ce

---

1. Joseph Liénard, ornemaniste, travailla pour la maison que Balzac avait achetée en septembre 1846 rue Fortunée (actuelle rue Balzac), pour y loger avec Ève Hanska lorsqu'elle viendrait s'installer à Paris.

2. « A fait » (parfait du verbe latin *facere*, « faire »).

3. Le mot allemand *steinbock* (de *stein*, « pierre », « rocher », et *bock*, « bouc ») signifie « bouquetin ». Et, en astrologie, « Capricorne ».

saisissement que ressentent les gens dont l'âme est ouverte au beau, quand ils voient un chef-d'œuvre sans défaut, complet, inattendu.

– Ma foi, dit-elle, c'est bien gentil.

– Oui, c'est gentil, reprit la vieille fille ; mais j'aime mieux un cachemire orange. Eh bien ! ma petite, mon amoureux passe son temps à travailler dans ce goût-là. Depuis son arrivée à Paris, il a fait trois ou quatre petites bêtises de ce genre, et voilà le fruit de quatre ans d'études et de travaux. Il s'est mis apprenti chez les fondeurs, les mouleurs, les bijoutiers... bah ! des mille et des cents y ont passé. Monsieur me dit qu'en quelques mois, maintenant, il deviendra célèbre et riche...

– Mais tu le vois donc ?

– Tiens ! crois-tu que ce soit une fable ? Je t'ai dit la vérité en riant.

– Et il t'aime ? demanda vivement Hortense.

– Il m'adore ! répondit la cousine en prenant un air sérieux. Vois-tu, ma petite, il n'a connu que des femmes pâles, fadasses, comme elles sont toutes dans le Nord ; une fille brune, svelte, jeune comme moi, ça lui a réchauffé le cœur. Mais, *motus* ! tu me l'as promis.

– Il en sera de celui-là comme des cinq autres, dit d'un air railleur la jeune fille en regardant le cachet.

– Six, mademoiselle, j'en ai laissé un en Lorraine qui, pour moi, décrocherait la lune, encore aujourd'hui.

– Celui-là fait mieux, répondit Hortense, il t'apporte le soleil.

– Où ça peut-il se monnayer ? demanda la cousine Bette. Il faut beaucoup de terre pour profiter du soleil.

Ces plaisanteries dites coup sur coup, et suivies de folies qu'on peut deviner, engendraient ces rires qui avaient redoublé les angoisses de la baronne en lui faisant comparer l'avenir de sa fille au présent, où elle la voyait s'abandonnant à toute la gaieté de son âge.

– Mais pour t'offrir des bijoux qui veulent six mois de travail, il doit t'avoir de bien grandes obligations ?

demanda Hortense que ce bijou faisait réfléchir profondément.

— Ah ! tu veux en savoir trop d'une seule fois ! répondit la cousine Bette. Mais, écoute… tiens, je vais te mettre dans un complot.

— Y serai-je avec ton amoureux ?

— Ah ! tu voudrais bien le voir ! Mais, tu comprends, une vieille fille comme votre Bette qui a su garder pendant cinq ans un amoureux, le cache bien… Ainsi, laisse-nous tranquilles. Moi, vois-tu, je n'ai ni chat, ni serin, ni chien, ni perroquet ; il faut qu'une vieille bique comme moi ait quelque petite chose à aimer, à tracasser ; eh ! bien… je me donne un Polonais.

— A-t-il des moustaches ?

— Longues comme cela, dit la Bette en lui montrant une navette chargée de fils d'or.

Elle emportait toujours son ouvrage en ville, et travaillait en attendant le dîner.

— Si tu me fais toujours des questions, tu ne sauras rien, reprit-elle. Tu n'as que vingt-deux ans, et tu es plus bavarde que moi qui en ai quarante-deux, et même quarante-trois.

— J'écoute, je suis de bois, dit Hortense.

— Mon amoureux a fait un groupe en bronze de dix pouces de hauteur, reprit la cousine Bette. Ça représente Samson [1] déchirant un lion, et il l'a enterré, rouillé, de manière à faire croire maintenant qu'il est aussi vieux que Samson. Ce chef-d'œuvre est exposé chez un des marchands de bric-à-brac dont les boutiques sont sur la place du Carrousel, près de ma maison. Si ton père qui connaît M. Popinot, le ministre du Commerce et de l'Agriculture, ou le comte de Rastignac, pouvait leur

---

1. Personnage biblique, juge d'Israël (voir Livre des Juges, XIII-XVI). Consacré à Dieu, il est habité par une force extraordinaire, dont la source réside dans sa chevelure. Il est trahi par Dalila, dont il est question plus loin dans le roman à propos de Valérie Marneffe (voir *infra*, p. 331, n. 1).

parler de ce groupe comme d'une belle œuvre ancienne qu'il aurait vue en passant ; il paraît que ces grands personnages donnent dans cet article au lieu de s'occuper de nos dragonnes, et que la fortune de mon amoureux serait faite, s'ils achetaient ou même venaient examiner ce méchant morceau de cuivre. Ce pauvre garçon prétend qu'on prendrait cette bêtise-là pour de l'antique, et qu'on la paierait bien cher. Pour lors, si c'est un des ministres qui prend le groupe, il ira s'y présenter, prouver qu'il est l'auteur, et il sera porté en triomphe ! Oh ! il se croit sur le pinacle, il a de l'orgueil, le jeune homme, autant que deux comtes nouveaux.

— C'est renouvelé de Michel-Ange [1] ; mais, pour un amoureux, il n'a pas perdu l'esprit… dit Hortense. Et combien en veut-il ?

— Quinze cents francs !… Le marchand ne doit pas donner le bronze à moins, car il lui faut une commission.

— Papa, dit Hortense, est commissaire du roi pour le moment ; il voit tous les jours les deux ministres à la Chambre, et il fera ton affaire, je m'en charge. Vous deviendrez riche, madame la comtesse Steinbock !

— Non, mon homme est trop paresseux, il reste des semaines entières à tracasser de la cire rouge, et rien n'avance. Ah bah ! il passe sa vie au Louvre, à la Bibliothèque à regarder des estampes et à les dessiner. C'est un flâneur.

Et les deux cousines continuèrent à plaisanter. Hortense riait comme lorsqu'on s'efforce de rire, car elle était envahie par un amour que toutes les jeunes filles ont

---

1. D'après la vie de Michel-Ange racontée par le peintre et historien d'art Giorgio Vasari (1511-1574), Michel-Ange avait confié à un marchand une statue grandeur nature, *Cupidon endormi*, pour qu'il la vende un bon prix. Le marchand enterra la statue dans son jardin, puis la vendit pour de l'antique au cardinal San Giorgio. Voir Giorgio Vasari, *Vies des artistes*, Grasset, « Les Cahiers Rouges », 2007, p. 355-356 (Vasari donne plusieurs versions possibles de cette histoire, qui engagent plus ou moins la responsabilité de l'artiste dans cette fraude à l'antique…).

subi, l'amour de l'inconnu, l'amour à l'état vague et dont les pensées se concrètent autour d'une figure qui leur est jetée par hasard, comme les floraisons de la gelée se prennent à des brins de paille suspendus par le vent à la marge d'une fenêtre[1]. Depuis dix mois, elle avait fait un être réel du fantastique amoureux de sa cousine par la raison qu'elle croyait, comme sa mère, au célibat perpétuel de sa cousine ; et depuis huit jours, ce fantôme était devenu le comte Wenceslas Steinbock, le rêve avait un acte de naissance, la vapeur se solidifiait en un jeune homme de trente ans. Le cachet qu'elle tenait à la main, espèce d'Annonciation[2] où le génie éclatait comme une lumière, eut la puissance d'un talisman. Hortense se sentait si heureuse, qu'elle se prit à douter que ce conte fût de l'histoire ; son sang fermentait, elle riait comme une folle pour donner le change à sa cousine.

12
Monsieur le baron Hector Hulot d'Ervy

– Mais il me semble que la porte du salon est ouverte, dit la cousine Bette, allons donc voir si M. Crevel est parti...

---

1. On retrouve ici la théorie stendhalienne de la cristallisation, selon laquelle l'amoureux idéalise l'être aimé et le pare de toutes les qualités : « Aux mines de sel de Salzbourg, on jette dans les profondeurs abandonnées de la mine un rameau d'arbre effeuillé par l'hiver ; deux ou trois mois après, on le retire couvert de cristallisations brillantes [...]. Ce que j'appelle cristallisation, c'est l'opération de l'esprit, qui tire de tout ce qui se présente la découverte que l'objet aimé a de nouvelles perfections » (Stendhal, *De l'amour*, 1822, chap. 6, « Le Rameau de Salzbourg »). Balzac évoque aussi la cristallisation dans l'introduction de *Physiologie du mariage* et dans *Le Curé de village* (chap. 1).
2. Dans la religion chrétienne, apparition de l'ange Gabriel à la Vierge Marie pour lui annoncer qu'elle a été choisie par Dieu pour être la mère du Messie.

– Maman est bien triste depuis deux jours, le mariage dont il était question est sans doute rompu…

– Bah ! ça peut se raccommoder, il s'agit (je puis te dire cela) d'un conseiller à la Cour royale. Aimerais-tu être Mme la présidente ? Va, si cela dépend de M. Crevel, il me dira bien quelque chose, et je saurai demain s'il y a de l'espoir !…

– Cousine, laisse-moi le cachet, demanda Hortense, je ne le montrerai pas… La fête de maman est dans un mois, je te le remettrai, le matin…

– Non, rends-le-moi… il y faut un écrin.

– Mais je le ferai voir à papa, pour qu'il puisse parler au ministre en connaissance de cause, car les autorités ne doivent pas se compromettre, dit-elle.

– Eh bien ! ne le montre pas à ta mère, voilà tout ce que je te demande ; car si elle me connaissait un amoureux, elle se moquerait de moi…

– Je te le promets.

Les deux cousines arrivèrent sur la porte du boudoir au moment où la baronne venait de s'évanouir, et le cri poussé par Hortense suffit à la ranimer. La Bette alla chercher des sels. Quand elle revint, elle trouva la fille et la mère dans les bras l'une de l'autre, la mère apaisant les craintes de sa fille, et lui disant : « Ce n'est rien, c'est une crise nerveuse. – Voici ton père, ajouta-t-elle en reconnaissant la manière de sonner du baron, surtout ne lui parle pas de ceci… »

Adeline se leva pour aller au-devant de son mari, dans l'intention de l'emmener au jardin [1], en attendant le dîner, de lui parler du mariage rompu, de le faire expliquer sur l'avenir, et d'essayer de lui donner quelques avis.

---

1. « Entre les falaises de pierre où s'agite [l']océan humain » des Parisiens (chap. 102), le décor naturel constitué par quelques mètres carrés de végétation joue un rôle décisif. Dans *La Cousine Bette*, le jardin est en effet un lieu privilégié qui sert de cadre aux entretiens confidentiels des personnages. On trouvera une utilisation similaire du jardin dans un grand nombre de récits réalistes et naturalistes.

Le baron Hector Hulot se montra dans une tenue parlementaire et napoléonienne, car on distingue facilement les Impériaux (gens attachés à l'Empire) à leur cambrure militaire, à leurs habits bleus à boutons d'or, boutonnés jusqu'en haut, à leurs cravates en taffetas noir, à la démarche pleine d'autorité qu'ils ont contractée dans l'habitude du commandement despotique exigé par les rapides circonstances où ils se sont trouvés. Chez le baron rien, il faut en convenir, ne sentait le vieillard : sa vue était encore si bonne qu'il lisait sans lunettes ; sa belle figure oblongue, encadrée de favoris trop noirs, hélas ! offrait une carnation animée par les marbrures qui signalent les tempéraments sanguins ; et son ventre, contenu par une ceinture, se maintenait, comme dit Brillat-Savarin [1], au majestueux. Un grand air d'aristocratie et beaucoup d'affabilité servaient d'enveloppe au libertin avec qui Crevel avait fait tant de parties fines. C'était bien là un de ces hommes dont les yeux s'animent à la vue d'une jolie femme, et qui sourient à toutes les belles, même à celles qui passent et qu'ils ne reverront plus.

– As-tu parlé, mon ami ? dit Adeline en lui voyant un front soucieux.

– Non, répondit Hector ; mais je suis assommé d'avoir entendu parler pendant deux heures sans arriver à un vote... Ils font des combats de paroles où les discours sont comme des charges de cavalerie qui ne dissipent point l'ennemi [2] ! On a substitué la parole à l'action, ce qui réjouit peu les gens habitués à marcher, comme je le disais au maréchal en le quittant. Mais c'est bien assez

---

1. Brillat-Savarin, *Physiologie du goût* (1825), XXI, « De l'obésité ».
2. Dans *Modeste Mignon*, au cours d'une « improvisation composée de lieux communs modernes », le poète Canalis déclare : « Maintenant les luttes orales avaient remplacé celles du champ de bataille. » En 1829-1830, il veut simplement impressionner son auditoire par des « expressions sonores » et des « mots nouveaux ». En 1838, ce même lieu commun, dit avec conviction par le baron Hulot, témoigne de la vision du monde attardée de ce personnage napoléonien.

de s'être ennuyé sur les bancs des ministres, amusons-
nous ici... Bonjour la Chèvre, bonjour Chevrette !

Et il prit sa fille par le cou, l'embrassa, la lutina, l'assit
sur ses genoux, et lui mit la tête sur son épaule pour
sentir cette belle chevelure d'or sur son visage.

— Il est ennuyé, fatigué, se dit Mme Hulot, je vais
l'ennuyer encore, attendons. — Nous restes-tu ce soir ?...
demanda-t-elle à haute voix.

— Non, mes enfants. Après le dîner je vous quitte, et
si ce n'était pas le jour de la Chèvre, de mes enfants et
de mon frère, vous ne m'auriez pas vu...

La baronne prit le journal, regarda les théâtres, et posa
la feuille où elle avait lu *Robert le Diable* [1] à la rubrique
de l'Opéra. Josépha, que l'Opéra italien avait cédée
depuis six mois à l'Opéra français, chantait le rôle
d'Alice. Cette pantomime n'échappa point au baron qui
regarda fixement sa femme. Adeline baissa les yeux,
sortit dans le jardin, et il l'y suivit.

— Voyons, qu'y a-t-il, Adeline ? dit-il en la prenant par
la taille, l'attirant à lui et la pressant. Ne sais-tu pas que
je t'aime plus que...

— Plus que Jenny Cadine et que Josépha ? répondit-elle
avec hardiesse et en l'interrompant.

— Et qui t'a dit cela ? demanda le baron qui lâchant
sa femme recula de deux pas.

— On m'a écrit une lettre anonyme que j'ai brûlée, et
où l'on me disait, mon ami, que le mariage d'Hortense a
manqué par suite de la gêne où nous sommes. Ta femme,
mon cher Hector, n'aurait jamais dit une parole, elle a su
tes liaisons avec Jenny Cadine, s'est-elle jamais plainte ?
Mais la mère d'Hortense te doit la vérité...

Hulot, après un moment de silence terrible pour sa
femme dont les battements de cœur s'entendaient, se
décroisa les bras, la saisit, la pressa sur son cœur,

---

1. Opéra en cinq actes de Giacomo Meyerbeer (1791-1864), sur un
livret d'Eugène Scribe et Germain Delavigne, créé le 21 novembre 1831
à l'Opéra de Paris.

l'embrassa sur le front et lui dit avec cette force exaltée que prête l'enthousiasme : « Adeline, tu es un ange, et je suis un misérable... »

– Non ! non, répondit la baronne en lui mettant brusquement sa main sur les lèvres pour l'empêcher de dire du mal de lui-même.

– Oui, je n'ai pas un sou dans ce moment à donner à Hortense, et je suis bien malheureux ; mais puisque tu m'ouvres ainsi ton cœur, j'y puis verser des chagrins qui m'étouffaient... Si ton oncle Fischer est dans l'embarras, c'est moi qui l'y ai mis, il m'a souscrit pour vingt-cinq mille francs de lettres de change ! Et tout cela pour une femme qui me trompe, qui se moque de moi quand je ne suis pas là, qui m'appelle un vieux *chat teint* ! Oh !... c'est affreux qu'un vice coûte plus cher à satisfaire qu'une famille à nourrir !... Et c'est irrésistible... Je te promettrais à l'instant de ne jamais retourner chez cette abominable israélite, si elle m'écrit deux lignes, j'irais, comme on allait au feu sous l'Empereur.

– Ne te tourmente pas, Hector, dit la pauvre femme au désespoir et oubliant sa fille à la vue des larmes qui roulaient dans les yeux de son mari. Tiens ! j'ai mes diamants, sauve avant tout mon oncle !

– Tes diamants valent à peine vingt mille francs, aujourd'hui. Cela ne suffirait pas au père Fischer ; ainsi garde-les pour Hortense, je verrai demain le maréchal.

– Pauvre ami ! s'écria la baronne en prenant les mains de son Hector et les lui baisant.

Ce fut toute la mercuriale[1]. Adeline offrait ses diamants, le père les donnait à Hortense, elle regarda cet effort comme sublime, et elle fut sans force.

– Il est le maître, il peut tout prendre ici, il me laisse mes diamants, c'est un dieu.

Telle fut la pensée de cette femme, qui certes avait plus obtenu par sa douceur qu'une autre par quelque colère jalouse.

---

1. Remontrance, réprimande (sens figuré).

Le moraliste ne saurait nier que généralement les gens bien élevés et très vicieux ne soient beaucoup plus aimables que les gens vertueux ; ayant des crimes à racheter, ils sollicitent par provision l'indulgence en se montrant faciles avec les défauts de leurs juges, et ils passent pour être excellents. Quoiqu'il y ait des gens charmants parmi les gens vertueux, la vertu se croit assez belle par elle-même pour se dispenser de faire des frais ; puis les gens réellement vertueux, car il faut retrancher les hypocrites, ont presque tous de légers soupçons sur leur situation ; ils se croient dupés au grand marché de la vie, et ils ont des paroles aigrelettes à la façon des gens qui se prétendent méconnus. Ainsi le baron, qui se reprochait la ruine de sa famille, déploya toutes les ressources de son esprit et de ses grâces de séducteur pour sa femme, pour ses enfants et sa cousine Bette. En voyant venir son fils et Célestine Crevel qui nourrissait un petit Hulot, il fut charmant pour sa belle-fille, il l'accabla de compliments, nourriture à laquelle la vanité de Célestine n'était pas accoutumée, car jamais fille d'argent ne fut si vulgaire ni si parfaitement insignifiante. Le grand-père prit le marmot, il le baisa, le trouva délicieux et ravissant ; il lui parla le parler des nourrices, prophétisa que ce poupard deviendrait plus grand que lui, glissa des flatteries à l'adresse de son fils Hulot, et rendit l'enfant à la grosse Normande chargée de le tenir. Aussi Célestine échangea-t-elle avec la baronne un regard qui voulait dire : « Quel homme charmant ! » Naturellement, elle défendait son beau-père contre les attaques de son propre père.

Après s'être montré beau-père agréable et grand-père *gâteau*, le baron emmena son fils dans le jardin pour lui présenter des observations pleines de sens sur l'attitude à prendre à la Chambre sur une circonstance délicate, surgie le matin. Il pénétra le jeune avocat d'admiration par la profondeur de ses vues, il l'attendrit par son ton amical, et surtout par l'espèce de déférence avec laquelle il paraissait désormais vouloir le mettre à son niveau.

M. Hulot fils était bien le jeune homme tel que l'a fabriqué la révolution de 1830 : l'esprit infatué de politique, respectueux envers ses espérances, les contenant sous une fausse gravité, très envieux des réputations faites, lâchant des phrases au lieu de ces mots incisifs, les diamants de la conversation française, mais plein de tenue et prenant la morgue pour la dignité. Ces gens sont des cercueils ambulants qui contiennent un Français d'autrefois ; le Français s'agite par moments, et donne des coups contre son enveloppe anglaise ; mais l'ambition le retient, et il consent à y étouffer. Ce cercueil est toujours vêtu de drap noir.

– Ah ! voici mon frère ! dit le baron Hulot en allant recevoir le comte à la porte du salon.

Après avoir embrassé le successeur probable du feu maréchal Montcornet, il l'amena en lui prenant le bras avec des démonstrations d'affection et de respect.

Ce pair de France, dispensé d'aller aux séances à cause de sa surdité, montrait une belle tête froidie par les années, à cheveux gris encore assez abondants pour être comme collés par la pression du chapeau. Petit, trapu, devenu sec, il portait sa verte vieillesse d'un air guilleret ; et comme il conservait une excessive activité condamnée au repos, il partageait son temps entre la lecture et la promenade. Ses mœurs douces se voyaient sur sa figure blanche, dans son maintien, dans son honnête discours plein de choses sensées. Il ne parlait jamais guerre ni campagne ; il savait être trop grand pour avoir besoin de faire de la grandeur. Dans un salon, il bornait son rôle à une observation continuelle des désirs des femmes.

– Vous êtes tous gais, dit-il en voyant l'animation que le baron répandait dans cette petite réunion de famille. Hortense n'est cependant pas mariée, ajouta-t-il en reconnaissant sur le visage de sa belle-sœur des traces de mélancolie.

– Ça viendra toujours assez tôt, lui cria dans l'oreille la Bette d'une voix formidable.

– Vous voilà bien, mauvaise graine qui n'a pas voulu fleurir ? répondit-il en riant.

Le héros de Forzheim aimait assez la cousine Bette, car il se trouvait entre eux des ressemblances. Sans éducation, sorti du peuple, son courage avait été l'unique artisan de sa fortune militaire, et son bon sens lui tenait lieu d'esprit. Plein d'honneur, les mains pures, il finissait radieusement sa belle vie, au milieu de cette famille où se trouvaient toutes ses affections, sans soupçonner les égarements encore secrets de son frère. Nul plus que lui ne jouissait du beau spectacle de cette réunion, où jamais il ne s'élevait le moindre sujet de discorde, où frères et sœurs s'aimaient également, car Célestine avait été considérée aussitôt comme de la famille. Aussi le brave petit comte Hulot demandait-il de temps en temps pourquoi le père Crevel ne venait pas. – Mon père est à la campagne ! lui criait Célestine. Cette fois on lui dit que l'ancien parfumeur voyageait.

Cette union si vraie de sa famille fit penser à Mme Hulot :

– Voilà le plus sûr des bonheurs, et celui-là, qui pourrait nous l'ôter ?

En voyant sa favorite Adeline l'objet des attentions du baron, le général en plaisanta si bien, que le baron, craignant le ridicule, reporta sa galanterie sur sa belle-fille qui, dans ces dîners de famille, était toujours l'objet de ses flatteries et de ses soins, car il espérait par elle ramener le père Crevel et lui faire abjurer tout ressentiment. Quiconque eût vu cet intérieur de famille aurait eu de la peine à croire que le père était aux abois, la mère au désespoir, le fils au dernier degré de l'inquiétude sur l'avenir de son père, et la fille occupée à voler un amoureux à sa cousine [1].

---

1. Balzac s'est toujours montré fasciné par les drames cachés sous les apparences les plus anodines, et particulièrement par les drames ensevelis au sein des familles. Dans *Le Père Goriot* (1835), il parle ainsi de « cette obscure, mais effroyable tragédie parisienne », et dans *Pierrette* (1839) il annonce « un de ces drames obscurs qui se passent en famille et qui, pour demeurer secrets, n'en sont pas moins terribles ».

13

Le Louvre

À sept heures, le baron voyant son frère, son fils, la baronne et Hortense occupés tous à faire le whist [1], partit pour aller applaudir sa maîtresse à l'Opéra en emmenant la cousine Bette, qui demeurait rue du Doyenné, et qui prétextait de la solitude de ce quartier désert, pour toujours s'en aller après le dîner. Les Parisiens avoueront tous que la prudence de la vieille fille était rationnelle.

L'existence du pâté de maisons qui se trouve le long du vieux Louvre [2], est une de ces protestations que les Français aiment à faire contre le bon sens, pour que l'Europe se rassure sur la dose d'esprit qu'on leur accorde et ne les craigne plus. Peut-être avons-nous là, sans le savoir, quelque grande pensée politique. Ce ne sera certes pas un hors-d'œuvre que de décrire ce coin de

---

Le romancier entend mettre en lumière ces « drames obscurs », tâche rendue plus difficile par l'hypocrisie des mœurs au XIXe siècle. Dans la préface de la première édition des *Scènes de la vie privée* (1830), il écrit : « Il [l'auteur] s'est flatté que les bons esprits ne lui reprocheraient point d'avoir parfois présenté le tableau vrai de mœurs que les familles ensevelissent aujourd'hui dans l'ombre et que l'observateur a quelquefois de la peine à deviner. » Et dans l'introduction aux *Études de mœurs* (1835), il observe : « Autrefois tout était en saillie, aujourd'hui tout est en creux. L'art a changé. Dans le pays où l'hypocrisie de mœurs est arrivée à son plus haut degré, Walter Scott avait bien deviné cette modification sociale, quand il s'appliquait à peindre les figures si vigoureusement modelées de l'ancien temps. »

1. Jeu de cartes (ancêtre du bridge) très répandu en France au XIXe siècle.

2. Au sujet du quartier du Louvre, totalement transformé plus tard, sous le Second Empire, A.-M. Meininger note que « l'espace compris entre la Galerie du Bord de l'eau et la Comédie-Française était alors occupé par deux quartiers comportant des églises, des hospices, un cimetière, et surtout des masures et de vieux hôtels jadis illustres mais totalement déchus » (voir Pléiade, p. 1263, n. 1, et p. 1264, n. 3). Ce quartier a également été décrit par Nerval et par Gautier, qui y ont tous les deux habité.

Paris actuel, plus tard on ne pourrait pas l'imaginer [1] ; et nos neveux [2], qui verront sans doute le Louvre achevé, se refuseraient à croire qu'une pareille barbarie ait subsisté pendant trente-six ans, au cœur de Paris, en face du palais où trois dynasties [3] ont reçu, pendant ces dernières trente-six années, l'élite de la France et celle de l'Europe.

Depuis le guichet qui mène au pont du Carrousel, jusqu'à la rue du Musée, tout homme venu, ne fût-ce que pour quelques jours, à Paris, remarque une dizaine de maisons à façades ruinées, où les propriétaires découragés ne font aucune réparation, et qui sont le résidu d'un ancien quartier en démolition depuis le jour où Napoléon résolut de terminer le Louvre. La rue et l'impasse du Doyenné, voilà les seules voies intérieures de ce pâté sombre et désert où les habitants sont probablement des fantômes, car on n'y voit jamais personne. Le pavé, beaucoup plus bas que celui de la chaussée de la rue du Musée, se trouve au niveau de celle de la rue Froidmanteau. Enterrées déjà par l'exhaussement de la place, ces maisons sont enveloppées de l'ombre éternelle que projettent les hautes galeries du Louvre, noircies de ce côté par le souffle du Nord. Les ténèbres, le silence, l'air glacial, la profondeur caverneuse du sol concourent à faire

---

1. Balzac avance constamment cet argument pour justifier ses descriptions : le romancier est le témoin et l'historien du temps présent, il doit en rendre compte rigoureusement aux générations futures. Voir la Préface à *Une fille d'Ève* (1839) : « L'auteur s'est entendu souvent reprocher quelques descriptions ; mais ses critiques ne songent pas que ce prétendu défaut procède d'une excessive ambition : il veut peindre le pays tout en peignant les hommes, raconter les plus beaux sites et les principales villes de la France aux étrangers [...]. Grâce au soin qu'il a eu, peut-être saura-t-on, en 1850, comment était le Paris de l'Empire. [...] Aussi l'affaire de l'auteur est-elle principalement d'arriver à la synthèse par l'analyse, de dépeindre et de rassembler les éléments de notre vie, de poser des thèmes et de les prouver tout ensemble, de tracer enfin l'immense physionomie d'un siècle en en peignant les principaux personnages. »

2. *Nos neveux* (du latin *nepotes*) : nos descendants.

3. Les Bonaparte, avec Napoléon ; les Bourbons, avec Louis XVIII puis Charles X, les Orléans avec Louis-Philippe.

de ces maisons des espèces de cryptes, des tombeaux
vivants. Lorsqu'on passe en cabriolet le long de ce demi-
quartier mort, et que le regard s'engage dans la ruelle du
Doyenné, l'âme a froid, l'on se demande qui peut demeurer là, ce qui doit s'y passer le soir, à l'heure où cette
ruelle se change en coupe-gorge, et où les vices de Paris,
enveloppés du manteau de la nuit, se donnent pleine carrière [1]. Ce problème, effrayant par lui-même, devient horrible quand on voit que ces prétendues maisons ont pour
ceinture un marais du côté de la rue de Richelieu, un
océan de pavés moutonnants du côté des Tuileries, de
petits jardins, des baraques sinistres du côté des galeries,
et des steppes de pierre de taille et de démolitions du côté
du vieux Louvre. Henri III et ses mignons qui cherchent
leurs chausses, les amants de Marguerite qui cherchent
leurs têtes [2], doivent danser des sarabandes au clair de la
lune dans ces déserts dominés par la voûte d'une chapelle
encore debout, comme pour prouver que la religion
catholique, si vivace en France, survit à tout. Voici bientôt quarante ans que le Louvre crie par toutes les gueules

---

1. Jeanine Guichardet considère que la description par Balzac de ce
quartier de Paris est très poussée au noir (sans doute dans l'idée de
rivaliser avec Eugène Sue...) et l'oppose aux descriptions faites par
Nerval du quartier du Doyenné dans ses *Petits Châteaux de Bohême*,
ainsi qu'à un tableau du peintre Canella représentant le quartier en
1828 : « On y trouve exactement les "baraques" et "l'enceinte en
planches des étalagistes" que Balzac attribue à la rue du Musée, mais
sans rien d'"infâme" : des curieux, des promeneurs paisibles, dont certains élégants, déambulent en famille dans une voie "piétonnière" qui
préfigure le Marché aux puces dans ce qu'il a de plus réputé. » L'auteur
ajoute qu'un commissariat de police existait rue du Doyenné et
conclut : « Il est décidément douteux que la rue du Doyenné ait été un
"coupe-gorge"... » (*Balzac « archéologue de Paris »*, CDU et SEDES,
1986, p. 168-169).
2. Marguerite de Bourgogne : épouse de Louis X et belle-fille de
Philippe le Bel, compromise dans l'affaire de la tour de Nesle (évoquée
dans le drame d'Alexandre Dumas, 1832) ; la légende dit qu'elle faisait
assassiner ses amants après avoir passé la nuit avec eux. La tour de
Nesle, défense, vers l'ouest, de l'enceinte de Philippe-Auguste, était
située à l'emplacement de l'actuel palais de l'Institut, face au Louvre.

de ces murs éventrés, de ces fenêtres béantes : « Extirpez
ces verrues de ma face ! » On a sans doute reconnu l'utilité de ce coupe-gorge, et la nécessité de symboliser au
cœur de Paris l'alliance intime de la misère et de la splendeur qui caractérise la reine des capitales. Aussi ces
ruines froides, au sein desquelles le journal des légiti-
mistes [1] a commencé la maladie dont il meurt, les
infâmes baraques de la rue du Musée, l'enceinte en
planches des étalagistes qui la garnissent, auront-elles la
vie plus longue et plus prospère que celles de trois dynasties peut-être !

Dès 1823, la modicité du loyer dans des maisons
condamnées à disparaître, avait engagé la cousine Bette
à se loger là, malgré l'obligation que l'état du quartier
lui faisait de se retirer avant la nuit close. Cette nécessité
s'accordait d'ailleurs avec l'habitude villageoise qu'elle
avait conservée de se coucher et de se lever avec le soleil,
ce qui procure aux gens de la campagne de notables économies sur l'éclairage et le chauffage. Elle demeurait
donc dans une des maisons auxquelles la démolition du
fameux hôtel occupé par Cambacérès [2] a rendu la vue de
la place.

14

Où l'on voit que les jolies femmes
se trouvent sous les pas des libertins,
comme les dupes vont au-devant des fripons

Au moment où le baron Hulot mit la cousine de sa
femme à la porte de cette maison, en lui disant : « Adieu,

---

1. Allusion à *La Gazette de France* dont le critique littéraire, Alfred
Nettement, attaquait Balzac d'une manière systématique depuis plusieurs années. La rédaction de *La Gazette de France* se trouvait au nº 2
de la rue du Doyenné.
2. Homme politique français, Cambacérès (1753-1824) occupa, lorsqu'il était deuxième consul, l'hôtel de Créqui d'Elbeuf, et le conserva
jusqu'en 1808.

cousine ! » une jeune femme, petite, svelte, joli
une grande élégance, exhalant un parfum ch
entre la voiture et la muraille pour entrer aussi dans ··
maison. Cette dame échangea, sans aucune espèce de
préméditation, un regard avec le baron, uniquement pour
voir le cousin de la locataire ; mais le libertin ressentit
cette vive impression, passagère chez tous les Parisiens,
quand ils rencontrent une jolie femme qui réalise, comme
disent les entomologistes, leur *desiderata* [1], et il mit avec
une sage lenteur un de ses gants avant de remonter en
voiture, pour se donner une contenance et pouvoir suivre
de l'œil la jeune femme dont la robe était agréablement
balancée par autre chose que par ces affreuses et fraudu-
leuses sous-jupes en crinoline [2].

— Voilà, se disait-il, une gentille petite femme de qui je
ferais volontiers le bonheur, car elle ferait le mien.

Quand l'inconnue eut atteint le palier de l'escalier qui
desservait le corps de logis situé sur la rue, elle regarda
la porte cochère du coin de l'œil, sans se retourner positivement, et vit le baron cloué sur place par l'admiration,
dévoré de désir et de curiosité. C'est comme une fleur
que toutes les Parisiennes respirent avec plaisir, en la
trouvant sur leur passage. Certaines femmes attachées à
leurs devoirs, vertueuses et jolies, reviennent au logis
assez maussades, lorsqu'elles n'ont pas fait leur petit
bouquet pendant la promenade.

---

1. Ce mot, qui vient du latin, signifie : les choses qui manquent, qui
font défaut ; les lacunes d'une science, d'un livre, etc. Ici, il s'agit des
pièces qui manquent à la collection des entomologistes. Balzac emploie
ce mot latin, qui est un pluriel, comme un singulier. On trouve dans le
roman plusieurs clins d'œil à Georges Mniszech, qui épousa Anna
Hanska le 13 octobre 1846, et qui était passionné d'entomologie.
2. Jupes de dessous, garnie de baleines et de cercles d'acier flexibles,
que les femmes portaient pour faire bouffer les robes. Pierre Barbéris
souligne le réalisme et la crudité du détail balzacien, et le fait que Hulot
est séduit par ce que Valérie Marneffe a de plus animal ; la femme
n'est plus désormais qu'une « beauté de consommation : autre image
de l'embourgeoisement radical du monde et des rapports intra-
humains » (*La Cousine Bette*, Gallimard, « Folio », 1972, p. 479, n. 1 ;
désormais désignée par l'abréviation « Folio »).

La jeune femme monta rapidement l'escalier. Bientôt une fenêtre de l'appartement du deuxième étage s'ouvrit, et la jeune femme s'y montra, mais en compagnie d'un monsieur dont le crâne pelé, dont l'œil peu courroucé révélaient un mari.

– Sont-elles fines et spirituelles ces créatures-là !… se dit le baron, elle m'indique ainsi sa demeure. C'est un peu trop vif, surtout dans ce quartier-ci. Prenons garde. Le directeur leva la tête quand il fut monté dans le milord, et alors la femme et le mari se retirèrent vivement, comme si la figure du baron eût produit sur eux l'effet mythologique de la tête de Méduse [1]. – On dirait qu'ils me connaissent, pensa le baron. Alors, tout s'expliquerait. En effet, quand la voiture eut remonté la chaussée de la rue du Musée, il se pencha pour revoir l'inconnue, et il la trouva revenue à la fenêtre. Honteuse d'être prise à contempler la capote sous laquelle était son admirateur, la jeune femme se rejeta vivement en arrière. – Je saurai qui c'est par la Chèvre, se dit le baron.

L'aspect du conseiller d'État avait produit, comme on va le voir, une sensation profonde sur le couple.

– Mais c'est le baron Hulot, dans la direction de qui se trouve mon bureau ! s'écria le mari en quittant le balcon de la fenêtre.

– Eh bien ! Marneffe, la vieille fille du troisième au fond de la cour, qui vit avec ce jeune homme, est sa cousine ? Est-ce drôle que nous n'apprenions cela qu'aujourd'hui, et par hasard !

– Mlle Fischer vivre avec un jeune homme !… répéta l'employé. C'est des cancans de portière, ne parlons pas si légèrement de la cousine d'un conseiller d'État qui fait la pluie et le beau temps au Ministère. Tiens, viens dîner, je t'attends depuis quatre heures !

---

1. Le regard de Méduse, l'une des trois Gorgones, pétrifiait celui qui osait la regarder. Persée la tua en se servant de son bouclier poli pour ne pas la regarder directement.

15

Le ménage Marneffe

La très jolie Mme Marneffe, fille naturelle du comte de Montcornet, l'un des plus célèbres lieutenants de Napoléon, avait été mariée au moyen d'une dot de vingt mille francs à un employé subalterne du ministère de la Guerre. Par le crédit de l'illustre lieutenant général, maréchal de France dans les six derniers mois de sa vie, ce plumigère [1] était arrivé à la place inespérée de premier commis dans son bureau ; mais, au moment d'être nommé sous-chef, la mort du maréchal avait coupé par le pied les espérances de Marneffe et de sa femme. L'exiguïté de la fortune du sieur Marneffe chez qui s'était déjà fondue la dot de Mlle Valérie Fortin, soit au paiement des dettes de l'employé, soit en acquisitions nécessaires à un garçon qui se monte une maison, mais surtout les exigences d'une jolie femme habituée chez sa mère à des jouissances auxquelles elle ne voulut pas renoncer, avaient obligé le ménage à réaliser des économies sur le loyer. La position de la rue du Doyenné, peu éloignée du ministère de la Guerre et du centre parisien, sourit à M. et à Mme Marneffe qui, depuis environ quatre ans, habitaient la maison de Mlle Fischer.

Le sieur Jean-Paul-Stanislas Marneffe appartenait à cette nature d'employés qui résiste à l'abrutissement par l'espèce de puissance que donne la dépravation. Ce petit homme maigre, à cheveux et à barbe grêles, à figure étiolée, pâlotte, plus fatiguée que ridée, les yeux à paupières légèrement rougies et harnachées de lunettes, de piètre allure et de plus piètre maintien, réalisait le type que chacun se dessine d'un homme traduit aux assises pour attentat aux mœurs.

---

1. *Plumigère* : qui tient ou qui porte une plume ; mot inventé par Balzac pour ridiculiser les employés de bureau, déjà utilisé dans la *Physiologie de l'employé* (chap. 5).

L'appartement occupé par ce ménage, type de beaucoup de ménages parisiens, offrait les trompeuses apparences de ce faux luxe qui règne dans tant d'intérieurs. Dans le salon, les meubles recouverts en velours de coton passé, les statuettes de plâtre jouant le bronze florentin, le lustre mal ciselé, simplement mis en couleur, à bobèches en cristal fondu ; le tapis dont le bon marché s'expliquait tardivement par la quantité de coton introduite par le fabricant, et devenue visible à l'œil nu, tout jusqu'aux rideaux qui vous eussent appris que le damas de laine n'a pas trois ans de splendeur, tout chantait misère comme un pauvre en haillons à la porte d'une église.

La salle à manger, mal soignée par une seule servante, présentait l'aspect nauséabond des salles à manger d'hôtel de province : tout y était encrassé, mal entretenu.

La chambre de Monsieur, assez semblable à la chambre d'un étudiant, meublée de son lit de garçon, de son mobilier de garçon, flétri, usé comme lui-même, et faite une fois par semaine ; cette horrible chambre où tout traînait, où de vieilles chaussettes pendaient sur des chaises foncées de crin, dont les fleurs reparaissaient dessinées par la poussière, annonçait bien l'homme à qui son ménage est indifférent, qui vit au-dehors, au jeu, dans les cafés ou ailleurs.

La chambre de Madame faisait exception à la dégradante incurie qui déshonorait l'appartement officiel où les rideaux étaient partout jaunes de fumée et de poussière, où l'enfant, évidemment abandonné à lui-même, laissait traîner ses joujoux partout. Situés dans l'aile qui réunissait, d'un seul côté seulement, la maison bâtie sur le devant de la rue au corps de logis adossé au fond de la cour à la propriété voisine, la chambre et le cabinet de toilette de Valérie, élégamment tendus en perse, à meubles en bois de palissandre, à tapis en moquette, sentaient la jolie femme, et, disons-le, presque la femme entretenue. Sur le manteau de velours de la cheminée s'élevait la pendule alors à la mode. On voyait un petit

Dunkerque [1] assez bien garni, des jardinières en porcelaine chinoise luxueusement montées. Le lit, la toilette,
l'armoire à glace, le tête-à-tête, les colifichets obligés
signalaient les recherches ou les fantaisies du jour.

Quoique ce fût du troisième ordre en fait de richesse
et d'élégance, que tout y datât de trois ans, un dandy
n'eût rien trouvé à redire, sinon que ce luxe était entaché
de bourgeoisie. L'art, la distinction, qui résulte des
choses que le goût sait s'approprier, manquaient là totalement. Un docteur ès sciences sociales eût reconnu
l'amant à quelques-unes de ces futilités de riche bijouterie qui ne peuvent venir que de ce demi-dieu, toujours
absent, toujours présent chez une femme mariée.

Le dîner que firent le mari, la femme et l'enfant, ce
dîner retardé de quatre heures, eût expliqué la crise
financière que subissait cette famille, car la table est le
plus sûr thermomètre de la fortune dans les ménages
parisiens. Une soupe aux herbes et à l'eau de haricots,
un morceau de veau aux pommes de terre, inondé d'eau
rousse en guise de jus, un plat de haricots et des cerises
d'une qualité inférieure, le tout servi et mangé dans des
assiettes et des plats écornés avec l'argenterie peu sonore
et triste du maillechort [2], était-ce un menu digne de cette
jolie femme ? Le baron en eût pleuré, s'il en avait été
témoin. Les carafes ternies ne sauvaient pas la vilaine
couleur du vin pris au litre chez le marchand de vin du
coin. Les serviettes servaient depuis une semaine. Enfin
tout trahissait une misère sans dignité, l'insouciance de
la femme et celle du mari pour la famille. L'observateur
le plus vulgaire se serait dit, en les voyant, que ces deux

---

1. Petite étagère pour placer des bibelots. À l'époque de Balzac il
existait à Paris, à l'angle des rues Ménars et Richelieu, une boutique à
l'enseigne du *Petit Dunkerque*. Le 22 décembre 1845, Balzac écrit à
Mme Hanska : « [L'antiquaire Swaab] m'a apporté une mirifique
montre en or que j'achèterai pour le petit Dunkerque de mon Èvelette,
si Froment-Meurice approuve la chose. »
2. Alliage inaltérable de cuivre, de zinc et de nickel, qui imite l'argent
(le terme vient des noms de *Maillot* et *Chorier*, qui inventèrent l'alliage).

êtres étaient arrivés à ce funeste moment où la nécessité de vivre fait chercher une friponnerie heureuse.

La première phrase dite par Valérie à son mari, va d'ailleurs expliquer le retard qu'avait éprouvé le dîner, dû probablement au dévouement intéressé de la cuisinière.

— Samanon ne veut prendre tes lettres de change qu'à cinquante pour cent, et demande en garantie une délégation sur tes appointements.

La misère, secrète encore chez le Directeur de la Guerre, et qui avait pour paravent un traitement de vingt-quatre mille francs, sans compter les gratifications, était donc arrivée à son dernier période chez l'employé.

— Tu as *fait* mon directeur, dit le mari en regardant sa femme.

— Je crois, répondit-elle sans s'épouvanter de ce mot pris à l'argot des coulisses.

— Qu'allons-nous devenir ? reprit Marneffe, le propriétaire nous saisira demain. Et ton père, qui s'avise de mourir sans faire de testament ! Ma parole d'honneur, ces gens de l'Empire se croient tous immortels comme leur Empereur.

— Pauvre père, dit-elle, il n'a eu que moi d'enfant, il m'aimait bien ! La comtesse aura brûlé le testament. Comment m'aurait-il oubliée, lui qui nous donnait de temps en temps des trois ou quatre billets de mille francs à la fois ?

— Nous devons quatre termes, quinze cents francs ! notre mobilier les vaut-il ? *That is the question*[1] ! a dit Shakespeare.

— Tiens, adieu, mon chat, dit Valérie qui n'avait pris que quelques bouchées de veau d'où la domestique avait extrait le jus pour un brave soldat revenu d'Alger. Aux grands maux, les grands remèdes !

— Valérie ! où vas-tu ? s'écria Marneffe en coupant à sa femme le chemin de la porte.

---

1. Allusion à la célèbre réplique du *Hamlet* de Shakespeare, III, 1 : « To be, or not to be : that is the question. »

– Je vais voir notre propriétaire, répondit-elle en arrangeant ses anglaises sous son joli chapeau. Toi, tu devrais tâcher de te bien mettre avec cette vieille fille, si toutefois elle est cousine du Directeur.

16
La mansarde des artistes

L'ignorance où sont les locataires d'une même maison de leurs situations sociales réciproques est un des faits constants qui peuvent le plus peindre l'entraînement de la vie parisienne ; mais il est facile de comprendre qu'un employé qui va tous les jours de grand matin à son bureau, qui revient chez lui pour dîner, qui sort tous les soirs, et qu'une femme adonnée aux plaisirs de Paris, puissent ne rien savoir de l'existence d'une vieille fille logée au troisième étage au fond de la cour de leur maison, surtout quand cette fille a les habitudes de Mlle Fischer.

La première de la maison, Lisbeth allait chercher son lait, son pain, sa braise, sans parler à personne, et se couchait avec le soleil ; elle ne recevait jamais de lettres, ni de visites, elle ne voisinait point. C'était une de ces existences anonymes, entomologiques, comme il y en a dans certaines maisons, où l'on apprend au bout de quatre ans qu'il existe un vieux monsieur au quatrième qui a connu Voltaire, Pilâtre de Rozier[1], Beaujon[2],

---

1. François Pilâtre de Rozier (1756-1785) : physicien et aéronaute, il effectua en 1783 le premier voyage en montgolfière, entre le château de La Muette et la Butte-aux-Cailles.
2. Nicolas Beaujon (1718-1786) : financier français. C'est dans une dépendance de la Folie Beaujon qu'il avait fait construire que se trouvait l'hôtel acheté en septembre 1846 par Balzac, pour y loger avec Ève Hanska (au 22 de l'actuelle rue Balzac).

Marcel[1], Molé[2], Sophie Arnould[3], Franklin et Robespierre. Ce que M. et Mme Marneffe venaient de dire sur Lisbeth Fischer, ils l'avaient appris à cause de l'isolement du quartier et des rapports que leur détresse avait établis entre eux et les portiers dont la bienveillance leur était trop nécessaire pour ne pas avoir été soigneusement entretenue. Or, la fierté, le mutisme, la réserve de la vieille fille avaient engendré chez les portiers ce respect exagéré, ces rapports froids qui dénotent le mécontentement inavoué de l'inférieur. Les portiers se croyaient d'ailleurs dans l'espèce, comme on dit au Palais, les égaux d'un locataire dont le loyer était de deux cent cinquante francs. Les confidences de la cousine Bette à sa petite cousine Hortense étant vraies, chacun comprendra que la portière avait pu, dans quelque conversation intime avec les Marneffe, calomnier Mlle Fischer en croyant simplement médire d'elle.

Lorsque la vieille fille reçut son bougeoir des mains de la respectable Mme Olivier, la portière, elle s'avança pour voir si les fenêtres de la mansarde au-dessus de son appartement étaient éclairées. À cette heure, en juillet, il faisait si sombre au fond de la cour, que la vieille fille ne pouvait pas se coucher sans lumière.

– Oh! soyez tranquille, M. Steinbock est chez lui, il n'est même pas sorti, dit malicieusement Mme Olivier à Mlle Fischer.

La vieille fille ne répondit rien. Elle était encore restée paysanne en ceci, qu'elle se moquait du qu'en-dira-t-on des gens placés loin d'elle ; et, de même que les paysans ne voient que leur village, elle ne tenait qu'à l'opinion du petit cercle au milieu duquel elle vivait. Elle monta donc

---

1. Marcel : professeur de danse de Louis XV évoqué par Balzac dans *La Maison Nucingen*.

2. François René Molé (1734-1802) : comédien du XVIIIe siècle évoqué par Balzac dans *La Vieille Fille*.

3. Sophie Arnould (1740-1802) : cantatrice française ; elle créa plusieurs opéras de Rameau et de Gluck.

résolument, non pas chez elle, mais à cette mansarde. Voici pourquoi. Au dessert, elle avait mis dans son sac des fruits et des sucreries pour son amoureux, et elle venait les lui donner, absolument comme une vieille fille rapporte une friandise à son chien.

Elle trouva, travaillant à la lueur d'une petite lampe dont la clarté s'augmentait en passant à travers un globe plein d'eau, le héros des rêves d'Hortense, un pâle jeune homme blond, assis à une espèce d'établi couvert des outils du ciseleur, de cire rouge, d'ébauchoirs, de socles dégrossis, de cuivres fondus sur modèle, vêtu d'une blouse, et tenant un petit groupe en cire à modeler qu'il contemplait avec l'attention d'un poète au travail.

— Tenez, Wenceslas, voilà ce que je vous apporte, dit-elle en plaçant son bougeoir sur un coin de l'établi.

Puis elle tira de son cabas avec précaution les friandises et les fruits.

— Vous êtes bien bonne, mademoiselle, répondit le pauvre exilé d'une voix triste.

— Ça vous rafraîchira, mon pauvre enfant. Vous vous échauffez le sang à travailler ainsi, vous n'étiez pas né pour un si rude métier…

Wenceslas Steinbock regarda la vieille fille d'un air étonné.

— Mangez donc, reprit-elle brusquement, au lieu de me contempler comme une de vos figures quand elles vous plaisent.

En recevant cette espèce de gourmade[1] en paroles, l'étonnement du jeune homme cessa, car il reconnut alors son Mentor[2] femelle dont la tendresse le surprenait toujours, tant il avait l'habitude d'être rudoyé. Quoique Steinbock eût vingt-neuf ans, il paraissait, comme certains blonds, avoir cinq ou six ans de moins, et à voir

---

1. Coup de poing (familier), en particulier sur la figure.
2. Dans la mythologie grecque, ami d'Ulysse, chargé de l'éducation de Télémaque ; par extension, le terme désigne un conseiller sage et expérimenté, à qui l'on se fie.

cette jeunesse, dont la fraîcheur avait cédé sous les fatigues et les misères de l'exil, unie à cette figure sèche et dure, on aurait pensé que la nature s'était trompée en leur donnant leurs sexes. Il se leva, s'alla jeter dans une vieille bergère[1] Louis XV, couverte en velours d'Utrecht jaune, et parut vouloir s'y reposer. La vieille fille prit alors une prune de reine-claude, et la présenta doucement à son ami.

– Merci, dit-il en prenant le fruit.

– Êtes-vous fatigué ? demanda-t-elle en lui donnant un autre fruit.

– Je ne suis pas fatigué par le travail, mais fatigué de la vie, répondit-il.

– En voilà des idées ! reprit-elle avec une sorte d'aigreur. N'avez-vous pas un bon génie qui veille sur vous ? dit-elle en lui présentant les sucreries et lui voyant manger tout avec plaisir. Voyez, en dînant chez ma cousine, j'ai pensé à vous...

– Je sais, dit-il en lançant sur Lisbeth un regard à la fois caressant et plaintif, que, sans vous, je ne vivrais plus depuis longtemps ; mais, ma chère demoiselle, les artistes ont besoin de distractions...

– Ah ! nous y voilà !... s'écria-t-elle en l'interrompant, en se mettant les poings sur les hanches et arrêtant sur lui des yeux flamboyants. Vous voulez aller perdre votre santé dans les infamies de Paris, comme tant d'ouvriers qui finissent par aller mourir à l'hôpital ! Non, non, faites-vous une fortune, et quand vous aurez des rentes, vous vous amuserez, mon enfant, vous aurez alors de quoi payer les médecins et les plaisirs, libertin que vous êtes.

Wenceslas Steinbock, en recevant cette bordée accompagnée de regards qui le pénétraient d'une flamme magnétique, baissa la tête. Si le médisant le plus mordant eût pu voir le début de cette scène, il aurait déjà reconnu la fausseté des calomnies lancées par les époux Olivier

---

1. Fauteuil large et profond, dont le siège est garni d'un coussin.

sur la demoiselle Fischer. Tout, dans l'accent, dans les gestes et dans les regards de ces deux êtres, accusait la pureté de leur vie secrète. La vieille fille déployait la tendresse d'une brutale, mais réelle maternité. Le jeune homme subissait comme un fils respectueux la tyrannie d'une mère. Cette alliance bizarre paraissait être le résultat d'une volonté puissante agissant incessamment sur un caractère faible, sur cette inconsistance particulière aux Slaves qui, tout en leur laissant un courage héroïque sur les champs de bataille, leur donne un incroyable décousu dans la conduite, une mollesse morale dont les causes devraient occuper les physiologistes, car les physiologistes sont à la politique ce que les entomologistes sont à l'agriculture.

– Et si je meurs avant d'être riche ? demanda mélancoliquement Wenceslas.

– Mourir ?... s'écria la vieille fille. Oh ! je ne vous laisserai point mourir. J'ai de la vie pour deux, et je vous infuserais mon sang, s'il le fallait.

En entendant cette exclamation violente et naïve, les larmes mouillèrent les paupières de Steinbock.

– Ne vous attristez pas, mon petit Wenceslas, reprit Lisbeth émue. Tenez, ma cousine Hortense a trouvé, je crois, votre cachet assez gentil. Allez, je vous ferai bien vendre votre groupe en bronze, vous serez quitte avec moi, vous ferez ce que vous voudrez, vous deviendrez libre ! Allons, riez donc !...

– Je ne serai jamais quitte avec vous, mademoiselle, répondit le pauvre exilé.

– Et pourquoi donc ?... demanda la paysanne des Vosges en prenant le parti du Livonien contre elle-même.

– Parce que vous ne m'avez pas seulement nourri, logé, soigné dans la misère ; mais encore vous m'avez donné de la force ! vous m'avez créé ce que je suis, vous avez été souvent dure, vous m'avez fait souffrir...

– Moi ? dit la vieille fille. Allez-vous recommencer vos bêtises sur la poésie, sur les arts, et faire craquer vos doigts, vous détirer les bras en parlant du beau idéal, de vos folies du Nord. Le beau ne vaut pas le solide, et le solide, c'est moi ! Vous avez des idées dans la cervelle ? la belle affaire ! et moi aussi, j'ai des idées... À quoi sert ce qu'on a dans l'âme, si l'on n'en tire aucun parti ? ceux qui ont des idées ne sont pas alors si avancés que ceux qui n'en ont pas, si ceux-là savent se remuer... Au lieu de penser à vos rêveries, il faut travailler. Qu'avez-vous fait depuis que je suis partie ?...

— Qu'a dit votre jolie cousine ?

— Qui vous a dit qu'elle était jolie ? demanda vivement Lisbeth avec un accent où rugissait une jalousie de tigre.

— Mais, vous-même.

— C'était pour voir la grimace que vous feriez ! Avez-vous envie de courir après les jupes ? Vous aimez les femmes, eh bien ! fondez-en, mettez vos désirs en bronze ; car vous vous en passerez encore pendant quelque temps, d'amourettes, et surtout de ma cousine, cher ami. Ce n'est pas du gibier pour votre nez ; il faut à cette fille-là un homme de soixante mille francs de rente... et il est trouvé. Tiens ! le lit n'est pas fait ! dit-elle en regardant à travers l'autre chambre, oh ! pauvre chat ! je vous ai oublié...

Aussitôt la vigoureuse fille se débarrassa de son mantelet, de son chapeau, de ses gants ; et, comme une servante, elle arrangea lestement le petit lit de pensionnaire où couchait l'artiste. Ce mélange de brusquerie, de rudesse même et de bonté, peut expliquer l'empire que Lisbeth avait acquis sur cet homme de qui elle faisait une chose à elle. La vie ne nous attache-t-elle pas par ses alternatives de bon et de mauvais ? Si le Livonien avait rencontré Mme Marneffe, au lieu de rencontrer Lisbeth Fischer, il aurait trouvé, dans sa protectrice, une complaisance qui l'eût conduit à quelque route bourbeuse et déshonorante où il se serait perdu. Il n'aurait certes pas travaillé, l'artiste ne serait pas éclos. Aussi, tout en déplorant l'âpre cupidité de la vieille fille, sa raison lui disait-elle de préférer ce bras de fer à la paresseuse et périlleuse existence que menaient quelques-uns de ses compatriotes.

Voici l'événement auquel était dû le mariage de cette énergie femelle et de cette faiblesse masculine, espèce de contresens assez fréquent, dit-on, en Pologne.

17

Histoire d'un exilé

En 1833, Mlle Fischer, qui travaillait parfois la nuit quand elle avait beaucoup d'ouvrage, sentit, vers une heure du matin, une forte odeur d'acide carbonique, et entendit les plaintes d'un mourant. L'odeur du charbon et le râle provenaient d'une mansarde située au-dessus des deux pièces dont se composait son appartement ; elle supposa qu'un jeune homme nouvellement venu dans la maison, et logé dans cette mansarde à louer depuis trois ans, se suicidait [1]. Elle monta rapidement, enfonça la porte avec sa force de Lorraine en y pratiquant une pesée, et trouva le locataire se roulant sur un lit de sangle dans les convulsions de l'agonie. Elle éteignit le réchaud. La porte ouverte, l'air afflua, l'exilé fut sauvé ; puis, quand Lisbeth l'eut couché comme un malade, qu'il fut endormi, elle put reconnaître les causes du suicide dans

---

1. Wenceslas imite le geste désespéré de Nathan, héros d'*Une fille d'Ève*, qui s'asphyxie « comme une simple couturière au moyen d'un réchaud de charbon ». Dans ses jeunes années, Balzac fut-il tenté par l'idée du suicide ? Les pages consacrées à Raphaël de Valentin dans *La Peau de chagrin*, à Athanase Granson dans *La Vieille Fille*, à Lucien de Rubempré dans *Splendeurs et misères des courtisanes*, ainsi que les méditations sur le suicide dans *Le Médecin de campagne* nous incitent à poser la question. Pierre Barbéris oppose le suicide romantique, qui « avait de la grandeur », au suicide de Wenceslas, « suicide d'un être sans consistance, un suicide qui n'irradie pas et qui ne signifie pas. C'est toujours le dépérissement et la dégradation de valeurs et de signes en faits et en incidents » (Folio, p. 90).

le dénuement absolu des deux chambres de cette mansarde où il n'existait qu'une méchante table, le lit de sangle et deux chaises.

Sur la table était cet écrit qu'elle lut :

Je suis le comte Wenceslas Steinbock, né à Prelie, en Livonie.

Qu'on n'accuse personne de ma mort, les raisons de mon suicide sont dans ces mots de Kosciusko : *Finis Poloniae* [1] !

Le petit-neveu d'un valeureux général de Charles XII n'a pas voulu mendier. Ma faible constitution m'interdisait le service militaire, et j'ai vu hier la fin des cent thalers avec lesquels je suis venu de Dresde à Paris. Je laisse vingt-cinq francs dans le tiroir de cette table pour payer le terme que je dois au propriétaire.

N'ayant plus de parents, ma mort n'intéresse personne. Je prie mes compatriotes de ne pas accuser le gouvernement français. Je ne me suis pas fait connaître comme réfugié, je n'ai rien demandé, je n'ai rencontré aucun exilé, personne ne sait à Paris que j'existe.

Je serai mort dans des pensées chrétiennes. Que Dieu pardonne au dernier des Steinbock !

Wenceslas !

Mlle Fischer, excessivement touchée de la probité du moribond, qui payait son terme, ouvrit le tiroir, et vit en effet cinq pièces de cent sous.

– Pauvre jeune homme ! s'écria-t-elle. Et personne au monde pour s'intéresser à lui !

Elle descendit chez elle, y prit son ouvrage, et vint travailler dans cette mansarde, en veillant le gentilhomme livonien. À son réveil, on peut juger de l'étonnement de l'exilé, quand il vit une femme à son chevet ; il crut continuer un rêve. Tout en faisant des aiguillettes en or pour un uniforme, la vieille fille s'était promis de protéger ce pauvre enfant, qu'elle avait admiré dormant. Lorsque le

---

1. « C'est la fin de la Pologne ! » On prête ces mots à l'officier polonais Tadeusz Kosciuszko (1746-1817) lorsqu'il fut battu et fait prisonnier par les Russes à Maciejowice en 1794.

jeune comte fut tout à fait éveillé, Lisbeth lui donna du courage, et le questionna pour savoir comment lui faire gagner sa vie. Wenceslas, après avoir raconté son histoire, ajouta qu'il avait dû sa place à sa vocation reconnue pour les arts ; il s'était toujours senti des dispositions pour la sculpture ; mais le temps nécessaire aux études lui paraissait trop long pour un homme sans argent, et il se sentait beaucoup trop faible en ce moment pour s'adonner à un état manuel ou entreprendre la grande sculpture. Ces paroles furent du grec pour Lisbeth Fischer. Elle répondit à ce malheureux que Paris offrait tant de ressources, qu'un homme de bonne volonté devait y vivre. Jamais les gens de cœur n'y périssaient quand ils apportaient un certain fonds de patience.

— Je ne suis qu'une pauvre fille, moi, une paysanne, et j'ai bien su m'y créer une indépendance, ajouta-t-elle en terminant. Écoutez-moi. Si vous voulez bien sérieusement travailler, j'ai quelques économies, je vous prêterai mois par mois l'argent nécessaire pour vivre ; mais pour vivre strictement et non pour bambocher, pour courailler ! On peut dîner à Paris à vingt-cinq sous par jour, et je vous ferai votre déjeuner avec le mien tous les matins. Enfin je vous meublerai votre chambre, et je paierai les apprentissages qui vous sembleront nécessaires. Vous me donnerez des reconnaissances en bonne forme de l'argent que je dépenserai pour vous ; et, quand vous serez riche, vous me rendrez le tout. Mais, si vous ne travaillez pas, je ne me regarderai plus comme engagée à rien, et je vous abandonnerai.

— Ah ! s'écria le malheureux qui sentait encore l'amertume de sa première étreinte avec la Mort, les exilés de tous les pays ont bien raison de tendre vers la France, comme font les âmes du purgatoire vers le paradis. Quelle nation que celle où il se trouve des secours, des cœurs généreux partout, même dans une mansarde comme celle-ci ! Vous serez tout pour moi, ma chère bienfaitrice, je serai votre esclave ! Soyez mon amie, dit-il avec une de ces démonstrations caressantes, si familières aux Polonais, et qui les fait accuser assez injustement de servilité.

– Oh ! non, je suis trop jalouse, je vous rendrais malheureux ; mais je serai volontiers quelque chose comme votre camarade, reprit Lisbeth.

– Oh ! si vous saviez avec quelle ardeur j'appelais une créature, fût-ce un tyran, qui voulût de moi, quand je me débattais dans le vide de Paris ! reprit Wenceslas. Je regrettais la Sibérie où l'empereur m'enverrait, si je rentrais !... Devenez ma providence... Je travaillerai, je deviendrai meilleur que je ne suis, quoique je ne sois pas un mauvais garçon.

– Ferez-vous tout ce que je vous dirai de faire ? demanda-t-elle.

– Oui !...

– Eh bien ! je vous prends pour mon enfant, dit-elle gaiement. Me voilà avec un garçon qui se relève du cercueil[1]. Allons ! nous commençons. Je vais descendre faire mes provisions, habillez-vous, vous viendrez partager mon déjeuner quand j'aurai cogné au plafond avec le manche de mon balai.

18

*Aventure d'une araignée
qui trouve dans sa toile une belle mouche
trop grosse pour elle*

Le lendemain, chez les fabricants où Mlle Fischer porta son ouvrage, elle prit des renseignements sur l'état de sculpteur. À force de demander, elle réussit à découvrir l'atelier des Florent et Chanor[2], maison spéciale où

---

1. On lit ici, dans les éditions antérieures à celle du *Siècle* : « en sevrage du cercueil ». L'expression insolite et incorrecte est révélatrice du sentiment maternel pathologique chez la cousine Bette.

2. Personnages fictifs, inspirés de l'orfèvre Froment-Meurice (voir *supra*, p. 106, n. 5).

l'on fondait, où l'on ciselait les bronzes riches et les services d'argenterie luxueux. Elle y conduisit Steinbock en
qualité d'apprenti sculpteur, proposition qui parut
bizarre. On exécutait là les modèles des plus fameux
artistes, on n'y montrait pas à sculpter. La persistance et
l'entêtement de la vieille fille arrivèrent à placer son protégé comme dessinateur d'ornements. Steinbock sut
promptement modeler les ornements, il en inventa de
nouveaux, il avait la vocation. Cinq mois après avoir
achevé son apprentissage de ciseleur, il fit la connaissance
du fameux Stidmann, le principal sculpteur de la maison
Florent. Au bout de vingt mois, Wenceslas en savait plus
que son maître ; mais, en trente mois, les économies
amassées par la vieille fille pendant seize ans, pièce à
pièce, furent entièrement dissipées. Deux mille cinq cents
francs en or ! une somme qu'elle comptait placer en
viager, et représentée par quoi ? par la lettre de change
d'un Polonais. Aussi Lisbeth travaillait-elle en ce moment
comme dans sa jeunesse, afin de subvenir aux dépenses
du Livonien. Quand elle se vit entre les mains un papier
au lieu d'avoir ses pièces d'or, elle perdit la tête, et alla
consulter M. Rivet, devenu depuis quinze ans le conseil,
l'ami de sa première et plus habile ouvrière. En apprenant cette aventure, M. et Mme Rivet grondèrent Lisbeth, la traitèrent de folle, honnirent les réfugiés dont les
menées pour redevenir une nation compromettaient la
prospérité du commerce, la paix à tout prix, et ils poussèrent la vieille fille à prendre, ce qu'on appelle en commerce, des sûretés.

— La seule sûreté que ce gaillard-là peut vous offrir,
c'est sa liberté, dit alors M. Rivet.

M. Achille Rivet était juge au tribunal de Commerce.

— Et ce n'est pas une plaisanterie pour les étrangers,
reprit-il. Un Français reste cinq ans en prison, et après il
en sort sans avoir payé ses dettes, il est vrai, car il n'est
plus contraignable que par sa conscience qui le laisse toujours en repos ; mais un étranger ne sort jamais de
prison. Donnez-moi votre lettre de change, vous allez la

passer au nom de mon teneur de livres, il la fera protes-
ter, vous poursuivra tous les deux, obtiendra contradic-
toirement un jugement qui prononcera la contrainte par
corps, et quand tout sera bien en règle, il vous signera
une contre-lettre. En agissant ainsi, vos intérêts courront,
et vous aurez un pistolet toujours chargé contre votre
Polonais !

La vieille fille se laissa mettre en règle, et dit à son
protégé de ne pas s'inquiéter de cette procédure, uniquement faite pour donner des garanties à un usurier qui
consentait à leur avancer quelque argent. Cette défaite
était due au génie inventif du juge au tribunal de Commerce. L'innocent artiste, aveugle dans sa confiance en sa
bienfaitrice, alluma sa pipe avec les papiers timbrés, car
il fumait comme tous les gens qui ont ou des chagrins
ou de l'énergie à endormir. Un beau jour, M. Rivet fit
voir à Mlle Fischer un dossier et lui dit : « Vous avez à
vous Wenceslas Steinbock, pieds et poings liés, et si bien,
qu'en vingt-quatre heures vous pouvez le loger à Clichy [1]
pour le reste de ses jours. »

Ce digne et honnête juge au tribunal de Commerce
éprouva ce jour-là la satisfaction que doit causer la certitude d'avoir commis une mauvaise bonne action. La
bienfaisance a tant de manières d'être à Paris, que cette
expression singulière répond à l'une de ses variations.
Une fois le Livonien entortillé dans les cordes de la procédure commerciale, il s'agissait d'arriver au paiement,
car le notable commerçant regardait Wenceslas Steinbock comme un escroc. Le cœur, la probité, la poésie
étaient à ses yeux, en affaires, des *sinistres*. Rivet alla
voir, dans l'intérêt de cette pauvre Mlle Fischer qui, selon
son expression, avait été *dindonnée* par un Polonais, les
riches fabricants de chez qui Steinbock sortait. Or,
secondé par les remarquables artistes de l'orfèvrerie parisienne déjà cités, Stidmann, qui faisait arriver l'art français à la perfection où il est maintenant et qui permet de

1. La prison pour dettes, auparavant située à Sainte-Pélagie, fut
installée à partir de 1827 au 78, rue de Clichy.

lutter avec les Florentins et la Renaissance, se trouvait dans le cabinet de Chanor, lorsque le brodeur y vint prendre des renseignements sur le nommé Steinbock, un réfugié polonais.

– Qu'appelez-vous le nommé Steinbock ? s'écria railleusement Stidmann[1] Serait-ce par hasard un jeune Livonien que j'ai eu pour élève ? Apprenez, monsieur, que c'est un grand artiste. On dit que je me crois le diable ; eh bien ! ce pauvre garçon ne sait pas, lui, qu'il peut devenir un dieu...

– Ah ! quoique vous parliez bien cavalièrement à un homme qui a l'honneur d'être juge au tribunal de la Seine...

– Excusez, consul[2] !... répliqua Stidmann en se mettant le revers de la main au front.

– Je suis bien heureux de ce que vous venez de dire. Ainsi, ce jeune homme pourra gagner de l'argent...

– Certes, dit le vieux Chanor, mais il lui faut travailler ; il en aurait déjà bien amassé, s'il était resté chez nous. Que voulez-vous ? les artistes ont horreur de la dépendance.

– Ils ont la conscience de leur valeur et de leur dignité, répondit Stidmann. Je ne blâme pas Wenceslas d'aller seul, de tâcher de se faire un nom et de devenir un grand homme, c'est son droit ! Et j'ai cependant bien perdu quand il m'a quitté !

– Voilà ! s'écria Rivet, voilà les prétentions des jeunes gens, au sortir de leur œuf universitaire... Mais commencez donc par vous faire des rentes, et cherchez la gloire après !

---

1. Le nom de Victor Paillard apparaissait dans la version du *Constitutionnel*. Client, souvent mécontent, du bronzier Paillard, Balzac supprime le nom de cet artiste dans la version définitive de son roman. En 1846, Victor Paillard habite au n° 3 de la rue de la Perle, à quelques pas de Fraisier, l'affreux homme de loi du *Cousin Pons*. Le nom de Stidmann rappelle celui du sculpteur Klagmann, collaborateur de Froment-Meurice.

2. L'artiste se moque de l'ancien commerçant. Le propriétaire de *La Maison du Chat-qui-pelote* (1830) ne parle jamais « d'un jugement du tribunal de Commerce sans le nommer la *sentence des consuls* ».

– On se gâte la main à ramasser des écus ! répondit Stidmann. C'est à la gloire à nous apporter la fortune.

– Que voulez-vous ? dit Chanor à Rivet, on ne peut pas les attacher...

– Ils mangeraient le licou ! répliqua Stidmann.

– Tous ces messieurs, dit Chanor en regardant Stidmann, ont autant de fantaisie que de talent. Ils dépensent énormément, ils ont des lorettes, ils jettent l'argent par les fenêtres, ils ne trouvent plus le temps de faire leurs travaux ; ils négligent alors leurs commandes ; nous allons chez des ouvriers qui ne les valent pas et qui s'enrichissent ; puis ils se plaignent de la dureté des temps, tandis que, s'ils s'étaient appliqués, ils auraient des monts d'or...

– Vous me faites l'effet, vieux Père Lumignon, dit Stidmann, de ce libraire d'avant la révolution qui disait : « Ah ! si je pouvais tenir Montesquieu, Voltaire et Rousseau, bien gueux, dans ma soupente et garder leurs culottes dans une commode, comme ils m'écriraient de bons petits livres avec lesquels je me ferais une fortune[1] ! » Si l'on pouvait forger de belles œuvres comme des clous, les commissionnaires en feraient... Donnez-moi mille francs, et taisez-vous !

Le bonhomme Rivet revint enchanté pour la pauvre demoiselle Fischer qui dînait chez lui tous les lundis et qu'il allait y trouver.

– Si vous pouvez le faire bien travailler, dit-il, vous serez plus heureuse que sage, vous serez remboursée, intérêts, frais et capital. Ce Polonais a du talent, il peut gagner sa vie ; mais enfermez ses pantalons et ses souliers, empêchez-le d'aller à la Chaumière[2] et dans le

---

1. Lucien de Rubempré, dans *Illusions perdues*, rencontre le libraire-éditeur Doguereau, « le libraire de la vieille école, un homme du temps où les libraires souhaitaient tenir dans un grenier et sous clef Voltaire et Montesquieu mourant de faim ».

2. Ce bal-jardin fondé à la fin du XVIIIe siècle et situé dans le quartier Montparnasse, était le rival du bal Mabille et du bal Tivoli.

quartier Notre-Dame-de-Lorette, tenez-le en laisse. Sans ces précautions, votre sculpteur flânera, et si vous saviez ce que les artistes appellent *flâner* ! des horreurs, quoi ! Je viens d'apprendre qu'un billet de mille francs y passe dans une journée.

Cet épisode eut une influence terrible sur la vie intérieure de Wenceslas et de Lisbeth. La bienfaitrice trempa le pain de l'exilé dans l'absinthe des reproches, lorsqu'elle crut ses fonds compromis, et elle les crut bien souvent perdus. La bonne mère devint une marâtre, elle morigéna ce pauvre enfant, elle le tracassa, lui reprocha de ne pas travailler assez promptement, et d'avoir pris un état difficile. Elle ne pouvait pas croire que des modèles en cire rouge, des figurines, des projets d'ornements, des essais pussent avoir du prix. Bientôt, fâchée de ses duretés, elle essayait d'en effacer les traces par des soins, par des douceurs et par des attentions. Le pauvre jeune homme, après avoir gémi de se trouver dans la dépendance de cette mégère et sous la domination d'une paysanne des Vosges, était ravi des câlineries et de cette sollicitude maternelle éprise seulement du physique, du matériel de la vie. Il fut comme une femme qui pardonne les mauvais traitements d'une semaine à cause des caresses d'un fugitif raccommodement. Mlle Fischer prit ainsi sur cette âme un empire absolu. L'amour de la domination resté, dans ce cœur de vieille fille, à l'état de germe, se développa rapidement. Elle put satisfaire son orgueil et son besoin d'action : n'avait-elle pas une créature à elle, à gronder, à diriger, à flatter, à rendre heureuse, sans avoir à craindre aucune rivalité ? Le bon et le mauvais de son caractère s'exercèrent donc également. Si parfois elle martyrisait le pauvre artiste, elle avait en revanche des délicatesses, semblables à la grâce des fleurs champêtres ; elle jouissait de le voir ne manquant de rien, elle eût donné sa vie pour lui ; Wenceslas en avait la certitude. Comme toutes les belles âmes, le pauvre garçon oubliait le mal, les défauts de cette fille qui, d'ailleurs, lui avait raconté sa vie comme excuse de sa sauvagerie, et il ne se souvenait jamais que des bienfaits. Un jour, la vieille fille, exaspérée de ce que Wenceslas était allé flâner au lieu de travailler, lui fit une scène.

– Vous m'appartenez ! lui dit-elle. Si vous êtes honnête homme, vous devriez tâcher de me rendre le plus tôt possible ce que vous me devez...

Le gentilhomme, en qui le sang des Steinbock s'alluma, devint pâle.

– Mon Dieu ! dit-elle, bientôt nous n'aurons plus pour vivre que les trente sous que je gagne, moi, pauvre fille...

Les deux indigents, irrités dans le duel de la parole, s'animèrent l'un contre l'autre ; et alors le pauvre artiste reprocha pour la première fois à sa bienfaitrice de l'avoir arraché à la mort, pour lui faire une vie de forçat pire que le néant où du moins on se reposait, dit-il, et il parla de fuir.

– Fuir !... s'écria la vieille fille... Ah ! M. Rivet avait raison !

Et elle expliqua catégoriquement au Polonais, comment on pouvait en vingt-quatre heures le mettre pour le reste de ses jours en prison. Ce fut un coup de massue. Steinbock tomba dans une mélancolie noire et dans un mutisme absolu. Le lendemain, dans la nuit, Lisbeth ayant entendu des préparatifs de suicide, monta chez son pensionnaire, lui présenta le dossier et une quittance en règle.

– Tenez, mon enfant, pardonnez-moi ! dit-elle les yeux humides. Soyez heureux, quittez-moi, je vous tourmente trop ; mais, dites-moi que vous penserez quelquefois à la pauvre fille qui vous a mis à même de gagner votre vie. Que voulez-vous ? vous êtes la cause de mes méchancetés : je puis mourir, que deviendriez-vous sans moi ?... Voilà la raison de l'impatience que j'ai de vous voir en état de fabriquer des objets qui puissent se vendre. Je ne vous redemande pas mon argent pour moi, allez !... J'ai peur de votre paresse que vous nommez rêverie, de vos conceptions qui mangent tant d'heures pendant lesquelles vous regardez le ciel, et je voudrais que vous eussiez contracté l'habitude du travail.

Ce fut dit avec un accent, un regard, des larmes, une attitude qui pénétrèrent le noble artiste ; il saisit sa bienfaitrice, la pressa sur son cœur et l'embrassa au front.

– Gardez ces pièces, répondit-il avec une sorte de gaieté. Pourquoi me mettriez-vous à Clichy ? ne suis-je pas emprisonné ici par la reconnaissance ?

Cet épisode de leur vie commune et secrète, arrivé six mois auparavant, avait fait produire à Wenceslas trois choses : le cachet que gardait Hortense, le groupe mis chez le marchand de curiosités, et une admirable pendule qu'il achevait en ce moment, car il vissait les derniers écrous du modèle.

Cette pendule représentait les douze Heures, admirablement caractérisées par douze figures de femmes entraînées dans une danse si folle et si rapide, que trois Amours, grimpés sur un tas de fleurs et de fruits, ne pouvaient arrêter au passage que l'Heure de minuit, dont la chlamyde [1] déchirée restait aux mains de l'Amour le plus hardi. Ce sujet reposait sur un socle rond d'une admirable ornementation, où s'agitaient des animaux fantastiques. L'Heure était indiquée dans une bouche monstrueuse ouverte par un bâillement. Chaque Heure offrait des symboles heureusement imaginés qui en caractérisaient les occupations habituelles.

Il est facile maintenant de comprendre l'espèce d'attachement extraordinaire que Mlle Fischer avait conçu pour son Livonien ; elle le voulait heureux, et elle le voyait dépérissant, s'étiolant dans sa mansarde. On conçoit la raison de cette situation affreuse. La Lorraine surveillait cet enfant du Nord avec la tendresse d'une mère, avec la jalousie d'une femme et l'esprit d'un dragon ; ainsi elle s'arrangeait pour lui rendre toute folie,

---

1. Dans l'Antiquité, manteau court et fendu, agrafé sur l'épaule, porté par les patriciens romains.

toute débauche impossible, en le laissant toujours sans argent. Elle aurait voulu garder sa victime et son compagnon pour elle, sage comme il était par force, et elle ne comprenait pas la barbarie de ce désir insensé, car elle avait pris, elle, l'habitude de toutes les privations. Elle aimait assez Steinbock pour ne pas l'épouser, et l'aimait trop pour le céder à une autre femme ; elle ne savait pas se résigner à n'en être que la mère, et se regardait comme une folle quand elle pensait à l'autre rôle. Ces contradictions, cette féroce jalousie, ce bonheur de posséder un homme à elle, tout agitait démesurément le cœur de cette fille. Éprise réellement depuis quatre ans, elle caressait le fol espoir de faire durer cette vie inconséquente et sans issue, où sa persistance devait causer la perte de celui qu'elle appelait son enfant. Ce combat de ses instincts et de sa raison la rendait injuste et tyrannique. Elle se vengeait sur ce jeune homme de ce qu'elle n'était ni jeune, ni riche, ni belle ; puis, après chaque vengeance, elle arrivait, en reconnaissant ses torts en elle-même, à des humilités, à des tendresses infinies. Elle ne concevait le sacrifice à faire à son idole qu'après y avoir écrit sa puissance à coups de hache. C'était enfin la *Tempête* de Shakespeare renversée, Caliban maître d'Ariel et de Prospero [1]. Quant à ce malheureux jeune homme à pensées élevées, méditatif, enclin à la paresse, il offrait dans les yeux, comme ces lions encagés au jardin des Plantes, le désert que sa protectrice faisait en son âme. Le travail forcé que Lisbeth exigeait de lui ne défrayait pas les besoins de son cœur. Son ennui devenait une maladie physique, et il mourait sans pouvoir demander, sans savoir se procurer l'argent d'une folie souvent nécessaire [2]. Par certaines journées d'énergie, où le sentiment

---

1. Allusion à *La Tempête*, féerie de Shakespeare dans laquelle le monstre Caliban – figure allégorique personnifiant la réalité brute apprivoisée par la philosophie et la poésie – et l'esprit aérien Ariel sont au service du magicien Prospero.

2. Balzac lui-même souffrait probablement de son abstinence dans la mansarde de la rue Lesdiguières, où il vécut seul, plongé dans un travail acharné, de la fin 1819 au début 1821. Sa famille, selon le témoi-

de son malheur accroissait son exaspération, il regardait Lisbeth comme un voyageur altéré, qui, traversant une côte aride, doit regarder une eau saumâtre. Ces fruits amers de l'indigence et de cette réclusion dans Paris, étaient savourés comme des plaisirs par Lisbeth. Aussi prévoyait-elle avec terreur que la moindre passion allait lui arracher son esclave. Parfois elle se reprochait, en contraignant par sa tyrannie et ses reproches ce poète à devenir un grand sculpteur de petites choses, de lui avoir donné les moyens de se passer d'elle.

Le lendemain, ces trois existences, si diversement et si réellement misérables, celle d'une mère au désespoir, celle du ménage Marneffe et celle du pauvre exilé, devaient toutes être affectées par la passion naïve d'Hortense et par le singulier dénouement que le baron allait trouver à sa passion malheureuse pour Josépha.

19

Comment on se quitte au treizième arrondissement

Au moment d'entrer à l'Opéra, le conseiller d'État fut arrêté par l'aspect un peu sombre du temple de la rue

gnage de Laure, sa sœur, voulait le préserver de toute tentation mondaine. Dans *Le Lys dans la vallée*, Félix de Vandenesse, un de ses *alter ego*, se plaint de ses « désirs réprimés », de sa jeunesse « attristée par de constantes privations ». Dans *La Vieille Fille*, à propos d'Athanase Granson, le romancier évoque les « jeunes gens souffrant de leurs premiers désirs réprimés au moment où toutes leurs forces se tendent », et fait observer qu'« une solitude monacale est dangereuse au jeune âge ». A.-M. Meininger souligne que ce passage est aussi une réaction contre les attaques de Mme Hanska au sujet des liaisons de Balzac, et cite une lettre du 12 août 1846 dans laquelle il proteste avec véhémence contre la chasteté dans laquelle sa lointaine maîtresse entend le maintenir (Pléiade, p. 1272, n. 1).

Lepelletier [1], où il ne vit ni gendarmes, ni lumières, ni gens de service, ni barrières pour contenir la foule. Il regarda l'affiche, y vit une bande blanche au milieu de laquelle brillait ce mot sacramentel :

RELÂCHE PAR INDISPOSITION.

Aussitôt il s'élança chez Josépha qui demeurait dans les environs, comme tous les artistes attachés à l'Opéra, rue Chauchat [2].

– Monsieur ! que demandez-vous ? lui dit le portier, à son grand étonnement.

– Vous ne me connaissez donc plus ? répondit le baron avec inquiétude.

– Au contraire, monsieur ; c'est parce que j'ai l'honneur de remettre monsieur, que je lui dis : « Où allez-vous ! »

Un frisson mortel glaça le baron.

– Qu'est-il arrivé ? demanda-t-il.

– Si monsieur le baron entrait dans l'appartement de Mlle Mirah, il y trouverait Mlle Héloïse Brisetout, M. Bixiou, M. Léon de Lora, M. Lousteau, M. de Vernisset, M. Stidmann, et des femmes pleines de patchouli qui pendent la crémaillère...

– Eh bien ! où donc est ?...

– Mlle Mirah !... Je ne sais pas trop si je fais bien de vous le dire.

Le baron glissa deux pièces de cent sous dans la main du portier.

---

1. Avant de s'installer à l'Opéra Garnier, inauguré en 1875, l'Académie royale de musique occupa différentes salles : de 1821 à la fin d'octobre 1873 (où elle fut détruite par un incendie), ce fut une salle du 6, rue Le Peletier qui l'accueillit.

2. Dans ce quartier vivaient beaucoup d'actrices célèbres (voir Pléiade, p. 1272, n. 2, et l'ouvrage d'André Lorant, *Les Parents pauvres d'Honoré de Balzac. Étude historique et critique*, t. I, Genève, Droz, 1967, p. 310).

– Eh bien ! elle reste maintenant rue de la Ville-l'Évêque, dans un hôtel que lui a donné, dit-on, le duc d'Hérouville, répondit à voix basse le portier.

Après avoir demandé le numéro de cet hôtel, le baron prit un milord et arriva devant une de ces jolies maisons modernes à doubles portes, où, dès la lanterne de gaz [1], le luxe se manifeste.

Le baron, vêtu de son habit de drap bleu, à cravate blanche, gilet blanc, pantalon de nankin [2], bottes vernies, beaucoup d'empois dans le jabot, passa pour un invité retardataire aux yeux du portier de ce nouvel Éden. Sa prestance, sa manière de marcher, tout en lui justifiait cette opinion.

Au coup de cloche sonné par le portier, un valet parut au péristyle. Ce valet, nouveau comme l'hôtel, laissa pénétrer le baron qui lui dit d'un ton de voix accompagné d'un geste impérial : « Fais passer cette carte à Mlle Josépha... »

Le *Patito* [3] regarda machinalement la pièce où il se trouvait, et se vit dans un salon d'attente, plein de fleurs rares, dont l'ameublement devait coûter quatre mille écus de cent sous. Le valet, revenu, pria monsieur d'entrer au salon en attendant qu'on sortît de table pour prendre le café.

Quoique le baron eût connu le luxe de l'Empire, qui certes fut un des plus prodigieux et dont les créations, si

---

1. Ce procédé d'éclairage, encore récent à l'époque, était très coûteux. Il n'y avait encore en 1836 que 205 becs de gaz pour l'éclairage public de Paris (voir Pléiade, p. 1272, n. 3, et, pour plus de détails, Jean Ygaunin, *Paris à l'époque de Balzac et dans la « Comédie humaine ». La ville et la société*, chap. 2 : « L'éclairage de Paris », Nizet, 1992, p. 73-74).

2. Toile de coton unie, généralement de couleur jaune, d'abord fabriquée dans la ville chinoise de Nankin.

3. *Patito* : amant toléré, soupirant. Dans sa lettre du 21 octobre 1846, Balzac rapporte à Mme Hanska les propos qu'elle aurait tenus à une connaissance de Mme de Girardin : « Tu es excessivement flattée de mes hommages, tu me fais venir partout où tu vas, par orgueil, qui ne serait pas heureuse d'avoir pour cavalier servant, pour *patito*, un homme de génie, etc. »

elles ne furent pas durables, n'en coûtèrent pas moins des sommes folles, il resta comme ébloui, abasourdi, dans ce salon dont les trois fenêtres donnaient sur un jardin féerique, un de ces jardins fabriqués en un mois avec des terrains rapportés, avec des fleurs transplantées, et dont les gazons semblent obtenus par des procédés chimiques. Il admira non seulement les recherches, les dorures, les sculptures les plus coûteuses du style dit Pompadour, des étoffes merveilleuses que le premier épicier venu aurait pu commander et obtenir à flots d'or ; mais encore ce que des princes seuls ont la faculté de choisir, de trouver, de payer et d'offrir : deux tableaux de Greuze et deux de Watteau, deux têtes de Van Dyck, deux paysages de Ruysdaël, deux du Guaspre, un Rembrandt et un Holbein, un Murillo et un Titien, deux Teniers et deux Metzu, un Van Huysum et un Abraham Mignon, enfin deux cent mille francs de tableaux admirablement encadrés [1]. Les bordures valaient presque les toiles.

– Ah ! tu comprends maintenant, mon bonhomme ? dit Josépha.

Venue sur la pointe du pied par une porte muette, sur des tapis de Perse, elle saisit son adorateur dans une de ces stupéfactions où les oreilles tintent si bien, qu'on n'entend rien que le glas du désastre.

Ce mot de *bonhomme*, dit à ce personnage si haut placé dans l'administration, et qui peint admirablement l'audace avec laquelle ces créatures ravalent les plus grandes existences, laissa le baron cloué par les pieds. Josépha, toute en blanc et jaune [2], était si bien parée pour

1. Balzac lui-même avait la passion des tableaux et des beaux cadres, passion qu'il prête au cousin Pons. Il commettait d'ailleurs souvent des erreurs en croyant acheter des toiles de maître à un prix incroyablement intéressant, alors que c'étaient de simples copies... L'intérieur de Josépha annonce celui qu'il aménagea dans l'hôtel de la rue Fortunée acheté en 1846 pour y installer Ève Hanska.

2. Ce détail, chez un écrivain très sensible au symbolisme des couleurs, n'est sans doute pas innocent, le jaune étant habituellement associé à la trahison.

cette fête, qu'elle pouvait encore briller au milieu de ce luxe insensé, comme le bijou le plus rare.

– N'est-ce pas que c'est beau ? reprit-elle. Le duc a mis là tous les bénéfices d'une affaire en commandite dont les actions ont été vendues en hausse. Pas bête, mon petit duc ? Il n'y a que les grands seigneurs d'autrefois pour savoir changer du charbon de terre en or. Le notaire, avant le dîner, m'a apporté le contrat d'acquisition à signer, et qui contient quittance du prix. Comme ils sont là tous grands seigneurs : d'Esgrignon, Rastignac, Maxime, Lenoncourt, Verneuil, Laginski, Rochefide, La Palférine, et en fait de banquiers, Nucingen et du Tillet, avec Antonia, Malaga, Carabine et la Schontz [1], ils ont tous compati à ton malheur. Oui, mon vieux, tu es invité, mais à la condition de boire tout de suite la valeur de deux bouteilles en vins de Hongrie, de Champagne et du Cap pour te mettre à leur niveau. Nous sommes, mon cher, tous trop tendus ici pour qu'il n'y ait pas relâche à l'Opéra, mon directeur est soûl comme un cornet à piston, il en est aux *couacs* !

– Oh ! Josépha ! s'écria le baron.

– Comme c'est bête, une explication, répondit-elle en souriant. Voyons, vaux-tu les six cent mille francs que coûtent l'hôtel et le mobilier ? Peux-tu m'apporter une inscription de trente mille francs de rentes que le duc m'a donnée dans un cornet de papier blanc à dragées d'épicier ?... C'est là une jolie idée !

– Quelle perversité ! dit le conseiller d'État, qui dans ce moment de rage aurait troqué les diamants de sa femme pour remplacer le duc d'Hérouville pendant vingt-quatre heures.

– C'est mon état d'être perverse ! répliqua-t-elle. Ah ! voilà comment tu prends la chose ! Pourquoi n'as-tu pas

---

1. D'Esgrignon, Rastignac, Maxime de Trailles, le duc de Lenoncourt, le duc de Verneuil, le comte Laginski, le marquis de Rochefide, le comte de La Palférine sont des personnages d'aristocrates de *La Comédie humaine* ; Nucingen et du Tillet sont des banquiers ; Antonia, Malaga, Carabine et la Schontz sont des femmes entretenues.

inventé de commandite ? Mon Dieu, mon pauvre *chat teint*, tu devrais me remercier : je te quitte au moment où tu pourrais manger avec moi l'avenir de ta femme, la dot de ta fille, et... Ah ! tu pleures. L'Empire s'en va !... je vais saluer l'Empire.

Elle se posa tragiquement et dit :

– On vous appelle Hulot ! je ne vous connais plus [1] !...

Et elle rentra.

La porte entrouverte laissa passer, comme un éclair, un jet de lumière accompagné d'un éclat du crescendo de l'orgie et chargé des odeurs d'un festin du premier ordre.

La cantatrice revint voir par la porte entrebâillée, et trouvant Hulot planté sur ses pieds comme s'il eût été de bronze, elle fit un pas en avant et reparut.

– Monsieur, dit-elle, j'ai cédé les guenilles de la rue Chauchat à la petite Héloïse Brisetout de Bixiou ; si vous voulez y réclamer votre bonnet de coton, votre tire-botte, votre ceinture et votre cire à favoris, j'ai stipulé qu'on vous les rendrait.

Cette horrible raillerie eut pour effet de faire sortir le baron comme Loth dut sortir de Gomorrhe, mais sans se retourner, comme Madame [2].

20

Une de perdue, une de retrouvée

Hulot revint chez lui, marchant en furieux, se parlant à lui-même, et trouva sa famille faisant avec calme le

---

1. Parodie de la réplique d'Horace à Curiace, dans *Horace* de Corneille, II, 3, v. 502 : « Albe vous a nommé, je ne vous connais plus. » André Lorant rappelle que la tragédienne Rachel, qui a inspiré le personnage de la cantatrice Josépha, débuta au Théâtre-Français dans le rôle de Camille (voir A. Lorant, *Les Parents pauvres d'Honoré de Balzac*, t. I, *op. cit.*, p. 171-172).
2. Allusion à la Genèse, XIX, 26 : les Anges, s'apprêtant à détruire les villes de Sodome et Gomorrhe, poussent Lot à s'enfuir avec sa

whist à deux sous la fiche qu'il avait vu commencer. En voyant son mari, la pauvre Adeline crut à quelque affreux désastre, à un déshonneur ; elle donna ses cartes à Hortense et entraîna Hector dans ce même petit salon, où cinq heures auparavant Crevel lui prédisait les plus honteuses agonies de la misère.

— Qu'as-tu ? dit-elle effrayée.

— Oh ! pardonne-moi ; mais laisse-moi te raconter ces infamies.

Il exhala sa rage pendant dix minutes.

— Mais, mon ami, répondit héroïquement cette pauvre femme, de pareilles créatures ne connaissent pas l'amour ! cet amour pur et dévoué que tu mérites ; comment pourrais-tu, toi si perspicace, avoir la prétention de lutter avec un million ?

— Chère Adeline ! s'écria le baron en saisissant sa femme et la pressant sur son cœur.

La baronne venait de jeter du baume sur les plaies saignantes de l'amour-propre.

— Certes, ôtez la fortune au duc d'Hérouville, entre nous deux, *elle* n'hésiterait pas ! dit le baron.

— Mon ami, reprit Adeline en faisant un dernier effort, s'il te faut absolument des maîtresses, pourquoi ne prends-tu pas, comme Crevel, des femmes qui ne soient pas chères et dans une classe à se trouver longtemps heureuses de peu. Nous y gagnerions tous. Je conçois le besoin, mais je ne comprends rien à la vanité...

— Oh ! quelle bonne et excellente femme tu es ! s'écria-t-il. Je suis un vieux fou, je ne mérite pas d'avoir un ange comme toi pour compagne.

— Je suis tout bonnement la Joséphine de mon Napoléon, répondit-elle avec une teinte de mélancolie.

— Joséphine ne te valait pas, dit-il. Viens, je vais jouer le whist avec mon frère et mes enfants ; il faut que je me

---

famille, en leur enjoignant de ne pas se retourner ni s'arrêter avant d'être arrivés dans la montagne. La femme de Lot, ayant regardé en arrière, fut changée en une colonne de sel.

mette à mon métier de père de famille, que je marie mon Hortense et que j'enterre le libertin...

Cette bonhomie toucha si fort la pauvre Adeline, qu'elle dit : « Cette créature a bien mauvais goût de préférer qui que ce soit à mon Hector. Ah ! je ne te céderais pas pour tout l'or de la terre. Comment peut-on te laisser quand on a le bonheur d'être aimé par toi !... »

Le regard par lequel le baron récompensa le fanatisme de sa femme la confirma dans l'opinion que la douceur et la soumission étaient les plus puissantes armes de la femme. Elle se trompait en ceci. Les sentiments nobles poussés à l'absolu produisent des résultats semblables à ceux des plus grands vices. Bonaparte est devenu l'Empereur pour avoir mitraillé le peuple à deux pas de l'endroit où Louis XVI a perdu la monarchie et la tête pour n'avoir pas laissé verser le sang d'un M. Sauce[1].

Le lendemain, Hortense, qui mit le cachet de Wenceslas sous son oreiller pour ne pas s'en séparer pendant son sommeil, fut habillée de bonne heure, et fit prier son père de venir au jardin dès qu'il serait levé.

Vers neuf heures et demie, le père, condescendant à une demande de sa fille, lui donnait le bras, et ils allaient ensemble le long des quais, par le pont Royal, sur la place du Carrousel.

– Ayons l'air de flâner, papa, dit Hortense en débouchant par le guichet pour traverser cette immense place...

– Flâner ici ?... demanda railleusement le père.

– Nous sommes censés aller au Musée, et là-bas, dit-elle en montrant les baraques adossées aux murailles des maisons qui tombent à angle droit sur la rue du Doyenné, tiens, il y a des marchands de bric-à-brac, de tableaux...[2]

---

1. Jean-Baptiste Sauce, épicier et procureur-syndic à Varennes, retint Louis XVI et la famille royale dans sa maison jusqu'au moment de leur arrestation. Le roi, sans doute pour ne pas verser le sang, refusa la proposition du chef d'escadron Deslon de tenter une sortie en force de Varennes sous la protection des hussards de Lauzun.

2. Balzac fréquentait lui-même ces boutiques. Il écrit à Mme Hanska, le 23 juin 1847, dans une lettre postérieure à la publica-

– Ta cousine demeure là...

– Je le sais bien ; mais il ne faut pas qu'elle nous voie...

– Et que veux-tu faire ? dit le baron en se trouvant à trente pas environ des fenêtres de Mme Marneffe à laquelle il pensa soudain.

Hortense avait conduit son père devant le vitrage d'une des boutiques situées à l'angle du pâté de maisons qui longe les galeries du vieux Louvre et qui fait face à l'hôtel de Nantes. Elle entra dans cette boutique en laissant son père occupé à regarder les fenêtres de la jolie petite dame qui, la veille, avait laissé son image au cœur du vieux Beau, comme pour y calmer la blessure qu'il allait recevoir, et il ne put s'empêcher de mettre en pratique le conseil de sa femme.

– Rabattons-nous sur les petites bourgeoises, se dit-il en se rappelant les adorables perfections de Mme Marneffe. Cette petite femme-là me fera promptement oublier l'avide Josépha.

Or, voici ce qui se passa simultanément dans la boutique et hors de la boutique.

En examinant les fenêtres de sa nouvelle *belle*, le baron aperçut le mari qui, tout en brossant sa redingote lui-même, faisait évidemment le guet et semblait attendre quelqu'un sur la place. Craignant d'être aperçu, puis reconnu plus tard, l'amoureux baron tourna le dos à la rue du Doyenné, mais en se mettant de trois quarts afin de pouvoir y donner un coup d'œil de temps en temps. Ce mouvement le fit rencontrer presque face à face avec Mme Marneffe qui, venant des quais, doublait le promontoire des maisons pour retourner chez elle. Valérie éprouva comme une commotion en recevant le regard étonné du baron, et elle y répondit par une œillade de prude.

---

tion de son roman : « Et je dévale chez Tremblay, place du Louvre, heureux de me retrouver là où j'ai par deux fois bricabraqué avec la bien-aimée. »

– Jolie femme ! s'écria le baron, et pour qui l'on ferait bien des folies !

– Eh ! monsieur, répondit-elle en se retournant comme une femme qui prend un parti violent, vous êtes monsieur le baron Hulot, n'est-ce pas ?

Le baron de plus en plus stupéfait fit un geste d'affirmation.

– Eh bien ! puisque le hasard a marié deux fois nos yeux, et que j'ai le bonheur de vous avoir intrigué ou intéressé, je vous dirai qu'au lieu de faire des folies, vous devriez bien faire justice... Le sort de mon mari dépend de vous.

– Comment l'entendez-vous ? demanda galamment le baron.

– C'est un employé de votre direction, à la Guerre, Division de M. Lebrun, bureau de M. Coquet, répondit-elle en souriant.

– Je me sens disposé, madame... madame ?

– Mme Marneffe.

– Ma petite madame Marneffe, à faire des injustices pour vos beaux yeux... J'ai dans votre maison une cousine, et j'irai la voir un de ces jours, le plus tôt possible, venez m'y présenter votre requête.

– Excusez mon audace, monsieur le baron ; mais vous comprendrez comment j'ai pu oser parler ainsi, je suis sans protection.

– Ah ! ah !

– Oh ! monsieur, vous vous méprenez, dit-elle en baissant les yeux.

Le baron crut que le soleil venait de disparaître.

– Je suis au désespoir, mais je suis une honnête femme, reprit-elle. J'ai perdu, il y a six mois, mon seul protecteur, le maréchal Montcornet.

– Ah ! vous êtes sa fille.

– Oui, monsieur, mais il ne m'a jamais reconnue.

– Afin de pouvoir vous laisser une partie de sa fortune.

– Il ne m'a rien laissé, monsieur, car on n'a pas trouvé de testament.

– Oh ! pauvre petite, le maréchal a été surpris par l'apoplexie... Allons, espérez, madame, on doit quelque chose à la fille d'un des chevaliers Bayard de l'Empire [1].

Mme Marneffe salua gracieusement, et fut aussi fière de son succès que le baron l'était du sien.

– D'où diable vient-elle si matin ? se demanda-t-il en analysant le mouvement onduleux de la robe auquel elle imprimait une grâce peut-être exagérée. Elle a la figure trop fatiguée pour revenir du bain, et son mari l'attend. C'est inexplicable, et cela donne beaucoup à penser.

21

Le roman de la fille

Mme Marneffe une fois rentrée, le baron voulut savoir ce que faisait sa fille dans la boutique. En y entrant, comme il regardait toujours les fenêtres de Mme Marneffe, il faillit heurter un jeune homme au front pâle, aux yeux gris pétillants, vêtu d'un paletot d'été en mérinos noir, d'un pantalon de gros coutil et de souliers à guêtres en cuir jaune, qui sortait comme un braque [2] ; et il le vit courir vers la maison de Mme Marneffe où il entra. En glissant dans la boutique, Hortense y avait distingué tout aussitôt le fameux groupe mis en évidence sur une table placée au centre dans le champ de la porte.

---

1. Pierre Barbéris commente ainsi ce passage : « Montcornet joue un rôle capital dans *Les Paysans*, où ce fils du peuple apparaît comme un impitoyable propriétaire terrien en guerre avec le prolétariat rural et aussi comme complètement coupé du mythe napoléonien qui avait illuminé en 1832 *Le Médecin de campagne*. La dégradation du mythe continue ici, les anciens braves étant présentés dans une trouble lumière d'intérêts, de bâtardises et de combines. L'échec du projet de faire ériger une statue à Montcornet parachèvera l'opération. Il ne reste plus de l'Empire que de peu reluisants débris, ceci à la veille d'événements qui vont, précisément, avec Napoléon le Petit, faire revenir l'Histoire sous forme de caricature » (Folio, p. 480, n. 1).

2. Un peu fou, toqué (d'après le Robert, ce sens date de 1798).

Sans les circonstances auxquelles elle en devait la connaissance, ce chef-d'œuvre eût vraisemblablement frappé la jeune fille par ce qu'il faut appeler le *brio* des grandes choses, elle qui, certes, aurait pu poser en Italie pour la statue du *Brio*.

Toutes les œuvres des gens de génie n'ont pas au même degré ce brillant, cette splendeur visible à tous les yeux, même à ceux des ignorants. Ainsi, certains tableaux de Raphaël [1], tels que la célèbre *Transfiguration*, la *Madone de Foligno*, les fresques des Stanze au Vatican ne commanderont pas soudain l'admiration, comme le *Joueur de violon* de la galerie Sciarra, les portraits des Doni et la *Vision d'Ézéchiel* de la galerie de Pitti, le *Portement de croix* de la galerie Borghèse, le *Mariage de la Vierge* du musée Bréra à Milan. Le *Saint Jean-Baptiste* de la Tribune, *Saint Luc peignant la Vierge* à l'Académie de Rome n'ont pas le charme du portrait de Léon X et de la Vierge de Dresde. Néanmoins, tout est de la même valeur. Il y a plus ! les Stanze, la *Transfiguration*, les Camaïeux et les trois tableaux de chevalet du Vatican sont le dernier degré du sublime et de la perfection. Mais ces chefs-d'œuvre exigent de l'admirateur le plus instruit une sorte de tension, une étude pour être compris dans toutes leurs parties ; tandis que le *Violoniste*, le *Mariage de la Vierge*, la *Vision d'Ézéchiel* entrent d'eux-mêmes dans votre cœur par la double porte des yeux, et s'y font leur place ; vous aimez à les recevoir ainsi sans aucune peine ; ce n'est pas le comble de l'art, c'en est le bonheur. Ce fait prouve qu'il se rencontre dans la génération des œuvres artistiques les mêmes hasards de naissance que dans les

---

1. Dans *La Comédie humaine*, Balzac témoigne, comme la plupart de ses contemporains, d'une vénération indéfectible pour Raphaël, peintre italien de la Renaissance. Raphaël est le peintre que Balzac associe le plus volontiers à la notion de *sublime* et qu'il invoque le plus souvent pour ses héroïnes angéliques, comme Augustine Guillaume de *La Maison du chat-qui-pelote* ou Eugénie Grandet. Il avait pu admirer ses œuvres au cours de ses différents voyages, notamment en Italie en 1837, 1845 et 1846.

familles où il y a des enfants heureusement doués, qui viennent beaux et sans faire de mal à leurs mères, à qui tout sourit, à qui tout réussit ; il y a enfin les fleurs du génie comme les fleurs de l'amour.

Ce brio, mot italien intraduisible et que nous commençons à employer, est le caractère des premières œuvres. C'est le fruit de la pétulance et de la fougue intrépide du talent jeune, pétulance qui se retrouve plus tard dans certaines heures heureuses ; mais ce brio ne sort plus alors du cœur de l'artiste ; et, au lieu de le jeter dans ses œuvres comme un volcan lance ses feux, il le subit, il le doit à des circonstances, à l'amour, à la rivalité, souvent à la haine, et plus encore aux commandements d'une gloire à soutenir.

Le groupe de Wenceslas était à ses œuvres à venir ce qu'est le *Mariage de la Vierge* à l'œuvre total de Raphaël, le premier pas du talent fait dans une grâce inimitable, avec l'entrain de l'enfance et son aimable plénitude, avec sa force cachée sous des chairs roses et blanches trouées par des fossettes qui font comme des échos aux rires de la mère. Le prince Eugène [1] a, dit-on, payé quatre cent mille francs ce tableau qui vaudrait un million pour un pays privé de tableaux de Raphaël, et l'on ne donnerait pas cette somme pour la plus belle des fresques, dont cependant la valeur est bien supérieure comme art.

Hortense contint son admiration en pensant à la somme de ses économies de jeune fille, elle prit un petit air indifférent et dit au marchand : « Quel est le prix de ça ? »

– Quinze cents francs, répondit le marchand en jetant une œillade à un jeune homme assis sur un tabouret dans un coin.

Ce jeune homme devint stupide en voyant le vivant chef-d'œuvre du baron Hulot. Hortense, ainsi prévenue, reconnut alors l'artiste à la rougeur qui nuança son visage pâli par la souffrance, elle vit reluire dans deux

---

1. Eugène de Beauharnais, vice-roi d'Italie en 1805.

yeux gris une étincelle allumée par sa question ; elle regarda cette figure maigre et tirée comme celle d'un moine plongé dans l'ascétisme ; elle adora cette bouche rosée et bien dessinée, un petit menton fin, et les cheveux châtains à filaments soyeux du Slave.

– Si c'était douze cents francs, répondit-elle, je vous dirais de me l'envoyer.

– C'est antique, mademoiselle, fit observer le marchand qui, semblable à tous ses confrères, croyait avoir tout dit avec ce *nec plus ultra* du bric-à-brac.

– Excusez-moi, monsieur, c'est fait de cette année, répondit-elle tout doucement, et je viens précisément pour vous prier, si l'on consent à ce prix, de nous envoyer l'artiste, car on pourrait lui procurer des commandes assez importantes.

– Si les douze cents francs sont pour lui, qu'aurai-je pour moi ? Je suis marchand, dit le boutiquier avec bonhomie.

– Ah ! c'est vrai, répliqua la jeune fille en laissant échapper une expression de dédain.

– Ah ! mademoiselle, prenez ! je m'entendrai avec le marchand, s'écria le Livonien hors de lui.

Fasciné par la sublime beauté d'Hortense et par l'amour pour les arts qui se manifestait en elle, il ajouta : « Je suis l'auteur de ce groupe, voici dix jours que je viens voir trois fois par jour si quelqu'un en connaîtra la valeur et le marchandera. Vous êtes ma première admiratrice, prenez ! »

– Venez, monsieur, avec le marchand dans une heure d'ici…, voici la carte de mon père, répondit Hortense.

Puis, en voyant le marchand aller dans une pièce pour y envelopper le groupe dans du linge, elle ajouta tout bas au grand étonnement de l'artiste qui crut rêver : « Dans l'intérêt de votre avenir, monsieur Wenceslas, ne montrez pas cette carte, ne dites pas le nom de votre acquéreur à Mlle Fischer, car c'est notre cousine. »

Ce mot, notre cousine, produisit un éblouissement à l'artiste, il entrevit le paradis en en voyant une des Èves tombées. Il rêvait de la belle cousine dont lui avait parlé Lisbeth, autant qu'Hortense rêvait de l'amoureux de sa cousine, et quand elle était entrée : « Ah ! pensait-il, si elle pouvait être ainsi ! » On comprendra le regard que les deux amants échangèrent, ce fut de la flamme, car les amoureux vertueux n'ont pas la moindre hypocrisie.

22

Laissez faire les jeunes filles

– Eh bien ! que diable fais-tu là-dedans ? demanda le père à sa fille.

– J'ai dépensé mes douze cents francs d'économie, viens.

Elle reprit le bras de son père qui répéta : « Douze cents francs ! »

– Treize cents même... mais tu me prêteras bien la différence !

– Et à quoi... dans cette boutique... as-tu pu dépenser cette somme ?

– Ah ! voici ! répondit l'heureuse jeune fille, si j'ai trouvé un mari ce ne sera pas cher.

– Un mari, ma fille, dans cette boutique ?

– Écoute, mon petit père, me défendrais-tu d'épouser un grand artiste ?

– Non, mon enfant. Un grand artiste, aujourd'hui, c'est un prince qui n'est pas titré. C'est la gloire et la fortune, les deux plus grands avantages sociaux, après la vertu, ajouta-t-il d'un petit ton cafard.

– Bien entendu, répondit Hortense. Et que penses-tu de la sculpture ?

– C'est une bien mauvaise partie, dit Hulot en hochant la tête. Il faut de grandes protections outre un grand talent ; car le gouvernement est le seul consommateur. C'est un art sans débouchés aujourd'hui qu'il n'y a plus ni grandes existences, ni grandes fortunes, ni palais substitués [1], ni majorats [2]. Nous ne pouvons loger que de petits tableaux, de petites figures, aussi les arts sont-ils menacés par le *petit* [3].

– Mais un grand artiste qui trouverait des débouchés… reprit Hortense.

– C'est la solution du problème.

– Et qui serait appuyé !

– Encore mieux !

– Et noble !

– Bah !

– Comte !

– Et il sculpte !

– Il est sans fortune.

– Et il compte sur celle de Mlle Hortense Hulot ? dit railleusement le baron en plongeant un regard d'inquisiteur dans les yeux de sa fille.

_____

1. En droit civil, la substitution héréditaire est la disposition par laquelle on appelle à sa succession un ou plusieurs héritiers successivement, après celui qu'on a institué, de telle manière que celui-ci ne peut aliéner les biens sujets à la substitution. La substitution a permis à la noblesse, sous l'Ancien Régime, de consolider sa puissance foncière en évitant les dilapidations de biens. Cette institution fut jugée contraire à l'égalité civile et à la libre circulation des biens, et interdite par le Code Napoléon 1804. « Il n'y a plus de palais substitués » veut donc dire : « Il n'y a plus de palais attachés héréditairement à une famille et ne pouvant être aliénés. » Il n'y a donc plus guère de mécènes disposant de grandes propriétés et pouvant commander des œuvres à un sculpteur.

2. *Majorat* : bien inaliénable et indivisible attaché à la possession d'un titre de noblesse et transmis avec le titre au fils aîné d'une famille.

3. Dans ses écrits politiques comme dans ses œuvres romanesques, Balzac ne cesse de dénoncer le règne du *petit* que représente à ses yeux la monarchie de Juillet. À propos d'une statistique de brevets d'invention, il écrit dans les *Lettres sur Paris* (1831) : « mais ce sont de petites inventions dignes de nos petits drames, de nos petits tableaux, de nos petits appartements et de nos petites mœurs ». Le monde de la Restauration tombe « en miettes sous les coups de bélier mis en œuvre par la bourgeoisie » (*Béatrix*). « Le rapetissement général des choses » se manifeste dans la politique, les arts et le décor de la vie privée. Grindot, qui travaille aussi bien pour Matifat, Crevel ou Arthur de Rochefide, est un « grand architecte en petits décors » (*Béatrix*).

– Ce grand artiste, comte, et qui sculpte, vient de voir votre fille pour la première fois de sa vie, et pendant cinq minutes, monsieur le baron, répondit Hortense d'un air calme à son père. Hier, vois-tu, mon cher bon petit père, pendant que tu étais à la Chambre, maman s'est évanouie. Cet évanouissement, qu'elle a mis sur le compte de ses nerfs, venait de quelque chagrin relatif à mon mariage manqué, car elle m'a dit que, pour vous débarrasser de moi…

– Elle t'aime trop pour avoir employé une expression…

– Peu parlementaire, reprit Hortense en riant ; non, elle ne s'est pas servie de ce mot-là ; mais moi je sais qu'une fille à marier, qui ne se marie pas, est une croix très lourde à porter pour des parents honnêtes. Eh bien ! elle pense que s'il se présentait un homme d'énergie et de talent, à qui une dot de trente mille francs suffirait, nous serions tous heureux ! Enfin elle jugeait convenable de me préparer à la modestie de mon futur sort, et de m'empêcher de m'abandonner à de trop beaux rêves… Ce qui signifiait la rupture de mon mariage, et pas de dot.

– Ta mère est une bien bonne, une bien noble et excellente femme, répondit le père profondément humilié, quoique assez heureux de cette confidence.

– Hier, elle m'a dit que vous l'autorisiez à vendre ses diamants pour me marier ; mais je voudrais qu'elle gardât ses diamants, et je voudrais trouver un mari. Je crois avoir trouvé l'homme, le prétendu qui répond au programme de maman…

– Là !… sur la place du Carrousel !… en une matinée.

– Oh ! papa, *le mal vient de plus loin*[1], répondit-elle malicieusement.

– Eh bien ! voyons, ma petite fille, disons tout à notre bon père, demanda-t-il d'un air câlin en cachant ses inquiétudes.

---

1. Citation de Racine, *Phèdre*, I, 3 (Phèdre à Œnone) : « Mon mal vient de plus loin. »

Sous la promesse d'un secret absolu, Hortense raconta le résumé de ses conversations avec la cousine Bette. Puis, en rentrant, elle montra le fameux cachet à son père comme preuve de la sagacité de ses conjectures. Le père admira, dans son for intérieur, la profonde adresse des jeunes filles agitées par l'instinct, en reconnaissant la simplicité du plan que cet amour idéal avait suggéré, dans une seule nuit, à cette innocente fille.

— Tu vas voir le chef-d'œuvre que je viens d'acheter, on va l'apporter, et le cher Wenceslas accompagnera le marchand... L'auteur d'un pareil groupe doit faire fortune ; mais obtiens-lui, par ton crédit, une statue, et puis un logement à l'Institut...

— Comme tu vas ! s'écria le père. Mais si on vous laissait faire, vous seriez mariés dans les délais légaux, dans onze jours...

— On attend onze jours ? répondit-elle en riant. Mais, en cinq minutes, je l'ai aimé, comme tu as aimé maman en la voyant ! et il m'aime, comme si nous nous connaissions depuis deux ans. Oui, dit-elle à un geste que fit son père, j'ai lu dix volumes d'amour dans ses yeux. Et ne sera-t-il pas accepté par vous et par maman pour mon mari, quand il vous sera démontré que c'est un homme de génie ! La sculpture est le premier des arts ! s'écriat-elle en battant des mains et sautant. Tiens ! je vais tout te dire...

— Il y a donc encore quelque chose ?... demanda le père en souriant.

Cette innocence complète et bavarde avait tout à fait rassuré le baron.

— Un aveu de la dernière importance, répondit-elle. Je l'aimais sans le connaître, mais j'en suis folle depuis une heure que je l'ai vu.

— Un peu trop folle, répondit le baron que le spectacle de cette naïve passion réjouissait.

— Ne me punis pas de ma confiance, reprit-elle. C'est si bon de crier dans le cœur de son père : « J'aime, je suis heureuse d'aimer ! » répliqua-t-elle. Tu vas voir mon

Wenceslas ! Quel front plein de mélancolie !... des yeux
gris où brille le soleil du génie !... et comme il est distingué ! Qu'en penses-tu ? Est-ce un beau pays, la Livonie ?... Ma cousine Bette épouser ce jeune homme-là, elle
qui serait sa mère ?... Mais ce serait un meurtre ! Comme
je suis jalouse de ce qu'elle a dû faire pour lui ! je me
figure qu'elle ne verra pas mon mariage avec plaisir.

— Tiens, mon ange, ne cachons rien à ta mère, dit le
baron.

— Il faudrait lui montrer ce cachet, et j'ai promis de
ne pas trahir la cousine qui a, dit-elle, peur des plaisanteries de maman, répondit Hortense.

— Tu as de la délicatesse pour le cachet, et tu voles à
la cousine Bette son amoureux.

— J'ai fait une promesse pour le cachet, et je n'ai rien
promis pour l'auteur.

Cette aventure, d'une simplicité patriarcale, convenait
singulièrement à la situation secrète de cette famille ;
aussi le baron, en louant sa fille de sa confiance, lui dit-il
que désormais elle devait s'en remettre à la prudence de
ses parents.

— Tu comprends, ma petite fille, que ce n'est pas à toi
à t'assurer si l'amoureux de ta cousine est comte, s'il a
des papiers en règle, et si sa conduite offre des garanties... Quant à ta cousine, elle a refusé cinq partis quand
elle avait vingt ans de moins, ce ne sera pas un obstacle,
et je m'en charge.

— Écoutez ! mon père, si vous voulez me voir mariée,
ne parlez à ma cousine de notre amoureux qu'au
moment de signer mon contrat de mariage... Depuis six
mois, je la questionne à ce sujet !... Eh bien ! il y a
quelque chose d'inexplicable en elle...

— Quoi ? dit le père intrigué.

— Enfin, ses regards ne sont pas bons, quand je vais
trop loin, fût-ce en riant, à propos de son amoureux.
Prenez vos renseignements ; mais laissez-moi conduire
ma barque. Ma confiance doit vous rassurer.

– Le Seigneur a dit : « Laissez venir les enfants à moi[1] ! » tu es un de ceux qui reviennent, répondit le baron avec une légère teinte de raillerie.

23

Une entrevue

Après le déjeuner, on annonça le marchand, l'artiste et le groupe. La rougeur subite qui colora sa fille rendit la baronne d'abord inquiète, puis attentive, et la confusion d'Hortense, le feu de son regard lui révélèrent bientôt le mystère, si peu contenu dans ce jeune cœur.

Le comte Steinbock, habillé tout en noir, parut au baron être un jeune homme fort distingué.

– Feriez-vous une statue en bronze ? lui demanda-t-il en tenant le groupe.

Après avoir admiré de confiance, il passa le bronze à sa femme qui ne se connaissait pas en sculpture.

– N'est-ce pas, maman, que c'est bien beau ? dit Hortense à l'oreille de sa mère.

– Une statue !... monsieur le baron, ce n'est pas si difficile à faire que d'agencer une pendule comme celle que voici, et que monsieur a eu la complaisance d'apporter, répondit l'artiste à la question du baron.

Le marchand était occupé à déposer sur le buffet de la salle à manger le modèle en cire des douze Heures que les Amours essayent d'arrêter.

– Laissez-moi cette pendule, dit le baron stupéfait de la beauté de cette œuvre, je veux la montrer aux ministres de l'Intérieur et du Commerce.

– Quel est ce jeune homme qui t'intéresse tant ? demanda la baronne à sa fille.

– Un artiste assez riche pour exploiter ce modèle pourrait y gagner cent mille francs, dit le marchand de

---

1. Voir Matthieu, XIX, 13-15, Marc, X, 13-16, et Luc, XVIII, 15-17.

curiosités qui prit un air capable et mystérieux en voyant l'accord des yeux entre la jeune fille et l'artiste. Il suffit de vendre vingt exemplaires à huit mille francs, car chaque exemplaire coûterait environ mille écus à établir ; mais, en numérotant chaque exemplaire et détruisant le modèle, on trouverait bien vingt amateurs, satisfaits d'être les seuls à posséder cette œuvre-là.

– Cent mille francs ! s'écria Steinbock en regardant tour à tour le marchand, Hortense, le baron et la baronne.

– Oui, cent mille francs ! répéta le marchand, et si j'étais assez riche, je vous l'achèterais, moi, vingt mille francs ; car, en détruisant le modèle, cela devient une propriété... Mais un des princes devrait payer ce chef-d'œuvre trente ou quarante mille francs, et en orner son salon. On n'a jamais fait, dans les arts, de pendule qui contente à la fois les bourgeois et les connaisseurs, et celle-là, monsieur, est la solution de cette difficulté...

– Voici pour vous, monsieur, dit Hortense en donnant six pièces d'or au marchand qui se retira.

– Ne parlez à personne au monde de cette visite, alla dire l'artiste au marchand sur le seuil de la porte. Si l'on vous demande où nous avons porté le groupe, nommez le duc d'Hérouville, le célèbre amateur qui demeure rue de Varenne.

Le marchand hocha la tête en signe d'assentiment.

– Vous vous nommez ? demanda le baron à l'artiste quand il revint.

– Le comte Steinbock.

– Avez-vous des papiers qui prouvent ce que vous êtes ?...

– Oui, monsieur le baron, ils sont en langue russe et en langue allemande, mais sans légalisation...

– Vous sentez-vous la force de faire une statue de neuf pieds ?

– Oui, monsieur.

– Eh bien ! si les personnes que je vais consulter sont contentes de vos ouvrages, je puis vous obtenir la statue du maréchal Montcornet, que l'on veut ériger au Père-Lachaise, sur son tombeau. Le ministère de la Guerre et les anciens officiers de la Garde impériale donnent une somme assez importante pour que nous ayons le droit de choisir l'artiste.

— Oh ! monsieur, ce serait ma fortune !... dit Steinbock qui resta stupéfait de tant de bonheurs à la fois.

— Soyez tranquille, répondit gracieusement le baron, si les deux ministres, à qui je vais montrer votre groupe et ce modèle, sont émerveillés de ces deux œuvres, votre fortune est en bon chemin...

Hortense serrait le bras de son père à lui faire mal.

— Apportez-moi vos papiers, et ne dites rien de vos espérances à personne, pas même à notre vieille cousine Bette.

— Lisbeth ? s'écria Mme Hulot achevant de comprendre la fin sans deviner les moyens.

— Je puis vous donner des preuves de mon savoir en faisant le buste de madame... ajouta Wenceslas.

Frappé de la beauté de Mme Hulot, depuis un moment l'artiste comparait la mère et la fille.

— Allons, monsieur, la vie peut devenir belle pour vous, dit le baron tout à fait séduit par l'extérieur fin et distingué du comte Steinbock. Vous saurez bientôt que personne, à Paris, n'a longtemps impunément du talent, et que tout travail constant y trouve sa récompense.

Hortense tendit au jeune homme en rougissant une jolie bourse algérienne qui contenait soixante pièces d'or. L'artiste, toujours un peu gentilhomme, répondit à la rougeur d'Hortense par un coloris de pudeur assez facile à interpréter.

— Serait-ce, par hasard, le premier argent que vous recevez de vos travaux ? demanda la baronne.

— Oui, madame, de mes travaux d'art, mais non de mes peines, car j'ai travaillé comme ouvrier...

— Eh bien ! espérons que l'argent de ma fille vous portera bonheur ! répondit Mme Hulot.

– Et prenez-le sans scrupules, ajouta le baron en voyant Wenceslas qui tenait toujours la bourse à la main sans la serrer. Cette somme sera remboursée par quelque grand seigneur, par un prince peut-être qui nous la rendra certes avec usure pour posséder cette belle œuvre.

– Oh ! j'y tiens trop, papa, pour la céder à qui que ce soit, même au prince royal[1] !

– Je puis faire pour mademoiselle un autre groupe plus joli que ce...

– Ce ne serait pas celui-là, répondit-elle.

Et comme honteuse d'en avoir trop dit, elle alla dans le jardin.

– Je vais donc briser le moule et le modèle en rentrant ! dit Steinbock.

– Allons ! apportez-moi vos papiers, et vous entendrez bientôt parler de moi, si vous répondez à tout ce que je conçois de vous, monsieur.

En entendant cette phrase, l'artiste fut obligé de sortir. Après avoir salué Mme Hulot et Hortense, qui revint du jardin exprès pour recevoir ce salut, il alla se promener dans les Tuileries sans pouvoir, sans oser rentrer dans sa mansarde, où son tyran l'allait assommer de questions et lui arracher son secret.

L'amoureux d'Hortense imaginait des groupes et des statues par centaines ; il se sentait une puissance à tailler lui-même le marbre, comme Canova[2] qui, faible comme lui, faillit en périr. Il était transfiguré par Hortense, devenue pour lui l'inspiration visible.

---

1. Il s'agit de Ferdinand-Philippe d'Orléans, fils aîné du roi Louis-Philippe et de la reine Marie-Amélie (1810-1842). Encore vivant au moment de cette scène, jeune, beau, courageux, généreux, protecteur des arts et des artistes, il jouissait d'une extrême popularité auprès des Français ; sa mort accidentelle à Neuilly le 13 juillet 1842 plongea le pays dans le deuil et porta sans doute un coup fatal à la monarchie de Juillet.

2. Antonio Canova (1757-1823) : ce sculpteur italien admiré de Balzac fut l'un des maîtres du néoclassicisme en sculpture. Sa statue de *Pauline Bonaparte* en Vénus (1804-1809), qui se trouve à la villa Borghèse à Rome est, en particulier, très célèbre.

– Ah ! çà, dit la baronne à sa fille, qu'est-ce que cela signifie ?

– Eh bien ! chère maman, tu viens de voir l'amoureux de notre cousine Bette qui, j'espère, est maintenant le mien... Mais ferme les yeux, fais l'ignorante. Mon Dieu ! moi qui voulais tout te cacher, je vais tout te dire...

– Allons, adieu mes enfants, s'écria le baron en embrassant sa fille et sa femme, je vais aller peut-être voir la Chèvre, et je saurai d'elle bien des choses sur le jeune homme.

– Papa, sois prudent, répéta Hortense.

– Oh ! petite fille ! s'écria la baronne quand Hortense eut fini de lui raconter son poème dont le dernier chant était l'aventure de cette matinée, chère petite fille, la plus grande rouée de la terre sera toujours la Naïveté !

Les passions vraies ont leur instinct. Mettez un gourmand à même de prendre un fruit dans un plat, il ne se trompera pas et saisira, même sans voir, le meilleur. De même, laissez aux jeunes filles bien élevées le choix absolu de leurs maris, si elles sont en position d'avoir ceux qu'elles désigneront, elles se tromperont rarement. La nature est infaillible. L'œuvre de la nature, en ce genre, s'appelle : aimer à première vue. En amour, la première vue est tout bonnement la seconde vue.

Le contentement de la baronne, quoique caché sous la dignité maternelle, égalait celui de sa fille ; car des trois manières de marier Hortense dont avait parlé Crevel, la meilleure, à son gré, paraissait devoir réussir. Elle vit dans cette aventure une réponse de la Providence à ses ferventes prières.

24

*Où le hasard, qui se permet souvent
des romans vrais, mène trop bien les choses
pour qu'elles aillent longtemps ainsi*

Le forçat de Mlle Fischer, obligé néanmoins de rentrer au logis, eut l'idée de cacher la joie de l'amoureux sous la joie de l'artiste, heureux de son premier succès.

– Victoire ! mon groupe est vendu au duc d'Hérouville qui va me donner des travaux, dit-il en jetant les douze cents francs en or sur la table de la vieille fille.

Il avait, comme on le pense bien, serré la bourse d'Hortense, il la tenait sur son cœur.

– Eh bien ! répondit Lisbeth, c'est heureux, car je m'exterminais à travailler. Vous voyez, mon enfant, que l'argent vient bien lentement dans le métier que vous avez pris, car voici le premier que vous recevez, et voilà bientôt cinq ans que vous piochez ! Cette somme suffit à peine à rembourser ce que vous m'avez coûté depuis la lettre de change qui me tient lieu de mes économies. Mais soyez tranquille, ajouta-t-elle après avoir compté, cet argent sera tout employé pour vous. Nous avons là de la sécurité pour un an. En un an, vous pouvez maintenant vous acquitter et avoir une bonne somme à vous, si vous allez toujours de ce train-là.

En voyant le succès de sa ruse, Wenceslas fit des contes à la vieille fille sur le duc d'Hérouville.

– Je veux vous faire habiller tout en noir, à la mode, et renouveler votre linge, car vous devez vous présenter bien mis chez vos protecteurs, répondit Bette. Et puis, il vous faudra maintenant un appartement plus grand et plus convenable que votre horrible mansarde, et le bien meubler. Comme vous voilà gai ! Vous n'êtes plus le même, ajouta-t-elle en examinant Wenceslas.

– Mais on a dit que mon groupe était un chef-d'œuvre.

– Eh bien ! tant mieux ! Faites-en d'autres, répliqua cette sèche fille toute positive et incapable de comprendre la joie du triomphe ou la beauté dans les arts. Ne vous occupez plus de ce qui est vendu, fabriquez quelque autre chose à vendre. Vous avez dépensé deux cents francs d'argent, sans compter votre travail et votre temps, à ce diable de Samson. Votre pendule vous coûtera plus de deux mille francs à faire exécuter. Tenez, si vous m'en croyez, vous devriez achever ces deux petits garçons couronnant la petite fille avec des bluets, ça séduira les Parisiens ! Moi, je vais passer chez M. Graff, le tailleur, avant d'aller chez M. Crevel... Remontez chez vous, et laissez-moi m'habiller.

Le lendemain, le baron, devenu fou de Mme Marneffe, alla voir la cousine Bette, assez stupéfaite en ouvrant la porte de le trouver devant elle, car il n'était jamais venu lui faire une visite. Aussi se dit-elle en elle-même : « Hortense aurait-elle envie de mon amoureux ?... » car la veille, elle avait appris, chez M. Crevel, la rupture du mariage avec le conseiller à la Cour royale.

– Comment, mon cousin, vous ici ? Vous me venez voir pour la première fois de votre vie, assurément ce n'est pas pour mes beaux yeux ?

– Beaux ! c'est vrai, reprit le baron, tu as les plus beaux yeux que j'aie vus...

– Pourquoi venez-vous ? Tenez, me voilà honteuse de vous recevoir dans un pareil taudis.

La première des deux pièces dont se composait l'appartement de la cousine Bette, lui servait à la fois de salon, de salle à manger, de cuisine et d'atelier. Les meubles étaient ceux des ménages d'ouvriers aisés : des chaises en noyer foncées de paille, une petite table à manger en noyer, une table à travailler, des gravures enluminées dans des cadres en bois noirci, de petits rideaux de mousseline aux fenêtres, une grande armoire en noyer, le carreau bien frotté, bien reluisant de propreté, tout cela sans un grain de poussière, mais plein de tons froids, un vrai tableau de Terburg [1] où rien ne manquait, pas

---

1. Gérard Terburgh (1617-1681) : peintre et dessinateur hollandais, auteur de remarquables scènes de genre, où les teintes douces et feutrées dominent.

même sa teinte grise, représentée par un papier jadis bleuâtre et passé au ton de lin. Quant à la chambre, personne n'y avait jamais pénétré.

Le baron embrassa tout, d'un coup d'œil, vit la signature de la médiocrité dans chaque chose, depuis le poêle en fonte jusqu'aux ustensiles de ménage, et il fut pris d'une nausée en se disant à lui-même : « Voilà donc la vertu ! »

– Pourquoi je viens ? répondit-il à haute voix. Tu es une fille trop rusée pour ne pas finir par le deviner, et il vaut mieux te le dire, s'écria-t-il en s'asseyant et regardant à travers la cour en entrouvrant le rideau de mousseline plissée. Il y a dans la maison une très jolie femme…

– Mme Marneffe ! Oh ! j'y suis ! dit-elle en comprenant tout. Et Josépha ?

– Hélas ! cousine, il n'y a plus de Josépha… J'ai été mis à la porte comme un laquais.

– Et vous voudriez ?… demanda la cousine en regardant le baron avec la dignité d'une prude qui s'offense un quart d'heure trop tôt.

– Comme Mme Marneffe est une femme très comme il faut, la femme d'un employé, que tu peux la voir sans te compromettre, reprit le baron, je voudrais te voir voisiner avec elle. Oh ! sois tranquille, elle aura les plus grands égards pour la cousine de monsieur le Directeur.

En ce moment, on entendit le frôlement d'une robe dans l'escalier, accompagné par le bruit des pas d'une femme à brodequins superfins. Le bruit cessa sur le palier. Après deux coups frappés à la porte, Mme Marneffe se montra.

– Pardonnez-moi, mademoiselle, cette irruption chez vous ; mais je ne vous ai point trouvée hier quand je suis venue vous faire une visite ; nous sommes voisines, et si j'avais su que vous étiez la cousine de M. le conseiller d'État, il y a longtemps que je vous aurais demandé votre protection auprès de lui. J'ai vu entrer M. le Directeur, et alors j'ai pris la liberté de venir, car mon mari, M. le baron, m'a parlé d'un travail sur le personnel qui sera soumis demain au Ministre.

Elle avait l'air d'être émue, de palpiter ; mais elle avait tout bonnement monté l'escalier en courant.

— Vous n'avez pas besoin de faire la solliciteuse, belle dame, répondit le baron, c'est à moi de vous demander la grâce de vous voir.

— Eh bien ! si mademoiselle le trouve bon, venez ? dit Mme Marneffe.

— Allez, mon cousin, je vais vous rejoindre, dit prudemment la cousine Bette.

La Parisienne comptait tellement sur la visite et sur l'intelligence de M. le Directeur, qu'elle avait fait, non seulement une toilette appropriée à une pareille entrevue, mais encore une toilette à son appartement. Dès le matin, on y avait mis des fleurs achetées à crédit. Marneffe avait aidé sa femme à nettoyer les meubles, à rendre du lustre aux plus petits objets, en savonnant, en brossant, en époussetant tout. Valérie voulait se trouver dans un milieu plein de fraîcheur afin de plaire à M. le Directeur, et plaire assez pour avoir le droit d'être cruelle, de lui tenir la dragée haute, comme à un enfant, en employant les ressources de la tactique moderne. Elle avait jugé Hulot. Laissez vingt-quatre heures à une Parisienne aux abois, elle bouleverserait un ministère.

Cet homme de l'Empire, habitué au genre Empire, devait ignorer absolument les façons de l'amour moderne. Les nouveaux scrupules, les différentes conversations inventées depuis 1830, et où la *pauvre faible femme* finit par se faire considérer comme la victime des désirs de son amant, comme une sœur de charité qui panse des blessures, comme un ange qui se dévoue. Ce *nouvel art d'aimer* consomme énormément de paroles évangéliques à l'œuvre du diable. La passion est un martyre. On aspire à l'idéal, à l'infini, de part et d'autre l'on veut devenir meilleurs par l'amour[1]. Toutes ces belles

---

1. Dans *Illusions perdues*, Balzac dénonce également cette « friperie poétique » du « sentiment moderne » : Sixte de Châtelet, « l'homme de

phrases sont un prétexte à mettre encore plus d'ardeur dans la pratique, plus de rage dans les chutes que par le passé. Cette hypocrisie, le caractère de notre temps, a gangrené la galanterie. On est deux anges, et l'on se comporte comme deux démons, si l'on peut. L'amour n'avait pas le temps de s'analyser ainsi lui-même entre deux campagnes, et, en 1809, il allait aussi vite que l'Empire, en succès. Or, sous la Restauration, le bel Hulot, en redevenant homme à femmes, avait d'abord consolé quelques anciennes amies alors tombées, comme des astres éteints du firmament politique, et de là, vieillard, il s'était laissé capturer par les Jenny Cadine et les Josépha.

Mme Marneffe avait dressé ses batteries en apprenant les antécédents du directeur, que son mari lui raconta longuement, après quelques renseignements pris dans les bureaux. La comédie du sentiment moderne pouvant avoir pour le baron le charme de la nouveauté, le parti de Valérie était pris, et, disons-le, l'essai qu'elle fit de sa puissance pendant cette matinée répondit à toutes ses espérances.

Grâce à ces manœuvres sentimentales, romanesques et romantiques, Valérie obtint, sans avoir rien promis, la place de sous-chef et la croix de la Légion d'honneur pour son mari.

Cette petite guerre n'alla pas sans des dîners au *Rocher-de-Cancale*[1], sans des parties de spectacle, sans

l'école impériale », doté par l'âge d'« un petit ventre rond assez difficile à contenir dans les bornes de l'élégance », teignant ses cheveux et ses favoris, fait penser également au baron Hulot. Balzac s'intéresse à ce type de bellâtre, « vieux papillon impérial » ; il l'incarne dans le vicomte de Lustrac, personnage des *Petites Misères de la vie conjugale*, surnommé « Petit-Bon-Homme-vit-encore ». Les amants militaires de *La Comédie humaine* – Montcornet dans *Les Paysans*, Montriveau dans *La Duchesse de Langeais* –, « ayant toujours vécu sur les champs de bataille », ne connaissent « de la femme que ce qu'un voyageur pressé, qui va d'auberge en auberge, peut connaître d'un pays » (*La Duchesse de Langeais*).

1. Célèbre restaurant parisien, fondé en 1804 par Balaine, grand chef de l'époque, et situé au 59, rue Montorgueil. Balzac, qui aimait y souper, l'évoque souvent dans *La Comédie humaine*. Fréquenté par les dandies, les lorettes et les membres du Jockey Club, cet établissement

beaucoup de cadeaux en mantilles, en écharpes, en robes, en bijoux. L'appartement de la rue du Doyenné déplaisait, le baron complota d'en meubler un magnifiquement, rue Vaneau, dans une charmante maison moderne.

M. Marneffe obtint un congé de quinze jours, à prendre dans un mois, pour aller régler des affaires d'intérêt dans son pays, et une gratification. Il se promit de faire un petit voyage en Suisse pour y étudier le beau sexe.

Si le baron Hulot s'occupa de sa protégée, il n'oublia pas son protégé. Le ministre du Commerce, le comte Popinot, aimait les arts : il donna deux mille francs d'un exemplaire du groupe de Samson, à la condition que le moule serait brisé, pour qu'il n'existât que son Samson et celui de Mlle Hulot. Ce groupe excita l'admiration d'un prince à qui l'on porta le modèle de la pendule et qui la commanda ; mais elle devait être unique, et il en offrit trente mille francs. Les artistes consultés, au nombre desquels fut Stidmann, déclarèrent que l'auteur de ces deux œuvres pouvait faire une statue. Aussitôt, le maréchal prince de Wissembourg, ministre de la Guerre et président du comité de souscription pour le monument du maréchal Montcornet, fit prendre une délibération par laquelle l'exécution en était confiée à Steinbock. Le comte de Rastignac, alors sous-secrétaire d'État, voulut une œuvre de l'artiste dont la gloire surgissait aux acclamations de ses rivaux. Il obtint de Steinbock le délicieux groupe des deux petits garçons couronnant une petite fille, et il lui promit un atelier au Dépôt des marbres du gouvernement situé, comme on sait, au Gros-Caillou [1].

---

avait pour spécialité les huîtres que l'on venait déguster après le spectacle. C'était à l'époque la table la plus chère de Paris : 50 francs (soit environ 172 euros). Le décor et la vaisselle étaient des plus raffinés, et l'on y dînait, même l'été, toujours aux lumières.

1. Quartier de Paris situé dans le 7e arrondissement, « ainsi nommé d'après un énorme rocher situé à l'intersection des actuelles rues Saint-Dominique et Cler et dont la destruction, vers 1738, nécessita l'emploi d'explosifs » (Pléiade, p. 1278, n. 1). C'est dans ce quartier que se trouvait le Dépôt des marbres du ministère des Travaux publics, fondé par Colbert.

Ce fut le succès, mais le succès comme il vient à Paris, c'est-à-dire fou, le succès à écraser les gens qui n'ont pas des épaules et des reins à le porter, ce qui, par parenthèse, arrive souvent. On parlait dans les journaux et dans les revues du comte Wenceslas Steinbock, sans que lui ni Mlle Fischer en eussent le moindre soupçon. Tous les jours, dès que Mlle Fischer sortait pour dîner, Wenceslas allait chez la baronne. Il y passait une ou deux heures, excepté le jour où la Bette venait chez sa cousine Hulot. Cet état de choses dura pendant quelques jours.

Le baron sûr des qualités et de l'état civil du comte Steinbock, la baronne heureuse de son caractère et de ses mœurs, Hortense fière de son amour approuvé, de la gloire de son prétendu, n'hésitaient plus à parler de ce mariage ; enfin, l'artiste était au comble du bonheur, quand une indiscrétion de Mme Marneffe mit tout en péril. Voici comment.

25

Stratégie de Marneffe

Lisbeth, que le baron Hulot désirait lier avec Mme Marneffe pour avoir un œil dans ce ménage, avait déjà dîné chez Valérie, qui, de son côté, voulant avoir une oreille dans la famille Hulot, caressait beaucoup la vieille fille. Valérie eut donc l'idée d'engager Mlle Fischer à pendre la crémaillère du nouvel appartement où elle devait s'installer. La vieille fille, heureuse de trouver une maison de plus où aller dîner et captée par Mme Marneffe, l'avait prise en affection. De toutes les personnes avec lesquelles elle s'était liée, aucune n'avait fait autant de frais pour elle. En effet, Mme Marneffe, toute aux petits soins pour Mlle Fischer, se trouvait, pour ainsi dire, vis-à-vis d'elle ce qu'était la cousine Bette vis-à-vis de la baronne, de M. Rivet, de Crevel, de tous ceux enfin qui la recevaient à dîner. Les Marneffe avaient surtout excité la commisération de la cousine Bette en lui laissant voir la profonde détresse de leur ménage, et la vernissant, comme toujours, des plus belles couleurs : des amis obligés et ingrats, des maladies, une mère, Mme Fortin, à qui l'on avait caché sa détresse, et morte en se croyant toujours dans l'opulence, grâce à des sacrifices plus qu'humains, etc.

— Pauvres gens ! disait-elle à son cousin Hulot, vous avez bien raison de vous intéresser à eux, ils le méritent bien, car ils sont si courageux, si bons ! Ils peuvent à peine vivre avec mille écus de leur place de sous-chef, car ils ont fait des dettes depuis la mort du maréchal Montcornet ! C'est barbarie au gouvernement de vouloir qu'un employé, qui a femme et enfant, vive dans Paris avec deux mille quatre cents francs d'appointements.

Une jeune femme qui, pour elle, avait des semblants d'amitié, qui lui disait tout en la consultant, la flattant et paraissant vouloir se laisser conduire par elle, devint donc en peu de temps plus chère à l'excentrique cousine Bette que tous ses parents.

De son côté, le baron, admirant, dans Mme Marneffe, une décence, une éducation, des manières, que ni Jenny Cadine, ni Josépha, ni leurs amies ne lui avaient offertes, s'était épris pour elle, en un mois, d'une passion de vieillard, passion insensée qui semblait raisonnable. En effet, il n'apercevait là ni moquerie, ni orgies, ni dépenses folles, ni dépravation, ni mépris des choses sociales, ni cette indépendance absolue qui, chez l'actrice et chez la cantatrice, avaient causé tous ses malheurs. Il échappait également à cette rapacité de courtisane, comparable à la soif du sable.

Mme Marneffe, devenue son amie et sa confidente, faisait d'étranges façons pour accepter la moindre chose de lui. — Bon pour les places, les gratifications, tout ce que vous pouvez nous obtenir du gouvernement ; mais ne commencez pas par déshonorer la femme que vous dites aimer, disait Valérie, autrement je ne vous croirai pas...

Et j'aime à vous croire, ajoutait-elle avec une œillade à la sainte Thérèse guignant le ciel [1].

À chaque présent, c'était un fort à emporter, une conscience à violer. Le pauvre baron employait des stratagèmes pour offrir une bagatelle, fort chère d'ailleurs, en s'applaudissant de rencontrer enfin une vertu, de trouver la réalisation de ses rêves. Dans ce ménage, primitif (disait-il), le baron était aussi dieu que chez lui. M. Marneffe paraissait être à mille lieues de croire que le Jupiter de son ministère eût l'intention de descendre en pluie d'or chez sa femme [2], et il se faisait le valet de son auguste chef.

Mme Marneffe, âgée de vingt-trois ans, bourgeoise pure et timorée, fleur cachée dans la rue du Doyenné, devait ignorer les dépravations et la démoralisation courtisanesques qui maintenant causaient d'affreux dégoûts

---

1. Il y a peut-être ici une allusion à la célèbre statue *Sainte Thérèse en extase* réalisée par le Bernin en 1652 pour la chapelle Cornaro de l'église Santa Maria della Vittoria à Rome, œuvre dont la brûlante sensualité a fait couler beaucoup d'encre. Mais nombre d'artistes ont traité ce sujet depuis la Contre-Réforme. Ce qui ne fait pas de doute, c'est l'importance que Balzac attache à la figure de la sainte d'Ávila (1515-1582), « cette sainte si voluptueusement tendre dans ses adorations », comme il l'écrit dans sa jeunesse dans son *Traité de la prière*. Dans ce texte, après avoir expliqué que la dévotion, la piété, le mysticisme sont de véritables *passions*, et dignes de respect comme toutes les passions, Balzac essaie d'imaginer ce que fut le cœur à cœur de sainte Thérèse avec Dieu dans ses extases. Il en conclut que « la prière [...] rendra aux âmes amoureuses des choses vastes et sublimes un des grands véhicules de l'âme vers les célestes régions » (Balzac, *Œuvres diverses*, t. I, Gallimard, « Bibliothèque de la Pléiade », 1990, p. 608-609).
2. Allusion à l'histoire de Danaé, fille d'Acrisios et d'Eurydice. Danaé fut emprisonnée par son père à cause d'un oracle qui lui avait prédit qu'il serait tué par son petit-fils. Zeus parvint néanmoins jusqu'à elle sous la forme d'une pluie d'or. De cette union naquit un fils, Persée. La prédiction de l'oracle se réalisa car le jeune homme tua le roi par accident dans une compétition de lancer de javelot... L'histoire de Danaé, évoquée par Virgile et par les Tragiques grecs, a également inspiré les peintres. L'image de Danaé – symbole de la terre desséchée que la pluie du ciel va fertiliser – réapparaît au chapitre 34, toujours à propos de Valérie.

au baron, car il n'avait pas encore connu les charmes de
la vertu qui combat, et la craintive Valérie les lui faisait
savourer, comme dit la chanson, *tout le long de la
rivière* [1].

Une fois la question ainsi posée entre Hector et Valérie, personne ne s'étonnera d'apprendre que Valérie ait su
d'Hector le secret du prochain mariage du grand artiste
Steinbock avec Hortense. Entre un amant sans droits et
une femme qui ne se décide pas facilement à devenir une
maîtresse, il se passe des luttes orales et morales où la
parole trahit souvent la pensée, de même que dans un
assaut le fleuret prend l'animation de l'épée du duel.
L'homme le plus prudent imite alors M. de Turenne. Le
baron avait donc laissé entrevoir toute la liberté d'action
que le mariage de sa fille lui donnerait, pour répondre à
l'aimante Valérie, qui s'était plus d'une fois écriée : « Je
ne conçois pas qu'on fasse une faute pour un homme qui
ne serait pas tout à nous ! » Déjà, le baron avait mille
fois juré que, *depuis vingt-cinq ans*, tout était fini
entre Mme Hulot et lui. – On la dit si belle ! répliquait
Mme Marneffe, je veux des preuves [2] – Vous en aurez,
dit le baron, heureux de ce vouloir par lequel sa Valérie
se compromettait. – Et comment ? il faudrait ne jamais
me quitter, avait répondu Valérie. Hector avait alors été
forcé de révéler ses projets en exécution rue Vaneau pour
démontrer à sa Valérie qu'il songeait à lui donner cette
moitié de la vie qui appartient à une femme légitime,
en supposant que le jour et la nuit partagent également
l'existence des gens civilisés. Il parla de quitter décemment sa femme en la laissant seule, une fois que sa fille
serait mariée. La baronne passerait alors tout son temps
chez Hortense et chez les jeunes Hulot, il était sûr de

---

1. Allusion à une ronde enfantine, *Tout en me promenant*, dont il
existe plusieurs versions selon A.-M. Meininger (Pléiade, p. 1278, n. 1).

2. C'est ce que répéteront Bette, Hulot et Montès, lorsqu'ils se senti-
ront trahis. Ces cris de désespoir que le lecteur entend aux moments forts
de l'action font ressortir le caractère passionnel de l'intrigue romanesque.

l'obéissance de sa femme. – Dès lors, mon petit ange, ma
véritable vie, mon vrai ménage sera rue Vaneau. – Mon
Dieu, comme vous disposez de moi !... dit alors
Mme Marneffe. Et mon mari ?... – Cette guenille ? – Le
fait est qu'auprès de vous, c'est cela... répondit-elle en
riant.

26

Terrible indiscrétion

Mme Marneffe eut une furieuse envie de voir le jeune
comte de Steinbock après en avoir appris l'histoire, peut-
être en voulait-elle obtenir quelque bijou, pendant qu'elle
vivait encore sous le même toit. Cette curiosité déplut
tant au baron, que Valérie jura de ne jamais regarder
Wenceslas. Mais, après avoir fait récompenser l'abandon
de cette fantaisie par un petit service de thé complet en
vieux Sèvres [1], pâte tendre, elle garda son désir au fond
de son cœur, écrit comme sur un agenda. Donc, un jour
qu'elle avait prié *sa* cousine Bette de venir prendre
ensemble leur café dans sa chambre, elle la mit sur le
chapitre de son amoureux, afin de savoir si elle pourrait
le voir sans danger.

– Ma petite, dit-elle, car elles se traitaient mutuellement de *ma petite*, pourquoi ne m'avez-vous pas encore
présenté votre amoureux ?... Savez-vous qu'il est en peu
de temps devenu célèbre ?

– Lui ! célèbre ?

– Mais on ne parle que de lui !...

– Ah ! bah ! s'écria Lisbeth.

– Il va faire la statue de mon père, et je lui serai bien
utile pour la réussite de son œuvre, car Mme Montcornet
ne peut pas, comme moi, lui prêter une miniature de

---

1. Balzac lui-même avait la passion de la porcelaine de Sèvres
ancienne et se ruinait pour en acquérir.

Sain[1], un chef-d'œuvre fait en 1809, avant la campagne de Wagram, et donné à ma pauvre mère, enfin un Mont-cornet jeune et beau...

Sain et Augustin[2] tenaient à eux deux le sceptre de la peinture en miniature sous l'Empire.

— Il va, dites-vous, ma petite, faire une statue ?... demanda Lisbeth.

— De neuf pieds, commandée par le ministère de la Guerre. Ah ! çà, d'où sortez-vous ? je vous apprends ces nouvelles-là. Mais le gouvernement va donner au comte de Steinbock un atelier et un logement au Gros-Caillou, au Dépôt des marbres, votre Polonais en sera peut-être le directeur, une place de deux mille francs, une bague au doigt...

— Comment savez-vous tout cela, quand moi je ne le sais pas ? dit enfin Lisbeth en sortant de sa stupeur.

— Voyons, ma chère petite cousine Bette, dit gracieusement Mme Marneffe, êtes-vous susceptible d'une amitié dévouée, à toute épreuve ? Voulez-vous que nous soyons comme deux sœurs ? Voulez-vous me jurer de n'avoir pas plus de secrets pour moi que je n'en aurai pour vous, d'être mon espion comme je serai le vôtre ?... Voulez-vous surtout me jurer que vous ne me vendrez jamais, ni à mon mari, ni à M. Hulot, et que vous n'avouerez jamais que c'est moi qui vous ai dit...

Mme Marneffe s'arrêta dans cette œuvre de *picador*[3], la cousine Bette l'effraya. La physionomie de la Lorraine était devenue terrible. Ses yeux noirs et pénétrants avaient la fixité de ceux des tigres. Sa figure ressemblait

---

1. Daniel Saint (1778-1847) : portraitiste et miniaturiste ; il fit de nombreuses miniatures de Napoléon, de Joséphine et des monarques européens.

2. Jean-Baptiste Augustin (1759-1832) : célèbre portraitiste et minia-turiste français ; il fut le portraitiste officiel de la cour à partir de 1806.

3. Cavalier qui, dans les courses de taureaux, excite l'animal en le blessant avec une pique.

à celles que nous supposons aux pythonisses [1], elle serrait ses dents pour les empêcher de claquer, et une affreuse convulsion faisait trembler ses membres. Elle avait glissé sa main crochue entre son bonnet et ses cheveux pour les empoigner et soutenir sa tête, devenue trop lourde ; elle brûlait ! La fumée de l'incendie qui la ravageait semblait passer par ses rides comme par autant de crevasses labourées par une éruption volcanique. Ce fut un spectacle sublime [2].

— Eh bien ! pourquoi vous arrêtez-vous ? dit-elle d'une voix creuse, je serai pour vous tout ce que j'étais pour lui. Oh ! je lui aurais donné tout mon sang...

— Vous l'aimez donc ?...

— Comme s'il était mon enfant !...

— Eh bien ! reprit Mme Marneffe en respirant à l'aise, puisque vous ne l'aimez que comme ça, vous allez être bien heureuse, car vous le voulez heureux ?

---

1. Prophétesses, voyantes. Le nom vient de la prêtresse du dieu Apollon-Phébus, également appelée la Pythie. Apollon est parfois surnommé « le Pythien » parce qu'il a tué le serpent Python.

2. *Sublime* : « Ce mot – adjectif ou nom – est employé au moins 666 fois dans *La Comédie humaine*. Il fascine Balzac, qui en abuse. [...] Pas de doctrine explicite du sublime chez lui. [...] Est sublime à ses yeux tout ce qui atteint sa forme la plus parfaite et la plus achevée, l'extrême du beau, du bon, du noble, c'est-à-dire le paroxysme d'une qualité quelconque mais aussi d'un défaut » (A.-M. Baron, *Balzac ou l'Auguste Mensonge*, Nathan, 1998, p. 197). Au sujet du caractère paroxystique du personnage balzacien, on pourra se reporter aux commentaires de Maurice Bardèche : « Cet emportement du drame et de la logique explique le mouvement irrésistible qui entraîne les personnages de Balzac vers des rives mortelles. Parce qu'ils poursuivent aveuglément quelque pensée qui les possède, ils sont des drogués. Parce que Balzac s'identifie à eux par le pathétique, il les représente volontiers dans un paroxysme. De toute façon, ce sont des "possibles" de Balzac, des virtualités qui sont en lui qu'il suscite et exaspère. Et c'est cette *surchauffe* qui explique la puissance des personnages de Balzac et aussi ce qu'on trouve parfois d'excessif en eux. [...] Ils sont l'inconnu qu'il y a en chacun de nous. Et c'est par là qu'ils ont cette puissance prophétique qui nous effraie : comme les personnages de Shakespeare » (*Balzac*, Julliard, 1980, p. 264-265).

Lisbeth répondit par un signe de tête rapide comme celui d'une folle.

— Il épouse dans un mois votre petite cousine.

— Hortense ? cria la vieille fille en se frappant le front et en se levant.

— Ah ! çà vous l'aimez donc ce jeune homme ? demanda Mme Marneffe.

— Ma petite, c'est entre nous à la vie à la mort, dit Mlle Fischer. Oui, si vous avez des attachements, ils me seront sacrés. Enfin, vos vices deviendront pour moi des vertus, car j'en aurai besoin, moi, de vos vices !

— Vous viviez donc avec lui ? s'écria Valérie.

— Non, je voulais être sa mère...

— Ah ! je n'y comprends plus rien, reprit Valérie, car alors vous n'êtes pas jouée ni trompée, et vous devez être bien heureuse de lui voir faire un beau mariage, le voilà lancé. D'ailleurs, tout est bien fini pour vous, allez. Notre artiste va tous les jours chez Mme Hulot, dès que vous sortez pour dîner...

— Adeline ! se dit Lisbeth. Oh ! Adeline, tu me le paieras, je te rendrai plus laide que moi !...

— Mais vous voilà pâle comme une morte ! reprit Valérie. Il y a donc quelque chose ?... Oh ! suis-je bête ! la mère et la fille doivent se douter que vous mettriez des obstacles à cet amour, puisqu'elles se cachent de vous, s'écria Mme Marneffe ; mais, si vous ne viviez pas avec le jeune homme, tout cela, ma petite, est pour moi plus obscur que le cœur de mon mari...

— Oh ! vous ne savez pas, vous, reprit Lisbeth, vous ne savez pas ce que c'est que cette manigance-là ! c'est le dernier coup qui tue ! En ai-je reçu des meurtrissures à l'âme ! Vous ignorez que depuis l'âge où l'on sent, j'ai été immolée à Adeline ! On me donnait des coups, et on lui faisait des caresses ! J'allais mise comme un souillon, et elle était vêtue comme une dame. Je piochais le jardin, j'épluchais les légumes, et elle ses dix doigts ne se remuaient que pour arranger des chiffons !... Elle a épousé le baron, elle est venue briller à la cour de l'Empereur, et je suis restée jusqu'en 1809 dans mon village, attendant un parti sortable, pendant quatre ans ; ils m'en ont tirée, mais pour me faire ouvrière et pour me proposer des employés, des capitaines qui ressemblaient à des portiers !... J'ai eu pendant vingt-six ans tous leurs restes... Et voilà que, comme dans l'Ancien Testament, le pauvre possède un seul agneau qui fait son bonheur, et le riche qui a des troupeaux envie la brebis du pauvre et la lui dérobe [1] !... sans le prévenir, sans la lui demander. Adeline me filoute mon bonheur ! Adeline !... Adeline, je te verrai dans la boue et plus bas que moi [2] ! Hortense, que j'aimais, m'a trompée... Le baron... non, cela n'est pas possible. Voyons, redites-moi les choses qui là-dedans peuvent être vraies ?

1. Allusion à un passage de l'Ancien Testament (2 Samuel, XII, 1-4) dans lequel le prophète Nathan, envoyé par Dieu à David, lui raconte cette parabole pour lui faire comprendre l'horreur de son crime : avoir pris la femme d'Urie le Hittite, Bethsabée, puis s'être débarrassé du mari en le faisant assassiner.

2. Sur le désir de vengeance qui habite la cousine Bette, le commentaire suivant apporte un éclairage intéressant : « Parmi ces peintures de maternités desséchées, la plus spectaculaire et la plus instructive est celle de "la cousine Bette consumant sa vie et dévouant son intelligence au travail de sape souterraine" du clan Hulot. Balzac renvoie ouvertement à l'enfance de son héroïne pour étudier la genèse d'une haine, unique sentiment à pouvoir encore germer dans cette affectivité calcinée. La sauvagerie de Bette (Bête...) est décryptée comme le désir compulsif de se venger du traumatisme de l'enfance. Aussi habile et pervers qu'il soit, le comportement de la vieille fille n'en est pas moins la manifestation pitoyable de l'être resté fixé à la fureur narcissique des premières années. Les humiliations dont elle accable sa famille, les manipulations psychiques dont elle tire jouissance sont la stricte reconduction d'une expérience enfantine qu'elle n'a jamais pu dépasser. Mais [...] la petite fille d'autrefois peut bien renverser les rôles, rejouer sur un mode désormais actif les humiliations et les violences subies passivement trente ans plus tôt, elle demeure insatiable parce que la source de son désespoir, l'objet de sa haine sont effectivement au-dessus des êtres et des choses, en deçà du présent. Malgré ses efforts compulsifs, la cousine Bette ne parviendra jamais à réparer son enfance » (*Splendeurs et misères de l'écrivain. Une lecture de La Comédie humaine à la Maison de Balzac*, dir. J. Meyer-Petit, Paris Musées, 1994, p. 20-21).

– Calmez-vous, ma petite…

– Valérie, mon cher ange, je vais me calmer, répondit cette fille bizarre en s'asseyant. Une seule chose peut me rendre la raison : donnez-moi une preuve !…

– Mais votre cousine Hortense possède le groupe de Samson dont voici la lithographie publiée par une Revue ; elle l'a payé de ses économies, et c'est le baron qui, dans l'intérêt de son futur gendre, le lance et obtient tout.

– De l'eau !… de l'eau ! demanda Lisbeth après avoir jeté les yeux sur la lithographie au bas de laquelle elle lut : *groupe appartenant à mademoiselle Hulot d'Ervy*. De l'eau ! ma tête brûle, je deviens folle !…

Mme Marneffe apporta de l'eau, la vieille fille ôta son bonnet, défit ses noirs cheveux, et se mit la tête dans la cuvette que lui tint sa nouvelle amie ; elle s'y trempa le front à plusieurs reprises, et arrêta l'inflammation commencée. Après cette immersion, elle retrouva tout son empire sur elle-même.

– Pas un mot, dit-elle à Mme Marneffe en s'essuyant, pas un mot de tout ceci… Voyez !… je suis tranquille, et tout est oublié, je pense à bien autre chose !

– Elle sera demain à Charenton [1], c'est sûr, se dit Mme Marneffe en regardant la Lorraine.

– Que faire ? reprit Lisbeth. Voyez-vous, mon petit ange, il faut se taire, courber la tête, et aller à la tombe, comme l'eau va droit à la rivière. Que tenterais-je ? Je voudrais réduire tout ce monde, Adeline, sa fille, le baron, en poussière. Mais que peut une parente pauvre contre toute une famille riche ?… Ce serait l'histoire du pot de terre contre le pot de fer [2].

_____

1. Allusion à l'ancienne Maison royale de Charenton, asile psychiatrique créé en 1641 par les frères de Saint-Jean de Dieu et qui devint plus tard l'hôpital Esquirol.
2. Allusion à la fable de La Fontaine (V, 2), qui raconte comment un pot de terre, parti en voyage avec un pot de fer, est brisé accidentellement par son compagnon. La morale en est la suivante : « Ne nous associons qu'avecque nos égaux,/ Ou bien il nous faudra craindre/ Le destin d'un de ces pots. » La Fontaine s'est inspiré d'une fable d'Ésope,

– Oui, vous avez raison, répondit Valérie, il faut seulement s'occuper de tirer le plus de foin à soi du râtelier. Voilà la vie à Paris.

– Et, dit Lisbeth, je mourrai promptement, allez, si je perds cet enfant à qui je croyais toujours servir de mère, avec qui je comptais vivre toute ma vie...

Elle eut des larmes dans les yeux, et s'arrêta. Cette sensibilité chez cette fille de soufre et de feu fit frissonner Mme Marneffe.

– Eh bien ! je vous trouve, dit-elle en prenant la main de Valérie, c'est une consolation dans ce grand malheur... Nous nous aimerons bien, et pourquoi nous quitterions-nous ? je n'irai jamais sur vos brisées. On ne m'aimera jamais, moi !... tous ceux qui voulaient de moi, m'épousaient à cause de la protection de mon cousin... Avoir de l'énergie à escalader le Paradis, et l'employer à se procurer du pain, de l'eau, des guenilles et une mansarde ! Ah ! c'est là, ma petite, un martyre ! J'y ai séché.

Elle s'arrêta brusquement et plongea dans les yeux bleus de Mme Marneffe un regard noir qui traversa l'âme de cette jolie femme, comme la lame d'un poignard lui eût traversé le cœur[1].

– Et pourquoi parler ? s'écria-t-elle en s'adressant un reproche à elle-même. Ah ! je n'en ai jamais tant dit, allez !... *La triche en reviendra à son maître*[2] !... ajouta-t-elle après une pause, en employant une expression du langage enfantin[3]. Comme vous dites sagement : aiguisons nos dents et tirons du râtelier le plus de foin possible.

« Les Pots », et peut-être aussi d'un passage de l'Ecclésiastique, XIII, 2, où l'image du pot de terre et du pot de fer apparaît déjà : « Ne te charge pas d'un lourd fardeau,/ Ne te lie pas à plus fort et plus riche que toi./ Pourquoi mettre le pot de terre avec le pot de fer ?/ S'il le heurte, il se brisera. »

1. On trouve ici l'un des nombreux indices semés dans le roman sur les pulsions sadiques qui habitent la cousine Bette.

2. « La tricherie revient à son maître » : cet ancien proverbe suggère que celui qui veut tromper doit s'attendre à être trompé en retour.

3. Indice intéressant d'une puérilité qui est, effectivement, l'un des traits de Bette.

– Vous avez raison, dit Mme Marneffe que cette crise effrayait et qui ne se souvenait plus d'avoir émis cet apophtegme. Je vous crois dans le vrai, ma petite. Allez, la vie n'est déjà pas si longue, il faut en tirer parti tant qu'on peut, et employer les autres à son plaisir... J'en suis arrivée là, moi, si jeune ! J'ai été élevée en enfant gâté, mon père s'est marié par ambition et m'a presque oubliée, après avoir fait de moi son idole, après m'avoir élevée comme la fille d'une reine ! Ma pauvre mère, qui me berçait des plus beaux rêves, est morte de chagrin en me voyant épouser un petit employé à douze cents francs, vieux et froid libertin à trente-neuf ans, corrompu comme un bagne, et qui ne voyait en moi que ce qu'on voyait en vous, un instrument de fortune !... Eh bien ! j'ai fini par trouver que cet homme infâme est le meilleur des maris. En me préférant les sales guenons du coin de la rue, il me laisse libre. S'il prend tous ses appointements pour lui, jamais il ne me demande compte de la manière dont je me fais des revenus...

À son tour elle s'arrêta, comme une femme qui se sent entraînée par le torrent de la confidence, et frappée de l'attention que lui prêtait Lisbeth, elle jugea nécessaire de s'assurer d'elle avant de lui livrer ses derniers secrets.

– Voyez, ma petite, quelle est ma confiance en vous !... reprit Mme Marneffe à qui Lisbeth répondit par un signe excessivement rassurant.

On jure souvent par les yeux et par un mouvement de tête plus solennellement qu'à la cour d'assises.

27

Confidences suprêmes

– J'ai tous les dehors de l'honnêteté, reprit Mme Marneffe en posant sa main sur la main de Lisbeth comme pour en accepter la foi, je suis une femme mariée et je suis ma maîtresse, à tel point que le matin, en partant au Ministère, s'il prend fantaisie à Marneffe de me dire adieu et qu'il trouve la porte de ma chambre fermée, il s'en va tout tranquillement. Il aime son enfant moins que je n'aime un des enfants en marbre qui jouent au pied d'un des deux fleuves aux Tuileries[1]. Si je ne viens pas dîner, il dîne très bien avec la bonne, car la bonne est toute à monsieur, et, tous les soirs, après le dîner, il sort pour ne rentrer qu'à minuit ou une heure. Malheureusement, depuis un an, me voilà sans femme de chambre, ce qui veut dire que, depuis un an, je suis veuve... Je n'ai eu qu'une passion, un bonheur... c'était un riche Brésilien parti depuis un an, ma seule faute ! Il est allé vendre ses biens, tout réaliser pour pouvoir s'établir en France. Que trouvera-t-il de sa Valérie ? un fumier. Bah ! ce sera sa faute et non la mienne, pourquoi tarde-t-il tant à revenir ? Peut-être aussi aura-t-il fait naufrage, comme ma vertu.

— Adieu, ma petite, dit brusquement Lisbeth, nous ne nous quitterons plus jamais. Je vous aime, je vous estime, je suis à vous ! Mon cousin me tourmente pour que j'aille loger dans votre future maison, rue Vaneau, je ne le voulais pas, car j'ai bien deviné la raison de cette nouvelle bonté...

— Tiens, vous m'auriez surveillée, je le sais bien, dit Mme Marneffe.

— C'est bien là la raison de sa générosité, répliqua Lisbeth. À Paris, la moitié des bienfaits sont des spéculations, comme la moitié des ingratitudes sont des vengeances !... Avec une parente pauvre, on agit comme avec les rats à qui l'on présente un morceau de lard. J'accepterai l'offre du baron, car cette maison m'est devenue odieuse. Ah ! çà, nous avons assez d'esprit toutes

---

1. Il s'agit des statues qui se trouvent à l'entrée des Tuileries, à l'ouest du bassin octogone. Valérie fait allusion en particulier au groupe en marbre de Nicolas Coustou (1658-1733), *La Seine et la Marne*, où figurent des enfants.

les deux pour savoir taire ce qui nous nuirait, et dire ce qui doit être dit ; ainsi, pas d'indiscrétion, et une amitié...

— À toute épreuve... [1] s'écria joyeusement Mme Marneffe, heureuse d'avoir un porte-respect, un confident, une espèce de tante honnête. Écoutez ! le baron fait bien les choses, rue Vaneau...

— Je crois bien, reprit Lisbeth, il en est à trente mille francs ! je ne sais où il les a pris, par exemple, car Joséplha, la cantatrice, l'avait saigné à blanc. Oh ! vous êtes bien tombée, ajouta-t-elle. Le baron volerait pour celle qui tient son cœur entre deux petites mains blanches et satinées comme les vôtres.

— Eh bien ! reprit Mme Marneffe avec la sérénité des filles qui n'est que l'insouciance, ma petite, dites donc, prenez de ce ménage-ci tout ce qui pourra vous aller pour votre nouveau logement... cette commode, cette armoire à glaces, ce tapis, la tenture...

Les yeux de Lisbeth se dilatèrent par l'effet d'une joie insensée, elle n'osait croire à un pareil cadeau.

— Vous faites plus pour moi dans un moment que mes parents riches en trente ans ! ... s'écria-t-elle. Ils ne se sont jamais demandé si j'avais des meubles ! À sa première visite, il y a quelques semaines, le baron a fait une grimace de riche à l'aspect de ma misère... Eh bien ! merci, ma petite, je vous revaudrai cela, vous verrez plus tard comment !

Valérie accompagna sa cousine Bette jusque sur le palier, où les deux femmes s'embrassèrent.

— Comme elle pue la fourmi ! ... se dit la jolie femme quand elle fut seule, je ne l'embrasserai pas souvent, ma cousine ! Cependant, prenons garde, il faut la ménager, elle me sera bien utile, elle me fera faire fortune.

---

1. Sur l'amitié qui lie Valérie et Lisbeth, voir Nicole Mozet : « Individuellement impuissantes, les femmes de *La Cousine Bette* donnent l'exemple virtuel d'une sorte de pouvoir collectif d'autant plus effrayant que son fonctionnement est mal connu » (*Balzac au pluriel, op. cit.*, p. 149-150).

En vraie créole [1] de Paris, Mme Marneffe abhorrait la peine, elle avait la nonchalance des chattes qui ne courent et ne s'élancent que forcées par la nécessité. Pour elle, la vie devait être tout plaisir, et le plaisir devait être sans difficultés. Elle aimait les fleurs, pourvu qu'on les lui fît venir chez elle. Elle ne concevait pas une partie de spectacle, sans une bonne loge toute à elle, et une voiture pour s'y rendre. Ces goûts de courtisane, Valérie les tenait de sa mère, comblée par le général Montcornet pendant les séjours qu'il faisait à Paris, et qui, pendant vingt ans, avait vu tout le monde à ses pieds ; qui, gaspilleuse, avait tout dissipé, tout mangé dans cette vie luxueuse dont le programme est perdu depuis la chute de Napoléon. Les grands de l'Empire ont égalé, dans leurs folies, les grands seigneurs d'autrefois. Sous la Restauration, la noblesse s'est toujours souvenue d'avoir été battue et volée ; aussi, mettant à part deux ou trois exceptions, est-elle devenue économe, sage, prévoyante, enfin bourgeoise et sans grandeur. Depuis, 1830 a consommé l'œuvre de 1793. En France, désormais, on aura de grands noms, mais plus de grandes maisons, à moins de changements politiques, difficiles à prévoir. Tout y prend le cachet de la personnalité. La fortune des plus sages est viagère. On y a détruit la Famille.

La puissante étreinte de la Misère qui mordait au sang Valérie le jour où, selon l'expression de Marneffe, elle avait *fait* Hulot, avait décidé cette jeune femme à prendre sa beauté pour moyen de fortune. Aussi, depuis quelques jours éprouvait-elle le besoin d'avoir auprès d'elle, à l'instar de sa mère, une amie dévouée à qui l'on confie ce qu'on doit cacher à une femme de chambre, et qui peut agir, aller, venir, penser pour nous, une âme damnée enfin, consentant à un partage inégal de la vie. Or, elle avait deviné, tout aussi bien que Lisbeth, les intentions

---

1. Balzac emploie ce mot non dans le sens littéral de « personne de race blanche, née dans les colonies intertropicales » (Robert), mais au sens figuré de personne paresseuse, indolente, voluptueuse.

dans lesquelles le baron voulait la lier avec la cousine Bette. Conseillée par la redoutable intelligence de la créole parisienne qui passe ses heures étendue sur un divan, à promener la lanterne de son observation dans tous les coins obscurs des âmes, des sentiments et des intrigues, elle avait inventé de se faire un complice de l'espion. Probablement cette terrible indiscrétion était préméditée ; elle avait reconnu le vrai caractère de cette ardente fille, passionnée à vide, et voulait se l'attacher. Aussi cette conversation ressemblait-elle à la pierre que le voyageur jette dans un gouffre pour s'en démontrer physiquement la profondeur. Et Mme Marneffe avait eu peur en trouvant tout à la fois un Iago et un Richard III [1], dans cette fille en apparence si faible, si humble et si peu redoutable.

28
Transformation de la Bette

En un instant, la cousine Bette était redevenue elle-même. En un instant, ce caractère de Corse et de Sauvage, ayant brisé les faibles attaches qui le courbaient, avait repris sa menaçante hauteur, comme un arbre s'échappe des mains de l'enfant qui l'a plié jusqu'à lui pour y voler des fruits verts.

Pour quiconque observe le monde social, ce sera toujours un objet d'admiration que la plénitude, la perfection et la rapidité des conceptions chez les natures vierges.

La Virginité, comme toutes les monstruosités, a des richesses spéciales, des grandeurs absorbantes. La vie, dont les forces sont économisées, a pris chez l'individu

---

1. Référence à deux personnages de Shakespeare : Iago, le traître diabolique de la tragédie *Othello* (1604), et le tyrannique et criminel personnage principal de la tragédie *Richard III* (1591 ou 1592).

vierge une qualité de résistance et de durée incalculable[1]. Le cerveau s'est enrichi dans l'ensemble de ses facultés réservées. Lorsque les gens chastes ont besoin de leur corps ou de leur âme, qu'ils recourent à l'action ou à la pensée, ils trouvent alors de l'acier dans leurs muscles ou de la science infuse dans leur intelligence, une force diabolique ou la magie noire de la Volonté.

Sous ce rapport, la vierge Marie, en ne la considérant pour un moment que comme un symbole, efface par sa grandeur tous les types indous, égyptiens et grecs. La Virginité, mère des grandes choses, *magna parens rerum*[2], tient dans ses belles mains blanches la clef des mondes supérieurs. Enfin, cette grandiose et terrible exception mérite tous les honneurs que lui décerne l'Église catholique.

En un moment donc la cousine Bette devint le Mohican[3] dont les pièges sont inévitables, dont la dissimulation est impénétrable, dont la décision rapide est fondée sur la perfection inouïe des organes. Elle fut la Haine et la Vengeance sans transaction, comme elles sont en Italie, en Espagne et en Orient. Ces deux sentiments, qui sont doublés de l'Amitié, de l'Amour poussés jusqu'à l'absolu, ne sont connus que dans les pays baignés de soleil. Mais Lisbeth fut surtout fille de la Lorraine, c'est-à-dire résolue à tromper[4].

---

1. Idée fondamentale chez Balzac : la passion – toutes les passions, mais la passion érotique plus particulièrement – consume les forces, épuise. On ne peut être habité par deux passions à la fois ; et l'on ne peut créer de grandes œuvres qu'en demeurant dans la chasteté. Cette idée deviendra un véritable *topos* dans la littérature réaliste et naturaliste.

2. « La grande mère des choses » (et non « la mère des grandes choses »).

3. Rappelons que *Le Dernier des Mohicans*, roman historique de James Fenimore Cooper paru en 1826, avait remporté un succès prodigieux et mis à la mode les Mohicans. En 1845-1846, Alexandre Dumas avait publié *Les Mohicans de Paris*.

4. Un préjugé défavorable était attaché aux Lorrains depuis l'époque de la Ligue et des Guises ; un dicton disait même : « Lorrain vilain, traître à Dieu et à son prochain » (Pléiade, p. 1283, n. 5).

Elle ne prit pas volontiers cette dernière partie de son rôle ; elle fit une singulière tentative, due à son ignorance profonde. Elle imagina que la prison était ce que les enfants l'imaginent tous, elle confondit la *mise au secret* avec l'emprisonnement. La mise au secret est le superlatif de l'emprisonnement, et ce superlatif est le privilège de la justice criminelle.

En sortant de chez Mme Marneffe, Lisbeth courut chez M. Rivet, et le trouva dans son cabinet.

– Eh bien ! mon bon monsieur Rivet, lui dit-elle après avoir mis le verrou à la porte du cabinet, vous aviez raison, les Polonais !... c'est de la canaille... tous gens sans foi ni loi.

– Des gens qui veulent mettre l'Europe en feu, dit le pacifique Rivet, ruiner tous les commerces et les commerçants pour une patrie qui, dit-on, est tout marais, pleine d'affreux Juifs, sans compter les Cosaques et les Paysans, espèces de bêtes féroces classées à tort dans le genre humain. Ces Polonais méconnaissent le temps actuel. Nous ne sommes plus des Barbares ! La guerre s'en va, ma chère demoiselle, elle s'en est allée avec les Rois. Notre temps est le triomphe du commerce, de l'industrie et de la sagesse bourgeoise qui ont créé la Hollande. Oui, dit-il en s'animant, nous sommes dans une époque où les peuples doivent tout obtenir par le développement légal de leurs libertés, et par le jeu *pacifique* des institutions constitutionnelles ; voilà ce que les Polonais ignorent, et j'espère... Vous dites, ma belle ? ajouta-t-il en s'interrompant et voyant, à l'air de son ouvrière, que la haute politique était hors de sa compréhension.

– Voici le dossier, répliqua Bette ; si je ne veux pas perdre mes trois mille deux cent dix francs, il faut mettre ce scélérat en prison...

– Ah ! je vous l'avais bien dit ! s'écria l'oracle du quartier Saint-Denis.

La maison Rivet, successeur de Pons frères, était toujours restée rue des Mauvaises-Paroles, dans l'ancien

hôtel de Langeais, bâti par cette illustre maison au temps
où les grands seigneurs se groupaient autour du
Louvre[1].

– Aussi, vous ai-je donné des bénédictions en venant
ici !... répondit Lisbeth.

– S'il peut ne se douter de rien, il sera coffré dès
quatre heures du matin, dit le juge en consultant son
Almanach pour vérifier le lever du soleil ; mais après-
demain seulement, car on ne peut pas l'emprisonner sans
l'avoir prévenu qu'on veut l'arrêter par un commandement avec dénonciation de la contrainte par corps.
Ainsi...

– Quelle bête de loi, dit la cousine Bette, car le débiteur se sauve.

– Il en a bien le droit, répliqua le juge en souriant.
Aussi, tenez, voici comment...

– Quant à cela, je prendrai le papier, dit la Bette en
interrompant le Consul, je le lui remettrai en lui disant
que j'ai été forcée de faire de l'argent et que mon prêteur
a exigé cette formalité. Je connais mon Polonais, il ne
dépliera seulement pas le papier, il en allumera sa pipe !

– Ah ! pas mal ! pas mal ! mademoiselle Fischer. Eh
bien ! soyez tranquille, l'affaire sera bâclée. Mais, un
instant ! ce n'est pas le tout que de coffrer un homme, on
ne se passe ce luxe judiciaire que pour toucher son
argent. Par qui serez-vous payée ?

– Par ceux qui lui donnent de l'argent.

– Ah ! oui, j'oubliais que le ministre de la Guerre l'a
chargé du monument érigé à l'un de nos clients. Ah ! la
maison a fourni bien des uniformes au général Montcornet, il les noircissait promptement à la fumée des canons,
celui-là ! Quel brave ! et il payait *recta* !

1. Charles Sédillot, modèle de Rivet, y vendait jadis ses mousselines ;
cette rue, aujourd'hui disparue, reliait la rue des Bourdonnais à celle
des Lavandières-Sainte-Opportune. Antoinette de Langeais, née Navarreins, habite à partir de 1818 le faubourg Saint-Germain. « À toutes les
phases de l'histoire, le Paris de la haute classe et de la noblesse a eu
son centre, comme le Paris vulgaire aura toujours le sien » (*La Duchesse
de Langeais*).

Un maréchal de France a pu sauver l'Empereur ou son pays, *il payait recta* sera toujours son plus bel éloge dans la bouche d'un commerçant.

– Eh bien ! à samedi, monsieur Rivet, vous aurez vos glands plats. À propos, je quitte la rue du Doyenné, je vais demeurer rue Vaneau.

– Vous faites bien, je vous voyais avec peine dans ce trou qui, malgré ma répugnance pour tout ce qui ressemble à de l'Opposition, déshonore, j'ose le dire, oui ! déshonore le Louvre et la place du Carrousel. J'adore Louis-Philippe, c'est mon idole, il est la représentation auguste, exacte de la classe sur laquelle il a fondé sa dynastie, et je n'oublierai jamais ce qu'il a fait pour la passementerie en rétablissant la garde nationale...

– Quand je vous entends parler ainsi, dit Lisbeth, je me demande pourquoi vous n'êtes pas député.

– On craint mon attachement à la dynastie, répondit Rivet, mes ennemis politiques sont ceux du roi, ah ! c'est un noble caractère, une belle famille ; enfin, reprit-il en continuant son argumentation, c'est notre idéal : des mœurs, de l'économie, tout ! Mais la *finition* du Louvre est une des conditions auxquelles nous avons donné la couronne, et la liste civile [1], à qui l'on n'a pas fixé de terme, j'en conviens, nous laisse le cœur de Paris dans un état navrant... C'est parce que je suis *juste-milieu* que je voudrais voir le juste-milieu de Paris dans un autre état. Votre quartier fait frémir. On vous y aurait assassinée un jour ou l'autre... Eh bien ! voilà votre M. Crevel nommé chef de bataillon de sa légion, j'espère que c'est nous qui lui fournirons sa grosse épaulette.

---

1. « La liste civile, accordée au souverain par la nation depuis le règne de Louis XVI, devait lui permettre d'exercer ses fonctions avec éclat. Elle comprenait à la fois une allocation financière et une dotation mobilière et immobilière. Grâce à elle, le souverain avait à sa disposition plusieurs résidences officielles et d'importants moyens financiers », Catherine Granger, *L'Empereur et les arts. La liste civile de Napoléon III*, École des Chartes, « Mémoires et documents de l'École des Chartes », n° 79, 2005, p. 7.

– J'y dîne aujourd'hui, je vous l'enverrai.

Lisbeth crut avoir à elle son Livonien en se flattant de couper toutes les communications entre le monde et lui. Ne travaillant plus, l'artiste serait oublié comme un homme enterré dans un caveau, où seule elle irait le voir. Elle eut ainsi deux jours de bonheur, car elle espéra donner des coups mortels à la baronne et à sa fille.

Pour se rendre chez M. Crevel, qui demeurait rue des Saussayes, elle prit par le pont du Carrousel, le quai Voltaire, le quai d'Orsay, la rue Belle-Chasse, la rue de l'Université, le pont de la Concorde et l'avenue de Marigny. Cette route illogique était tracée par la logique des passions, toujours excessivement ennemie des jambes. La cousine Bette, tant qu'elle fut sur les quais, regarda la rive droite de la Seine en allant avec une grande lenteur. Son calcul était juste. Elle avait laissé Wenceslas s'habillant, elle pensait qu'aussitôt délivré d'elle, l'amoureux irait chez la baronne par le chemin le plus court. En effet, au moment où elle longeait le parapet du quai Voltaire en dévorant la rivière, et marchant en idée sur l'autre rive, elle reconnut l'artiste dès qu'il déboucha par le guichet des Tuileries pour gagner le pont Royal. Elle rejoignit là son infidèle et put le suivre sans être vue par lui, car les amoureux se retournent rarement ; elle l'accompagna jusqu'à la maison de Mme Hulot, où elle le vit entrer comme un homme habitué d'y venir.

Cette dernière preuve qui confirmait les confidences de Mme Marneffe, mit Lisbeth hors d'elle. Elle arriva chez le chef de bataillon nouvellement élu dans cet état d'irritation mentale qui fait commettre les meurtres, et trouva le père Crevel attendant ses enfants, M. et Mme Hulot jeunes, dans son salon.

Mais Célestin Crevel est le représentant si naïf et si vrai du parvenu parisien, qu'il est difficile d'entrer sans cérémonie chez cet heureux successeur de César Birotteau. Célestin Crevel est à lui seul tout un monde, aussi mérite-t-il, plus que Rivet, les honneurs de la palette, à cause de son importance dans ce drame domestique.

29

De la vie et des opinions de monsieur Crevel[1]

Avez-vous remarqué comme, dans l'enfance, ou dans les commencements de la vie sociale, nous nous créons de nos propres mains un modèle à notre insu, souvent ? Ainsi le commis d'une maison de banque rêve, en entrant dans le salon de son patron, de posséder un salon pareil. S'il fait fortune, ce ne sera pas, vingt ans plus tard, le luxe alors à la mode qu'il intronisera chez lui, mais le luxe arriéré qui le fascinait jadis. On ne sait pas toutes les sottises qui sont dues à cette jalousie rétrospective, de même qu'on ignore toutes les folies dues à ces rivalités secrètes qui poussent les hommes à imiter le type qu'ils se sont donné, à consumer leurs forces pour être un clair de lune. Crevel fut adjoint parce que son patron avait été adjoint, il était chef de bataillon parce qu'il avait eu envie des épaulettes de César Birotteau. Aussi, frappé des merveilles réalisées par l'architecte Grindot, au moment où la fortune avait mis son patron en haut de la roue, Crevel, comme il le disait dans son langage, *n'en avait fait ni eune ni deusse*, quand il s'était agi de décorer son appartement : il s'était adressé, les yeux fermés et la bourse ouverte, à Grindot, architecte alors tout à fait oublié. On ne sait pas combien de temps vont encore les gloires éteintes, soutenues par les admirations arriérées.

Grindot avait recommencé là pour la millième fois son salon blanc et or, tendu de damas rouge. Le meuble en bois de palissandre sculpté comme on sculpte les ouvrages courants, sans finesse, avait donné pour la fabrique parisienne un juste orgueil à la province, lors de l'Exposition des produits de l'Industrie[2]. Les flambeaux,

---

1. Clin d'œil au romancier anglais Laurence Sterne (1713-1768), dont Balzac aimait beaucoup le récit *Vie et opinions de Tristram Shandy*, cité plusieurs fois dans *La Comédie humaine*.
2. La première Exposition de l'Industrie française fut organisée sous le Directoire, à la fin de l'an VI, par François de Neufchâteau, et ras-

les bras, le garde-cendre, le lustre, la pendule appartenaient au genre rocaille. La table ronde, immobile au
milieu du salon, offrait un marbre incrusté de tous les
marbres italiens et antiques venus de Rome, où se
fabriquent ces espèces de cartes minéralogiques semblables à des échantillons de tailleurs, qui faisait périodi-
quement l'admiration de tous les bourgeois que recevait
Crevel. Les portraits de feu Mme Crevel, de Crevel, de
sa fille et de son gendre, dus au pinceau de Pierre Grassou, le peintre en renom dans la bourgeoisie, à qui Crevel
devait le ridicule de son attitude byronienne, garnissaient
les parois, mis tous les quatre en pendants. Les bordures,
payées mille francs pièce, s'harmonisaient bien à toute
cette richesse de café qui, certes, eût fait hausser les épaules à un véritable artiste.

Jamais l'or n'a perdu la plus petite occasion de se montrer stupide. On compterait aujourd'hui dix Venise dans
Paris, si les commerçants retirés avaient eu cet instinct
des grandes choses qui distingue les Italiens. De nos jours
encore, un négociant milanais lègue très bien cinq cent
mille francs au *Duomo*[1] pour la dorure de la Vierge
colossale qui en couronne la coupole. Canova ordonne,
dans son testament, à son frère, de bâtir une église de
quatre millions, et le frère y ajoute quelque chose du sien.
Un bourgeois de Paris (et tous ont, comme Rivet, un
amour au cœur pour leur Paris) penserait-il jamais à faire
élever les clochers qui manquent aux tours de Notre-
Dame[2]? Or, comptez les sommes recueillies par l'État
en successions sans héritiers. On aurait achevé tous les

---

sembla cent dix exposants. La seconde eut lieu en l'an IX et rassembla
les exposants de trente-huit départements (voir Pléiade, p. 1283, n. 4).

1. À la cathédrale (de Milan).

2. Roger Pierrot souligne dans son édition l'obscurité de l'allusion :
« la tour sud de Notre-Dame abrite le bourdon de la cathédrale depuis
le XVIIᵉ siècle. Balzac pense probablement à des flèches qui auraient
pu surmonter les deux tours quadrangulaires ; il n'a pas connu la flèche
dominant la croisée du transept rétablie par Viollet-le-Duc en 1859-
1860 » (LGF, p. 152).

embellissements de Paris avec le prix des sottises en carton-pierre, en pâtes dorées, en fausses sculptures consommées depuis quinze ans par les individus du genre Crevel.

Au bout de ce salon se trouvait un magnifique cabinet meublé de tables et d'armoires en imitation de Boule [1].

La chambre à coucher, tout en perse, donnait également dans le salon. L'acajou dans toute sa gloire infestait la salle à manger, où des vues de Suisse, richement encadrées, ornaient des panneaux. Le père Crevel, qui rêvait un voyage en Suisse, tenait à posséder ce pays en peinture jusqu'au moment où il irait le voir en réalité.

Crevel, ancien adjoint, décoré, garde national, avait, comme on le voit, reproduit fidèlement toutes les grandeurs, même mobilières, de son infortuné prédécesseur. Là où, sous la Restauration, l'un était tombé, celui-ci tout à fait oublié s'était élevé, non par un singulier jeu de fortune, mais par la force des choses. Dans les révolutions comme dans les tempêtes maritimes, les valeurs solides vont à fond, le flot met les choses légères à fleur d'eau. César Birotteau, royaliste et en faveur, envié, devint le point de mire de l'Opposition bourgeoise, tandis que la triomphante bourgeoisie se représentait elle-même dans Crevel.

Cet appartement, de mille écus de loyer, qui regorgeait de toutes les belles choses vulgaires que procure l'argent, prenait le premier étage d'un ancien hôtel, entre cour et

---

1. André Charles Boulle (1642-1732) : ébéniste célèbre de l'époque de Louis XIV et de la Régence, dont les meubles, faits de placages de bois précieux sur fond de chêne, ont la particularité de présenter des marqueteries d'écaille de tortue et de laiton qui suivent les dessins d'un ornemaniste de la même époque, Berain. Au XIXᵉ siècle, la mode des meubles Boule se répandit : des copies de moindre qualité fleurirent alors. Balzac, qui appréciait les meubles de Boulle, en place souvent dans les intérieurs de ses personnages fortunés. La version définitive diffère du texte imprimé dans *Le Constitutionnel* où on lit : « Au bout de ce salon se trouvait un magnifique cabinet en Boule. » Un parvenu ne saurait posséder des meubles originaux signés par le grand ébéniste du XVIIIᵉ siècle !

jardin. Tout s'y trouvait conservé comme des coléoptères
chez un entomologiste, car Crevel y demeurait très peu.

Ce *local* somptueux constituait le domicile légal de
l'ambitieux bourgeois. Servi là par une cuisinière et par
un valet de chambre, il louait deux domestiques de sup-
plément et faisait venir son dîner d'apparat de chez
Chevet [1], quand il festoyait des amis politiques, des gens
à éblouir, ou quand il recevait sa famille. Le siège de la
véritable existence de Crevel, autrefois rue Notre-Dame-
de-Lorette, chez Mlle Héloïse Brisetout, était transféré,
comme on l'a vu, rue Chauchat. Tous les matins, l'*ancien
négociant* (tous les bourgeois retirés s'intitulent *ancien
négociant*) passait deux heures rue des Saussayes pour y
vaquer à ses affaires, et donnait le reste du temps à Zaïre,
ce qui tourmentait beaucoup Zaïre [2]. Orosmane-Crevel
avait un marché *ferme* avec Mlle Héloïse ; elle lui devait
pour cinq cents francs de bonheur, tous les mois, sans
reports. Crevel payait d'ailleurs son dîner et tous les
extra. Ce contrat à primes, car il faisait beaucoup de présents, paraissait économique à l'ex-amant de la célèbre
cantatrice. Il disait à ce sujet aux négociants veufs,
aimant trop leurs filles, qu'il valait mieux avoir des chevaux loués au mois qu'une écurie à soi. Néanmoins, si
l'on se rappelle la confidence du portier de la rue Chauchat au baron, Crevel n'évitait ni le cocher ni le groom.

Crevel avait, comme on le voit, fait tourner son amour
excessif pour sa fille au profit de ses plaisirs. L'immoralité
de sa situation était justifiée par des raisons de haute
morale. Puis l'ancien parfumeur tirait de cette vie (vie
nécessaire, vie débraillée, Régence, Pompadour, maréchal

---

1. Cette célèbre épicerie fine, souvent citée par Balzac, se trouvait
galerie de Chartres au Palais-Royal. Chevet fut absorbé par Potel et
Chabot à la fin du XIXe siècle.
2. Zaïre est le personnage éponyme d'une tragédie de Voltaire (1732).
Zaïre est une esclave chrétienne aimée par le sultan Orosmane. Le
dénouement de la tragédie rappelle *Othello* de Shakespeare : trompé
par une lettre, Orosmane croit Zaïre infidèle et la tue. Découvrant son
erreur, il se suicide sur le corps de sa bien-aimée.

de Richelieu, etc.) un vernis de supériorité. Crevel se posait en homme à vues larges, en grand seigneur au petit pied, en homme généreux, sans étroitesse dans les idées, le tout à raison d'environ douze à quinze cents francs par mois. Ce n'était pas l'effet d'une hypocrisie politique, mais un effet de vanité bourgeoise qui néanmoins arrivait au même résultat. À la Bourse, Crevel passait pour être supérieur à son époque et surtout pour un bon vivant.

En ceci, Crevel croyait avoir dépassé son bonhomme Birotteau de cent coudées.

30

Suite du précédent

– Eh bien ! s'écria Crevel en entrant en colère à l'aspect de la cousine Bette, c'est donc vous qui mariez Mlle Hulot avec un jeune comte que vous avez élevé pour elle à la brochette ?...

– On dirait que cela vous contrarie ? répondit Lisbeth en arrêtant sur Crevel un œil pénétrant. Quel intérêt avez-vous donc à empêcher ma cousine de se marier ? car vous avez fait manquer, m'a-t-on dit, son mariage avec le fils de M. Lebas...

– Vous êtes une bonne fille, bien discrète, reprit le père Crevel. Eh bien ! croyez-vous que je pardonnerai jamais à *monsieur* Hulot le crime de m'avoir enlevé Josépha ?... surtout pour faire d'une honnête créature, que j'aurais fini par épouser dans mes vieux jours, une vaurienne, une saltimbanque, une fille d'Opéra... Non, non ! jamais.

– C'est un bon homme cependant M. Hulot, dit la cousine Bette.

– Aimable !... très aimable, trop aimable, reprit Crevel, je ne lui veux pas de mal ; mais je désire prendre ma revanche, et je la prendrai. C'est mon idée fixe !

– Serait-ce à cause de cette envie-là que vous ne venez plus chez Mme Hulot ?

– Peut-être...

– Ah ! vous faisiez donc la cour à ma cousine ? dit Lisbeth en souriant, je m'en doutais.

– Et elle m'a traité comme un chien, pis que cela, comme un laquais ; je dirai mieux : comme un détenu politique. Mais je réussirai, dit-il en fermant le poing et en s'en frappant le front.

– Pauvre homme, ce serait affreux de trouver sa femme en fraude, après avoir été renvoyé par sa maîtresse !...

– Josépha ! s'écria Crevel, Josépha l'aurait quitté, renvoyé, chassé ! Bravo ! Josépha. Josépha ! tu m'as vengé ! je t'enverrai deux perles pour mettre à tes oreilles, mon ex-biche !... Je ne sais rien de cela, car, après vous avoir vue le lendemain du jour où la belle Adeline m'a prié encore une fois de passer la porte, je suis allé chez les Lebas, à Corbeil, d'où je reviens. Héloïse a fait le diable pour m'envoyer à la campagne, et j'ai su la raison de ses menées : elle voulait pendre, et sans moi, la crémaillère rue Chauchat avec des artistes, des cabotins, des gens de lettres... J'ai été joué ! je pardonnerai, car Héloïse m'amuse. C'est une Déjazet inédite [1]. Comme elle est drôle, cette fille-là ! voici le billet que j'ai trouvé hier au soir :

> Mon bon vieux, j'ai dressé ma tente rue Chauchat. J'ai pris la précaution de faire essuyer les plâtres par des amis. Tout va bien. Venez quand vous voudrez, monsieur. Agar attend son Abraham [2].

---

1. Paule Virginie Déjazet (1798-1875) : cette actrice célèbre joua au théâtre du Vaudeville, au Gymnase, au Palais-Royal et aux Variétés. Elle remporta de grands succès dans les rôles masculins. « J'ai été voir Virginie Déjazet représentant Napoléon », relate Balzac dans ses *Lettres sur Paris* (18 octobre 1830).

2. Dans l'Ancien Testament (Genèse, XVI), Agar est une esclave égyptienne que Sara, ne pouvant avoir d'enfant, donne à Abraham pour lui assurer une descendance.

Héloïse me dira des nouvelles, car elle sait sa bohème sur le bout du doigt.

— Mais mon cousin a très bien pris ce désagrément, répondit la cousine.

— Pas possible, dit Crevel en s'arrêtant dans sa marche semblable à celle d'un balancier de pendule.

— M. Hulot est d'un certain âge, fit malicieusement observer Lisbeth.

— Je le connais, reprit Crevel ; mais nous nous ressemblons sous un certain rapport : Hulot ne pourra pas se passer d'un attachement. Il est capable de revenir à sa femme, se dit-il. Ce serait de la nouveauté pour lui, mais adieu ma vengeance. Vous souriez, Mlle Fischer ?... ah ! vous savez quelque chose ?...

— Je ris de vos idées, répondit Lisbeth. Oui, ma cousine est encore assez belle pour inspirer des passions ; moi, je l'aimerais, si j'étais homme.

— Qui a bu, boira ! s'écria Crevel, vous vous moquez de moi ! Le baron aura trouvé quelque consolation.

Lisbeth inclina la tête par un geste affirmatif.

— Ah ! il est bien heureux de remplacer du jour au lendemain Josépha ! dit Crevel en continuant. Mais je n'en suis pas étonné, car il me disait, un soir à souper, que, dans sa jeunesse, pour n'être pas au dépourvu, il avait toujours trois maîtresses, celle qu'il était en train de quitter, la régnante et celle à laquelle il faisait la cour pour l'avenir. Il devait tenir en réserve quelque grisette dans son vivier ! dans son parc aux cerfs [1] ! Il est très Louis XV, le gaillard ! oh ! est-il heureux d'être bel homme ! Néanmoins, il vieillit, il est *marqué*... il aura donné dans quelque petite ouvrière.

— Oh ! non, répondit Lisbeth.

— Ah ! dit Crevel, que ne ferais-je pas pour l'empêcher de pouvoir mettre son chapeau ! Il m'était impossible de

---

1. Lupanar, lieu de plaisir, du nom du quartier de Versailles où se trouvait le pavillon dans lequel Mme de Pompadour faisait venir de très jeunes filles pour les plaisirs du roi Louis XV (voir *supra*, p. 68, n. 1).

lui prendre Josépha, les femmes de cette espèce ne reviennent jamais à leur premier amour. D'ailleurs, comme on dit, un retour n'est jamais de l'amour. Mais, cousine Bette, je donnerais bien, c'est-à-dire je dépenserais bien cinquante mille francs pour enlever à ce grand bel homme sa maîtresse et lui prouver qu'un gros père à ventre de chef de bataillon et à crâne de futur maire de Paris ne se laisse pas souffler sa dame, sans damer le pion...

— Ma situation, répondit Bette, m'oblige à tout entendre et à ne rien savoir. Vous pouvez causer avec moi sans crainte, je ne répète jamais un mot de ce qu'on veut bien me confier. Pourquoi voulez-vous que je manque à cette loi de ma conduite ? personne n'aurait plus confiance en moi.

— Je le sais, répliqua Crevel, vous êtes la perle des vieilles filles... Voyons ! sacristi, il y a des exceptions. Tenez, ils ne vous ont jamais fait de rentes dans la famille...

— Mais j'ai ma fierté, je ne veux rien coûter à personne, dit Bette.

— Ah ! si vous vouliez m'aider à me venger, reprit l'ancien négociant, je placerais dix mille francs en viager sur votre tête. Dites-moi, belle cousine, dites-moi quelle est la remplaçante de Josépha, et vous aurez de quoi payer votre loyer, votre petit déjeuner le matin, ce bon café que vous aimez tant, vous pourrez vous donner du moka pur... hein ? Oh ! comme c'est bon du moka pur !

— Je ne tiens pas tant aux dix mille francs en viager qui feraient près de cinq cents francs de rente, qu'à la plus entière discrétion, dit Lisbeth ; car, voyez-vous, mon bon monsieur Crevel, il est bien excellent pour moi, le baron, il va me payer mon loyer...

— Oui, pendant longtemps ! comptez là-dessus ! s'écria Crevel. Où le baron prendrait-il de l'argent ?

— Ah ! je ne sais pas. Cependant il dépense plus de trente mille francs dans l'appartement qu'il destine à cette petite dame...

– Une dame ! Comment, ce serait une femme de la
société ? Le scélérat, est-il heureux ! il n'y en a que pour
lui !

– Une femme mariée, bien comme il faut, reprit la
cousine.

– Vraiment ! s'écria Crevel ouvrant des yeux animés
autant par le désir que par ce mot magique : *Une femme
comme il faut.*

– Oui, reprit Bette, des talents, musicienne, vingt-trois
ans, une jolie figure candide, une peau d'une blancheur
éblouissante, des dents de jeune chien, des yeux comme
des étoiles, un front superbe... et des petits pieds, je n'en
ai jamais vu de pareils, ils ne sont pas plus larges que
son busc.

– Et les oreilles ? demanda Crevel vivement émoustillé
par ce signalement d'amour.

– Des oreilles à mouler, répondit-elle.

– De petites mains ?...

– Je vous dis, en un seul mot, que c'est un bijou de
femme, et d'une honnêteté, d'une pudeur, d'une délicatesse !... une belle âme, un ange, toutes les distinctions,
car elle a pour père un maréchal de France...

– Un maréchal de France ! s'écria Crevel qui fit un
bond prodigieux sur lui-même. Mon Dieu ! saperlotte !
crénom ! nom d'un petit bonhomme !... Ah ! le gredin !
Pardon, cousine, je deviens fou !... Je donnerais cent
mille francs, je crois.

– Ah ! bien, oui, je vous dis que c'est une femme honnête, une femme vertueuse. Aussi le baron a-t-il bien fait
les choses.

– Il est sans le sou... vous dis-je.

– Il y a un mari qu'il a poussé...

– Par où ? dit Crevel avec un rire amer.

– Déjà nommé sous-chef, ce mari, qui sera sans doute
complaisant... est porté pour avoir la croix.

– Le gouvernement devrait prendre garde, et respecter
ceux qu'il a décorés en ne prodiguant pas la croix, dit
Crevel d'un air politiquement piqué. Mais qu'a-t-il donc

tant pour lui, ce grand mâtin de vieux baron ? reprit-il.
Il me semble que je le vaux bien, ajouta-t-il en se mirant
dans une glace et se mettant en position. Héloïse m'a
souvent dit, dans le moment où les femmes ne mentent
pas, que j'étais étonnant.

– Oh ! répliqua la cousine, les femmes aiment les
hommes gros, ils sont presque tous bons ; et, entre vous
et le baron, moi je vous choisirais. M. Hulot est spirituel,
bel homme, il a de la tournure ; mais vous, vous êtes
solide, et puis, tenez... vous paraissez encore plus mauvais sujet que lui !

– C'est incroyable comme toutes les femmes, même les
dévotes aiment les gens qui ont cet air-là ! s'écria Crevel
en venant prendre la Bette par la taille, tant il jubilait.

– La difficulté n'est pas là, dit la Bette en continuant.
Vous comprenez qu'une femme qui trouve tant d'avantages ne fera pas d'infidélités à son protecteur pour des
bagatelles, et *cela* coûterait plus de cent et quelque mille
francs, car la petite dame voit son mari chef de bureau
dans deux ans d'ici... C'est la misère qui pousse ce
pauvre petit ange dans le gouffre.

Crevel se promenait de long en large, comme un
furieux, dans son salon.

– Il doit tenir à cette femme-là ? demanda-t-il après
un moment pendant lequel son désir ainsi fouetté par
Lisbeth devint une espèce de rage.

– Jugez-en ! reprit Lisbeth. Je ne crois pas encore qu'il
ait obtenu ça ! dit-elle en faisant claquer l'ongle de son
pouce sous l'une de ses énormes palettes blanches, et il a
déjà fait pour dix mille francs de cadeaux.

– Oh ! la bonne farce ! s'écria Crevel, si j'arrivais
avant lui !

– Mon Dieu ! j'ai bien tort de vous faire ces cancans-
là, reprit Lisbeth en paraissant éprouver un remords.

– Non. Je veux faire rougir votre famille. Demain je
place en viager, sur votre tête, une somme en cinq pour
cent, de manière à vous faire six cents francs de rente,

mais vous me direz tout : le nom, la demeure de la Dulcinée. Je puis vous l'avouer, je n'ai jamais eu de femme comme il faut, et la plus grande de mes ambitions, c'est d'en connaître une. Les houris [1] de Mahomet ne sont rien en comparaison de ce que je me figure des femmes du monde. Enfin c'est mon idéal, c'est ma folie, et tellement que, voyez-vous, la baronne Hulot n'aura jamais cinquante ans pour moi, dit-il en se rencontrant sans le savoir avec un des esprits les plus fins du dernier siècle [2]. Tenez, ma bonne Lisbeth, je suis décidé à sacrifier cent, deux cents… Chut ! voici mes enfants, je les vois qui traversent la cour. Je n'aurai jamais rien su par vous, je vous en donne ma parole d'honneur, car je ne veux pas que vous perdiez la confiance du baron, bien au contraire. Il doit joliment aimer cette femme, mon compère !

– Oh ! il en est fou ! dit la cousine. Il n'a pas su trouver quarante mille francs pour établir sa fille, et il les a dénichés pour cette nouvelle passion.

– Et le croyez-vous aimé ? demanda Crevel.

– À son âge… répondit la vieille fille.

– Oh ! suis-je bête ! s'écria Crevel. Moi qui tolère un artiste à Héloïse, absolument comme Henri IV permettait Bellegarde à Gabrielle [3]. Oh ! la vieillesse ! la vieillesse ! – Bonjour, Célestine, bonjour, mon bijou, et ton moutard ? Ah ! le voilà ! Parole d'honneur, il commence à me ressembler. Bonjour, Hulot, mon ami, cela va bien ?… Nous aurons bientôt un mariage de plus dans la famille.

Célestine et son mari firent un signe en montrant Lisbeth, et la fille répondit effrontément à son père : « Lequel donc ? » Crevel prit un air fin qui voulait dire que son indiscrétion allait être réparée.

---

1. Vierges promises par le Coran aux musulmans fidèles qui accéderont au paradis.
2. Le prince Charles-Joseph de Ligne (1735-1814), selon A.-M. Meininger (Pléiade, p. 1286, n. 1).
3. Le duc de Bellegarde (1562-1646), amant de Gabrielle d'Estrées, céda sa maîtresse à Henri IV, sans l'abandonner, au su du roi lui-même.

– Celui d'Hortense, reprit-il ; mais ce n'est pas encore tout à fait décidé. Je viens de chez Lebas, et l'on parlait de Mlle Popinot pour notre jeune conseiller à la Cour royale de Paris, qui voudrait bien devenir premier président en province... Allons dîner.

31

Dernière tentative de Caliban sur Ariel

À sept heures, Lisbeth revenait déjà chez elle en omnibus, car il lui tardait de revoir Wenceslas de qui, depuis une vingtaine de jours, elle était la dupe, et à qui elle apportait son cabas plein de fruits empilés par Crevel lui-même, dont la tendresse avait redoublé pour *sa* cousine Bette. Elle monta dans la mansarde d'une vitesse à perdre la respiration, et trouva l'artiste occupé à terminer les ornements d'une boîte qu'il voulait offrir à sa chère Hortense. La bordure du couvercle représentait des hortensias dans lesquels se jouaient des amours. Le pauvre amant, pour subvenir aux frais de cette boîte qui devait être en malachite, avait fait pour Florent et Chanor deux torchères, en leur en abandonnant la propriété, deux chefs-d'œuvre.

– Vous travaillez trop depuis quelques jours, mon bon ami, dit Lisbeth en lui essuyant le front couvert de sueur et le baisant. Une pareille activité me paraît dangereuse au mois d'août. Vraiment votre santé peut en souffrir... Tenez, voici des pêches, des prunes de chez M. Crevel... Ne vous tracassez pas tant, j'ai emprunté deux mille francs, et, à moins de malheur, nous pourrons les rendre si vous vendez votre pendule !... Cependant j'ai quelques doutes sur mon prêteur, car il vient d'envoyer ce papier timbré.

Elle plaça la dénonciation de la contrainte par corps sous l'esquisse du maréchal de Montcornet.

– Pour qui faites-vous ces belles choses-là ? demanda-t-elle en prenant les branches d'hortensias en cire rouge que Wenceslas avait posées pour manger les fruits.

– Pour un bijoutier.

– Quel bijoutier ?

– Je ne sais pas, c'est Stidmann qui m'a prié de *tortiller* cela pour lui, car il est pressé.

– Mais voilà des hortensias, dit-elle d'une voix creuse. Comment se fait-il que vous n'ayez jamais manié la cire pour moi ? Était-ce donc si difficile d'inventer une bague, un coffret, n'importe quoi, un souvenir ! dit-elle en lançant un affreux regard sur l'artiste dont heureusement les yeux étaient baissés. Et vous dites que vous m'aimez !

– En doutez-vous… mademoiselle ?

– Oh ! que voilà un *mademoiselle* bien chaud !… Tenez, vous avez été mon unique pensée depuis que je vous ai vu mourant, là… Quand je vous ai sauvé, vous vous êtes donné à moi, je ne vous ai jamais parlé de cet engagement, mais je me suis engagée envers moi-même, moi ! Je me suis dit : « Puisque ce garçon se donne à moi, je veux le rendre heureux et riche ! » Eh bien ! j'ai réussi à faire votre fortune !

– Et comment ? demanda le pauvre artiste au comble du bonheur et trop naïf pour soupçonner un piège.

– Voici comment, reprit la Lorraine.

Lisbeth ne put se refuser le plaisir sauvage de regarder Wenceslas qui la contemplait avec un amour filial où débordait son amour pour Hortense, ce qui trompa la vieille fille. En apercevant pour la première fois de sa vie les torches de la passion dans les yeux d'un homme, elle crut les y avoir allumées.

– M. Crevel nous commandite de cent mille francs pour fonder une maison de commerce, si, dit-il, vous voulez m'épouser ; il a de singulières idées, ce gros bonhomme-là… Qu'en pensez-vous ? demanda-t-elle.

L'artiste, devenu pâle comme un mort, regarda sa bienfaitrice d'un œil sans lueur et qui laissait passer toute sa pensée. Il resta béant et hébété.

– On ne m'a jamais si bien dit, reprit-elle avec un rire amer, que j'étais affreusement laide !

– Mademoiselle, répondit Steinbock, ma bienfaitrice ne sera jamais laide pour moi ; j'ai pour vous une bien vive affection, mais je n'ai pas trente ans, et…

– Et j'en ai quarante-trois ! reprit-elle. Ma cousine Hulot, qui en a quarante-huit, fait encore des passions frénétiques ; mais elle est belle, elle !

– Quinze ans de différence entre nous, mademoiselle ! quel ménage ferions-nous ! Pour nous-mêmes, je crois que nous devons bien réfléchir. Ma reconnaissance sera certainement égale à vos bienfaits. D'ailleurs, votre argent vous sera rendu sous peu de jours.

– Mon argent ! cria-t-elle. Oh ! vous me traitez comme si j'étais un usurier sans cœur.

– Pardon, reprit Wenceslas, mais vous m'en parlez si souvent… Enfin, vous m'avez créé, ne me détruisez pas.

– Vous voulez me quitter, je le vois, dit-elle en hochant la tête. Qui donc vous a donné la force de l'ingratitude, vous qui êtes comme un homme de papier mâché ? Manqueriez-vous de confiance en moi, moi votre bon génie ?… moi qui si souvent ai passé la nuit à travailler pour vous ! moi qui vous ai livré les économies de toute ma vie ! moi qui, pendant quatre ans, ai partagé mon pain, le pain d'une pauvre ouvrière, avec vous, et qui vous prêtais tout, jusqu'à mon courage.

– Mademoiselle, assez ! assez ! dit-il en se mettant à ses genoux et lui tendant les mains. N'ajoutez pas un mot ! Dans trois jours je parlerai, je vous dirai tout ; laissez-moi, dit-il en lui baisant les mains, laissez-moi être heureux, j'aime et je suis aimé.

– Eh bien ! sois heureux, mon enfant, dit-elle en le relevant.

Puis elle l'embrassa sur le front et dans les cheveux avec la frénésie que doit avoir le condamné à mort en savourant sa dernière matinée.

— Ah ! vous êtes la plus noble et la meilleure des créatures, vous êtes l'égale de celle que j'aime, dit le pauvre
artiste.

— Je vous aime assez encore pour trembler de votre
avenir, reprit-elle d'un air sombre. Judas s'est pendu !...
tous les ingrats finissent mal ! Vous me quittez, vous ne
ferez plus rien qui vaille ! Songez que, sans nous marier,
car je suis une vieille fille, je le sais, je ne veux pas étouffer
la fleur de votre jeunesse, votre poésie, comme vous le
dites, dans mes bras qui sont comme des sarments de
vigne ; mais, sans nous marier, ne pouvons-nous pas
rester ensemble ? Écoutez, j'ai l'esprit du commerce, je
puis vous amasser une fortune en dix ans de travail, car
je m'appelle l'Économie, moi ; tandis qu'avec une jeune
femme, qui sera tout dépense, vous dissiperez tout, vous
ne travaillerez qu'à la rendre heureuse. Le bonheur ne
crée rien que des souvenirs. Quand je pense à vous, moi,
je reste les bras ballants pendant des heures entières [1]...
Eh bien ! Wenceslas, reste avec moi... Tiens, je comprends tout : tu auras des maîtresses, de jolies femmes
semblables à cette petite Marneffe qui veut te voir, et qui
te donnera le bonheur que tu ne peux pas trouver avec
moi. Puis tu te marieras quand je t'aurai fait trente mille
francs de rente.

— Vous êtes un ange, mademoiselle, et je n'oublierai
jamais ce moment-ci, répondit Wenceslas en essuyant
ses larmes.

— Vous voilà comme je vous veux, mon enfant, dit-elle
en le regardant avec ivresse.

---

1. Phrase à résonance autobiographique. On lit dans les lettres de
Balzac à Mme Hanska : « Je suis heureux ; sais-tu quand ? Quand je
m'abandonne à mes souvenirs, quand je pense à toi, et j'y pense trop
souvent, *pour la copie* » (16 octobre 1845). « Parfois il y a des regards,
des mots qui viennent éclairer les ténèbres de cette absence, charmer
mon oreille, et je reste comme hébété » (17 janvier 1846). « Je me
défends de penser à toi, car c'est une absorption infinie, je ne fais rien,
je me souviens ! » (9 février 1846).

La vanité chez nous tous est si forte, que Lisbeth crut à son triomphe. Elle avait fait une si grande concession en offrant Mme Marneffe ! Elle éprouva la plus vive émotion de sa vie, elle sentit pour la première fois la joie inondant son cœur. Pour retrouver une seconde heure pareille, elle eût vendu son âme au diable.

– Je suis engagé, répondit-il, et j'aime une femme contre laquelle aucune autre ne peut prévaloir. Mais vous êtes et vous serez toujours la mère que j'ai perdue.

Ce mot versa comme une avalanche de neige sur ce cratère flamboyant. Lisbeth s'assit, contempla d'un air sombre cette jeunesse, cette beauté distinguée, ce front d'artiste, cette belle chevelure, tout ce qui sollicitait en elle les instincts comprimés de la femme, et de petites larmes aussitôt séchées mouillèrent pour un moment ses yeux. Elle ressemblait à ces grêles statues que les tailleurs d'images du Moyen Âge ont assises sur des tombeaux.

– Je ne te maudis pas, toi, dit-elle en se levant brusquement, tu n'es qu'un enfant. Que Dieu te protège !

Elle descendit et s'enferma dans son appartement.

– Elle m'aime, se dit Wenceslas, la pauvre créature. A-t-elle été chaudement éloquente ! Elle est folle.

Ce dernier effort de la nature sèche et positive, pour garder avec elle cette image de la beauté, de la poésie, avait eu tant de violence, qu'il ne peut se comparer qu'à la sauvage énergie du naufragé, essayant sa dernière tentative pour atteindre à la grève.

32

La vengeance manquée

Le surlendemain, à quatre heures et demie du matin, au moment où le comte Steinbock dormait du plus profond sommeil, il entendit frapper à la porte de sa mansarde ; il alla ouvrir, et vit entrer deux hommes mal vêtus, accompagnés d'un troisième, dont l'habillement annonçait un huissier malheureux.

— Vous êtes monsieur Wenceslas, comte Steinbock ? lui dit ce dernier.

— Oui, monsieur.

— Je me nomme Grasset, monsieur, successeur de M. Louchard, garde du Commerce...

— Hé bien ?

— Vous êtes arrêté, monsieur, il faut nous suivre à la prison de Clichy... Veuillez vous habiller... Nous y avons mis des formes, comme vous voyez... je n'ai point pris de garde municipal, il y a un fiacre en bas.

— Vous êtes emballé proprement... dit un des recors [1] ; aussi comptons-nous sur votre générosité.

Steinbock s'habilla, descendit l'escalier, tenu sous chaque bras par un recors, il fut mis en fiacre, le cocher partit sans ordre, et en homme qui sait où aller ; en une demi-heure, le pauvre étranger se trouva bien et dûment écroué, sans avoir fait une réclamation, tant était grande sa surprise.

À dix heures, il fut demandé au greffe de la prison, et il y trouva Lisbeth qui, tout en pleurs, lui donna de l'argent afin de bien vivre et de se procurer une chambre assez vaste pour pouvoir y travailler.

— Mon enfant, lui dit-elle, ne parlez de votre arrestation à personne, n'écrivez à âme qui vive, cela tuerait votre avenir, il faut cacher cette flétrissure, je vous aurai bientôt délivré, je vais réunir la somme... soyez tranquille. Écrivez-moi ce que je dois vous apporter pour vos travaux. Je mourrai ou vous serez bientôt libre.

— Oh ! je vous devrai deux fois la vie ! s'écria-t-il, car je perdrais plus que la vie, si l'on me croyait un mauvais sujet.

Lisbeth sortit la joie dans le cœur ; elle espérait pouvoir, en tenant son artiste sous clef, faire manquer son

---

1. Personne qui accompagnait un huissier et lui servait de témoin dans les opérations d'exécution.

mariage avec Hortense en le disant marié, gracié par les efforts de sa femme, et parti pour la Russie. Aussi, pour exécuter ce plan, se rendit-elle vers trois heures chez la baronne, quoique ce ne fût pas le jour où elle y dînait habituellement ; mais elle voulait jouir des tortures auxquelles sa petite cousine allait être en proie au moment où Wenceslas avait coutume de venir.

— Tu viens dîner, Bette ? demanda la baronne en cachant son désappointement.

— Mais oui.

— Bien ! répondit Hortense, je vais aller dire qu'on soit exact, car tu n'aimes pas à attendre.

Hortense fit un signe à sa mère pour la rassurer ; car elle se proposait de dire au valet de chambre de renvoyer M. Steinbock quand il se présenterait ; mais, le valet de chambre étant sorti, Hortense fut obligée de faire sa recommandation à la femme de chambre, et la femme de chambre monta chez elle pour y prendre son ouvrage afin de rester dans l'antichambre.

— Et mon amoureux ? dit la cousine Bette à Hortense quand elle fut revenue, vous ne m'en parlez plus.

— À propos, que devient-il ? dit Hortense, car il est célèbre. Tu dois être contente, ajouta-t-elle à l'oreille de sa cousine, on ne parle que de M. Wenceslas Steinbock.

— Beaucoup trop, répondit-elle à haute voix. Monsieur se dérange. S'il ne s'agissait que de le charmer au point de l'emporter sur les plaisirs de Paris, je connais mon pouvoir ; mais on dit que, pour s'attacher un pareil artiste, l'empereur Nicolas lui fait grâce...

— Ah ! bah ! répondit la baronne.

— Comment sais-tu cela ? demanda Hortense qui fut prise comme d'une crampe au cœur.

— Mais, reprit l'atroce Bette, une personne à qui il appartient par les liens les plus sacrés, sa femme le lui a écrit hier. Il veut partir ; ah ! il serait bien bête de quitter la France pour la Russie...

Hortense regarda sa mère en laissant sa tête aller de côté ; la baronne n'eut que le temps de prendre sa fille évanouie ; blanche comme la dentelle de son fichu.

– Lisbeth ! tu m'as tué ma fille !... cria la baronne. Tu es née pour notre malheur.

– Ah ! çà, quelle est ma faute en ceci, Adeline ? demanda la Lorraine en se levant et prenant une attitude menaçante à laquelle dans son trouble la baronne ne fit aucune attention.

– J'ai tort, répondit Adeline en soutenant Hortense. Sonne !

En ce moment, la porte s'ouvrit, les deux femmes tournèrent la tête ensemble et virent Wenceslas Steinbock à qui la cuisinière, en l'absence de la femme de chambre, avait ouvert la porte.

– Hortense ! cria l'artiste qui bondit jusqu'au groupe formé par les trois femmes.

Et il embrassa sa prétendue au front sous les yeux de la mère, mais si pieusement que la baronne ne s'en fâcha point. C'était, contre l'évanouissement, un sel meilleur que tous les sels anglais. Hortense ouvrit les yeux, vit Wenceslas, et ses couleurs revinrent. Un instant après, elle se trouva tout à fait remise.

– Voilà donc ce que vous me cachiez ? dit la cousine Bette en souriant à Wenceslas et en paraissant deviner la vérité d'après la confusion des deux cousines. Comment m'as-tu volé mon amoureux ? dit-elle à Hortense en l'emmenant dans le jardin.

Hortense raconta naïvement le roman de son amour à sa cousine. Sa mère et son père, persuadés que la Bette ne se marierait jamais, avaient, dit-elle, autorisé les visites du comte Steinbock. Seulement Hortense, en Agnès de haute futaie [1], mit sur le compte du hasard l'acquisition

---

1. C'est-à-dire encore plus fine mouche que ne le devient, quand elle tombe amoureuse, Agnès, la jeune première de *L'École des femmes* (1662) de Molière. Une haute futaie, au sens premier, est un groupe d'arbres à très hauts fûts.

du groupe et l'arrivée de l'auteur qui, selon elle, avait voulu savoir le nom de son premier acquéreur. Steinbock vint aussitôt retrouver les deux cousines pour remercier avec effusion la vieille fille de sa prompte délivrance. Lisbeth répondit jésuitiquement à Wenceslas que le créancier ne lui ayant fait que de vagues promesses, elle ne comptait l'aller délivrer que le lendemain, et que leur prêteur, honteux d'une ignoble persécution, avait sans doute pris les devants. La vieille fille d'ailleurs parut heureuse, et félicita Wenceslas sur son bonheur.

– Méchant enfant ! lui dit-elle devant Hortense et sa mère, si vous m'aviez, avant-hier soir, avoué que vous aimiez ma cousine Hortense et que vous en étiez aimé, vous m'auriez évité bien des larmes. Je croyais que vous abandonniez votre vieille amie, votre institutrice, tandis qu'au contraire vous allez être mon cousin ; désormais vous m'appartiendrez par des liens, faibles il est vrai, mais qui suffisent aux sentiments que je vous ai voués !...

Et elle embrassa Wenceslas au front. Hortense se jeta dans les bras de sa cousine et fondit en larmes.

– Je te dois mon bonheur, lui dit-elle, je ne l'oublierai jamais...

– Cousine Bette, reprit la baronne en embrassant Lisbeth pendant l'ivresse où elle était de voir les choses si bien arrangées, le baron et moi nous avons une dette envers toi, nous l'acquitterons ; viens causer d'affaires dans le jardin, dit-elle en l'emmenant.

Lisbeth joua donc en apparence le rôle du bon ange de la famille ; elle se voyait adorée de Crevel, de Hulot, d'Adeline et d'Hortense.

– Nous voulons que tu ne travailles plus, dit la baronne. En supposant que tu puisses gagner quarante sous par jour, les dimanches exceptés, cela fait six cents francs par an. Eh bien ! à quelle somme montent tes économies ?...

– Quatre mille cinq cents francs !...

– Pauvre cousine ! dit la baronne.

Elle leva les yeux au ciel, tant elle se sentait attendrie en pensant à toutes les peines et aux privations que supposait cette somme, amassée en trente ans. Lisbeth, qui se méprit au sens de cette exclamation, y vit le dédain moqueur de la parvenue, et sa haine acquit une dose formidable de fiel, au moment même où sa cousine abandonnait toutes ses défiances envers le tyran de son enfance.

– Nous augmenterons cette somme de dix mille cinq cents francs, reprit Adeline, nous placerons le tout en ton nom comme usufruitière, et au nom d'Hortense comme nue propriétaire ; tu posséderas ainsi six cents francs de rente…

Lisbeth parut être au comble du bonheur. Quand elle revint, son mouchoir sur les yeux, et occupée à étancher des larmes de joie, Hortense lui raconta toutes les faveurs qui pleuvaient sur Wenceslas, le bien-aimé de toute la famille.

33

Comment se font
beaucoup de contrats de mariage

Au moment où le baron rentra, il trouva donc sa famille au complet, car la baronne avait officiellement salué le comte de Steinbock du nom de fils, et fixé, sous la réserve de l'approbation de son mari, le mariage à quinzaine. Aussi, dès qu'il se montra dans le salon, le conseiller d'État fut-il entouré par sa femme et par sa fille, qui coururent au-devant de lui, l'une pour lui parler à l'oreille et l'autre pour l'embrasser.

– Vous êtes allée trop loin en m'engageant ainsi, madame, dit sévèrement le baron. Ce mariage n'est pas fait, dit-il en jetant un regard sur Steinbock qu'il vit pâlir.

Le malheureux artiste se dit : « Il connaît mon arrestation. »

– Venez, enfants, ajouta le père en emmenant sa fille et le futur dans le jardin.

Et il alla s'asseoir avec eux sur un des bancs du kiosque, rongé de mousse.

– Monsieur le comte, aimez-vous ma fille autant que j'aimais sa mère ? demanda le baron à Wenceslas.

– Plus, monsieur, dit l'artiste.

– La mère était la fille d'un paysan et n'avait pas un liard de fortune.

– Donnez-moi Mlle Hortense telle que la voilà, sans trousseau même...

– Je vous crois bien ! dit le baron en souriant, Hortense est la fille du baron Hulot d'Ervy, conseiller d'État, directeur à la Guerre, grand officier de la Légion d'honneur, frère du comte Hulot, dont la gloire est immortelle et qui sera sous peu maréchal de France. Et... elle a une dot !

– C'est vrai, dit l'amoureux artiste, je parais avoir de l'ambition, mais ma chère Hortense serait la fille d'un ouvrier que je l'épouserais...

– Voilà ce que je voulais savoir, reprit le baron. Va-t'en, Hortense, laisse-moi causer avec M. le comte, tu vois qu'il t'aime bien sincèrement.

– Oh, mon père, je savais bien que vous plaisantiez, répondit l'heureuse fille.

– Mon cher Steinbock, dit le baron avec une grâce infinie de diction et un grand charme de manières quand il fut seul avec l'artiste, j'ai constitué à mon fils deux cent mille francs de dot, desquels le pauvre garçon n'a pas touché deux liards ; il n'en aura jamais rien. La dot de ma fille sera de deux cent mille francs que vous reconnaîtrez avoir reçus...

– Oui, monsieur le baron...

– Comme vous y allez, dit le conseiller d'État. Veuillez m'écouter. On ne peut pas demander à un gendre le dévouement qu'on est en droit d'attendre d'un fils. Mon fils savait tout ce que je pouvais faire et ce que je ferais pour son avenir : il sera ministre, il trouvera facilement ses deux cent mille francs. Quant à vous, jeune homme, c'est autre chose ! Vous recevrez soixante mille francs en une inscription cinq pour cent sur le Grand-Livre, au nom de votre femme. Cet avoir sera grevé d'une petite rente à faire à Lisbeth, mais elle ne vivra pas longtemps, elle est poitrinaire, je le sais. Ne dites ce secret à personne ; que la pauvre fille meure en paix. Ma fille aura un trousseau de vingt mille francs ; sa mère y met pour six mille francs de ses diamants...

– Monsieur, vous me comblez... dit Steinbock stupéfait.

– Quant aux cent vingt mille francs restants...

– Cessez, monsieur, dit l'artiste, je ne veux que ma chère Hortense...

– Voulez-vous m'écouter, bouillant jeune homme ? Quant aux cent vingt mille francs, je ne les ai pas ; mais vous les recevrez...

– Monsieur !...

– Vous les recevrez du gouvernement, en commandes que je vous obtiendrai, je vous en donne ma parole d'honneur. Vous voyez, vous allez avoir un atelier au Dépôt des marbres. Exposez quelques belles statues, je vous ferai entrer à l'Institut. On a, en haut lieu, de la bienveillance pour mon frère et pour moi, j'espère donc réussir en demandant pour vous des travaux de sculpture à Versailles pour un quart de la somme. Enfin, vous recevrez quelques commandes de la ville de Paris, vous en aurez de la Chambre des pairs, vous en aurez, mon cher, tant et tant que vous serez obligé de prendre des aides. C'est ainsi que je m'acquitterai. Voyez si la dot ainsi payée vous convient, consultez vos forces...

– Je me sens la force de faire la fortune de ma femme à moi seul, si tout cela manquait ! dit le noble artiste.

– Voilà ce que j'aime ! s'écria le baron, la belle jeunesse ne doutant de rien ! J'aurais culbuté des armées pour une femme ! Allons, dit-il en prenant la main du

jeune sculpteur et y frappant. Vous avez mon consentement. Dimanche prochain le contrat, et le samedi suivant, à l'autel, c'est le jour de la fête de ma femme !

– Tout va bien, dit la baronne à sa fille collée à la
fenêtre, ton futur et ton père s'embrassent.

En rentrant chez lui le soir, Wenceslas eut l'explication
de l'énigme que présentait sa délivrance ; il trouva chez
le portier un gros paquet cacheté qui contenait le dossier
de sa créance avec une quittance régulière, libellée au bas
du jugement, et accompagné de la lettre suivante :

> Mon cher Wenceslas,
>
> Je suis venu te voir ce matin, à dix heures, pour te présen-
> ter à une altesse royale qui désirait te connaître. Là, j'ai su
> que les Anglais t'avaient emmené dans une de leurs petites
> îles dont la capitale s'appelle *Clichy's Castle* [1].
>
> Je suis aussitôt allé voir Léon de Lora, à qui j'ai dit en
> riant que tu ne pouvais pas quitter la campagne où tu étais
> faute de quatre mille francs, et que tu allais compromettre
> ton avenir, si tu ne te montrais pas à ton royal protecteur.
> Bridau, cet homme de génie qui a connu la misère et qui sait
> ton histoire, était là par bonheur. Mon fils, à eux deux, ils
> ont fait la somme, et je suis allé payer pour toi le Bédouin
> qui a commis un crime de lèse-génie en te coffrant. Comme
> je devais être aux Tuileries à midi, je n'ai pas pu te voir
> humant l'air libre. Je te sais gentilhomme, j'ai répondu de
> toi à mes deux amis ; mais va les voir demain.
>
> Léon et Bridau ne voudront pas de ton argent ; ils te
> demanderont chacun un groupe, et ils auront raison. C'est
> ce que pense celui qui voudrait pouvoir se dire ton rival, et
> qui n'est que
>
> > Ton camarade,
>
> > > > > Stidmann.
>
> P.-S. J'ai dit au prince que tu ne revenais de voyage que
> demain, et il a dit : Eh bien ! demain !

---

1. *Les Anglais* : les créanciers ou les gens de justice qui instrumentent
en leur nom. *Clichy's Castle* : le château de Clichy, c'est-à-dire la prison
pour dettes de la rue de Clichy, déjà mentionnée au chapitre 18.

Le comte Wenceslas se coucha dans les draps de pourpre que nous fait, sans un pli de rose, la Faveur, cette céleste boiteuse, qui, pour les gens de génie, marche plus lentement encore que la Justice et la Fortune, parce que Jupiter a voulu qu'elle n'eût pas de bandeau sur les yeux. Facilement trompée par les étalages des charlatans, attirée par leurs costumes et leurs trompettes, elle dépense à voir et à payer leurs parades le temps pendant lequel elle devait chercher les gens de mérite dans les coins où ils se cachent.

Maintenant il est nécessaire d'expliquer comment M. le baron Hulot était arrivé à grouper les chiffres de la dot d'Hortense, et à satisfaire aux dépenses effrayantes du délicieux appartement où devait s'installer Mme Marneffe. Sa conception financière portait le cachet du talent qui guide les dissipateurs et les gens passionnés dans les fondrières, où tant d'accidents les font périr. Rien ne démontrera mieux la singulière puissance que communiquent les vices, et à laquelle on doit les tours de force qu'accomplissent de temps en temps les ambitieux, les voluptueux, enfin tous les sujets du diable.

34

Un magnifique exemplaire de séide [1]

La veille au matin, un vieillard, Johann Fischer, faute de payer trente mille francs encaissés par son neveu, se voyait dans la nécessité de déposer son bilan, si le baron ne les lui remettait pas.

Ce digne vieillard, en cheveux blancs, âgé de soixante-dix ans, avait une confiance tellement aveugle en Hulot, qui, pour ce bonapartiste, était une émanation du soleil napoléonien, qu'il se promenait tranquillement avec le

---

1. Adepte fanatique et exécutant aveugle des volontés d'un maître, d'un chef.

garçon de la Banque dans l'antichambre du petit rez-de-chaussée de huit cents francs de loyer, où il dirigeait ses diverses entreprises de grains et de fourrages.

– Marguerite est allée prendre les fonds à deux pas d'ici, lui disait-il.

L'homme vêtu de gris et galonné d'argent connaissait si bien la probité du vieil Alsacien, qu'il voulait lui laisser ses trente mille francs de billets ; mais le vieillard le forçait de rester en lui objectant que huit heures n'étaient pas sonnées. Un cabriolet arrêta, le vieillard s'élança dans la rue et tendit la main avec une sublime certitude au baron qui lui donna trente billets de banque.

– Allez à trois portes plus loin, je vous dirai pourquoi, dit le vieux Fischer. – Voici, jeune homme, dit le vieillard en revenant compter le papier au représentant de la Banque, qu'il escorta jusqu'à la porte.

Quand l'homme de la Banque fut hors de vue, Fischer fit retourner le cabriolet où attendait son auguste neveu, le bras droit de Napoléon, et lui dit en le ramenant chez lui : « Voulez-vous que l'on sache à la Banque de France que vous m'avez versé les trente mille francs dont vous êtes endosseur ?... C'est déjà beaucoup trop d'y avoir mis la signature d'un homme comme vous !... »

– Allons au fond de votre jardinet, père Fischer, dit le haut fonctionnaire. Vous êtes solide, reprit-il en s'asseyant sous un berceau de vigne et toisant le vieillard comme un marchand de chair humaine toise un remplaçant.

– Solide à placer en viager, répondit gaiement le petit vieillard sec, maigre, nerveux et l'œil vif.

– La chaleur vous fait-elle mal ?...

– Au contraire

– Que dites-vous de l'Afrique ?

– Un joli pays !... Les Français y sont allés avec le petit caporal.

– Il s'agit, pour nous sauver tous, dit le baron, d'aller en Algérie...

– Et mes affaires ?...

– Un employé de la guerre, qui prend sa retraite et qui n'a pas de quoi vivre, vous achète votre maison de commerce.

– Que faire en Algérie ?

– Fournir les vivres de la guerre, grains et fourrages, j'ai votre commission signée. Vous trouverez vos fournitures dans le pays à soixante-dix pour cent au-dessous des prix auxquels nous vous en tiendrons compte.

– Qui me les livrera ?...

– Les razzias, l'achour[1], les khalifas[2]. Il y a dans l'Algérie (pays encore peu connu, quoique nous y soyons depuis huit ans) énormément de grains et de fourrages. Or, quand ces denrées appartiennent aux Arabes, nous les leur prenons sous une foule de prétextes, puis, quand elles sont à nous, les Arabes s'efforcent de les reprendre. On combat beaucoup pour le grain, mais on ne sait jamais au juste les quantités qu'on a volées de part et d'autre. On n'a pas le temps, en rase campagne, de compter les blés par hectolitre comme à la Halle et les foins comme à la rue d'Enfer. Les chefs arabes, aussi bien que nos spahis, préférant l'argent, vendent alors ces denrées à de très bas prix. L'administration de la guerre, elle, a des besoins fixes ; elle passe des marchés à des prix exorbitants, calculés sur la difficulté de se procurer des vivres, sur les dangers que courent les transports. Voilà l'Algérie au point de vue vivrier. C'est un gâchis tempéré

---

1. Impôt payé par les indigènes ayant pour base les produits de la terre. En 1845-1846, l'opinion publique commence à contester les méthodes de colonisation employées par le général Bugeaud en Algérie. Celui-ci défend farouchement son système des razzias à la Chambre des députés : « En Afrique il n'y a pas de capitales, pas de villes, pas de villages, pas de fermes, il n'y a qu'un seul intérêt qu'on puisse atteindre, c'est l'intérêt agricole, il est répandu sur toute la surface du pays, il faut le poursuivre partout, parcourir chaque canton, là il faut prendre un troupeau de bœufs, là un troupeau de moutons, là un troupeau de chèvres, là une population qui fuit montée sur des chameaux, sur des mulets. Voilà pourquoi cette guerre est différente de toutes les autres... »
2. Territoires soumis à un calife (souverain musulman).

par la bouteille à l'encre de toute administration naissante. Nous ne pouvons pas y voir clair avant une dizaine d'années, nous autres administrateurs, mais les particuliers ont de bons yeux. Donc, je vous envoie y faire votre fortune ; je vous y mets, comme Napoléon mettait un maréchal pauvre à la tête d'un royaume où l'on pouvait protéger secrètement la contrebande. Je suis ruiné, mon cher Fischer. Il me faut cent mille francs dans un an d'ici…

— Je ne vois pas de mal à les prendre aux Bédouins, répliqua tranquillement l'Alsacien. Cela se faisait ainsi sous l'Empire…

— L'acquéreur de votre établissement viendra vous voir ce matin et vous comptera dix mille francs, reprit le baron Hulot. N'est-ce pas tout ce qu'il vous faut pour aller en Afrique ?

Le vieillard fit un signe d'assentiment.

— Quant aux fonds, là-bas, soyez tranquille, reprit le baron. Je toucherai le reste du prix de votre établissement d'ici, j'en ai besoin.

— Tout est à vous, même mon sang, dit le vieillard.

— Oh ! ne craignez rien, reprit le baron en croyant à son oncle plus de perspicacité qu'il n'en avait ; quant à nos affaires d'achour, votre probité n'en souffrira pas, tout dépend de l'autorité ; or, c'est moi qui ai placé là-bas l'autorité, je suis sûr d'elle. Ceci, papa Fischer, est un secret de vie et de mort ; je vous connais, je vous ai parlé sans détours ni circonlocutions.

— On ira, dit le vieillard. Et cela durera ?…

— Deux ans ! Vous aurez cent mille francs à vous pour vivre heureux dans les Vosges.

— Il sera fait comme vous voulez, mon honneur est le vôtre, dit tranquillement le petit vieillard.

— Voilà comment j'aime les hommes. Cependant, vous ne partirez pas sans avoir vu votre petite-nièce heureuse et mariée, elle sera comtesse.

L'achour, la razzia des razzias et le prix donné par l'employé pour la maison Fischer ne pouvaient pas fournir immédiatement soixante mille francs pour la dot d'Hortense, y compris le trousseau, qui coûterait environ cinq mille francs, et les quarante mille francs dépensés ou à dépenser pour Mme Marneffe. Enfin, où le baron avait-il pris les trente mille francs qu'il venait d'apporter ? Voici comment. Quelques jours auparavant, Hulot était allé se faire assurer pour une somme de cent cinquante mille francs et pour trois ans par deux compagnies d'assurances sur la vie. Muni de la police d'assurance dont la prime était payée, il avait tenu ce langage à M. le baron de Nucingen, pair de France, dans la voiture duquel il se trouvait, au sortir d'une séance de la Chambre des pairs, en retournant dîner avec lui.

– Baron, j'ai besoin de soixante-dix mille francs, et je vous les demande. Vous prendrez un prête-nom à qui je déléguerai pour trois ans la quotité engageable de mes appointements, elle monte à vingt-cinq mille francs par an, c'est soixante-quinze mille francs. Vous me direz : « Vous pouvez mourir. »

Le baron fit un signe d'assentiment.

– Voici une police d'assurance de cent cinquante mille francs qui vous sera transférée jusqu'à concurrence de quatre-vingt mille francs, répondit le baron en tirant un papier de sa poche.

– *Et si fus êtes tesdidué ?...* dit le baron millionnaire en riant.

L'autre baron, antimillionnaire, devint soucieux.

– *Rassirez fus, che né fus ai vait t'opjection que bir fus vaire abercevoir que chai quelque méride à fus tonner la somme. Fus êtes tonc pien chêné, gar la Panque a fôdre zignadire.*

– Je marie ma fille, dit le baron Hulot, et je suis sans fortune, comme tous ceux qui continuent à faire de l'administration, par une ingrate époque où jamais cinq cents bourgeois assis sur des banquettes ne sauront récompenser largement les gens dévoués comme le faisait l'Empereur.

– *Allons, fus affez ei Choségha !* reprit le pair de France, *ce qui egsblique dut ! Entre nus, le tuc t'Hérufille fus a renti ein vier zervice en fus ôdant cedde zangsie-là te tessis fodre pirse.*

Chai gonni ce malhir, et chi zai gombadir [1].

ajouta-t-il en croyant réciter un vers français. *Égoudez ein gonzèle t'ami : Vermez fôdre pudique, u fis serez tégomé…*

Cette véreuse affaire se fit par l'entremise d'un petit usurier nommé Vauvinet, un de ces *faiseurs* qui se tiennent en avant des grosses maisons de banque, comme ce petit poisson qui semble être le valet du requin. Cet apprenti loup-cervier promit à M. le baron Hulot, tant il était jaloux de se concilier la protection de ce grand personnage, de lui négocier trente mille francs de lettres de change, à quatre-vingt-dix jours, en s'engageant à les renouveler quatre fois et à ne pas les mettre en circulation.

Le successeur de Fischer devait donner quarante mille francs pour obtenir cette maison, mais avec la promesse de la fourniture des fourrages dans un département voisin de Paris.

Tel était le dédale effroyable où les passions engageaient un des hommes les plus probes jusqu'alors, un des plus habiles travailleurs de l'administration napoléonienne : la concussion pour solder l'usure, l'usure pour fournir à ses passions et pour marier sa fille. Cette science de prodigalité, tous ces efforts étaient dépensés pour paraître grand à Mme Marneffe, pour être le Jupiter de cette Danaé bourgeoise [2]. On ne déploie pas plus d'activité, plus d'intelligence, plus d'audace pour faire

---

1. Peut-être une allusion au vers de Racine dans *Bérénice*, II, 4 : « Je sens qu'à sa douleur je pourrais compatir. »
2. Balzac aime décidément cette image, qu'il a déjà employée au chapitre 25 à propos de Valérie Marneffe.

honnêtement sa fortune que le baron en déployait pour
se plonger la tête la première dans un guêpier : il suffisait
aux affaires de sa division, il pressait les tapissiers, il
voyait les ouvriers, il vérifiait minutieusement les plus
petits détails du ménage de la rue Vaneau. Tout entier à
Mme Marneffe, il allait encore aux séances des
Chambres, il se multipliait, et sa famille ni personne ne
s'apercevait de ses préoccupations.

35

*Où la queue des romans ordinaires se trouve
au milieu de cette histoire trop véridique,
assez anacréontique* [1] *et terriblement morale*

Adeline, stupéfaite de savoir son oncle sauvé, de voir
une dot figurer au contrat, éprouvait une sorte d'inquiétude au milieu du bonheur que lui causait le mariage
d'Hortense accompli dans des conditions si honorables ;
mais la veille du mariage de sa fille, combiné par le baron
pour coïncider avec le jour où Mme Marneffe prenait
possession de son appartement rue Vaneau, Hector fit
cesser l'étonnement de sa femme par cette communication ministérielle.

– Adeline, voici notre fille mariée, ainsi toutes nos
angoisses à ce sujet sont terminées. Le moment est venu
pour nous de nous retirer du monde ; car maintenant, à
peine resterai-je trois années en place, j'achèverai le
temps voulu pour prendre ma retraite. Pourquoi conti-
nuerions-nous des dépenses désormais inutiles : notre
appartement nous coûte six mille francs de loyer, nous
avons quatre domestiques, nous mangeons trente mille

1. Anacréon est un poète grec du VIᵉ siècle av. J.-C., auteur de chan-
sons d'amour et de table. La poésie dite *anacréontique* s'inspire de son
art léger, sensuel et brillant.

francs par an. Si tu veux que je remplisse mes engage-
ments, car j'ai délégué mes appointements pour trois
années en échange des sommes nécessaires à l'établissement d'Hortense et à l'échéance de ton oncle…

— Ah ! tu as bien fait, mon ami, dit-elle en interrompant son mari et lui baisant les mains.

Cet aveu mettait fin aux craintes d'Adeline.

— J'ai quelques petits sacrifices à te demander, reprit-il
en dégageant ses mains et déposant un baiser au front
de sa femme. On m'a trouvé, rue Plumet, au premier
étage, un fort bel appartement, digne, orné de magnifiques boiseries, qui ne coûte que quinze cents francs, où
tu n'auras besoin que d'une femme de chambre pour toi,
et où je me contenterai moi, d'un petit domestique.

— Oui, mon ami.

— En tenant notre maison avec simplicité, tout en
conservant les apparences, tu ne dépenseras guère que six
mille francs par an, ma dépense particulière exceptée
dont je me charge…

La généreuse femme sauta tout heureuse au cou de
son mari.

— Quel bonheur de pouvoir te montrer de nouveau
combien je t'aime ! s'écria-t-elle, et quel homme de ressources tu es !…

— Nous recevrons une fois notre famille par semaine,
et je dîne, comme tu sais, rarement chez moi… Tu peux,
sans te compromettre, aller dîner deux fois par semaine
chez Victorin, et deux fois chez Hortense ; or, comme je
crois pouvoir opérer un complet raccommodement entre
Crevel et nous, nous dînerons une fois par semaine chez
lui, ces cinq dîners et le nôtre rempliront la semaine en
supposant quelques invitations en dehors de la famille.

— Je te ferai des économies, dit Adeline.

— Ah ! s'écria-t-il, tu es la perle des femmes.

— Mon bon et divin Hector ! je te bénirai jusqu'à mon
dernier soupir, répondit-elle, car tu as bien marié notre
chère Hortense.

Ce fut ainsi que commença l'amoindrissement de la maison de la belle Mme Hulot, et, disons-le, son abandon solennellement promis à Mme Marneffe.

Le gros petit père Crevel, invité naturellement à la signature du contrat de mariage, s'y comporta comme si la scène par laquelle ce récit commence n'avait pas eu lieu, comme s'il n'avait aucun grief contre le baron Hulot. Célestin Crevel fut aimable, il fut toujours un peu trop ancien parfumeur ; mais il commençait à s'élever au majestueux à force d'être chef de bataillon. Il parla de danser à la noce.

— Belle dame, dit-il gracieusement à la baronne Hulot, des gens comme nous savent tout oublier ; ne me bannissez pas de votre intérieur, et daignez embellir quelquefois ma maison en y venant avec vos enfants. Soyez calme, je ne vous dirai jamais rien de ce qui gît au fond de mon cœur. Je m'y suis pris comme un imbécile, car je perdais trop à ne plus vous voir…

— Monsieur, une honnête femme n'a pas d'oreilles pour les discours auxquels vous faites allusion ; et si vous tenez votre parole, vous ne devez pas douter du plaisir que j'aurai à voir cesser une division toujours affligeante dans les familles…

— Hé ! bien, gros boudeur, dit le baron Hulot en emmenant de force Crevel dans le jardin, tu m'évites partout, même dans ma maison. Est-ce que deux vieux amateurs du beau sexe doivent se brouiller pour un jupon ? Allons, vraiment, c'est épicier.

— Monsieur, je ne suis pas aussi bel homme que vous, et mon peu de moyens de séduction m'empêche de réparer mes pertes aussi facilement que vous le faites…

— De l'ironie ! répondit le baron.

— Elle est permise contre les vainqueurs quand on est vaincu.

Commencée sur ce ton, la conversation se termina par une réconciliation complète ; mais Crevel tint à bien constater son droit de prendre une revanche.

Mme Marneffe voulut être invitée au mariage de Mlle Hulot. Pour voir sa future maîtresse dans son salon, le conseiller d'État fut obligé de prier les employés de sa Division jusqu'aux sous-chefs inclusivement. Un grand bal devint alors nécessaire. En bonne ménagère, la baronne calcula qu'une soirée coûterait moins cher qu'un dîner, et permettrait de recevoir plus de monde. Le mariage d'Hortense fit donc grand tapage.

Le maréchal prince de Wissembourg et le baron de Nucingen du côté de la future, les comtes de Rastignac et Popinot du côté de Steinbock, furent les témoins. Enfin depuis la célébrité du comte de Steinbock, les plus illustres membres de l'émigration polonaise l'ayant recherché, l'artiste crut devoir les inviter. Le Conseil d'État, l'Administration dont faisait partie le baron, l'Armée qui voulait honorer le comte de Forzheim, allaient être représentés par leurs sommités. On compta sur deux cents invitations obligées. Qui ne comprendra pas dès lors l'intérêt de la petite Mme Marneffe à paraître dans toute sa gloire au milieu d'une pareille assemblée ?

Depuis un mois, la baronne consacrait le prix de ses diamants au ménage de sa fille, après en avoir gardé les plus beaux pour le trousseau. Cette vente produisit quinze mille francs, dont cinq mille furent absorbés par le trousseau d'Hortense. Qu'était-ce que dix mille francs pour meubler l'appartement des jeunes mariés, si l'on songe aux exigences du luxe moderne ? Mais M. et Mme Hulot jeune, le père Crevel et le comte de Forzheim firent d'importants cadeaux, car le vieil oncle tenait en réserve une somme pour l'argenterie. Grâce à tant de secours, une Parisienne exigeante eût été satisfaite de l'installation du jeune ménage dans l'appartement qu'il avait choisi, rue Saint-Dominique, près de l'Esplanade des Invalides. Tout y était en harmonie avec leur amour si pur, si franc, si sincère de part et d'autre.

Enfin le grand jour arriva, car ce devait être un aussi grand jour pour le père que pour Hortense et Wenceslas :

Mme Marneffe avait décidé de pendre la crémaillère chez elle le lendemain de sa faute et du mariage des deux amoureux.

Qui n'a pas, une fois en sa vie, assisté à un bal de noces ? Chacun peut faire un appel à ses souvenirs, et sourira, certes, en évoquant devant soi toutes ces personnes endimanchées, aussi bien par la physionomie que par la toilette de rigueur. Si jamais fait social a prouvé l'influence des milieux, n'est-ce pas celui-là ? En effet, *l'endimanchement* des uns réagit si bien sur les autres, que les gens les plus habitués à porter des habits convenables ont l'air d'appartenir à la catégorie de ceux pour qui la noce est une fête comptée dans leur vie. Enfin, rappelez-vous ces gens graves, ces vieillards, à qui tout est tellement indifférent qu'ils ont gardé leurs habits noirs de tous les jours ; et les vieux mariés dont la figure annonce la triste expérience de la vie que les jeunes commencent, et les plaisants qui sont là comme le gaz acide carbonique dans le vin de Champagne, et les jeunes filles envieuses, les femmes occupées du succès de leur toilette, et les parents pauvres dont la mise étriquée contraste avec les gens *in fiocchi* [1], et les gourmands qui ne pensent qu'au souper, et les joueurs à jouer. Tout est là, riches et pauvres, envieux et enviés, les philosophes et les gens à illusions, tous groupés comme les plantes d'une corbeille autour d'une fleur rare, la mariée. Un bal de noces, c'est le monde en raccourci.

36

Les deux nouvelles mariées

Au moment le plus animé, Crevel prit le baron par le bras et lui dit à l'oreille de l'air le plus naturel du monde :

---

1. Littéralement, « en houppes ». Les *fiocchi* désignent les houppes d'un cardinal et *in fiocchi* se dit d'un cardinal en grand costume, et, par extension, de toute personne en tenue de gala.

« Tudieu ! quelle jolie femme que cette petite dame en rose qui te fusille de ses regards... »

– Qui ?

– La femme de ce sous-chef que tu pousses, Dieu sait comme ! Mme Marneffe.

– Comment sais-tu cela ?

– Tiens, Hulot, je tâcherai de te pardonner tes torts envers moi si tu veux me présenter chez elle, et moi je te recevrai chez Héloïse. Tout le monde demande qui est cette charmante créature ? Es-tu sûr que personne de tes bureaux n'expliquera de quelle façon la nomination de son mari a été signée ?... Oh ! heureux coquin, elle vaut mieux qu'un bureau... Ah ! je passerais bien à son bureau... Voyons, soyons amis, Cinna[1] ?...

– Plus que jamais, dit le baron au parfumeur, et je te promets d'être bon enfant. Dans un mois je te ferai dîner avec ce petit ange-là... Car nous en sommes aux anges, mon vieux camarade. Je te conseille de faire comme moi, de quitter les démons...

La cousine Bette, installée rue Vaneau, dans un joli petit appartement, au troisième étage, quitta le bal à dix heures, pour revenir voir les titres des douze cents francs de rente en deux inscriptions ; la nue propriété[2] de l'une appartenait à la comtesse Steinbock, et celle de l'autre à Mme Hulot jeune. On comprend alors comment M. Crevel avait pu parler à son ami Hulot de Mme Marneffe et connaître un secret ignoré de tout le monde ; car, M. Marneffe absent, la cousine Bette, le baron et Valérie étaient les seuls à savoir ce mystère.

Le baron avait commis l'imprudence de faire présent à Mme Marneffe d'une toilette beaucoup trop luxueuse pour la femme d'un sous-chef ; les autres femmes furent jalouses et de la toilette et de la beauté de Valérie. Il y

1. Corneille, *Cinna*, V, 3.
2. Nue propriété (ou nue-propriété) : droit de propriété d'un bien sur lequel une autre personne jouit d'un droit d'usufruit, d'usage ou d'habitation.

eut des chuchotements sous les éventails, car la détresse
des Marneffe avait occupé la Division ; l'employé sollicitait des secours au moment où le baron s'était amoura-
ché de madame. D'ailleurs, Hector ne sut pas cacher son
ivresse en voyant le succès de Valérie qui, décente, pleine
de distinction, enviée, fut soumise à cet examen attentif
que redoutent tant les femmes en entrant pour la première fois dans un monde nouveau.

Après avoir mis sa femme, sa fille et son gendre en
voiture, le baron trouva moyen de s'évader sans être
aperçu, laissant à son fils et à sa belle-fille le soin de jouer
le rôle des maîtres de la maison. Il monta dans la voiture
de Mme Marneffe et la reconduisit chez elle ; mais il la
trouva muette et songeuse, presque mélancolique.

– Mon bonheur vous rend bien triste, Valérie, dit-il en
l'attirant à lui au fond de la voiture.

– Comment, mon ami, ne voulez-vous pas qu'une
pauvre femme ne soit pas toujours pensive en commet-
tant sa première faute, même quand l'infamie de son
mari lui rend la liberté ?... Croyez-vous que je sois sans
âme ? sans croyance, sans religion ? Vous avez eu ce soir
la joie la plus indiscrète, et vous m'avez odieusement
affichée. Vraiment, un collégien aurait été moins fat que
vous. Aussi toutes ces dames m'ont-elles déchirée à grand
renfort d'œillades et de mots piquants ! Quelle est la
femme qui ne tient pas à sa réputation ? Vous m'avez
perdue. Ah ! je suis bien à vous, allez ! et je n'ai plus pour
excuser cette faute d'autre ressource que de vous être
fidèle. Monstre ! dit-elle en riant et se laissant embrasser,
vous saviez bien ce que vous faisiez. Mme Coquet, la
femme de notre chef de bureau, est venue s'asseoir près
de moi pour admirer mes dentelles. « C'est de l'Angleterre, a-t-elle dit. Cela vous coûte-t-il cher, madame ? – Je
n'en sais rien, lui ai-je répliqué. Ces dentelles me viennent
de ma mère, je ne suis pas assez riche pour en acheter
de pareilles ! »

Mme Marneffe avait fini, comme on voit, par tellement
fasciner le vieux Beau de l'Empire, qu'il croyait lui faire

commettre sa première faute, et lui avoir inspiré assez de passion pour lui faire oublier tous ses devoirs. Elle se disait abandonnée par l'infâme Marneffe, après trois jours de mariage, et pour d'épouvantables motifs. Depuis, elle était restée la plus sage jeune fille, et très heureuse, car le mariage lui paraissait une horrible chose. De là venait sa tristesse actuelle.

– S'il en était de l'amour comme du mariage ?... dit-elle en pleurant.

Ces coquets mensonges, que débitent presque toutes les femmes dans la situation où se trouvait Valérie, faisaient entrevoir au baron les roses du septième ciel. Aussi, Valérie fit-elle des façons, tandis que l'amoureux artiste et Hortense attendaient peut-être impatiemment que la baronne eût donné sa dernière bénédiction et son dernier baiser à la jeune fille.

À sept heures du matin, le baron, au comble du bonheur, car il avait trouvé la jeune fille la plus innocente et le diable le plus consommé dans sa Valérie, revint relever M. et Mme Hulot jeune de leur corvée. Ces danseurs et ces danseuses, presque étrangers à la maison, et qui finissent par s'emparer du terrain à toutes les noces, se livraient à ces interminables dernières contredanses nommées des cotillons, les joueurs de bouillotte [1] étaient acharnés à leurs tables, le père Crevel gagnait six mille francs.

Les journaux, distribués par les porteurs, contenaient aux Faits-Paris ce petit article :

La célébration du mariage de M. le comte de Steinbock et de Mlle Hortense Hulot, fille du baron Hulot d'Ervy, conseiller d'État et directeur au ministère de la Guerre, nièce de l'illustre comte de Forzheim, a eu lieu ce matin à Saint-Thomas-d'Aquin. Cette solennité avait attiré beaucoup de monde. On remarquait dans l'assistance quelques-unes de nos célébrités artistiques : Léon de Lora, Joseph Bridau,

---

1. Brelan rapide à quatre personnes. Ce jeu de cartes était très en vogue aux XVIIIe et XIXe siècles.

Stidmann, Bixiou, les notabilités de l'administration de la
Guerre, du Conseil d'État et plusieurs membres des deux
Chambres ; enfin les sommités de l'émigration polonaise, les
comtes Paz, Laginski, etc.

M. le comte Wenceslas de Steinbock est le petit-neveu du
célèbre général de Charles XII, roi de Suède. Le jeune comte
ayant pris part à l'insurrection polonaise, est venu chercher
un asile en France, où la juste célébrité de son talent lui a
valu des lettres de petite naturalité.

Ainsi, malgré la détresse effroyable du baron Hulot
d'Ervy, rien de ce qu'exige l'opinion publique ne
manqua, pas même la célébrité donnée par les journaux
au mariage de sa fille, dont la célébration fut en tout
point semblable à celui de Hulot fils avec Mlle Crevel.
Cette fête atténua les propos qui se tenaient sur la situation financière du Directeur, de même que la dot donnée
à sa fille expliqua la nécessité où il s'était trouvé de
recourir au crédit.

Ici se termine en quelque sorte l'introduction de cette
histoire. Ce récit est au drame qui le complète, ce que
sont les prémisses à une proposition, ce qu'est toute
exposition à toute tragédie classique.

37

Réflexions morales sur l'immoralité

Quand, à Paris, une femme a résolu de faire métier et
marchandise de sa beauté, ce n'est pas une raison pour
qu'elle fasse fortune. On y rencontre d'admirables créatures, très spirituelles, dans une affreuse médiocrité,
finissant très mal une vie commencée par les plaisirs.
Voici pourquoi : se destiner à la carrière honteuse des
courtisanes, avec l'intention d'en palper les avantages,
tout en gardant la robe d'une honnête bourgeoise mariée,
ne suffit pas. Le Vice n'obtient pas facilement ses

triomphes ; il a cette similitude avec le Génie, qu'ils exigent tous deux un concours de circonstances heureuses pour opérer le cumul de la fortune et du talent. Supprimez les phases étranges de la Révolution, l'Empereur n'existe plus, il n'aurait plus été qu'une seconde édition de Fabert [1]. La beauté vénale sans amateurs, sans célébrité, sans la croix de déshonneur que lui valent des fortunes dissipées, c'est un Corrège dans un grenier, c'est le Génie expirant dans sa mansarde. Une Laïs [2] à Paris doit donc, avant tout, trouver un homme riche qui se passionne assez pour lui donner son prix. Elle doit surtout conserver une grande élégance qui, pour elle, est une enseigne, avoir d'assez bonnes manières pour flatter l'amour-propre des hommes, posséder cet esprit à la Sophie Arnould [3], qui réveille l'apathie des riches ; enfin elle doit se faire désirer par les libertins en paraissant être fidèle à un seul, dont le bonheur est alors envié.

Ces conditions, que ces sortes de femmes appellent *la chance*, se réalisent assez difficilement à Paris, quoique ce soit une ville pleine de millionnaires, de désœuvrés, de gens blasés et à fantaisies. La Providence a sans doute protégé fortement en ceci les ménages d'employés et la petite bourgeoisie, pour qui ces obstacles sont au moins doublés par le milieu dans lequel ils accomplissent leurs évolutions. Néanmoins, il se trouve encore assez de Mme Marneffe à Paris, pour que Valérie doive figurer comme un type dans cette histoire des mœurs. De ces femmes, les unes obéissent à la fois à des passions vraies et à la nécessité, comme Mme Colleville qui fut pendant si longtemps attachée à l'un des plus célèbres orateurs du

---

1. Alexandre Fabert (1599-1662) : maréchal de France qui se couvrit de gloire. Balzac veut dire ici que, sans les circonstances exceptionnelles de la Révolution, Bonaparte n'aurait été qu'un grand général comme un autre.

2. Laïs : nom de plusieurs courtisanes grecques. La plus célèbre d'entre elles aurait été fille d'une maîtresse d'Alcibiade, puis elle-même maîtresse d'Alcibiade.

3. Voir *supra*, p. 130, n. 3.

côté gauche, le banquier Keller ; les autres sont poussées par la vanité, comme Mme de La Baudraye, restée à peu près honnête malgré sa fuite avec Lousteau ; celles-ci sont entraînées par les exigences de la toilette, et celles-là par l'impossibilité de faire vivre un ménage avec des appointements évidemment trop faibles. La parcimonie de l'État ou des Chambres, si vous voulez, cause bien des malheurs, engendre bien des corruptions. On s'apitoie en ce moment beaucoup sur le sort des classes ouvrières, on les présente comme égorgées par les fabricants ; mais l'État est plus dur cent fois que l'industriel le plus avide ; il pousse, en fait de traitements, l'économie jusqu'au non-sens. Travaillez beaucoup, l'Industrie vous paie en raison de votre travail ; mais que donne l'État à tant d'obscurs et dévoués travailleurs ?

Dévier du sentier de l'honneur, est pour la femme mariée un crime inexcusable ; mais est-il des degrés dans cette situation. Quelques femmes, loin d'être dépravées, cachent leurs fautes et demeurent d'honnêtes femmes en apparence, comme les deux dont les aventures viennent d'être rappelées ; tandis que certaines d'entre elles joignent à leurs fautes les ignominies de la spéculation. Mme Marneffe est donc en quelque sorte le type de ces ambitieuses courtisanes mariées qui, de prime abord, acceptent la dépravation dans toutes ses conséquences, et qui sont décidées à faire fortune en s'amusant, sans scrupule sur les moyens ; mais elles ont presque toujours, comme Mme Marneffe, leurs maris pour embaucheurs et pour complices. Ces Machiavels en jupon sont les femmes les plus dangereuses ; et, de toutes les mauvaises espèces de Parisiennes, c'est la pire. Une vraie courtisane, comme les Josépha, les Schontz, les Malaga, les Jenny Cadine, etc., porte dans la franchise de sa situation un avertissement aussi lumineux que la lanterne rouge de la Prostitution, ou que les quinquets du Trente-et-Quarante. Un homme sait alors qu'il en va là de sa ruine. Mais la doucereuse honnêteté, mais les semblants de vertu, mais les façons hypocrites d'une femme mariée qui

ne laisse jamais voir que les besoins vulgaires d'un
ménage, et qui se refuse en apparence aux folies,
entraînent à des ruines sans éclat, et qui sont d'autant
plus singulières qu'on les excuse en ne se les expliquant
point. C'est l'ignoble livre de dépense et non la joyeuse
fantaisie qui dévore des fortunes. Un père de famille se
ruine sans gloire, et la grande consolation de la vanité
satisfaite lui manque dans la misère.

Cette tirade ira comme une flèche au cœur de bien des
familles. On voit des Mme Marneffe à tous les étages de
l'État social, et même au milieu des cours ; car Valérie
est une triste réalité, moulée sur le vif dans ses plus légers
détails. Malheureusement, ce portrait ne corrigera personne de la manie d'aimer des anges au doux sourire, à
l'air rêveur, à figures candides, dont le cœur est un
coffre-fort.

38

Où l'on voit l'effet des opinions de Crevel

Environ trois ans après le mariage d'Hortense, en
1841, le baron Hulot d'Ervy passait pour s'être rangé,
pour avoir dételé, selon l'expression du premier chirurgien [1] de Louis XV, et Mme Marneffe lui coûtait cependant deux fois plus que ne lui avait coûté Josépha. Mais
Valérie, quoique toujours bien mise, affectait la simplicité
d'une femme mariée à un sous-chef ; elle gardait son luxe
pour ses robes de chambre, pour sa tenue à la maison.
Elle faisait ainsi le sacrifice de ses vanités de Parisienne
à son Hector chéri. Néanmoins, quand elle allait au spectacle, elle s'y montrait toujours avec un joli chapeau,

---

1. Selon A.-M. Meininger, il s'agit de La Martinière, premier chirurgien de Louis XV, qui, en raison des problèmes de santé du roi, lui
aurait conseillé de « dételer », donc de cesser les relations amoureuses
(Pléiade, p. 1291-1292, n. 3).

dans une toilette de la dernière élégance ; le baron l'y conduisait en voiture, dans une loge choisie.

L'appartement, qui occupait rue Vaneau tout le second étage d'un hôtel moderne sis entre cour et jardin, respirait l'honnêteté. Le luxe consistait en perses tendues, en beaux meubles bien commodes. La chambre à coucher, par exception, offrait les profusions étalées par les Jenny Cadine et les Schontz. C'était des rideaux en dentelle, des cachemires, des portières en brocart, une garniture de cheminée dont les modèles avaient été faits par Stidmann, un petit Dunkerque encombré de merveilles. Hulot n'avait pas voulu voir sa Valérie dans un nid inférieur en magnificence au bourbier d'or et de perles d'une Josépha. Les deux pièces principales, le salon et la salle à manger, avaient été meublées, l'une en damas rouge, et l'autre en bois de chêne sculpté. Mais, entraîné par le désir de mettre tout en harmonie, au bout de six mois, le baron avait ajouté le luxe solide au luxe éphémère, en offrant de grandes valeurs mobilières, comme par exemple une argenterie dont la facture dépassait vingt-quatre mille francs.

La maison de Mme Marneffe acquit en deux ans la réputation d'être très agréable. On y jouait. Valérie, elle-même, fut promptement signalée comme une femme aimable et spirituelle. On répandit le bruit, pour justifier son changement de situation, d'un immense legs que son *père naturel*, le maréchal Montcornet, lui avait transmis par un fidéicommis. Dans une pensée d'avenir, Valérie avait ajouté l'hypocrisie religieuse à son hypocrisie sociale. Exacte aux offices le dimanche, elle eut tous les honneurs de la piété. Elle quêta, devint dame de charité, rendit le pain bénit [1], et fit quelque bien dans le quartier, le tout aux dépens d'Hector. Tout chez elle se passait donc convenablement. Aussi, beaucoup de gens affirmaient-ils la pureté de ses relations avec le baron, en

---

1. *Rendre le pain bénit* : donner à l'Église le pain qui doit être bénit ; aller présenter ce pain à l'offrande.

objectant l'âge du conseiller d'État, à qui l'on prêtait un goût platonique pour la gentillesse d'esprit, le charme des manières, la conversation de Mme Marneffe, à peu près pareil à celui de feu Louis XVIII pour les billets bien tournés [1].

Le baron se retirait vers minuit avec tout le monde, et rentrait un quart d'heure après. Le secret de ce secret profond, le voici :

Les portiers de la maison étaient M. et Mme Olivier, qui, par la protection du baron, ami du propriétaire en quête d'un concierge, avaient passé de leur loge obscure et peu lucrative de la rue du Doyenné dans la productive et magnifique loge de la rue Vaneau. Or, Mme Olivier, ancienne lingère de la maison de Charles X, et tombée *de cette position* avec la monarchie légitime, avait trois enfants. L'aîné, déjà petit clerc de notaire, était l'objet de l'adoration des époux Olivier. Ce Benjamin [2], menacé d'être soldat pendant six ans, allait voir sa brillante carrière interrompue, lorsque Mme Marneffe le fit exempter du service militaire pour un de ces vices de conformation que les conseils de révision savent découvrir quand ils en sont priés à l'oreille par quelque puissance ministérielle. Olivier, ancien piqueur de Charles X, et son épouse, auraient donc remis Jésus en croix pour le baron Hulot, et pour Mme Marneffe.

Que pouvait dire le monde à qui l'antécédent du Brésilien, M. Montès de Montéjanos, était inconnu ? Rien. Le monde est d'ailleurs plein d'indulgence pour la maîtresse d'un salon où l'on s'amuse. Mme Marneffe ajoutait

---

1. Le roi Louis XVIII, qui était impuissant, était en effet condamné à des relations « platoniques » avec les femmes.
2. Dans l'Ancien Testament, Benjamin était le plus jeune fils de Jacob et de Rachel, dont la naissance coûta la vie à sa mère (Genèse, XXXV, 16-19). Il est considéré comme le fils préféré de Jacob car, lors de la famine qui sévit dans toute la région, Jacob envoie ses autres fils acheter du grain en Égypte, mais il garde Benjamin auprès de lui : « Il ne faut pas, se disait-il, qu'il lui arrive malheur » (Genèse, XLII, 4). Ici, le fils préféré est l'aîné.

enfin, à tous ses agréments, l'avantage bien prisé d'être une puissance occulte. Ainsi Claude Vignon, devenu secrétaire du maréchal prince de Wissembourg, et qui rêvait d'appartenir au Conseil d'État en qualité de maître des requêtes, était un habitué de ce salon, où vinrent quelques députés bons enfants et joueurs. La société de Mme Marneffe s'était composée avec une sage lenteur ; les agrégations ne s'y formaient qu'entre gens d'opinions et de mœurs conformes, intéressés à se soutenir, à proclamer les mérites infinis de la maîtresse de la maison. Le compérage, retenez cet axiome, est la vraie Sainte-Alliance à Paris. Les intérêts finissent toujours par se diviser, les gens vicieux s'entendent toujours.

Dès le troisième mois de son installation rue Vaneau, Mme Marneffe avait reçu M. Crevel, devenu tout aussitôt maire de son Arrondissement et officier de la Légion d'honneur. Crevel hésita longtemps : il s'agissait de quitter ce célèbre uniforme de garde national dans lequel il se pavanait aux Tuileries, en se croyant aussi militaire que l'Empereur ; mais l'ambition, conseillée par Mme Marneffe, fut plus forte que la vanité. Monsieur le maire avait jugé ses liaisons avec Mlle Héloïse Brisetout comme tout à fait incompatibles avec son attitude politique. Longtemps avant son avènement au trône bourgeois de la mairie, ses galanteries furent enveloppées d'un profond mystère. Mais Crevel, comme on le devine, avait payé le droit de prendre, aussi souvent qu'il le pourrait, sa revanche de l'enlèvement de Josépha, par une inscription de six mille francs de rente, au nom de Valérie Fortin, épouse séparée de biens du sieur Marneffe. Valérie, douée peut-être par sa mère du génie particulier à la femme entretenue, devina d'un seul coup d'œil le caractère de cet adorateur grotesque. Ce mot : « Je n'ai jamais eu de femme du monde ! » dit par Crevel à Lisbeth, et rapporté par Lisbeth à sa chère Valérie, avait été largement escompté dans la transaction à laquelle elle dut ses six mille francs de rente en cinq pour cent. Depuis, elle n'avait jamais laissé diminuer son prestige aux yeux de l'ancien commis voyageur de César Birotteau.

Crevel avait fait un mariage d'argent en épousant la fille d'un meunier de la Brie, fille unique d'ailleurs et dont les héritages entraient pour les trois quarts dans sa fortune, car les détaillants s'enrichissent, la plupart du temps, moins par les affaires que par l'alliance de la Boutique et de l'Économie rurale. Un grand nombre des fermiers, des meuniers, des nourrisseurs, des cultivateurs aux environs de Paris rêvent pour leurs filles les gloires du comptoir, et voient dans un détaillant, dans un bijoutier, dans un changeur, un gendre beaucoup plus selon leur cœur qu'un notaire ou qu'un avoué dont l'élévation sociale les inquiète ; ils ont peur d'être méprisés plus tard par ces sommités de la Bourgeoisie. Mme Crevel, femme assez laide, très vulgaire et sotte, morte à temps, n'avait pas donné d'autres plaisirs à son mari que ceux de la paternité. Or, au début de sa carrière commerciale, ce libertin enchaîné par les devoirs de son état et contenu par l'indigence, avait joué le rôle de Tantale. En rapport, selon son expression, avec les femmes les plus comme il faut de Paris, il les reconduisait avec des salutations de boutiquier en admirant leur grâce, leur façon de porter les modes, et tous les effets innommés de ce qu'on appelle *la race*. S'élever jusqu'à l'une de ces fées de salon était un désir conçu depuis sa jeunesse et comprimé dans son cœur. *Obtenir les faveurs* de Mme Marneffe fut donc non seulement pour lui l'animation de sa chimère, mais encore une affaire d'orgueil, de vanité, d'amour-propre, comme on l'a vu. Son ambition s'accrut par le succès. Il éprouva d'énormes jouissances de tête, et, lorsque la tête est prise, le cœur s'en ressent, le bonheur décuple. Mme Marneffe présenta d'ailleurs à Crevel des recherches qu'il ne soupçonnait pas, car ni Josépha ni Héloïse ne l'avaient aimé ; tandis que Mme Marneffe jugea nécessaire de bien tromper cet homme en qui elle voyait une caisse éternelle. Les tromperies de l'amour vénal sont plus charmantes que la réalité. L'amour vrai comporte des querelles de moineaux où l'on se blesse au vif ; mais la querelle pour rire est, au contraire, une caresse faite à l'amour-propre de la dupe. Ainsi, la rareté des entrevues maintenait chez Crevel le désir à l'état de passion. Il s'y heurtait toujours contre la dureté vertueuse de Valérie qui jouait le remords, qui parlait de ce que son père devait penser d'elle dans le paradis des braves. Il avait à vaincre une espèce de froideur de laquelle la fine commère lui faisait croire qu'il triomphait, elle paraissait céder à la passion folle de ce bourgeois ; mais elle reprenait, comme honteuse, son orgueil de femme décente et ses airs de vertu, ni plus ni moins qu'une Anglaise, et aplatissait toujours son Crevel sous le poids de sa dignité, car Crevel l'avait de prime abord avalée vertueuse. Enfin, Valérie possédait des spécialités de tendresse qui la rendaient indispensable à Crevel aussi bien qu'au baron. En présence du monde, elle offrait la réunion enchanteresse de la candeur pudique et rêveuse, de la décence irréprochable et de l'esprit rehaussé par la gentillesse, par la grâce, par les manières de la créole ; mais, dans le tête-à-tête, elle dépassait les courtisanes, elle y était drôle, amusante, fertile en inventions nouvelles. Ce contraste plaît énormément à l'individu du genre Crevel ; il est flatté d'être l'unique auteur de cette comédie, il la croit jouée à son seul profit, et il rit de cette délicieuse hypocrisie, en admirant la comédienne.

39

Le bel Hulot démantelé

Valérie s'était admirablement approprié le baron Hulot, elle l'avait obligé à vieillir par une de ces flatteries fines qui peuvent servir à peindre l'esprit diabolique de ces sortes de femmes. Chez les organisations privilégiées, il arrive un moment où, comme une place assiégée qui

fait longtemps bonne contenance, la situation vraie se
déclare. En prévoyant la dissolution prochaine du Beau
de l'Empire, Valérie jugea nécessaire de la hâter.
– « Pourquoi te gênes-tu, mon vieux grognard ? lui
dit-elle six mois après leur mariage clandestin et doublement adultère. Aurais-tu donc des prétentions ? voudrais-
tu m'être infidèle ? Moi, je te trouverai bien mieux si tu
ne te fardes plus. Fais-moi le sacrifice de tes grâces pos-
tiches. Crois-tu que c'est deux sous de vernis mis à tes
bottes, ta ceinture en caoutchouc, ton gilet de force et
ton faux toupet que j'aime en toi ? D'ailleurs, plus tu
seras vieux, moins j'aurai peur de me voir enlever mon
Hulot par une rivale ! » Croyant donc à l'amitié divine
autant qu'à l'amour de Mme Marneffe avec laquelle il
comptait finir sa vie, le conseiller d'État avait suivi ce
conseil privé en cessant de se teindre les favoris et les
cheveux. Après avoir reçu de Valérie cette touchante
déclaration, le grand et bel Hector se montra tout blanc
un beau matin. Mme Marneffe prouva facilement à son
cher Hector qu'elle avait cent fois vu la ligne blanche
formée par la pousse des cheveux.
– Les cheveux blancs vont admirablement à votre
figure, dit-elle en le voyant, ils l'adoucissent, vous êtes
infiniment mieux, vous êtes charmant.
Enfin le baron, une fois lancé dans ce chemin, ôta son
gilet de peau, son corset ; il se débarrassa de toutes ses
bricoles. Le ventre tomba, l'obésité se déclara. Le chêne
devint une tour, et la pesanteur des mouvements fut
d'autant plus effrayante, que le baron vieillissait prodigieusement en jouant le rôle de Louis XII [1]. Les sourcils
restèrent noirs et rappelèrent vaguement le bel Hulot,

---

1. Louis XII (1462-1515), qui n'avait eu que des filles de sa femme,
Anne de Bretagne, se remaria, après la mort de celle-ci, avec la jeune
Marie d'Angleterre (1496-1533), sœur du roi Henri VIII. Usé prématu-
rément, épuisé, dirent certains, par ses efforts pour procréer un fils,
héritier de la couronne, il mourut trois mois après ce mariage, le 1er janvier 1515, à l'âge de cinquante-trois ans, sans la descendance mâle qu'il
avait espérée.

comme dans quelques pans de murs féodaux un léger détail de sculpture demeure pour faire apercevoir ce que fut le château dans son beau temps. Cette discordance rendait le regard, vif et jeune encore, d'autant plus singulier dans ce visage bistré que, là où pendant si longtemps fleurirent des tons de chair à la Rubens, on voyait, par certaines meurtrissures et dans le sillon tendu de la ride, les efforts d'une passion en rébellion avec la nature [1]. Hulot fut alors une de ces belles ruines humaines où la virilité ressort par des espèces de buissons aux oreilles, au nez, aux doigts, en produisant l'effet des mousses poussées sur les monuments presque éternels de l'Empire romain.

Comment Valérie avait-elle pu maintenir Crevel et Hulot, côte à côte chez elle, alors que le vindicatif chef de bataillon voulait triompher bruyamment de Hulot ? Sans répondre immédiatement à cette question, qui sera résolue par le drame, on peut faire observer que Lisbeth et Valérie avaient inventé à elles deux une prodigieuse machine dont le jeu puissant aidait à ce résultat. Marneffe, en voyant sa femme embellie par le milieu dans lequel elle trônait, comme le soleil d'un système sidéral, paraissait, aux yeux du monde, avoir senti ses feux se rallumer pour elle, il en était devenu fou. Si cette jalousie faisait du sieur Marneffe un trouble-fête, elle donnait un prix extraordinaire aux faveurs de Valérie. Marneffe témoignait néanmoins une confiance en son directeur, qui dégénérait en une débonnaireté presque ridicule. Le seul personnage qui l'offusquât était précisément Crevel.

Marneffe, détruit par ces débauches particulières aux grandes capitales, décrites par les poètes romains, et pour lesquelles notre pudeur moderne n'a point de nom, était devenu hideux comme une figure anatomique en cire. Mais cette maladie ambulante, vêtue de beau drap,

---

1. « Les excès en toute chose poussent le corps dans la voie qui lui est propre », constate Balzac dans *Illusions perdues*.

balançait ses jambes en échalas dans un élégant pantalon. Cette poitrine desséchée se parfumait de linge blanc, et le musc éteignait les fétides senteurs de la pourriture humaine. Cette laideur du vice expirant et chaussé en talons rouges [1], car Valérie avait mis Marneffe en harmonie avec sa fortune, avec sa croix, avec sa place, épouvantait Crevel, qui ne soutenait pas facilement le regard des yeux blancs du sous-chef. Marneffe était le cauchemar du maire. En s'apercevant du singulier pouvoir que Lisbeth et sa femme lui avaient conféré, ce mauvais drôle s'en amusait, il en jouait comme d'un instrument ; et, les cartes de salon étant la dernière ressource de cette âme aussi usée que le corps, il plumait Crevel, qui se croyait obligé de *filer doux* avec le respectable fonctionnaire *qu'il trompait* !

En voyant Crevel si petit garçon avec cette hideuse et infâme momie, dont la corruption était pour le maire lettres closes, en le voyant surtout si profondément méprisé par Valérie, qui riait de Crevel comme on rit d'un bouffon, vraisemblablement le baron se croyait tellement à l'abri de toute rivalité, qu'il l'invitait constamment à dîner.

Valérie, protégée par ces deux passions en sentinelle à ses côtés et par un mari jaloux, attirait tous les regards, excitait tous les désirs, dans le cercle où elle rayonnait. Ainsi, tout en gardant les apparences, elle était arrivée, en trois ans environ, à réaliser les conditions les plus difficiles du succès que cherchent les courtisanes, et qu'elles accomplissent si rarement, aidées par le scandale, par leur audace et par l'éclat de leur vie au soleil. Comme un diamant bien taillé que Chanor aurait délicieusement serti, la beauté de Valérie, naguère enfouie dans la mine de la rue du Doyenné, valait plus que sa valeur, elle faisait des malheureux !... Claude Vignon aimait Valérie en secret.

---

1. *Talon rouge* : noble élégant du XVIIᵉ siècle, qui portait de hauts talons rouges. Par extension, personne élégante et aux belles manières.

Cette explication rétrospective, assez nécessaire quand on revoit les gens à trois ans d'intervalle, est comme le bilan de Valérie. Voici maintenant celui de son associée Lisbeth.

40

Une des sept plaies de Paris

La cousine Bette occupait dans la maison Marneffe la position d'une parente qui aurait cumulé les fonctions de dame de compagnie et de femme de charge ; mais elle ignorait les doubles humiliations qui, la plupart du temps, affligent les créatures assez malheureuses pour accepter ces positions ambiguës. Lisbeth et Valérie offraient le touchant spectacle d'une de ces amitiés si vives et si peu probables entre femmes [1], que les Parisiens, toujours trop spirituels, les calomnient aussitôt. Le contraste de la mâle et sèche nature [2] de la Lorraine avec la jolie nature créole de Valérie servit la calomnie. Mme Marneffe avait d'ailleurs, sans le savoir, donné du poids aux commérages par le soin qu'elle prit de son amie, dans un intérêt matrimonial qui devait, comme on va le voir, rendre complète la vengeance de Lisbeth. Une immense révolution s'était accomplie chez la cousine Bette ; Valérie qui voulut l'habiller, en avait tiré le plus grand parti. Cette singulière fille, maintenant soumise au corset, faisait fine taille,

---

1. Comme l'ont remarqué les commentateurs, l'amitié trouble qui unit Lisbeth et Valérie – Lisbeth jouissant par procuration à travers Valérie – constitue, à l'intérieur de *La Comédie humaine*, le pendant féminin du couple formé par Vautrin et Lucien de Rubempré.
2. Balzac insiste plus d'une fois sur le caractère masculin de Bette. Une virilité semblable et malsaine caractérise également d'autres héroïnes maléfiques de *La Comédie humaine* : Catherine Tonsard (*Les Paysans*), Mme Cibot (*Le Cousin Pons*), Mme Sauvage (*Le Cousin Pons*) et Mme de Saint-Estève (*Splendeurs et misères des courtisanes*).

consommait de la bandoline [1] pour sa chevelure lissée, acceptait ses robes telles que les lui livrait la couturière, portait des brodequins de choix et des bas de soie gris, d'ailleurs compris par les fournisseurs dans les mémoires de Valérie, et payés par qui de droit. Ainsi restaurée, toujours en cachemire jaune, Bette eût été méconnaissable à qui l'eût revue après ces trois années. Cet autre diamant noir, le plus rare des diamants, taillé par une main habile et monté dans le chaton qui lui convenait, était apprécié par quelques employés ambitieux à toute sa valeur. Qui voyait la Bette pour la première fois, frémissait involontairement à l'aspect de la sauvage poésie que l'habile Valérie avait su mettre en relief en cultivant par la toilette cette Nonne sanglante [2], en encadrant avec art par des bandeaux épais cette sèche figure olivâtre où brillaient des yeux d'un noir assorti à celui de la chevelure, en faisant valoir cette taille inflexible. Bette, comme une Vierge de Cranach et de Van Eyck, comme une Vierge byzantine, sorties de leurs cadres, gardait la roideur [3], la correction de ces figures mystérieuses, cousines germaines des Isis et des divinités mises en gaine par les sculpteurs égyptiens. C'était du granit, du basalte, du porphyre qui marchait [4].

---

1. Cosmétique fabriqué à partir des pépins de coing, utilisé pour aplatir et faire briller les cheveux.

2. Personnage de religieuse débauchée et criminelle dans le roman noir de Matthew Gregory Lewis, *Le Moine* (1795).

3. Balzac note à plusieurs reprises dans *La Comédie humaine* la raideur des vieilles filles. Dans *Le Curé de Tours*, il décrit ainsi la démarche de la sinistre Sophie Gamard : « D'une taille assez élevée, elle se tenait très droit, et justifiait l'observation d'un naturaliste qui a physiquement expliqué la démarche de toutes les vieilles filles en prétendant que leurs jointures se soudent. Elle marchait sans que le mouvement se distribuât également dans sa personne, de manière à produire ces ondulations si gracieuses, si attrayantes chez les femmes ; elle allait, pour ainsi dire, d'une seule pièce, en paraissant surgir, à chaque pas, comme la statue du Commandeur. »

4. Du point de vue social, intellectuel ou moral, il n'y a rien de commun entre Bette et les femmes à l'*esprit viril* de *La Comédie humaine* comme Dinah de La Baudray ou Félicité des Touches. Néanmoins, il est curieux de constater que Balzac fait des remarques semblables à propos de la sèche et maigre Bette et de la belle Félicité

À l'abri du besoin pour le reste de ses jours, la Bette était d'une humeur charmante, elle apportait avec elle la gaieté partout où elle allait dîner. Le baron payait d'ailleurs le loyer du petit appartement meublé, comme on le sait, de la défroque du boudoir et de la chambre de son amie Valérie. – Après avoir commencé, disait-elle, la vie en vraie chèvre affamée, je la finis en lionne. Elle continuait à confectionner les ouvrages les plus difficiles de la passementerie pour M. Rivet, seulement afin, disait-elle, de ne pas perdre son temps. Et cependant sa vie était, comme on va le voir, excessivement occupée ; mais il est dans l'esprit des gens venus de la campagne de ne jamais abandonner le gagne-pain, ils ressemblent aux juifs en ceci.

Tous les matins, la cousine Bette allait elle-même à la grande Halle, au petit jour, avec la cuisinière[1]. Dans le plan de la Bette, le livre de dépense, qui ruinait le baron Hulot, devait enrichir sa chère Valérie, et l'enrichissait effectivement.

Quelle est la maîtresse de maison qui n'a pas, depuis 1838[2], éprouvé les funestes résultats des doctrines antisociales répandues dans les classes inférieures par des écrivains incendiaires ? Dans tous les ménages, la plaie des

Camille Maupin. Dans *Béatrix*, celle-ci a le « teint olivâtre » ; son visage « ressemble à celui de quelque belle Isis des bas-reliefs éginétiques » ; on y retrouve « le granit de la statue égyptienne adoucie ». Le contraste entre la blonde Béatrix et la brune Félicité rappelle celui qui existe entre Hortense et Bette.

1. Dans *Splendeurs et misères des courtisanes*, de même, on voit Asie (en fait Jacqueline Collin, tante de Jacques Collin, autrement dit Vautrin), cuisinière admirable, faire ses courses elle-même à la Halle : « Elle ira tous les matins à la Halle elle-même, et se battra comme un démon qu'elle est, afin d'avoir les choses au plus juste prix. »

2. Il y eut, à partir de 1838, une multiplication de publications socialistes, qui inquiétèrent Balzac. Les doctrines républicaines et socialistes commencent à pénétrer en profondeur dans les couches populaires et à transformer les mentalités, ébranlant la confiance dans la paix sociale (voir l'ouvrage de Jean-Hervé Donnard, *Les Réalités économiques et sociales dans La Comédie humaine*, Armand Colin, 1961, p. 209-211, ainsi que la note très détaillée de Pléiade, p. 1294-1296).

domestiques est aujourd'hui la plus vive de toutes les plaies financières. À de très rares exceptions près, et qui mériteraient le prix Montyon [1], un cuisinier et une cuisinière sont des voleurs domestiques, des voleurs gagés, effrontés, de qui le gouvernement s'est complaisamment fait le receleur, en développant ainsi la pente au vol, presque autorisée chez les cuisinières par l'antique plaisanterie sur *l'anse du panier*. Là où ces femmes cherchaient autrefois quarante sous pour leur mise à la loterie, elles prennent aujourd'hui cinquante francs pour la caisse d'épargne. Et les froids puritains qui s'amusent à faire en France des expériences philanthropiques, croient avoir moralisé le peuple ! Entre la table des maîtres et le marché, les gens ont établi leur octroi secret, et la ville de Paris n'est pas si habile à percevoir ses droits d'entrée, qu'ils le sont à prélever les leurs sur toute chose. Outre les cinquante pour cent dont ils grèvent les provisions de bouche, ils exigent de fortes étrennes des fournisseurs. Les marchands les plus haut placés tremblent devant cette puissance occulte ; ils la soldent sans mot dire, tous : carrossiers, bijoutiers, tailleurs, etc. À qui tente de les surveiller, les domestiques répondent par des insolences, ou par les bêtises coûteuses d'une feinte maladresse ; ils prennent aujourd'hui des renseignements sur les maîtres, comme autrefois les maîtres en prenaient sur eux. Le mal, arrivé véritablement au comble, et contre lequel les tribunaux commencent à sévir, mais en vain, ne peut disparaître que par une loi qui astreindra les domestiques à gages au livret de l'ouvrier. Le mal cesserait alors comme par enchantement. Tout domestique étant tenu de produire son livret, et les maîtres étant obligés d'y consigner les causes du renvoi, la démoralisation rencontrerait certainement un frein puissant. Les gens occupés de la haute politique du

---

1. Ensemble de prix fondés en 1782 par le baron de Montyon : l'un d'eux, le prix de Vertu, était attribué chaque année par l'Académie française au « Français pauvre ayant accompli l'action la plus vertueuse » ; un autre récompensait l'ouvrage littéraire le plus utile aux mœurs.

moment ignorent jusqu'où va la dépravation des classes inférieures à Paris : elle est égale à la jalousie qui les dévore. La Statistique[1] est muette sur le nombre effrayant d'ouvriers de vingt ans qui épousent des cuisinières de quarante et de cinquante ans enrichies par le vol. On frémit en pensant aux suites d'unions pareilles au triple point de vue de la criminalité, de l'abâtardissement de la race et des mauvais ménages. Quant au mal purement financier produit par les vols domestiques, il est énorme au point de vue politique. La vie, ainsi renchérie du double, interdit le superflu dans beaucoup de ménages. Le superflu !... c'est la moitié du commerce des États, comme il est l'élégance de la vie. Les livres, les fleurs sont aussi nécessaires que le pain à beaucoup de gens.

Lisbeth, à qui cette affreuse plaie des maisons parisiennes était connue, pensait à diriger le ménage de Valérie, en lui promettant son appui dans la scène terrible où toutes deux elles s'étaient juré d'être comme deux sœurs. Donc elle avait attiré, du fond des Vosges, une parente du côté maternel, ancienne cuisinière de l'évêque de Nancy, vieille fille pieuse et d'une excessive probité. Craignant néanmoins son inexpérience à Paris, et surtout les mauvais conseils, qui gâtent tant de ces loyautés, si fragiles, Lisbeth accompagnait Mathurine à la grande Halle, et tâchait de l'habituer à savoir acheter. Connaître le véritable prix des choses pour obtenir le respect du vendeur, manger des mets sans actualité, comme le poisson, par exemple, quand ils ne sont pas chers, être au courant de la valeur des comestibles et en pressentir la hausse pour acheter en baisse, cet esprit de ménagère est, à Paris, le plus nécessaire à l'économie domestique. Comme Mathurine touchait de

---

1. Cette science, à l'époque très récente, était « alors fortement marquée à gauche et suspecte aux yeux de l'Église » ; Balzac n'avait pas hésité à l'utiliser dans sa *Physiologie du mariage* (1829) : voir Folio, 1972, p. 482, n. 1, ainsi que la note détaillée de l'édition Pléiade p. 1296-1297, n. 1, et J.-H. Donnard, *Balzac, les réalités économiques et sociales dans La Comédie humaine, op. cit.*

bons gages, qu'on l'accablait de cadeaux, elle aimait assez la maison pour être heureuse des bons marchés. Aussi depuis quelque temps rivalisait-elle avec Lisbeth, qui la trouvait assez formée, assez sûre, pour ne plus aller à la Halle que les jours où Valérie avait du monde, ce qui, par parenthèse, arrivait assez souvent. Voici pourquoi. Le baron avait commencé par garder le plus strict décorum ; mais sa passion pour Mme Marneffe était en peu de temps devenue si vive, si avide, qu'il désira la quitter le moins possible. Après y avoir dîné quatre fois par semaine, il trouva charmant d'y manger tous les jours. Six mois après le mariage de sa fille, il donna deux mille francs par mois à titre de pension. Mme Marneffe invitait les personnes que son cher baron désirait traiter. D'ailleurs, le dîner était toujours fait pour six personnes, le baron pouvait en amener trois à l'improviste. Lisbeth réalisa par son économie le problème extraordinaire d'entretenir splendidement cette table pour la somme de mille francs, et donner mille francs par mois à Mme Marneffe.

41

Espérances de la Cousine Bette

La toilette de Valérie étant payée largement par Crevel et par le baron, les deux amies trouvaient encore un billet de mille francs par mois sur cette dépense. Aussi cette femme si pure, si candide, possédait-elle alors environ cent cinquante mille francs d'économies. Elle avait accumulé ses rentes et ses bénéfices mensuels en les capitalisant et les grossissant de gains énormes dus à la générosité avec laquelle Crevel faisait participer le capital de *sa petite duchesse* au bonheur de ses opérations financières [1]. Crevel avait initié Valérie à l'argot et aux spéculations de la Bourse ; et, comme toutes les Parisiennes,

---

1. De même, dans *Splendeurs et misères des courtisanes*, Nucingen prélève la part d'Esther dans toutes ses affaires ; de même encore,

elle était promptement devenue plus forte que son maître. Lisbeth, qui ne dépensait pas un liard de ses douze cents francs, dont le loyer et la toilette étaient payés, qui ne sortait pas un sou de sa poche, possédait également un petit capital de cinq à six mille francs que Crevel lui faisait paternellement valoir.

L'amour du baron et celui de Crevel étaient néanmoins une rude charge pour Valérie. Le jour où le récit de ce drame recommence, excitée par l'un de ces événements qui font dans la vie l'office de la cloche aux coups de laquelle s'amassent les essaims, Valérie était montée chez Lisbeth pour s'y livrer à ces bonnes élégies, longuement parlées, espèces de cigarettes fumées à coups de langue, par lesquelles les femmes endorment les petites misères de leur vie.

– Lisbeth, mon amour, ce matin, deux heures de Crevel à faire, c'est bien assommant ! Oh ! comme je voudrais pouvoir t'y envoyer à ma place !

– Malheureusement cela ne se peut pas, dit Lisbeth en souriant. Je mourrai vierge.

– Être à ces deux vieillards ! il y a des moments où j'ai honte de moi ! Ah ! si ma pauvre mère me voyait !

– Tu me prends pour Crevel, répondit Lisbeth.

– Dis-moi, ma chère petite Bette, que tu ne me méprises pas ?...

– Ah ! si j'étais jolie, en aurais-je eu... des aventures ! s'écria Lisbeth. Te voilà justifiée.

– Mais tu n'aurais écouté que ton cœur, dit Mme Marneffe en soupirant.

– Bah ! répondit Lisbeth, Marneffe est un mort qu'on a oublié d'enterrer, le baron est comme ton mari, Crevel est ton adorateur ; je te vois, comme toutes les femmes, parfaitement en règle.

Balzac qui, voulant faire fructifier la somme que Mme Hanska lui avait confiée, la plaça dans des actions du chemin de fer du Nord dont la valeur se déprécia rapidement dans les derniers mois de 1846. Magnus est plus habile dans *Le Cousin Pons* : il investit dans le chemin de fer Paris-Orléans.

– Non, ce n'est pas là, chère adorable fille, d'où vient la douleur, tu ne veux pas m'entendre...

– Oh ! si !... s'écria la Lorraine, car le sous-entendu fait partie de ma vengeance. Que veux-tu ?... j'y travaille.

– Aimer Wenceslas à en maigrir, et ne pouvoir réussir à le voir ! dit Valérie en se détirant les bras ; Hulot lui propose de venir dîner ici, mon artiste refuse ! Il ne se sait pas idolâtré, ce monstre d'homme ! Qu'est-ce que sa femme ? de la jolie chair ! oui, elle est belle, mais moi, je me sens : je suis pire !

– Sois tranquille, ma petite fille, il viendra, dit Lisbeth du ton dont parlent les nourrices aux enfants qui s'impatientent, je le veux...

– Mais, quand ?

– Peut-être cette semaine.

– Laisse-moi t'embrasser.

Comme on le voit, ces deux femmes n'en faisaient qu'une ; toutes les actions de Valérie, même les plus étourdies, ses plaisirs, ses bouderies se décidaient après de mûres délibérations entre elles.

Lisbeth, étrangement émue de cette vie de courtisane, conseillait Valérie en tout, et poursuivait le cours de ses vengeances avec une impitoyable logique. Elle adorait d'ailleurs Valérie, elle en avait fait sa fille, son amie, son amour ; elle trouvait en elle l'obéissance des créoles, la mollesse de la voluptueuse ; elle babillait avec elle tous les matins avec bien plus de plaisir qu'avec Wenceslas, elles pouvaient rire de leurs communes malices, de la sottise des hommes, et recompter ensemble les intérêts grossissants de leurs trésors respectifs. Lisbeth avait d'ailleurs rencontré, dans son entreprise et dans son amitié nouvelle, une pâture à son activité bien autrement abondante que dans son amour insensé pour Wenceslas. Les jouissances de la haine satisfaite sont les plus ardentes, les plus fortes au cœur. L'amour est en quelque sorte l'or, et la haine est le fer de cette mine à sentiments qui gît en nous. Enfin Valérie offrait, dans toute sa gloire, à Lisbeth, cette beauté qu'elle adorait, comme on adore tout ce qu'on ne possède pas, beauté bien plus maniable que celle de Wenceslas qui, pour elle, avait toujours été froid et insensible.

Après bientôt trois ans, Lisbeth commençait à voir les progrès de la sape souterraine à laquelle elle consumait sa vie et dévouait son intelligence. Lisbeth pensait, Mme Marneffe agissait. Mme Marneffe était la hache, Lisbeth était la main qui la manie, et la main démolissait à coups pressés cette famille qui, de jour en jour, lui devenait plus odieuse, car on hait de plus en plus, comme on aime tous les jours davantage, quand on aime [1]. L'amour et la haine sont des sentiments qui s'alimentent par eux-mêmes ; mais, des deux, la haine a la vie la plus longue. L'amour a pour bornes des forces limitées, il tient ses pouvoirs de la vie et de la prodigalité ; la haine ressemble à la mort, à l'avarice, elle est en quelque sorte une abstraction active, au-dessus des êtres et des choses. Lisbeth, entrée dans l'existence qui lui était propre, y déployait toutes ses facultés ; elle régnait à la manière des jésuites, en puissance occulte [2]. Aussi la régénérescence de sa personne était-elle complète. Sa figure resplendissait [3]. Lisbeth rêvait d'être Mme la maréchale Hulot.

1. C'est précisément ce que dit Balzac dans ses lettres à Mme Hanska à propos de sa gouvernante, Mme de Brugnol : « il en est de mes répulsions comme de mes affections, ça va grandissant » (16 décembre 1845), et « de même que j'aime de plus en plus, je hais de plus en plus ; ma situation vis-à-vis de moi-même est intolérable. En voilà assez sur ce déplorable et ignoble sujet. N'en parlons plus jamais entre nous » (1ᵉʳ janvier 1846).
2. On reconnaît ici le thème, romantique et balzacien, du pouvoir caché, et la fascination romantique pour l'inquiétante figure du prêtre, en particulier du jésuite, à laquelle est associée ici la cousine Bette : « Le rôle de Bette se comprend mieux si on voit en elle le chef de la cohorte féminine, l'organisateur d'une puissance nouvelle et effrayante, clandestine comme celle des jésuites », note Nicole Mozet (*Balzac au pluriel, op. cit.,* p. 150).
3. La haine triomphante de Bette donne lieu ici à une sorte de « transfiguration » paradoxale, qui rappelle, en l'inversant et en la subvertissant, la transfiguration du Christ dans l'Évangile, lorsqu'il apparaît à ses disciples sur la montagne comme un être totalement lumineux, totalement habité par l'Esprit de Dieu, comme Dieu lui-

Cette scène où les deux amies se disaient crûment leurs moindres pensées sans prendre de détours dans l'expression, avait lieu précisément au retour de la Halle, où Lisbeth était allée préparer les éléments d'un dîner fin. Marneffe, qui convoitait la place de M. Coquet, le recevait avec la vertueuse Mme Coquet, et Valérie espérait faire traiter de la démission du chef de bureau par Hulot le soir même. Lisbeth s'habillait pour se rendre chez la baronne, où elle dînait.

– Tu nous reviendras pour servir le thé, ma Bette ? dit Valérie.

– Je l'espère…

– Comment, tu l'espères ? en serais-tu venue à coucher avec Adeline pour boire ses larmes pendant qu'elle dort ?

– Si cela se pouvait ! répondit Lisbeth en riant, je ne dirais pas non. Elle expie son bonheur, je suis heureuse, je me souviens de mon enfance. Chacun son tour. Elle sera dans la boue, et moi ! je serai comtesse de Forzheim [1] !…

42

À quelles extrémités les libertins réduisent leurs femmes légitimes

Lisbeth se dirigea vers la rue Plumet, où elle allait depuis quelque temps, comme on va au spectacle, pour s'y repaître d'émotions.

---

même fait homme (Matthieu, XVII, 1-8 ; Marc, IX, 2-8 ; Luc, IX, 28-36). Le Mal singe Dieu, c'est bien connu… Par ailleurs, on avait déjà vu un tel orgasme de haine chez la hideuse Sophie Gamard dans *Le Curé de Tours*, lorsque la spoliation du pauvre abbé Birotteau est achevée et qu'elle voit sa victime anéantie : « Et Mlle Gamard parut grandir, et ses yeux brillèrent encore, et son visage s'épanouit, et toute sa personne frissonna de plaisir. »

1. Voir, en annexe, la note insérée ici par Balzac lors de la publication du roman en feuilleton dans *Le Constitutionnel*.

L'appartement choisi par Hulot pour sa femme consistait en une grande et vaste antichambre, un salon et une chambre à coucher, avec cabinet de toilette. La salle à manger était latéralement contiguë au salon. Deux chambres de domestique et une cuisine, situées au troisième étage, complétaient ce logement, digne encore d'un conseiller d'État, directeur à la Guerre. L'hôtel, la cour et l'escalier étaient majestueux. La baronne, obligée de meubler son salon, sa chambre et la salle à manger avec les reliques de sa splendeur, avait pris le meilleur dans les débris de l'hôtel, rue de l'Université. La pauvre femme aimait d'ailleurs ces muets témoins de son bonheur qui, pour elle, avaient une éloquence quasi consolante. Elle entrevoyait dans ses souvenirs des fleurs comme elle voyait sur ses tapis des rosaces à peine visibles pour les autres.

En entrant dans la vaste antichambre où douze chaises, un baromètre et un grand poêle, de longs rideaux en calicot blanc bordé de rouge, rappelaient les affreuses antichambres des Ministères, le cœur se serrait ; on pressentait la solitude dans laquelle vivait cette femme. La douleur, de même que le plaisir, se fait une atmosphère. Au premier coup d'œil jeté sur un intérieur, on sait qui y règne de l'amour ou du désespoir. On trouvait Adeline dans une immense chambre à coucher, meublée des beaux meubles de Jacob Desmalters [1], en acajou moucheté garni des ornements de l'Empire, ces bronzes qui ont trouvé le moyen d'être plus froids que les cuivres de Louis XVI ! Et l'on frissonnait en voyant cette femme assise sur un fauteuil romain, devant les sphinx d'une travailleuse, ayant perdu ses couleurs, affectant une

---

1. François Honoré Georges Jacob-Desmalter (1770-1841) : ébéniste français, formé dans l'atelier de son père Georges Jacob. Il créa deux styles très différents, qui ne peuvent être confondus : le style Empire, rectiligne, sombre, aux lignes épurées, met en valeur des bronzes de grande qualité sur fond d'acajou brun, alors que celui de la Restauration, plus doux, courbe et chaud, remet à la mode la marqueterie de citronnier ou d'ébène sur fond d'érable ou d'if.

gaieté menteuse, conservant son air impérial, comme elle savait conserver la robe de velours bleu qu'elle mettait chez elle. Cette âme fière soutenait le corps et maintenait la beauté. La baronne, à la fin de la première année de son exil dans cet appartement, avait mesuré le malheur dans toute son étendue. – En me reléguant là, mon Hector m'a fait la vie encore plus belle qu'elle ne devait l'être pour une simple paysanne, se dit-elle. Il me veut ainsi : que sa volonté soit faite ! Je suis la baronne Hulot, la belle-sœur d'un maréchal de France, je n'ai pas commis la moindre faute, mes deux enfants sont établis, je puis attendre la mort, enveloppée dans les voiles immaculés de ma pureté d'épouse, dans le crêpe de mon bonheur évanoui.

Le portrait de Hulot, peint par Robert Lefebvre [1] en 1810, dans l'uniforme de commissaire ordonnateur de la Garde impériale, s'étalait au-dessus de la travailleuse, où, à l'annonce d'une visite, Adeline serrait une *Imitation de Jésus-Christ* [2], sa lecture habituelle. Cette Madeleine irréprochable écoutait aussi la voix de l'Esprit-Saint dans son désert [3].

– Mariette, ma fille, dit Lisbeth à la cuisinière qui vint lui ouvrir la porte, comment va ma bonne Adeline ?...

---

1. Ce célèbre portraitiste de l'Empire (1755-1830) représenta Napoléon, Joséphine et plusieurs membres de la famille Bonaparte, puis de la famille royale sous la Restauration. « Un portrait de Lefebvre était la marque de la réussite sous l'Empire ; dans le salon de la baronne, il témoigne donc des splendeurs passées » (Pléiade, p. 1298, p. 203, n. 1).

2. *L'Imitation de Jésus-Christ* est un ouvrage anonyme écrit en latin vers la fin du XIVe ou au début du XVe siècle, aujourd'hui attribué à Thomas a Kempis, moine allemand ayant vécu dans un monastère hollandais. Cette œuvre majeure de la dévotion chrétienne entend aider le chrétien à imiter le Christ dans toute sa vie, et à pratiquer, en particulier, l'humilité, la résignation et la charité.

3. Madeleine est la figure de la pécheresse repentie dans la religion chrétienne. Au Salon de 1845, le peintre Eugène Delacroix avait présenté un admirable portrait de *Madeleine au désert* (Paris, musée Delacroix), qu'il présentera de nouveau à l'Exposition universelle de 1855, et qui sera chaleureusement commenté par Baudelaire.

– Oh ! bien, en apparence, mademoiselle ; mais, entre nous, si elle persiste dans ses idées, elle se tuera, dit Mariette à l'oreille de Lisbeth. Vraiment, vous devriez l'engager à vivre mieux. D'hier, Madame m'a dit de lui donner le matin pour deux sous de lait et un petit pain d'un sou ; de lui servir à dîner soit un hareng, soit un peu de veau froid, en en faisant cuire une livre pour la semaine, bien entendu lorsqu'elle dînera seule, ici… Elle veut ne dépenser que dix sous par jour pour sa nourriture. Cela n'est pas raisonnable. Si je parlais de ce beau projet à M. le maréchal, il pourrait se brouiller avec M. le baron et le déshériter ; au lieu que vous, qui êtes si bonne et si fine, vous saurez arranger les choses…

– Eh bien ! pourquoi ne vous adressez-vous pas à mon cousin ? dit Lisbeth.

– Ah ! ma chère demoiselle, il y a bien environ vingt à vingt-cinq jours qu'il n'est venu, enfin tout le temps que nous sommes restées sans vous voir ! D'ailleurs, Madame m'a défendu, sous peine de renvoi, de jamais demander de l'argent à Monsieur. Mais quant à de la peine… ah ! la pauvre Madame en a eu ! C'est la première fois que Monsieur l'oublie si longtemps… Chaque fois qu'on sonnait, elle s'élançait à la fenêtre… mais, depuis cinq jours, elle ne quitte plus son fauteuil. Elle lit ! Chaque fois qu'elle va chez Mme la comtesse, elle me dit : « Mariette, qu'elle dit, si Monsieur vient, dites que je suis dans la maison, et envoyez-moi le portier ; il aura sa course bien payée ! »

– Pauvre cousine ! dit Bette, cela me fend le cœur. Je parle d'elle à mon cousin tous les jours. Que voulez-vous ? Il dit : « Tu as raison, Bette, je suis un misérable ; ma femme est un ange, et je suis un monstre : j'irai demain… » Et il reste chez Mme Marneffe ; cette femme le ruine et il l'adore ; il ne vit que près d'elle. Moi, je fais ce que je peux ! Si je n'étais pas là, si je n'avais pas avec moi Mathurine, le baron aurait dépensé le double ; et, comme il n'a presque plus rien, il se serait déjà peut-être brûlé la cervelle. Eh bien ! Mariette, voyez-vous, Adeline mourrait de la mort de son mari, j'en suis sûre. Au moins je tâche de nouer là les deux bouts, et d'empêcher que mon cousin ne mange trop d'argent...

– Ah ! c'est ce que dit la pauvre Madame ; elle connaît bien ses obligations envers vous, répondit Mariette ; elle disait vous avoir pendant longtemps mal jugée...

– Ah ! fit Lisbeth. Elle ne vous a pas dit autre chose ?

– Non, mademoiselle. Si vous voulez lui faire plaisir, parlez-lui de Monsieur ; elle vous trouve heureuse de le voir tous les jours.

– Est-elle seule ?

– Faites excuse, le maréchal y est. Oh ! il vient tous les jours, et elle lui dit toujours qu'elle a vu Monsieur le matin, qu'il rentre la nuit fort tard.

– Et y a-t-il un bon dîner, aujourd'hui ?... demanda Bette.

Mariette hésitait à répondre, elle soutenait mal le regard de la Lorraine, quand la porte du salon s'ouvrit, et le maréchal Hulot sortit si précipitamment, qu'il salua Bette sans la regarder, et laissa tomber des papiers. Bette ramassa ces papiers et courut dans l'escalier, car il était inutile de crier après un sourd ; mais elle s'y prit de manière à ne pas pouvoir rejoindre le maréchal, elle revint et lut furtivement ce qui suit écrit au crayon :

> Mon cher frère, mon mari m'a donné l'argent de la dépense pour le trimestre ; mais ma fille Hortense en a eu si grand besoin, que je lui ai prêté la somme entière, qui suffisait à peine à sortir d'embarras. Pouvez-vous me prêter quelques cents francs, car je ne veux pas redemander de l'argent à Hector ; un reproche de lui me ferait trop de peine.

– Ah ! pensa Lisbeth, pour qu'elle ait fait plier à ce point son orgueil, dans quelle extrémité se trouve-t-elle donc ?

43

La famille attristée

Lisbeth entra, surprit Adeline en pleurs et lui sauta au cou.

— Adeline, ma chère enfant, je sais tout ! dit la cousine Bette. Tiens, le maréchal a laissé tomber ce papier, tant il était troublé, car il courait comme un lévrier... Cet affreux Hector ne t'a pas donné d'argent depuis ?...

— Il m'en donne fort exactement, répondit la baronne ; mais Hortense en a eu besoin, et...

— Et tu n'avais pas de quoi nous donner à dîner, dit Bette en interrompant sa cousine. Maintenant je comprends l'air embarrassé de Mariette à qui je parlais de la soupe. Tu fais l'enfant, Adeline ! tiens, laisse-moi te donner mes économies.

— Merci, ma bonne Bette, répondit Adeline en essuyant une larme. Cette petite gêne n'est que momentanée, et j'ai pourvu à l'avenir. Mes dépenses seront désormais de deux mille quatre cents francs par an, y compris le loyer, et je les aurai. Surtout, Bette, pas un mot à Hector. Va-t-il bien ?

— Oh ! comme le Pont-Neuf ! il est gai comme un pinson, il ne pense qu'à sa sorcière de Valérie.

Mme Hulot regardait un grand pin argenté qui se trouvait dans le champ de sa fenêtre, et Lisbeth ne put rien lire de ce que pouvaient exprimer les yeux de sa cousine.

— Lui as-tu dit que c'était le jour où nous dînions tous ici ?

— Oui, mais bah ! Mme Marneffe donne un grand dîner, elle espère traiter de la démission de M. Coquet ! et cela passe avant tout ! Tiens, Adeline, écoute-moi : tu connais mon caractère féroce à l'endroit de l'indépendance. Ton mari, ma chère, te ruinera certainement. J'ai cru pouvoir vous être utile à tous chez cette femme, mais c'est une créature d'une dépravation sans bornes, elle obtiendra de ton mari des choses à le mettre dans le cas de vous déshonorer tous.

Adeline fit le mouvement d'une personne qui reçoit un coup de poignard dans le cœur.

– Mais, ma chère Adeline, j'en suis sûre. Il faut bien que j'essaie de t'éclairer. Eh bien ! songeons à l'avenir ! le maréchal est vieux, mais il ira loin, il a un beau traitement ; sa veuve, s'il mourait, aurait une pension de six mille francs. Avec cette somme, moi, je me chargerais de vous faire vivre tous ! Use de ton influence sur le bonhomme pour nous marier. Ce n'est pas pour être Mme la maréchale, je me soucie de ces sornettes comme de la conscience de Mme Marneffe ; mais vous aurez tous du pain. Je vois qu'Hortense en manque, puisque tu lui donnes le tien.

Le maréchal se montra, le vieux soldat avait fait si rapidement la course, qu'il s'essuyait le front avec son foulard.

– J'ai remis deux mille francs à Mariette, dit-il à l'oreille de sa belle-sœur.

Adeline rougit jusque dans la racine de ses cheveux. Deux larmes bordèrent ses cils encore longs, et elle pressa silencieusement la main du vieillard dont la physionomie exprimait le bonheur d'un amant heureux.

– Je voulais, Adeline, vous faire avec cette somme un cadeau, dit-il en continuant ; au lieu de me la rendre, vous vous choisirez vous-même ce qui vous plaira le mieux.

Il vint prendre la main que lui tendit Lisbeth, et il la baisa, tant il était distrait par son plaisir.

– Cela promet, dit Adeline à Lisbeth en souriant autant qu'elle pouvait sourire.

En ce moment, Hulot jeune et sa femme arrivèrent.

– Mon frère dîne avec nous ? demanda le maréchal d'un ton bref.

Adeline prit un crayon et mit sur un petit carré de papier ces mots :

« Je l'attends, il m'a promis ce matin de dîner ici ; mais s'il ne venait pas, le maréchal l'aurait retenu, car il est accablé d'affaires. »

Et elle présenta le papier. Elle avait inventé ce mode de conversation pour le maréchal, et une provision de petits carrés de papier était placée avec un crayon sur sa travailleuse.

– Je sais, répondit le maréchal, qu'il est accablé de travail à cause de l'Algérie.

Hortense et Wenceslas entrèrent en ce moment, et, en voyant sa famille autour d'elle, la baronne reporta sur le maréchal un regard dont la signification ne fut comprise que par Lisbeth.

Le bonheur avait considérablement embelli l'artiste adoré par sa femme et cajolé par le monde. Sa figure était devenue presque pleine, sa taille élégante faisait ressortir les avantages que le sang donne à tous les vrais gentilshommes. Sa gloire prématurée, son importance, les éloges trompeurs que le monde jette aux artistes, comme on se dit bonjour ou comme on parle du temps, lui donnaient cette conscience de sa valeur, qui dégénère en fatuité quand le talent s'en va. La croix de la Légion d'honneur complétait à ses propres yeux, le grand homme qu'il croyait être.

Après trois ans de mariage, Hortense était avec son mari comme un chien avec son maître, elle répondait à tous ses mouvements par un regard qui ressemblait à une interrogation, elle tenait toujours les yeux sur lui, comme un avare sur son trésor, elle attendrissait par son abnégation admiratrice. On reconnaissait en elle le génie et les conseils de sa mère. Sa beauté, toujours la même, était alors altérée, poétiquement, d'ailleurs, par les ombres douces d'une mélancolie cachée.

En voyant entrer sa cousine, Lisbeth pensa que la plainte, contenue pendant longtemps, allait rompre la faible enveloppe de la discrétion. Lisbeth, dès les premiers jours de la lune de miel, avait jugé que le jeune ménage avait de trop petits revenus pour une si grande passion.

Hortense, en embrassant sa mère, échangea de bouche à oreille, et de cœur à cœur, quelques phrases dont le secret fut trahi, pour Bette, par leurs hochements de tête.

– Adeline va, comme moi, travailler pour vivre, pensa la cousine Bette. Je veux qu'elle me mette au courant de ce qu'elle fera... Ces jolis doigts sauront donc enfin comme les miens ce que c'est que le travail forcé.

À six heures, la famille passa dans la salle à manger. Le couvert d'Hector était mis.

– Laissez-le ! dit la baronne à Mariette ; Monsieur vient quelquefois tard.

– Oh ! mon père viendra, dit Hulot fils à sa mère ; il me l'a promis à la Chambre en nous quittant.

44

Le dîner

Lisbeth, de même qu'une araignée [1] au centre de sa toile, observait toutes les physionomies. Après avoir vu naître Hortense et Victorin, leurs figures étaient pour elle comme des glaces à travers lesquelles elle lisait dans ces jeunes âmes. Or, à certains regards jetés à la dérobée par

---

1. Lisbeth Fisher, déjà animalisée par le diminutif de « Bette », ainsi que par le surnom « la Chèvre » qu'on lui donne dans le clan Hulot, est à présent comparée à une araignée qui tisse sa toile. On sait combien le bestiaire balzacien est riche et inventif et combien les images animales, omniprésentes, contribuent à la vision dégradée des personnages. On a souligné, à ce propos, la parenté entre l'imaginaire balzacien et celui de Grandville (1803-1847), dessinateur et caricaturiste fréquenté par Balzac, auteur, notamment, des *Métamorphoses du jour* (1829), série de scènes où il donnait une tête animale à tous ses personnages. Au sujet du bestiaire balzacien, voir notamment les commentaires très suggestifs d'Anne-Marie Baron, dans *Balzac ou l'Auguste Mensonge*, *op. cit.*, p. 175-189 (« Un bestiaire fantasmatique »).

Victorin sur sa mère, elle reconnut quelque malheur près de fondre sur Adeline, et que Victorin hésitait à révéler. Le jeune et célèbre avocat était triste en dedans. Sa profonde vénération pour sa mère éclatait dans la douleur avec laquelle il la contemplait. Hortense, elle, était évidemment occupée de ses propres chagrins ; et, depuis quinze jours, Lisbeth savait qu'elle éprouvait les premières inquiétudes que le manque d'argent cause aux gens probes, aux jeunes femmes à qui la vie a toujours souri et qui déguisent leurs angoisses. Aussi, dès le premier moment, la cousine Bette devina-t-elle que la mère n'avait rien donné à sa fille. La délicate Adeline était donc descendue aux fallacieuses paroles que le besoin suggère aux emprunteurs. La préoccupation d'Hortense, celle de son frère, la profonde mélancolie de la baronne rendirent le dîner triste, surtout si l'on se représente le froid que jetait déjà la surdité du vieux maréchal. Trois personnes animaient la scène, Lisbeth, Célestine et Wenceslas. L'amour d'Hortense avait développé chez l'artiste l'animation polonaise, cette vivacité d'esprit gascon, cette aimable turbulence qui distingue ces Français du Nord. Sa situation d'esprit, sa physionomie disaient assez qu'il croyait en lui-même, et que la pauvre Hortense, fidèle aux conseils de sa mère, lui cachait tous les tourments domestiques.

– Tu dois être bien heureuse, dit Lisbeth à sa petite cousine en sortant de table, ta maman t'a tirée d'affaire en te donnant son argent.

– Maman ! répondit Hortense étonnée. Oh ! pauvre maman, moi qui pour elle voudrais en faire, de l'argent ! Tu ne sais pas, Lisbeth, eh bien ! j'ai le soupçon affreux qu'elle travaille en secret.

On traversait alors le grand salon obscur, sans flambeaux, en suivant Mariette qui portait la lampe de la salle à manger dans la chambre à coucher d'Adeline. En ce moment, Victorin toucha le bras de Lisbeth et d'Hortense ; toutes deux comprenant la signification de ce geste laissèrent Wenceslas, Célestine, le maréchal et la baronne aller dans la chambre à coucher, et restèrent groupés à l'embrasure d'une fenêtre.

– Qu'y a-t-il, Victorin ? dit Lisbeth. Je parie que c'est quelque désastre causé par ton père

– Hélas ! oui, répondit Victorin. Un usurier, nommé Vauvinet, a pour soixante mille francs de lettres de change de mon père, et veut le poursuivre ! J'ai voulu parler de cette déplorable affaire à mon père à la Chambre, il n'a pas voulu me comprendre, il m'a presque évité. Faut-il prévenir notre mère ?

– Non, non, dit Lisbeth, elle a trop de chagrins, tu lui donnerais le coup de la mort, il faut la ménager. Vous ne savez pas où elle en est ; sans votre oncle, vous n'eussiez pas trouvé de dîner ici aujourd'hui.

– Ah ! mon Dieu, Victorin, nous sommes des monstres, dit Hortense à son frère, Lisbeth nous apprend ce que nous aurions dû deviner. Mon dîner m'étouffe !

Hortense n'acheva pas, elle mit son mouchoir sur sa bouche pour prévenir l'éclat d'un sanglot, elle pleurait.

– J'ai dit à ce Vauvinet de venir me voir demain, reprit Victorin en continuant ; mais se contentera-t-il de ma garantie hypothécaire ? Je ne le crois pas. Ces gens-là veulent de l'argent comptant pour en faire suer des escomptes usuraires.

– Vendons notre rente ! dit Lisbeth à Hortense.

– Qu'est-ce que ce serait ? quinze ou seize mille francs, répliqua Victorin, il en faut soixante.

– Chère cousine ! s'écria Hortense en embrassant Lisbeth avec l'enthousiasme d'un cœur pur.

– Non, Lisbeth, gardez votre petite fortune, dit Victorin après avoir serré la main de la Lorraine. Je verrai demain ce que cet homme a dans son sac. Si ma femme y consent, je saurai empêcher, retarder les poursuites ; car, voir attaquer la considération de mon père !... ce serait affreux. Que dirait le ministre de la Guerre ? Les appointements de mon père, engagés depuis trois ans, ne seront libres qu'au mois de décembre ; on ne peut donc pas les offrir en garantie. Ce Vauvinet a renouvelé onze fois les lettres de change ; ainsi jugez des sommes que mon père a payées en intérêts ! il faut fermer ce gouffre.

— Si Mme Marneffe pouvait le quitter, dit Hortense avec amertume.

— Ah ! Dieu nous en préserve ! dit Victorin. Mon père irait peut-être ailleurs, et là, les frais les plus dispendieux sont déjà faits.

Quel changement chez ces enfants naguère si respectueux, et que la mère avait maintenus si longtemps dans une adoration absolue de leur père ! ils l'avaient déjà jugé.

— Sans moi, reprit Lisbeth, votre père serait encore plus ruiné qu'il ne l'est.

— Rentrons, dit Hortense, maman est fine, et elle se douterait de quelque chose, et, comme dit notre bonne Lisbeth, cachons-lui tout, soyons gais !

— Victorin, vous ne savez pas où vous conduira votre père avec son goût pour les femmes, dit Lisbeth. Pensez à vous assurer des revenus en me mariant avec le maréchal, vous devriez lui en parler tous ce soir, je partirai de bonne heure exprès.

Victorin entra dans la chambre.

— Eh bien ! ma pauvre petite, dit Lisbeth tout bas à sa petite cousine, et toi, comment feras-tu ?

— Viens dîner avec nous demain, nous causerons, répondit Hortense. Je ne sais où donner de la tête ; toi, tu te connais aux difficultés de la vie, tu me conseilleras.

Pendant que toute la famille réunie essayait de prêcher le mariage au maréchal, et que Lisbeth revenait rue Vaneau, il y arrivait un de ces événements qui stimulent chez les femmes comme Mme Marneffe l'énergie du vice en les obligeant à déployer toutes les ressources de la perversité. Reconnaissons au moins ce fait constant : à Paris, la vie est trop occupée pour que les gens vicieux fassent le mal par instinct, ils se défendent à l'aide du vice contre les agressions, voilà tout.

45

Un revenant à revenu

Mme Marneffe, dont le salon était rempli de ses fidèles, avait mis les parties de whist en train, lorsque le valet de chambre, un militaire retraité racolé par le baron, annonça : « M. le baron Montès de Montéjanos. » Valérie reçut au cœur une violente commotion, mais elle s'élança vivement vers la porte en criant : « Mon cousin !... » Et, arrivée au Brésilien, elle lui glissa dans l'oreille ce mot : « Sois mon parent, ou tout est fini entre nous ! »

– Eh bien ! reprit-elle à haute voix en amenant le Brésilien à la cheminée, Henri, tu n'as donc pas fait naufrage comme on me l'a dit, je t'ai pleuré trois ans...

– Bonjour, mon ami, dit M. Marneffe en tendant la main au Brésilien dont la tenue était celle d'un vrai Brésilien millionnaire.

M. le baron Henri Montès de Montéjanos, doué par le climat équatorial du physique et de la couleur que nous prêtons tous à l'Othello du théâtre, effrayait par un air sombre, effet purement plastique ; car son caractère, plein de douceur et de tendresse, le prédestinait à l'exploitation que les faibles femmes pratiquent sur les hommes forts. Le dédain qu'exprimait sa figure, la puissance musculaire dont témoignait sa taille bien prise, toutes ses forces ne se déployaient qu'envers les hommes, flatterie adressée aux femmes et qu'elles savourent avec tant d'ivresse que les gens qui donnent le bras à leurs maîtresses ont tous des airs de matamore tout à fait réjouissants. Superbement dessiné par un habit bleu à boutons en or massif, par son pantalon noir, chaussé de bottes fines d'un vernis irréprochable, ganté selon l'ordonnance, le baron n'avait de brésilien qu'un gros diamant d'environ cent mille francs qui brillait comme une étoile sur une somptueuse cravate de soie bleue,

encadrée par un gilet blanc entrouvert de manière à laisser voir une chemise de toile d'une finesse fabuleuse. Le
front, busqué comme celui d'un satyre, signe d'entêtement dans la passion, était surmonté d'une chevelure de
jais, touffue comme une forêt vierge, sous laquelle scintillaient deux yeux clairs, fauves à faire croire que la mère
du baron avait eu peur, étant grosse de lui, de quelque
jaguar.

Ce magnifique exemplaire de la race portugaise au
Brésil, se campa le dos à la cheminée dans une pose qui
décelait des habitudes parisiennes ; et, le chapeau d'une
main, le bras appuyé sur le velours de la tablette, il se
pencha vers Mme Marneffe pour causer à voix basse avec
elle, en se souciant fort peu des affreux bourgeois qui,
dans son idée, encombraient mal à propos le salon.

Cette entrée en scène, cette pose, et l'air du Brésilien
déterminèrent deux mouvements de curiosité mêlée
d'angoisse, identiquement pareils chez Crevel et chez le
baron. Ce fut chez tous deux la même expression, le
même pressentiment. Aussi la manœuvre inspirée à ces
deux passions réelles, devint-elle si comique par la simul-
tanéité de cette gymnastique, qu'elle fit sourire les gens
d'assez d'esprit pour y voir une révélation. Crevel, toujours bourgeois et boutiquier en diable, quoique maire
de Paris, resta malheureusement en position plus longtemps que son collaborateur, et le baron put saisir au
passage la révélation involontaire de Crevel. Ce fut un
trait de plus dans le cœur du vieillard amoureux qui résolut d'avoir une explication avec Valérie.

— Ce soir, se dit également Crevel en arrangeant ses
cartes, il faut en finir...

— *Vous avez du cœur !...* lui cria Marneffe, et vous
venez d'y renoncer.

— Ah ! pardon, répondit Crevel en voulant reprendre
sa carte. Ce baron-là me semble de trop, continuait-il en
se parlant à lui-même. Que Valérie vive avec mon baron
à moi, c'est ma vengeance, et je sais le moyen de m'en
débarrasser : mais ce cousin-là !... c'est un baron de trop,

je ne veux pas être *jobardé*[1], je veux savoir de quelle manière il est son parent !

Ce soir-là, par un de ces bonheurs qui n'arrivent qu'aux jolies femmes, Valérie était délicieusement mise. Sa blanche poitrine étincelait serrée dans une guipure[2] dont les tons roux faisaient valoir le satin mat de ces belles épaules des Parisiennes, qui savent (par quels procédés, on l'ignore !) avoir de belles chairs et rester sveltes. Vêtue d'une robe de velours noir qui semblait à chaque instant près de quitter ses épaules, elle était coiffée en dentelle mêlée à des fleurs à grappes. Ses bras, à la fois mignons et potelés, sortaient de manches à sabots fourrées de dentelles. Elle ressemblait à ces beaux fruits coquettement arrangés dans une belle assiette et qui donnent des démangeaisons à l'acier du couteau.

— Valérie, disait le Brésilien à l'oreille de la jeune femme, je te reviens fidèle ; mon oncle est mort, et je suis deux fois plus riche que je ne l'étais à mon départ. Je veux vivre et mourir à Paris, près de toi et pour toi.

— Plus bas, Henri ! de grâce !

— Ah ! bah ! dussé-je jeter tout ce monde par la croisée, je veux te parler ce soir, surtout après avoir passé deux jours à te chercher. Je resterai le dernier, n'est-ce pas ?

Valérie sourit à son prétendu cousin et lui dit : « Songez que vous devez être le fils d'une sœur de ma mère qui, pendant la campagne de Junot en Portugal[3], aurait épousé votre père. »

---

1. L'adjectif et nom *jobard*, daté de 1832 selon le Robert, signifie « crédule jusqu'à la bêtise », « niais ». Le verbe *jobarder*, daté de 1840, signifie « duper », « tromper » (comme on abuse un jobard). Les italiques soulignent le caractère récent du terme.

2. Dentelle sans fond dont les motifs sont espacés, utilisée comme ornement de toilette ou dans la confection de rideaux d'ameublement.

3. Le général Junot (1771-1813) fut ambassadeur à Lisbonne en 1805, puis commandant de l'armée de Portugal en 1807. Il remporta une victoire à Abrantès, entra à Lisbonne en novembre, mais sa défaite contre Wellesley à Vimeiro en août 1808 l'obligea à signer la capitulation de Sintra (août 1808).

– Moi, Montès de Montéjanos, arrière-petit-fils d'un
des conquérants du Brésil [1], mentir !

– Plus bas, ou nous ne nous reverrons jamais...

– Et pourquoi ?

– Marneffe a pris, comme les mourants qui chaussent
tous un dernier désir, une passion pour moi...

– Ce laquais ?... dit le Brésilien qui connaissait son
Marneffe, je le paierai...

– Quelle violence...

– Ah ! çà, d'où te vient ce luxe ?... dit le Brésilien qui
finit par apercevoir les somptuosités du salon.

Elle se mit à rire.

– Quel mauvais ton, Henri ! dit-elle.

Elle venait de recevoir deux regards enflammés de
jalousie qui l'avaient atteinte au point de l'obliger à
regarder les deux âmes en peine. Crevel, qui jouait contre
le baron et M. Coquet, avait pour partner [2] M. Marneffe.
La partie fut égale à cause des distractions respectives de
Crevel et du baron qui accumulèrent fautes sur fautes.
Ces deux vieillards amoureux avouèrent, en un moment,
la passion que Valérie avait réussi à leur faire cacher
depuis trois ans ; mais elle n'avait pas su non plus
éteindre dans ses yeux le bonheur de revoir l'homme qui,
le premier, lui avait fait battre le cœur, l'objet de son premier amour. Les droits de ces heureux mortels vivent
autant que la femme sur laquelle ils les ont pris.

Entre ces trois passions absolues, l'une appuyée sur
l'insolence de l'argent, l'autre sur le droit de possession,
la dernière sur la jeunesse, la force, la fortune et la pri-
mauté, Mme Marneffe resta calme et l'esprit libre,
comme le fut le général Bonaparte, lorsque, au siège de

---

1. « Les Portugais avaient envoyé une expédition de gentilshommes
conquérants au Brésil dès 1531. Si Montès est seulement l'arrière-petit-
fils de l'un d'eux, il appartient à une famille douée d'une longévité
exceptionnelle », comme le fait remarquer A.-M. Meininger (Pléiade,
p. 1300, n. 2).

2. La graphie anglaise *partner*, pour *partenaire*, est tolérée.

Mantoue, il eut à répondre à deux armées en voulant continuer le blocus de la place [1].

46

À quel âge les hommes à bonnes fortunes deviennent jaloux

La jalousie, en jouant dans la figure de Hulot, le rendit aussi terrible que feu le maréchal Montcornet partant pour une charge de cavalerie sur un carré russe. En sa qualité de bel homme, le conseiller d'État n'avait jamais connu la jalousie, de même que Murat ignorait le sentiment de la peur. Il s'était toujours cru certain du triomphe. Son échec auprès de Josépha, le premier de sa vie, il l'attribuait à la soif de l'argent ; il se disait vaincu par un million, et non par un avorton, en parlant du duc d'Hérouville. Les philtres et les vertiges que verse à torrents ce sentiment fou venaient de couler dans son cœur en un instant. Il se retournait de sa table de whist vers la cheminée par des mouvements à la Mirabeau, et quand il laissait ses cartes pour embrasser par un regard provocateur le Brésilien et Valérie, les habitués du salon éprouvaient cette crainte mêlée de curiosité qu'inspire une violence menaçant d'éclater de moments en moments. Le faux cousin regardait le conseiller d'État comme il eût examiné quelque grosse potiche chinoise. Cette situation ne pouvait durer, sans aboutir à un éclat affreux. Marneffe craignait le baron Hulot, autant que Crevel redoutait Marneffe, car il ne se souciait pas de mourir sous-chef. Les moribonds croient à la vie comme les forçats à la liberté. Cet homme voulait être chef de

---

1. Les deux armées étaient la garnison de Mantoue, assiégée par Bonaparte, et l'armée du général autrichien Wurmser. Battu, Wurmser s'enferma dans Mantoue puis capitula après un blocus de six mois. La victoire de Bonaparte à Mantoue mit fin à la campagne d'Italie.

bureau à tout prix. Justement effrayé de la pantomime
de Crevel et du conseiller d'État, il se leva, dit un mot à
l'oreille de sa femme ; et, au grand étonnement de
l'assemblée, Valérie passa dans sa chambre à coucher
avec le Brésilien et son mari.

— Mme Marneffe vous a-t-elle jamais parlé de ce
cousin-là ? demanda Crevel au baron Hulot.

— Jamais ! répondit le baron en se levant. Assez pour
ce soir, ajouta-t-il, je perds deux louis, les voici.

Il jeta deux pièces d'or sur la table et alla s'asseoir sur
le divan d'un air que tout le monde interpréta comme un
avis de s'en aller. M. et Mme Coquet, après avoir échangé
deux mots, quittèrent le salon, et Claude Vignon, au désespoir, les imita. Ces deux sorties entraînèrent les personnes inintelligentes qui se virent de trop. Le baron et
Crevel restèrent seuls, sans se dire un mot. Hulot, qui
finit par ne plus apercevoir Crevel, alla sur la pointe du
pied écouter à la porte de la chambre, et il fit un bond
prodigieux en arrière, car M. Marneffe ouvrit la porte,
se montra le front serein et parut étonné de ne trouver
que deux personnes.

— Et le thé ! dit-il.

— Où donc est Valérie ? répondit le baron furieux.

— Ma femme, réplique Marneffe, mais elle est montée
chez mademoiselle votre cousine, elle va revenir.

— Et pourquoi nous a-t-elle plantés là pour cette stupide chèvre ?...

— Mais, dit Marneffe, Mlle Lisbeth est arrivée de chez
Mme la baronne votre femme avec une espèce d'indigestion, et Mathurine a demandé du thé à Valérie, qui vient
d'aller voir ce qu'a mademoiselle votre cousine.

— Et le cousin ?...

— Il est parti !

— Vous croyez cela ? dit le baron.

— Je l'ai mis en voiture ! répondit Marneffe avec un
affreux sourire.

Le roulement d'une voiture se fit entendre dans la rue
Vaneau. Le baron, comptant Marneffe pour zéro, sortit

et monta chez Lisbeth. Il lui passait dans la cervelle une de ces idées qu'y envoie le cœur quand il est incendié par la jalousie. La bassesse de Marneffe lui était si connue, qu'il supposa d'ignobles connivences entre la femme et le mari.

— Que sont donc devenus ces messieurs et ces dames ? demanda Marneffe en se voyant seul avec Crevel.

— Quand le soleil se couche, la basse-cour en fait autant, répondit Crevel ; Mme Marneffe a disparu, ses adorateurs sont partis. Je vous propose un piquet, ajouta Crevel qui voulait rester.

Lui aussi, il croyait le Brésilien dans la maison. M. Marneffe accepta. Le maire était aussi fin que le baron ; il pouvait demeurer au logis indéfiniment en jouant avec le mari qui, depuis la suppression des jeux publics[1], se contentait du jeu rétréci, mesquin, du monde.

Le baron Hulot monta rapidement chez sa cousine Bette ; mais il trouva la porte fermée, et les demandes d'usage à travers la porte employèrent assez de temps pour permettre à des femmes alertes et rusées de disposer le spectacle d'une indigestion gorgée de thé. Lisbeth souffrait tant, qu'elle inspirait les craintes les plus vives à Valérie ; aussi Valérie fit-elle à peine attention à la rageuse entrée du baron. La maladie est un des paravents que les femmes mettent le plus souvent entre elles et l'orage d'une querelle. Hulot regarda partout à la dérobée, et il n'aperçut dans la chambre à coucher de la cousine Bette aucun endroit propre à cacher un Brésilien.

— Ton indigestion, Bette, fait honneur au dîner de ma femme, dit-il en examinant la vieille fille qui se portait à merveille, et qui tâchait d'imiter le râle des convulsions d'estomac en buvant du thé.

— Voyez comme il est heureux que notre chère Bette soit logée dans ma maison ! Sans moi, la pauvre fille expirait... dit Mme Marneffe.

---

1. Déjà réduites à neuf depuis le Directoire, les maisons de jeu furent fermées le 31 décembre 1837.

– Vous avez l'air de me croire au mieux, reprit Lisbeth en s'adressant au baron, et ce serait une infamie...

– Pourquoi ? demanda le baron, vous savez donc la raison de ma visite ?

Et il guigna la porte d'un cabinet de toilette d'où la clef était retirée.

– Parlez-vous grec ?... répondit Mme Marneffe avec une expression déchirante de tendresse et de fidélité méconnues.

– Mais c'est pour vous, mon cher cousin, oui c'est par votre faute que je suis dans l'état où vous me voyez, dit Lisbeth avec énergie.

Ce cri détourna l'attention du baron qui regarda la vieille fille dans un étonnement profond.

– Vous savez si je vous aime, reprit Lisbeth, je suis ici, c'est tout dire. J'y use les dernières forces de ma vie, à veiller à vos intérêts en veillant à ceux de notre chère Valérie. Sa maison lui coûte dix fois moins cher qu'une autre maison qu'on voudrait tenir comme la sienne. Sans moi, mon cousin, au lieu de deux mille francs par mois, vous seriez forcé d'en donner trois ou quatre mille.

– Je sais tout cela, répondit le baron impatienté ; vous nous protégez de bien des manières, ajouta-t-il en revenant auprès de Mme Marneffe et la prenant par le cou, n'est-ce pas, ma chère petite belle ?...

– Ma parole, dit Valérie, je vous crois fou !...

– Eh bien ! vous ne doutez pas de mon attachement, reprit Lisbeth ; mais j'aime aussi ma cousine Adeline, et je l'ai trouvée en larmes. Elle ne vous a pas vu depuis un mois. Non, cela n'est pas permis. Vous laissez ma pauvre Adeline sans argent. Votre fille Hortense a failli mourir en apprenant que c'est grâce à votre frère que nous avons pu dîner ! Il n'y avait pas de pain chez vous aujourd'hui. Adeline a pris la résolution héroïque de se suffire à elle-même. Elle m'a dit : « Je ferai comme toi ! » Ce mot m'a si fort serré le cœur, après le dîner, qu'en pensant à ce que ma cousine était en 1811 et ce qu'elle est en 1841, trente ans après ! j'ai eu ma digestion arrêtée... j'ai voulu vaincre le mal ; mais, arrivée ici, j'ai cru mourir...

— Vous voyez, Valérie, dit le baron, jusqu'où me mène mon adoration pour vous !... à commettre des crimes domestiques...

— Oh ! j'ai eu raison de rester fille ! s'écria Lisbeth avec une joie sauvage. Vous êtes un bon et excellent homme, Adeline est un ange, et voilà la récompense d'un dévoue-ment aveugle.

— Un vieil ange ! dit doucement Mme Marneffe en jetant un regard moitié tendre, moitié rieur à son Hector, qui la contemplait comme un juge d'instruction examine un prévenu.

— Pauvre femme ! dit le baron. Voilà plus de neuf mois que je ne lui ai remis d'argent, et j'en trouve pour vous, Valérie, et à quel prix ! Vous ne serez jamais aimée ainsi par personne, et quels chagrins vous me donnez en retour !

— Des chagrins ? reprit-elle. Qu'appelez-vous donc le bonheur ?

— Je ne sais pas encore quelles ont été vos relations avec ce prétendu cousin, de qui vous ne m'avez jamais parlé, reprit le baron sans faire attention aux mots jetés par Valérie. Mais, quand il est entré, j'ai reçu comme un coup de canif dans le cœur. Quelque aveuglé que je sois, je ne suis pas aveugle. J'ai lu dans vos yeux et dans les siens. Enfin, il s'échappait par les paupières de ce singe des étincelles qui rejaillissaient sur vous, dont le regard... Oh ! vous ne m'avez jamais regardé ainsi, jamais ! Quant à ce mystère, Valérie, il se dévoilera... Vous êtes la seule femme qui m'ayez fait connaître le sentiment de la jalou-sie, ainsi ne vous étonnez pas de ce que je vous dis... Mais un autre mystère qui a crevé son nuage, et qui me semble une infamie...

— Allez ! allez ! dit Valérie.

— C'est que Crevel, ce cube de chair et de bêtise, vous aime, et que vous accueillez ses galanteries assez bien pour que ce niais ait laissé voir sa passion à tout le monde...

– Et de trois ! Vous n'en apercevez pas d'autres ? demanda Mme Marneffe.

– Peut-être y en a-t-il ? dit le baron.

– Que M. Crevel m'aime, il est dans son droit d'homme ; que je sois favorable à sa passion, ce serait le fait d'une coquette ou d'une femme à qui vous laisseriez beaucoup de choses à désirer... Eh bien ! aimez-moi avec mes défauts, ou laissez-moi. Si vous me rendez ma liberté, ni vous, ni M. Crevel, vous ne reviendrez ici, je prendrai mon cousin pour ne pas perdre les charmantes habitudes que vous me supposez. Adieu, monsieur le baron Hulot.

Et elle se leva ; mais le conseiller d'État la saisit par le bras et la fit asseoir. Le vieillard ne pouvait plus remplacer Valérie, elle était devenue un besoin plus impérieux pour lui que les nécessités de la vie, et il aima mieux rester dans l'incertitude que d'acquérir la plus légère preuve de l'infidélité de Valérie.

– Ma chère Valérie, dit-il, ne vois-tu pas ce que je souffre ? Je ne te demande que de te justifier... donne-moi de bonnes raisons...

– Eh bien ! allez m'attendre en bas, car vous ne voulez pas assister, je crois, aux différentes cérémonies que nécessite l'état de votre cousine.

Hulot se retira lentement.

– Vieux libertin ! s'écria la cousine Bette, vous ne me demandez donc pas des nouvelles de vos enfants ?... Que ferez-vous pour Adeline ? Moi, d'abord, je lui porte demain mes économies.

– On doit au moins le pain de froment à sa femme, dit en souriant Mme Marneffe.

Le baron, sans s'offenser du ton de Lisbeth qui le régentait aussi durement que Josépha, s'en alla comme un homme enchanté d'éviter une question importune.

Une fois le verrou mis, le Brésilien quitta le cabinet de toilette où il attendait, et il parut les yeux pleins de larmes, dans un état à faire pitié. Montès avait évidemment tout entendu.

47

Une première scène de haute comédie féminine

— Tu ne m'aimes plus, Henri ! je le vois, dit Mme Marneffe en se cachant le front dans son mouchoir et fondant en larmes.

C'était le cri de l'amour vrai. La clameur du désespoir de la femme est si persuasive, qu'elle arrache le pardon qui se trouve au fond du cœur de tous les amoureux, quand la femme est jeune, jolie et décolletée à sortir par le haut de sa robe en costume d'Ève.

— Mais pourquoi ne quittez-vous pas tout pour moi, si vous m'aimez ? demanda le Brésilien.

Ce naturel de l'Amérique, logique comme le sont tous les hommes nés dans la Nature, reprit aussitôt la conversation au point où il l'avait laissée, en reprenant la taille de Valérie.

— Pourquoi ?... dit-elle en relevant la tête et regardant Henri qu'elle domina par un regard chargé d'amour. Mais, mon petit chat, je suis mariée. Mais nous sommes à Paris, et non dans les savanes, dans les pampas, dans les solitudes de l'Amérique. Mon bon Henri, mon premier et mon seul amour, écoute-moi donc. Ce mari, simple sous-chef au ministère de la Guerre, veut être chef de bureau et officier de la Légion d'honneur, puis-je l'empêcher d'avoir de l'ambition ? or, pour la même raison qu'il nous laissait entièrement libres tous les deux (il y a bientôt quatre ans, t'en souviens-tu, méchant ?), aujourd'hui Marneffe m'impose M. Hulot. Je ne puis me défaire de cet affreux administrateur qui souffle comme un phoque, qui a des nageoires dans les narines, qui a soixante-trois ans, qui depuis trois ans s'est vieilli de dix ans à vouloir être jeune, qui m'est odieux, que le lendemain du jour où Marneffe sera chef de bureau et officier de la Légion d'honneur...

– Qu'est-ce qu'il aura de plus, ton mari ?

– Mille écus.

– Je les lui donnerai viagèrement, reprit le baron Montès, quittons Paris et allons...

– Où ? dit Valérie en faisant une de ces jolies moues par lesquelles les femmes narguent les hommes dont elles sont sûres. Paris est la seule ville où nous puissions vivre heureux. Je tiens trop à ton amour pour le voir s'affaiblir en nous trouvant seuls dans un désert ; écoute, Henri, tu es le seul homme aimé de moi dans l'Univers, écris cela sur ton crâne de tigre.

Les femmes persuadent toujours aux hommes de qui elles ont fait des moutons qu'ils sont des lions, et qu'ils ont un caractère de fer.

– Maintenant, écoute-moi bien : M. Marneffe n'a pas cinq ans à vivre, il est gangrené jusque dans la moelle de ses os ; sur douze mois de l'année, il en passe sept à boire des drogues, des tisanes, il vit dans la flanelle ; enfin, il est, dit le médecin, sous le coup de la faux à tout moment ; la maladie la plus innocente pour un homme sain, sera mortelle pour lui, le sang est corrompu, la vie est attaquée dans son principe. Depuis cinq ans, je n'ai pas voulu qu'il m'embrassât une seule fois, car, cet homme, c'est la peste ! Un jour, et ce jour n'est pas éloigné, je serai veuve, eh bien ! moi, déjà demandée par un homme qui possède soixante mille francs de rente, moi qui suis maîtresse de cet homme comme de ce morceau de sucre, je te déclare que tu serais pauvre comme Hulot, lépreux comme Marneffe, et que si tu me battais, c'est toi que je veux pour mari, toi seul que j'aime, de qui je veuille porter le nom. Et je suis prête à te donner tous les gages d'amour que tu voudras...

– Eh bien ! ce soir...

– Mais, enfant de Rio, mon beau jaguar sorti pour moi des forêts vierges du Brésil, dit-elle en lui prenant la

main et la baisant et le caressant, respecte donc un peu
la créature de qui tu veux faire ta femme... Serai-je ta
femme, Henri ?...

— Oui, dit le Brésilien vaincu par le bavardage effréné
de la passion.

Et il se mit à genoux.

— Voyons, Henri, dit Valérie en lui prenant les deux
mains et le regardant au fond des yeux avec fixité, tu me
jures ici, en présence de Lisbeth, ma meilleure et ma seule
amie, ma sœur, de me prendre pour femme au bout de
mon année de veuvage ?...

— Je le jure.

— Ce n'est pas assez ! jure par les cendres et le salut
éternel de ta mère, jure-le par la vierge Marie et par tes
espérances de catholique !

Valérie savait que le Brésilien tiendrait ce serment,
quand même elle serait tombée au fond du plus sale
bourbier social. Le Brésilien fit ce serment solennel, le
nez presque touchant à la blanche poitrine de Valérie et
les yeux fascinés ; il était ivre, comme on est ivre en
revoyant une femme aimée, après une traversée de cent
vingt jours !

— Eh bien ! maintenant, sois tranquille. Respecte bien
dans Mme Marneffe, la future baronne de Montéjanos.
Ne dépense pas un liard pour moi, je te le défends. Reste
ici, dans la première pièce, couché sur le petit canapé, je
viendrai moi-même t'avertir quand tu pourras quitter ton
poste... Demain matin nous déjeunerons ensemble, et tu
t'en iras sur les une heure, comme si tu étais venu me
faire une visite à midi. Ne crains rien, les portiers
m'appartiennent comme s'ils étaient mon père et ma
mère... Je vais descendre chez moi servir le thé.

Elle fit un signe à Lisbeth qui l'accompagna jusque sur
le palier. Là, Valérie dit à l'oreille de la vieille fille : Ce
moricaud est venu un an trop tôt ! car je meurs si je ne
te venge d'Hortense !...

– Sois tranquille, mon cher gentil petit démon, dit la vieille fille en l'embrassant au front, l'amour et la vengeance, chassant de compagnie, n'auront jamais le dessous. Hortense m'attend demain, elle est dans la misère. Pour avoir mille francs, Wenceslas t'embrassera mille fois.

48

Scène digne des loges

En quittant Valérie, Hulot était descendu jusqu'à la loge, et s'était montré subitement à Mme Olivier.

– Madame Olivier ?...

En entendant cette interrogation impérieuse et voyant le geste par lequel le baron la commenta, Mme Olivier sortit de sa loge, et alla jusque dans la cour à l'endroit où le baron l'emmena.

– Vous savez que si quelqu'un peut un jour faciliter à votre fils l'acquisition d'une étude, c'est moi ; c'est grâce à moi que le voici troisième clerc de notaire, et qu'il achève son Droit.

– Oui, monsieur le baron ; aussi monsieur le baron peut-il compter sur notre reconnaissance. Il n'y a pas de jour que je ne prie Dieu pour le bonheur de monsieur le baron...

– Pas tant de paroles, ma bonne femme, dit Hulot, mais des preuves...

– Que faut-il faire ? demanda Mme Olivier.

– Un homme en équipage est venu ce soir, le connaissez-vous ?

Mme Olivier avait bien reconnu le Montès, comment l'aurait-elle oublié ? Montès lui glissait, rue du Doyenné, cent sous dans la main toutes les fois qu'il sortait, le matin, de la maison, un peu trop tôt. Si le baron s'était adressé à M. Olivier, peut-être aurait-il appris tout. Mais Olivier dormait. Dans les classes inférieures, la femme est, non seulement supérieure à l'homme, mais encore elle le gouverne presque toujours. Depuis longtemps, Mme Olivier avait pris son parti dans le cas d'une collision entre ses deux bienfaiteurs, elle regardait Mme Marneffe comme la plus forte de ces deux puissances.

– Si je le connais !... répondit-elle ; non. Ma foi, non, je ne l'ai jamais vu !...

– Comment ! le cousin de Mme Marneffe ne venait jamais la voir quand elle demeurait rue du Doyenné ?

– Ah ! c'est son cousin !... s'écria Mme Olivier. Il est peut-être venu, mais je ne l'ai pas reconnu. La première fois, monsieur, je ferai bien attention...

– Il va descendre, dit Hulot vivement en coupant la parole à Mme Olivier...

– Mais il est parti, répliqua Mme Olivier qui comprit tout. La voiture n'est plus là...

– Vous l'avez vu partir ?

– Comme je vous vois. Il a dit à son domestique : À l'ambassade !

Ce ton, cette assurance arrachèrent un soupir de bonheur au baron ; il prit la main de Mme Olivier et la lui serra.

– Merci, ma chère madame Olivier ; mais ce n'est pas tout ! et M. Crevel ?...

– M. Crevel ? que voulez-vous dire ? Je ne comprends pas, dit Mme Olivier.

– Écoutez-moi bien ! Il aime Mme Marneffe...

– Pas possible ! monsieur le baron, pas possible ! dit-elle en joignant les mains.

– Il aime Mme Marneffe ! répéta fort impérativement le baron. Comment font-ils ? je n'en sais rien ; mais je veux le savoir et vous le saurez. Si vous pouvez me mettre sur les traces de cette intrigue, votre fils sera notaire.

– Monsieur le baron, *ne vous mangez pas les sangs* comme ça, reprit Mme Olivier. Madame vous aime et n'aime que vous ; sa femme de chambre le sait bien, et nous disons comme cela que vous êtes l'homme le plus heureux de la terre, car vous savez tout ce que vaut madame... Ah! c'est une perfection... Elle se lève à dix heures tous les jours ; pour lors, elle déjeune, bon. Eh bien ! elle en a pour une heure à faire sa toilette, et tout ça la mène à deux heures ; pour lors elle va se promener aux Tuileries au vu et n'au su de tout le monde ; elle est toujours rentrée à quatre heures, pour l'heure de votre arrivée... Oh ! c'est réglé comme n'une pendule. Elle n'a pas de secrets pour sa femme de chambre, Reine n'en a pas pour moi, allez ! Reine ne peut pas n'en avoir, rapport à mon fils, pour qui n'elle a des bontés... Vous voyez bien que si madame avait des rapports avec M. Crevel, nous le *saurerions.*

Le baron remonta chez Mme Marneffe le visage rayonnant, et convaincu d'être le seul homme aimé de cette affreuse courtisane, aussi décevante, mais aussi belle, aussi gracieuse qu'une sirène.

Crevel et Marneffe commençaient un second piquet. Crevel perdait, comme perdent tous les gens qui ne sont pas à leur jeu. Marneffe, qui savait la cause des distractions du maire, en profitait sans scrupules : il regardait les cartes à prendre, il *écartait*[1] en conséquence ; puis, voyant dans le jeu de son adversaire, il jouait à coup sûr. Le prix de la fiche étant de vingt sous, il avait déjà volé trente francs au maire au moment où le baron rentrait.

– Eh bien ! dit le conseiller d'État étonné de ne trouver personne, vous êtes seuls ! où sont-ils tous ?

– Votre belle humeur a mis tout le monde en fuite ! répondit Crevel.

– Non, c'est l'arrivée du cousin de ma femme, répliqua Marneffe. Ces dames et ces messieurs ont pensé que Valérie et Henri devaient avoir quelque chose à se dire, après une séparation de trois années, et ils se sont discrètement retirés... Si j'avais été là, je les aurais retenus ; mais, par aventure, j'aurais mal fait, car l'indisposition

---

1. *Écarter* : au jeu, mettre à part, rejeter des cartes dont on ne veut pas se servir.

de Lisbeth, qui sert toujours le thé, sur les dix heures et demie, a mis tout en déroute...

— Lisbeth est donc réellement indisposée ? demanda Crevel furieux.

— On me l'a dit, répliqua Marneffe avec l'immorale insouciance des hommes pour qui les femmes n'existent plus.

Le maire avait regardé la pendule ; et, à cette estime, le baron paraissait avoir passé quarante minutes chez Lisbeth. L'air joyeux de Hulot incriminait gravement Hector, Valérie et Lisbeth.

— Je viens de la voir, elle souffre horriblement, la pauvre fille, dit le baron.

— La souffrance des autres fait donc votre joie, mon cher ami, reprit aigrement Crevel, car vous nous revenez avec une figure où la jubilation rayonne ! Est-ce que Lisbeth est en danger de mort ? Votre fille hérite d'elle, dit-on. Vous ne vous ressemblez plus, vous êtes parti avec la physionomie du More de Venise [1], et vous revenez avec celle de Saint-Preux [2] !... Je voudrais bien voir la figure de Mme Marneffe !

— Qu'entendez-vous par ces paroles ?... demanda M. Marneffe à Crevel en rassemblant ses cartes et les posant devant lui.

Les yeux éteints de cet homme décrépit à quarante-sept ans s'animèrent, de pâles couleurs nuancèrent ses joues flasques et froides, il entrouvrit sa bouche démeublée aux lèvres noires, sur lesquelles il vint une espèce d'écume blanche comme de la craie, et caséiforme [3]. Cette rage d'un homme impuissant, dont la vie tenait à un fil, et qui, dans un duel, n'eût rien risqué là où Crevel eût eu tout à perdre, effraya le maire.

---

1. Le personnage d'Othello, de Shakespeare, type du mari jaloux et ombrageux.

2. Héros de *La Nouvelle Héloïse* de Rousseau (1761), épris de son élève Julie d'Étanges et aimé d'elle.

3. Semblable à la caséine, substance protéique contenue dans le lait, et qui constitue l'essentiel des fromages.

– Je dis, répondit Crevel, que j'aimerais à voir la figure de Mme Marneffe, et j'ai d'autant plus raison, que la vôtre en ce moment est fort désagréable. Parole d'honneur, vous êtes horriblement laid, mon cher Marneffe…

– Savez-vous que vous n'êtes pas poli ?

– Un homme qui gagne trente francs en quarante-cinq minutes ne me paraît jamais beau.

– Ah ! si vous m'aviez vu, reprit le sous-chef, il y a dix-sept ans…

– Vous étiez gentil ? répliqua Crevel.

– C'est ce qui m'a perdu ; si j'avais été comme vous je serais Pair et Maire.

– Oui, dit en souriant Crevel, vous avez trop fait la guerre, et, des deux métaux que l'on gagne à cultiver le dieu du commerce, vous avez pris le mauvais, la drogue !

Et Crevel éclata de rire. Si Marneffe se fâchait à propos de son honneur en péril, il prenait toujours bien ces vulgaires et ignobles plaisanteries ; elles étaient comme la petite monnaie de la conversation entre Crevel et lui.

– Ève me coûte cher, c'est vrai ; mais, ma foi, courte et bonne, voilà ma devise.

– J'aime mieux longue et heureuse, répliqua Crevel.

49

Deuxième scène de haute comédie féminine

Mme Marneffe entra, vit son mari jouant avec Crevel, et le baron, tous trois seuls dans le salon ; elle comprit, au seul aspect de la figure du dignitaire municipal, toutes les pensées qui l'avaient agité, son parti fut aussitôt pris.

– Marneffe, mon chat ! dit-elle en venant s'appuyer sur l'épaule de son mari et passant ses jolis doigts dans des cheveux d'un vilain gris sans pouvoir couvrir la tête en les ramenant, il est bien tard pour toi, tu devrais t'aller coucher. Tu sais que demain il faut te purger, le docteur

l'a dit, et Reine te fera prendre du bouillon aux herbes
dès sept heures... Si tu veux vivre, laisse là ton piquet...

— Faisons-le en cinq marqués[1] ? demanda Marneffe
à Crevel.

— Bien... j'en ai déjà deux, répondit Crevel.

— Combien cela durera-t-il ? demanda Valérie.

— Dix minutes, répliqua Marneffe.

— Il est déjà onze heures, répondit Valérie. Et vraiment, monsieur Crevel, on dirait que vous voulez tuer
mon mari. Dépêchez-vous au moins.

Cette rédaction à double sens fit sourire Crevel, Hulot
et Marneffe lui-même. Valérie alla causer avec son
Hector.

— Sors, mon chéri, dit Valérie à l'oreille d'Hector, pro-
mène-toi dans la rue Vaneau, tu reviendras lorsque tu
verras sortir Crevel.

— J'aimerais mieux sortir de l'appartement et rentrer
dans ta chambre par la porte du cabinet de toilette ; tu
pourrais dire à Reine de me l'ouvrir.

— Reine est là-haut à soigner Lisbeth.

— Eh bien ! si je remontais chez Lisbeth ?

Tout était péril pour Valérie, qui, prévoyant une explication avec Crevel, ne voulait pas Hulot dans sa chambre
où il pourrait tout entendre. Et le Brésilien attendait
chez Lisbeth.

— Vraiment, vous autres hommes, dit Valérie à Hulot,
quand vous avez une fantaisie, vous brûleriez les maisons
pour y entrer. Lisbeth est dans un état à ne pas vous
recevoir... Craignez-vous d'attraper un rhume dans la
rue !... Allez-y... ou bonsoir !...

— Adieu, messieurs, dit le baron à haute voix.

---

1. Ce terme appartient au jeu de trictrac ou de piquet : « Être
marqué, perdre un des coups partiels dont l'ensemble forme la partie ;
le perdant marque sa perte au moyen d'un jeton ; c'est pourquoi il est
marqué. Substantivement, un marqué, deux marqués, trois marqués, se
dit d'un point, de deux points, de trois points perdus de cette façon.
Celui qui reçoit le plus de marqués perd la partie » (Littré).

Une fois attaqué dans son amour-propre de vieillard, Hulot tint à prouver qu'il pouvait faire le jeune homme en attendant l'heure du berger [1] dans la rue, et il sortit.

Marneffe dit bonsoir à sa femme, à qui, par une démonstration de tendresse apparente, il prit les mains. Valérie serra d'une façon significative la main de son mari, ce qui voulait dire : « Débarrasse-moi donc de Crevel. »

– Bonne nuit, Crevel, dit alors Marneffe, j'espère que vous ne resterez pas longtemps avec Valérie. Ah ! je suis jaloux… ça m'a pris tard, mais ça me tient… et je viendrai voir si vous êtes parti.

– Nous avons à causer d'affaires, mais je ne resterai pas longtemps, dit Crevel.

– Parlez bas ! – Que me voulez-vous ? dit Valérie sur deux tons en regardant Crevel avec un air où la hauteur se mêlait au mépris.

En recevant ce regard hautain, Crevel, qui rendait d'immenses services à Valérie et qui voulait s'en targuer, redevint humble et soumis.

– Ce Brésilien…

Crevel, épouvanté par le regard fixe et méprisant de Valérie, s'arrêta.

– Après ?… dit-elle.

– Ce cousin…

– Ce n'est pas mon cousin, reprit-elle. C'est mon cousin pour le monde et pour M. Marneffe. Ce serait mon amant que vous n'auriez pas un mot à dire. Un boutiquier qui achète une femme pour se venger d'un homme est au-dessous, dans mon estime, de celui qui l'achète par amour. Vous n'étiez pas épris de moi, vous avez vu en moi la maîtresse de M. Hulot, et vous m'avez acquise comme on achète un pistolet pour tuer son adversaire. J'avais faim, j'ai consenti !

---

1. L'heure, le moment où l'amoureux trouve sa « bergère » favorable à ses vœux.

– Vous n'avez pas exécuté le marché, répondit Crevel redevenant commerçant.

– Ah ! vous voulez que le baron Hulot sache bien que vous lui prenez sa maîtresse, pour avoir votre revanche de l'enlèvement de Josépha… Rien ne me prouve mieux votre bassesse. Vous dites aimer une femme, vous la traitez de duchesse, et vous voulez la déshonorer ? Tenez, mon cher, vous avez raison : cette femme ne vaut pas Josépha. Cette demoiselle a le courage de son infamie, tandis que moi je suis une hypocrite qui devrais être fouettée en place publique. Hélas ! Josépha se protège par son talent et par sa fortune. Mon seul rempart, à moi, c'est mon honnêteté ; je suis encore une digne et vertueuse bourgeoise ; mais si vous faites un éclat, que deviendrai-je ? Si j'avais la fortune, encore passe ! Mais j'ai maintenant tout au plus quinze mille francs de rente, n'est-ce pas ?

– Beaucoup plus, dit Crevel ; je vous ai doublé depuis deux mois vos économies dans l'Orléans [1].

– Eh bien ! la considération à Paris commence à cinquante mille francs de rente, vous n'avez pas à me donner la monnaie de la position que je perdrai. Que voulais-je ? faire nommer Marneffe chef de bureau ; il aurait six mille francs d'appointements ; il a vingt-sept ans de service, dans trois ans j'aurais droit à quinze cents francs de pension, s'il mourait. Vous, comblé de bontés par moi, gorgé de bonheur, vous ne savez pas attendre ! Et cela dit aimer ! s'écria-t-elle.

– Si j'ai commencé par un calcul, dit Crevel, depuis je suis devenu votre *toutou*. Vous me mettez les pieds sur le cœur, vous m'écrasez, vous m'abasourdissez, et je vous aime comme je n'ai jamais aimé. Valérie, je vous aime autant que j'aime Célestine ! Pour vous, je suis capable

---

1. Donc grâce aux actions de la Compagnie de chemin de fer Paris-Orléans. La ligne, projetée en 1830, avait été commencée en 1840 ; elle fut achevée en 1843.

de tout… Tenez ! au lieu de venir deux fois par semaine rue du Dauphin [1], venez-y trois.

— Rien que cela ! Vous rajeunissez, mon cher…

— Laissez-moi renvoyer Hulot, l'humilier, vous en débarrasser, dit Crevel sans répondre à cette insolence, n'admettez plus ce Brésilien, soyez toute à moi, vous ne vous en repentirez pas. D'abord, je vous donnerai une inscription de huit mille francs de rente, mais viagère ; je ne vous en joindrai la nue-propriété qu'après cinq ans de constance.

— Toujours des marchés ! les bourgeois n'apprendront jamais à donner ! Vous voulez vous faire des relais d'amour dans la vie avec des inscriptions de rentes ?… Ah ! boutiquier, marchand de pommade ! tu étiquètes tout ! Hector me disait que le duc d'Hérouville avait apporté trente mille livres de rente à Josépha dans un cornet à dragées d'épicier ! Je vaux six fois mieux que Josépha ! Ah ! être aimée ! dit-elle en refrisant ses anglaises et allant se regarder dans la glace. Henri m'aime, il vous tuerait comme une mouche à un signe de mes yeux ! Hulot m'aime, il met sa femme sur la paille. Allez, soyez bon père de famille, mon cher. Oh ! vous avez, pour faire vos fredaines, trois cent mille francs en dehors de votre fortune, un magot enfin, et vous ne pensez qu'à l'augmenter…

— Pour toi, Valérie, car je t'en offre la moitié ! dit-il en tombant à genoux.

— Eh bien ! vous êtes encore là ! s'écria le hideux Marneffe en robe de chambre. Que faites-vous ?

— Il me demande pardon, mon ami d'une proposition insultante qu'il vient de m'adresser. Ne pouvant rien obtenir de moi, monsieur inventait de m'acheter…

Crevel aurait voulu descendre dans la cave par une trappe, comme cela se fait au théâtre.

---

1. Aujourd'hui une partie de la rue Saint-Roch, comprise entre la rue Saint-Honoré et la rue de Rivoli.

– Relevez-vous, mon cher Crevel, dit en souriant Marneffe, vous êtes ridicule. Je vois à l'air de Valérie qu'il n'y a pas de danger pour moi.

– Va te coucher et dors tranquille, dit Mme Marneffe.

– Est-elle spirituelle ? pensait Crevel, elle est adorable ! elle me sauve !

Quand Marneffe fut rentré chez lui, le maire prit les mains de Valérie et les lui baisa en y laissant trace de quelques larmes.

– Tout en ton nom ! dit-il.

– Voilà aimer, lui répondit-elle bas à l'oreille. Eh bien ! amour pour amour. Hulot est en bas, dans la rue. Ce pauvre vieux attend, pour venir ici, que je place une bougie à l'une des fenêtres de ma chambre à coucher ; je vous permets de lui dire que vous êtes le seul aimé ; jamais il ne voudra vous croire, emmenez-le rue du Dauphin, donnez-lui des preuves, accablez-le ; je vous le permets, je vous l'ordonne. Ce phoque m'ennuie, il m'excède. Tenez bien votre homme rue du Dauphin pendant toute la nuit, assassinez-le à petit feu, vengez-vous de l'enlèvement de Joséphe. Hulot en mourra peut-être ; mais nous sauverons sa femme et ses enfants d'une ruine effroyable. Mme Hulot travaille pour vivre !…

– Oh ! la pauvre dame ! ma foi, c'est atroce ! s'écria Crevel, chez qui les bons sentiments naturels revinrent.

– Si tu m'aimes, Célestin, dit-elle tout bas à l'oreille de Crevel qu'elle effleura de ses lèvres, retiens-le, ou je suis perdue. Marneffe a des soupçons, Hector a la clef de la porte cochère et compte revenir !

Crevel serra Mme Marneffe dans ses bras, et sortit au comble du bonheur ; Valérie l'accompagna tendrement jusqu'au palier ; puis, comme une femme magnétisée, elle descendit jusqu'au premier étage, et elle alla jusqu'au bas de la rampe.

– Ma Valérie ! remonte, ne te compromets pas aux yeux des portiers… Va, ma vie et ma fortune, tout est à toi… Rentre, ma duchesse !

– Madame Olivier ! cria doucement Valérie lorsque la porte frappa.

– Comment ! madame, vous ici ! dit Mme Olivier stupéfaite.

– Mettez les verrous en haut et en bas à la grande porte, et n'ouvrez plus.

– Bien, madame.

Une fois les verrous tirés, Mme Olivier raconta la tentative de corruption que s'était permise le haut fonctionnaire à son égard.

– Vous vous êtes conduite comme un ange, ma chère Olivier, mais nous causerons de cela demain.

Valérie atteignit le troisième étage avec la rapidité d'une flèche, frappa trois petits coups à la porte de Lisbeth, et revint chez elle, où elle donna ses ordres à Mlle Reine ; car jamais une femme ne manque l'occasion d'un Montès arrivant du Brésil.

50

Crevel se venge

– Non ! saperlotte, il n'y a que les femmes du monde pour savoir aimer ainsi ! se disait Crevel. Comme elle descendait l'escalier en l'éclairant de ses regards, je l'entraînais ! Jamais Josépha !... Josépha, c'est de la *gnognote* [1] ! cria l'ancien commis voyageur. Qu'ai-je dit là ? *gnognote*... Mon Dieu ! je suis capable de lâcher cela quelque jour aux Tuileries... Non, si Valérie ne fait pas mon éducation, je ne puis rien être... Moi qui tiens tant à paraître grand seigneur... Ah ! quelle femme ! elle me remue autant qu'une colique, quand elle me regarde froidement... Quelle grâce ! quel esprit ! Jamais Josépha ne

---

1. En langage populaire, chose, personne, de peu de valeur, négligeable.

m'a donné de pareilles émotions. Et quelles perfections inconnues ! Ah ! bien, voilà mon homme.

Il apercevait, dans les ténèbres de la rue de Babylone, le grand Hulot, un peu voûté, se glissant le long des planches d'une maison en construction, et il alla droit à lui.

– Bonjour, baron, car il est plus de minuit, mon cher ! Que diable faites-vous là ?... vous vous promenez par une jolie petite pluie fine. À nos âges, c'est mauvais. Voulez-vous que je vous donne un bon conseil ? revenons chacun chez nous ; car, entre nous, vous ne verrez pas de lumière à la croisée...

En entendant cette dernière phrase, le baron sentit qu'il avait soixante-trois ans, et que son manteau était mouillé.

– Qui donc a pu vous dire ?... demanda-t-il.

– Valérie ! parbleu, *notre* Valérie qui veut être uniquement *ma* Valérie. Nous sommes manche à manche, baron, nous jouerons la belle quand vous voudrez. Vous ne pouvez pas vous fâcher, vous savez que le droit de prendre ma revanche a toujours été stipulé, vous avez mis trois mois à m'enlever Josépha, moi je vous ai pris Valérie en... Ne parlons pas de cela, reprit-il. Maintenant, je la veux toute à moi. Mais nous n'en resterons pas moins bons amis.

– Crevel, ne plaisante pas, répondit le baron d'une voix étouffée par la rage, c'est une affaire de vie ou de mort

– Tiens ! comme vous prenez cela ?... Baron, ne vous rappelez-vous plus ce que vous m'avez dit le jour du mariage d'Hortense : « Est-ce que deux roquentins comme nous doivent se brouiller pour une jupe ? C'est épicier, c'est petites gens... » Nous sommes, c'est convenu, Régence, Justaucorps bleu, Pompadour, Dix-huitième siècle, tout ce qu'il y a de plus maréchal de Richelieu [1], Rocaille, et, j'ose le dire, *Liaisons dangereuses* !...

1. Louis François Armand de Vignerot du Plessis, duc de Richelieu, maréchal et pair de France (1696-1788), fils du petit-neveu du célèbre

Crevel aurait pu entasser ses mots littéraires pendant longtemps, le baron écoutait comme écoutent les sourds dans le commencement de leur surdité. Voyant, à la lueur du gaz, le visage de son ennemi devenu blanc, le vainqueur s'arrêta. C'était un coup de foudre pour le baron, après les déclarations de Mme Olivier, après le dernier regard de Valérie.

– Mon Dieu ! il y avait tant d'autres femmes dans Paris !... s'écria-t-il enfin.

– C'est ce que je t'ai dit quand tu m'as pris Joséph a, répliqua Crevel.

– Tenez, Crevel, c'est impossible... Donnez-moi des preuves !... Avez-vous une clef comme moi pour entrer ?

Et le baron, arrivé devant la maison, fourra une clef dans la serrure : mais il trouva la porte immobile, et il essaya vainement de l'ébranler.

– Ne faites pas de tapage nocturne, dit tranquillement Crevel. Tenez, baron, j'ai, moi, de bien meilleures clefs que les vôtres.

– Des preuves ! des preuves ! répéta le baron exaspéré par une douleur à devenir fou.

– Venez, je vais vous en donner, répondit Crevel.

Et, selon les instructions de Valérie, il entraîna le baron vers le quai, par la rue Hillerin-Bertin [1]. L'infortuné conseiller d'État allait comme vont les négociants la veille du jour où ils doivent déposer leur bilan ; il se perdait en conjectures sur les raisons de la dépravation cachée au fond du cœur de Valérie, et il se croyait la dupe de quelque mystification. En passant sur le pont Royal, il vit son existence si vide, si bien finie, si embrouillée par ses affaires financières, qu'il fut sur le point de céder à la mauvaise pensée qui lui vint de jeter Crevel à la rivière, et de s'y jeter après lui.

Cardinal. Sa vie extrêmement dissolue et ses nombreux duels lui ont valu une réputation assez sulfureuse.

1. Aujourd'hui partie de la rue de Bellechasse, dans le 7ᵉ arrondissement, entre les rues de Varenne et de Grenelle.

51

La petite maison du sieur Crevel

Arrivé rue du Dauphin, qui, dans ce temps, n'était pas encore élargie, Crevel s'arrêta devant une porte bâtarde. Cette porte ouvrait sur un long corridor pavé en dalles blanches et noires, formant péristyle, et au bout duquel se trouvait un escalier et une loge de concierge éclairés par une petite cour intérieure comme il y en a tant à Paris. Cette cour, mitoyenne avec la propriété voisine, offrait la singulière particularité d'un partage inégal. La petite maison [1] de Crevel, car il en était propriétaire, avait un appendice à toiture vitrée, bâti sur le terrain voisin, et grevé de l'interdiction d'élever cette construction, entièrement cachée à la vue par la loge et par l'encorbellement de l'escalier.

Ce local, comme on en voit tant à Paris, avait longtemps servi de magasin, d'arrière-boutique et de cuisine à l'une des deux boutiques situées sur la rue. Crevel avait détaché de la location ces trois pièces du rez-de-chaussée, et Grindot les avait transformées en une petite maison économique. On y pénétrait de deux manières, d'abord par la boutique d'un marchand de meubles à qui Crevel la louait à bas prix et au mois, afin de pouvoir le punir en cas d'indiscrétion, puis par une porte cachée dans le mur du corridor assez habilement pour être presque invisible. Ce petit appartement, composé d'une salle à manger, d'un salon et d'une chambre à coucher, éclairé par en haut, partie chez le voisin, partie chez Crevel, était donc à peu près introuvable. À l'exception du marchand

---

1. La « petite maison » ou « folie » était la « résidence secondaire » secrète qui abritait les plaisirs et débauches des grands seigneurs et financiers au XVIIIᵉ siècle. Balzac parlait de la maison qu'il acheta en septembre 1846 rue Fortunée comme de « la petite maison du célèbre financier Beaujon » (lettre à Georges Mniszech, citée dans Pléiade, p. 1304, n. 1).

de meubles d'occasion, les locataires ignoraient l'existence de ce petit paradis. La portière, payée pour être la complice de Crevel, était une excellente cuisinière. M. le maire pouvait donc entrer dans sa petite maison économique et en sortir à toute heure de la nuit, sans craindre aucun espionnage. Le jour, une femme mise comme se mettent les Parisiennes pour aller faire des emplettes et munie d'une clef, ne risquait rien à venir chez Crevel ; elle observait les marchandises d'occasion, elle en marchandait, elle entrait dans la boutique, et la quittait sans exciter le moindre soupçon si quelqu'un la rencontrait.

Lorsque Crevel eut allumé les candélabres dans le boudoir, le baron fut tout étonné du luxe intelligent et coquet déployé là. L'ancien parfumeur avait donné carte blanche à Grindot, et le vieil architecte s'était distingué par une création du genre Pompadour qui, d'ailleurs, coûtait soixante mille francs. – Je veux, avait dit Crevel à Grindot, qu'une duchesse entrant là soit surprise... Il avait voulu le plus bel Éden parisien pour y posséder son Ève, sa femme du monde, sa Valérie, sa duchesse.

– Il y a deux lits, dit Crevel à Hulot en montrant un divan d'où l'on tirait un lit comme on tire le tiroir d'une commode. En voici un, l'autre est dans la chambre. Ainsi nous pouvons passer ici la nuit tous les deux.

– Les preuves ! dit le baron.

Crevel prit un bougeoir et mena son ami dans la chambre à coucher, où, sur une causeuse, Hulot vit une robe de chambre magnifique appartenant à Valérie, et qu'elle avait portée rue Vaneau, pour s'en faire honneur avant de l'employer à la petite maison Crevel. Le maire fit jouer le secret d'un joli petit meuble en marqueterie appelé *bonheur-du-jour*, y fouilla, saisit une lettre et la tendit au baron.

– Tiens, lis.

Le conseiller d'État lut ce petit billet écrit au crayon :

Je t'ai vainement attendu, vieux rat ! Une femme comme moi n'attend jamais un ancien parfumeur. Il n'y avait ni dîner commandé, ni cigarettes. Tu me paieras tout cela.

– Est-ce bien son écriture ?

– Mon Dieu ! dit Hulot en s'asseyant accablé. Je reconnais tout ce qui lui a servi, voilà ses bonnets et ses pantoufles. Ah ! çà, voyons, depuis quand...

Crevel fit signe qu'il comprenait, et empoigna une liasse de mémoires dans le petit secrétaire en marqueterie.

– Vois, mon vieux ! j'ai payé les entrepreneurs en décembre 1838. En octobre, deux mois auparavant, cette délicieuse petite maison était étrennée.

Le conseiller d'État baissa la tête.

– Comment diable faites-vous ? car je connais l'emploi de son temps, heure par heure.

– Et la promenade aux Tuileries... dit Crevel en se frottant les mains et jubilant.

– Eh ! bien ?... reprit Hulot hébété.

– Ta soi-disant maîtresse vient aux Tuileries, elle est censée s'y promener d'une heure à quatre heures ; mais crac ! en deux temps elle est ici. Tu connais Molière ? Eh bien ! baron, il n'y a rien d'imaginaire dans ton intitulé [1].

Hulot, ne pouvant plus douter de rien, resta dans un silence sinistre. Les catastrophes poussent tous les hommes forts et intelligents à la philosophie. Le baron était, moralement, comme un homme qui cherche son chemin la nuit dans une forêt. Ce silence morne, le changement qui se fit sur cette physionomie affaissée, tout inquiéta Crevel, qui ne voulait pas la mort de son collaborateur.

– Comme je te disais, mon vieux, nous sommes manche à manche ; jouons la belle... Veux-tu jouer la belle, voyons ? au plus fin !

– Pourquoi, se dit Hulot en se parlant à lui-même, sur dix belles femmes, y en a-t-il au moins sept de perverses ?

---

1. Allusion au *Cocu imaginaire*, comédie de Molière (1650).

52

*Deux confrères de la grande confrérie
des confrères*

Le baron était trop en désarroi pour trouver la solution de ce problème. La beauté, c'est le plus grand des
pouvoirs humains. Tout pouvoir sans contrepoids, sans
entraves, autocratique, mène à l'abus, à la folie. L'arbitraire, c'est la démence du pouvoir. Chez la femme,
l'arbitraire, c'est la fantaisie.

– Tu n'as pas à te plaindre, mon cher confrère, tu as
la plus belle des femmes, et elle est vertueuse.

– Je mérite mon sort, se dit Hulot, j'ai méconnu ma
femme, je la fais souffrir, et c'est un ange ! Ô ma pauvre
Adeline, tu es bien vengée ! Elle souffre, seule, en silence,
elle est digne d'adoration, elle mérite mon amour, je
devrais... car elle est admirable encore, blanche et redevenue jeune fille... Mais a-t-on jamais vu femme plus
ignoble, plus infâme, plus scélérate que cette Valérie ?

– C'est une vaurienne, dit Crevel, une coquine à fouet-
ter sur la place du Châtelet ; mais, mon cher Canillac [1], si
nous sommes Justaucorps bleu, Maréchal de Richelieu,
Trumeau, Pompadour, Du Barry, roués et tout ce qu'il y
a de plus Dix-huitième siècle, nous n'avons plus de lieutenant de police.

– Comment se faire aimer ?... se demandait Hulot
sans écouter Crevel.

– C'est une bêtise à nous autres de vouloir être aimés,
mon cher, dit Crevel, nous ne pouvons être que suppor-
tés, car Mme Marneffe est cent fois plus rouée que
Josépha...

---

1. Le marquis de Canillac (1674-1765), « paresseux, voluptueux en
tout genre » (Saint-Simon), était l'ami intime et le compagnon de
débauche du régent, Philippe d'Orléans, qui gouverna sous la minorité
de Louis XV.

– Et avide ! elle me coûte cent quatre-vingt-douze mille francs !... s'écria Hulot.

– Et combien de centimes ? demanda Crevel avec l'insolence du financier en trouvant la somme minime.

– On voit bien que tu ne l'aimes pas, dit mélancoliquement le baron.

– Moi, j'en ai assez, répliqua Crevel, car elle a plus de trois cent mille francs à moi !...

– Où est-ce ? où tout cela passe-t-il ? dit le baron en se prenant la tête dans les mains.

– Si nous nous étions entendus, comme ces petits jeunes gens qui se cotisent pour entretenir une lorette de deux sous, elle nous aurait coûté moins cher.

– C'est une idée ! repartit le baron ; mais elle nous tromperait toujours, car, mon gros père, que penses-tu de ce Brésilien ?...

– Ah ! vieux lapin, tu as raison, nous sommes joués comme des... des actionnaires !... dit Crevel. Toutes ces femmes-là sont des commandites !

– C'est donc elle, dit le baron, qui t'a parlé de la lumière sur la fenêtre ?...

– Mon bonhomme, reprit Crevel en se mettant en position, nous sommes *floués* ! Valérie est une... Elle m'a dit de te tenir ici... J'y vois clair... Elle a son Brésilien... Ah ! je renonce à elle, car si vous lui teniez les mains, elle trouverait moyen de vous tromper avec ses pieds ! Tiens, c'est une infâme, une rouée !

– Elle est au-dessous des prostituées, dit le baron. Josépha, Jenny Cadine étaient dans leur droit en nous trompant, elles font métier de leurs charmes, elles !

– Mais elle ! qui fait la sainte, la prude, dit Crevel. Tiens, Hulot, retourne à ta femme, car tu n'es pas bien dans tes affaires, on commence à causer de certaines lettres de change souscrites à un petit usurier dont la spécialité consiste à prêter aux lorettes, un certain Vauvinet. Quant à moi, me voilà guéri des femmes comme il faut. D'ailleurs, à nos âges, quel besoin avons-nous de ces drôlesses, qui, je suis franc, ne peuvent pas ne point

nous tromper ? Tu as des cheveux blancs, des fausses
dents, baron. Moi, j'ai l'air de Silène [1]. Je vais me mettre
à amasser. L'argent ne trompe point. Si le Trésor s'ouvre
tous les six mois pour tout le monde, il vous donne au
moins des intérêts, et cette femme en coûte... Avec toi,
mon cher confrère, Gubetta [2], mon vieux complice, je
pourrais accepter une situation *chocnoso*... non, philosophique ; mais un Brésilien qui, peut-être, apporte de son
pays des denrées coloniales suspectes...

— La femme, dit Hulot, est un être inexplicable.

— Je l'explique, dit Crevel : nous sommes vieux, le Brésilien est jeune et beau...

— Oui, c'est vrai, dit Hulot, je l'avoue, nous vieillis-
sons. Mais mon ami, comment renoncer à voir ces belles
créatures se déshabillant, roulant leurs cheveux, nous
regardant avec un fin sourire à travers leurs doigts quand
elles mettent leurs papillotes, faisant toutes leurs mines,
débitant leurs mensonges, et se disant peu aimées, quand
elles nous voient harassés par les affaires, et nous dis-
trayant malgré tout ?

— Oui, ma foi ! c'est la seule chose agréable de la vie...
s'écria Crevel. Ah ! quand un minois vous sourit, et
qu'on vous dit : « Mon bon chéri, sais-tu combien tu es
aimable ! Moi, je suis sans doute autrement faite que les
autres femmes qui se passionnent pour de petits jeunes
gens à barbe de bouc, des drôles qui fument, et grossiers
comme des laquais ! car leur jeunesse leur donne une
insolence !... Enfin, ils viennent, ils vous disent bonjour
et ils s'en vont... Moi, que tu soupçonnes de coquetterie,
je préfère à ces moutards les gens de cinquante ans, on
garde ça longtemps ; c'est dévoué, ça sait qu'une femme

---

1. C'est-à-dire que Crevel a un physique repoussant comme Silène,
ce vieillard ivre et lubrique de la mythologie qui fut l'éducateur de
Dionysos, et qui, monté sur un âne, est représenté dans le cortège du
dieu comme un personnage chauve et ventripotent, au nez camus, avec
des oreilles et une queue de cheval, et une expression toujours hilare.

2. Gubetta : personnage d'espion de *Lucrèce Borgia* (1833), de
Victor Hugo.

se retrouve difficilement, et ils nous apprécient... Voilà pourquoi je t'aime, grand scélérat !... » Et elles accompagnent ces espèces d'aveux, de minauderies, de gentillesses, de... Ah ! c'est faux comme des programmes d'hôtel de ville...

– Le mensonge vaut souvent mieux que la vérité, dit Hulot en se rappelant quelques scènes charmantes évoquées par la pantomime de Crevel qui singeait Valérie. On est forcé de travailler le Mensonge, de coudre des paillettes à ses habits de théâtre...

– Et puis enfin, on les a, ces menteuses ! dit brutalement Crevel.

– Valérie est une fée, cria le baron, elle vous métamorphose un vieillard en jeune homme...

– Ah ! oui, reprit Crevel, c'est une anguille qui vous coule entre les mains ; mais c'est la plus jolie des anguilles... blanche et douce comme du sucre !... drôle comme Arnal [1], et des inventions ! Ah !

– Oh ! oui elle est bien spirituelle ! s'écria le baron ne pensant plus à sa femme.

Les deux confrères se couchèrent les meilleurs amis du monde, en se rappelant une à une les perfections de Valérie, les intonations de sa voix, ses chatteries, ses gestes, ses drôleries, les saillies de son esprit, celles de son cœur ; car cette artiste en amour avait des élans admirables, comme les ténors qui chantent un air mieux un jour que l'autre. Et tous les deux ils s'endormirent, bercés par ces réminiscences tentatrices et diaboliques, éclairées par les feux de l'enfer.

Le lendemain, à neuf heures, Hulot parla d'aller au ministère, Crevel avait affaire à la campagne. Ils sortirent ensemble, et Crevel tendit la main au baron en lui disant :

– Sans rancune, n'est-ce pas ? car nous ne pensons plus ni l'un ni l'autre à Mme Marneffe.

---

1. Arnal (1794-1872) : acteur comique qui, selon les contemporains, amusait par une sorte d'excentricité niaise.

– Oh ! c'est bien fini ! répondit Hulot en exprimant une sorte d'horreur.

53

Deux vrais enragés buveurs

À dix heures et demie, Crevel grimpait quatre à quatre l'escalier de Mme Marneffe. Il trouva l'infâme créature, l'adorable enchanteresse, dans le déshabillé le plus coquet du monde, mangeant un joli petit déjeuner fin en compagnie du baron Henri Montès de Montéjanos et de Lisbeth. Malgré le coup que lui porta la vue du Brésilien, Crevel pria Mme Marneffe de lui donner deux minutes d'audience. Valérie passa dans le salon avec Crevel.

– Valérie, mon ange, dit l'amoureux Crevel, M. Marneffe n'a pas longtemps à vivre ; si tu veux m'être fidèle, à sa mort, nous nous marierons. Songes-y. Je t'ai débarrassée de Hulot… Ainsi, vois si ce Brésilien peut valoir un maire de Paris, un homme qui, pour toi, voudra parvenir aux plus hautes dignités, et qui, déjà, possède quatre-vingt et quelques mille livres de rente.

– On y songera, dit-elle. Je serai rue du Dauphin à deux heures, et nous en causerons ; mais, soyez sage ! et n'oubliez pas le transfert que vous m'avez promis hier.

Elle revint dans la salle à manger, suivie de Crevel qui se flattait d'avoir trouvé le moyen de posséder à lui seul Valérie ; mais il aperçut le baron Hulot qui, pendant cette courte conférence, était entré pour réaliser le même dessein. Le conseiller d'État demanda, comme Crevel, un moment d'audience. Mme Marneffe se leva pour retourner au salon, en souriant au Brésilien, comme pour lui dire : « Ils sont fous ! ils ne te voient donc pas ? »

– Valérie, dit le conseiller d'État, mon enfant, ce cousin est un cousin d'Amérique…

– Oh ! assez ! s'écria-t-elle en interrompant le baron. Marneffe n'a jamais été, ne sera plus, ne peut plus être mon mari. Le premier, le seul homme que j'aie aimé est revenu, sans être attendu... Ce n'est pas ma faute ! Mais regardez bien Henri et regardez-vous. Puis demandez-vous si une femme, surtout quand elle aime, peut hésiter. Mon cher, je ne suis pas une femme entretenue. À compter d'aujourd'hui, je ne veux plus être comme Suzanne entre deux vieillards [1]. Si vous tenez à moi, vous serez, vous et Crevel, nos amis ; mais tout est fini, car j'ai vingt-six ans, je veux être à l'avenir une sainte, une excellente et digne femme... comme la vôtre.

— C'est ainsi ? dit Hulot. Ah ! voilà comment vous m'accueillez, lorsque je venais, comme un pape, les mains pleines d'indulgences !... Eh bien ! votre mari ne sera jamais chef de bureau ni officier de la Légion d'honneur...

— C'est ce que nous verrons ! dit Mme Marneffe en regardant Hulot d'une certaine manière.

— Ne nous fâchons pas, reprit Hulot au désespoir, je viendrai ce soir, et nous nous entendrons.

— Chez Lisbeth, oui !...

— Eh bien ! dit le vieillard amoureux, chez Lisbeth !... Hulot et Crevel descendirent ensemble sans se dire un mot jusque dans la rue ; mais, sur le trottoir, ils se regardèrent et se mirent à rire tristement.

— Nous sommes deux vieux fous !... dit Crevel.

— Je les ai congédiés, dit Mme Marneffe à Lisbeth en se remettant à table. Je n'ai jamais aimé, je n'aime et n'aimerai jamais que mon jaguar, ajouta-t-elle en souriant à Henri Montès. Lisbeth, ma fille, tu ne sais pas ?... Henri m'a pardonné les infamies auxquelles la misère m'a réduite.

— C'est ma faute, dit le Brésilien, j'aurais dû t'envoyer cent mille francs.

---

1. La comparaison ne manque pas de piquant, Valérie Marneffe étant aussi dépravée que la Suzanne de l'Ancien Testament, convoitée par deux vieillards lubriques, était pure (voir Daniel, XIII).

– Pauvre enfant ! s'écria Valérie, j'aurais dû travailler pour vivre, mais je n'ai pas les doigts faits pour cela... demande à Lisbeth.

Le Brésilien s'en alla l'homme le plus heureux de Paris.

Vers les midi, Valérie et Lisbeth causaient dans la magnifique chambre à coucher où cette dangereuse Parisienne donnait à sa toilette ces dernières façons qu'une femme tient à donner elle-même. Les verrous mis, les portières tirées, Valérie raconta dans leurs moindres détails tous les événements de la soirée, de la nuit et de la matinée.

– Es-tu contente, mon bijou ? dit-elle à Lisbeth en terminant. Que dois-je être un jour, Mme Crevel ou Mme Montès ? Quel est ton avis ?

– Crevel n'a pas plus de dix ans à vivre, libertin comme il l'est, répondit Lisbeth, et Montès est jeune. Crevel te laissera trente mille francs de rente, environ. Que Montès attende, il sera bien assez heureux en restant le Benjamin. Ainsi, vers trente-trois ans, tu peux, ma chère enfant, en te conservant belle, épouser ton Brésilien et jouer un grand rôle avec soixante mille francs de rente à toi, surtout *protégée* par une maréchale...

– Oui, mais Montès est brésilien, il n'arrivera jamais à rien, fit observer Valérie.

– Nous sommes, dit Lisbeth, dans un temps de chemins de fer où les étrangers finissent, en France, par occuper de grandes positions [1].

– Nous verrons, reprit Valérie, quand Marneffe sera mort, et il n'a pas longtemps à souffrir.

– Ces maladies qui lui reviennent, dit Lisbeth, sont comme les remords du physique. Allons, je vais chez Hortense.

----

1. Des commentateurs, notamment Marcel Bouteron et Pierre Citron, ont vu ici une allusion à James de Rothschild, qui eut, comme beaucoup d'autres, des intérêts dans la construction des chemins de fer du Nord. Pour A.-M. Meininger, cette interprétation est par trop limitative, l'intervention des capitaux étrangers dans l'industrie française ayant pris une extension considérable à partir de 1840 (voir sa mise au point dans l'édition Pléiade, p. 1306, n. 1).

  – Eh bien ! va, mon ange, répondit Valérie, et amène-moi mon artiste ! En trois ans n'avoir pas encore gagné seulement un pouce de terrain ! C'est notre honte à toutes deux ! Wenceslas et Henri, voilà mes deux seules passions. L'un, c'est l'amour ; l'autre, c'est la fantaisie.

  – Es-tu belle, ce matin ! dit Lisbeth en venant prendre Valérie par la taille et la baisant au front. Je jouis de tous tes plaisirs, de ta fortune, de ta toilette... Je n'ai vécu que depuis le jour où nous nous sommes faites sœurs...

  – Attends ! ma tigresse, dit en riant Valérie, ton châle est de travers... Tu ne sais pas encore porter un châle, malgré mes leçons, au bout de trois ans, et tu veux être Mme la maréchale Hulot...

54

Autre vue d'un ménage légitime

  Chaussée de brodequins en prunelle, de bas de soie gris, armée d'une robe en magnifique levantine [1], les cheveux en bandeaux sous une très jolie capote en velours noir doublée de satin jaune, Lisbeth alla rue Saint-Dominique par le boulevard des Invalides, en se demandant si le découragement d'Hortense lui livrerait enfin cette âme forte, et si l'inconstance sarmate, prise à l'heure où tout est possible à ces caractères, ferait fléchir l'amour de Wenceslas.

  Hortense et Wenceslas occupaient le rez-de-chaussée d'une maison située à l'endroit où la rue Saint-Dominique aboutit à l'Esplanade des Invalides. Cet appartement, jadis en harmonie avec la lune de miel, offrait en ce moment un aspect à moitié frais, à moitié fané, qu'il faudrait appeler l'automne du mobilier. Les nouveaux mariés sont gâcheurs, ils gaspillent sans le savoir, sans le

---

1. Étoffe de soie unie, en usage notamment de 1830 à 1870.

vouloir, les choses autour d'eux, comme ils abusent de l'amour. Pleins d'eux-mêmes, ils se soucient peu de l'avenir qui, plus tard, préoccupe la mère de famille.

Lisbeth trouva sa cousine Hortense ayant achevé d'habiller elle-même un petit Wenceslas qui venait d'être exporté dans le jardin.

– Bonjour, Bette, dit Hortense qui vint ouvrir elle-même la porte à sa cousine.

La cuisinière était allée au marché, la femme de chambre, à la fois bonne d'enfant, faisait un savonnage.

– Bonjour, ma chère enfant, répondit Lisbeth en embrassant Hortense. Eh bien ! lui dit-elle à l'oreille, Wenceslas est-il à son atelier ?

– Non, il cause avec Stidmann et Chanor dans le salon.

– Pourrions-nous être seules ? demanda Lisbeth.

– Viens dans ma chambre.

Cette chambre, tendue de perse à fleurs roses et à feuillages verts sur un fond blanc, sans cesse frappée par le soleil ainsi que le tapis, avait passé. Depuis longtemps, les rideaux n'avaient pas été blanchis. On y sentait la fumée du cigare de Wenceslas qui, devenu grand seigneur de l'art et né gentilhomme, déposait les cendres du tabac sur les bras des fauteuils, sur les plus jolies choses, en homme aimé de qui l'on souffre tout, en homme riche qui ne prend pas de soins bourgeois.

– Eh bien ! parlons de tes affaires, demanda Lisbeth en voyant sa belle cousine muette dans le fauteuil où elle s'était plongée. Mais qu'as-tu ? je te trouve pâlotte, ma chère.

– Il a paru deux nouveaux articles où mon pauvre Wenceslas est abîmé ; je les ai lus, je les lui cache, car il se découragerait tout à fait. Le marbre du maréchal Montcornet est regardé comme tout à fait mauvais. On fait grâce aux bas-reliefs pour vanter avec une atroce perfidie le talent d'ornemaniste de Wenceslas, et afin de donner plus de poids à cette opinion que l'*art* sévère nous est interdit ! Stidmann, supplié par moi de dire la vérité, m'a désespérée en m'avouant que son opinion à lui s'accordait avec celle de tous les artistes, des critiques et du public.

– Si Wenceslas, m'a-t-il dit, là, dans le jardin avant le déjeuner, n'expose pas, l'année prochaine, un chef-d'œuvre, il doit abandonner la grande sculpture et s'en tenir aux idylles, aux figurines, aux œuvres de bijouterie et de haute orfèvrerie ! Cet arrêt m'a causé la plus vive peine, car Wenceslas n'y voudra jamais souscrire, il se sent, il a tant de belles idées...

– Ce n'est pas avec des idées qu'on paie ses fournisseurs, fit observer Lisbeth, je me tuais à lui dire cela... C'est avec de l'argent. L'argent ne s'obtient que par des choses faites, et qui plaisent assez aux bourgeois pour être achetées. Quand il s'agit de vivre, il vaut mieux que le sculpteur ait *sur son établi* le modèle d'un flambeau, d'un garde-cendres, d'une table, qu'un groupe et qu'une statue, car tout le monde a besoin de cela, tandis que l'amateur des groupes et son argent se font attendre pendant des mois entiers...

– Tu as raison, ma bonne Lisbeth ! dis-lui donc cela ; moi, je n'en ai pas le courage... D'ailleurs, comme il le disait à Stidmann, s'il se remet à l'ornement, à la petite sculpture, il faudra renoncer à l'Institut, aux grandes créations de l'art, et nous n'aurons plus les trois cent mille francs de travaux que Versailles, la ville de Paris, le ministère nous tenaient en réserve. Voilà ce que nous ôtent ces affreux articles dictés par des concurrents qui voudraient hériter de nos commandes.

– Et ce n'est pas là ce que tu rêvais, pauvre petite chatte ! dit Bette en baisant Hortense au front, tu voulais un gentilhomme dominant l'art, à la tête des sculpteurs... Mais c'est de la poésie, vois-tu... Ce rêve exige cinquante mille francs de rente, et vous n'en avez que deux mille quatre cents, tant que je vivrai ; trois mille après ma mort.

Quelques larmes vinrent dans les yeux d'Hortense, et Bette les lapa du regard comme une chatte boit du lait.

55

Ce qui fait les grands artistes

Voici l'histoire succincte de cette lune de miel, le récit n'en sera peut-être pas perdu pour les artistes.

Le travail moral, la chasse dans les hautes régions de l'intelligence, est un des plus grands efforts de l'homme. Ce qui doit mériter la gloire dans l'Art, car il faut comprendre sous ce mot toutes les créations de la Pensée, c'est surtout le courage, un courage dont le vulgaire ne se doute pas, et qui peut-être est expliqué pour la première fois ici. Poussé par la terrible pression de la misère, maintenu par Bette dans la situation de ces chevaux à qui l'on met des œillères pour les empêcher de voir à droite et à gauche du chemin, fouetté par cette dure fille, image de la Nécessité, cette espèce de Destin subalterne, Wenceslas, né poète et rêveur, avait passé de la Conception à l'Exécution, en franchissant sans les mesurer les abîmes qui séparent ces deux hémisphères de l'Art. Penser, rêver, concevoir de belles œuvres, est une occupation délicieuse. C'est fumer des cigares enchantés, c'est mener la vie de la courtisane occupée à sa fantaisie. L'œuvre apparaît alors dans la grâce de l'enfance, dans la joie folle de la génération, avec les couleurs embaumées de la fleur et les sucs rapides du fruit dégusté par avance. Telle est la Conception et ses plaisirs [1]. Celui qui

---

1. Balzac a déjà abordé le thème du danger de la rêverie pour un artiste dans *Le Chef-d'œuvre inconnu* (récit de 1831, repris et développé en 1837, classé dans les *Études philosophiques*), où l'on voit un peintre, Frenhofer, sombrer dans la folie à force d'excès d'idéalisme et de théories. Son ami et disciple Porbus observe, lui, qu'un artiste ne doit « méditer que les brosses à la main ». Dans la Préface du *Cabinet des antiques* (1839), Balzac développe des idées analogues au sujet des écrivains : « Presque tous savent concevoir. Qui ne promène sept ou huit drames sur les boulevards en fumant son cigare ? Qui n'invente pas les plus belles comédies ? Qui, dans le sérail de son imagination, ne possède pas les plus beaux sujets ? Mais entre ces faciles conceptions et la production il est un abîme de travail, un monde de difficultés que peu d'esprits savent franchir. »

peut dessiner son plan par la parole, passe déjà pour un homme extraordinaire. Cette faculté, tous les artistes et les écrivains la possèdent. Mais produire ! mais accoucher ! mais élever laborieusement l'enfant, le coucher gorgé de lait tous les soirs, l'embrasser tous les matins avec le cœur inépuisé de la mère, le lécher sale, le vêtir cent fois des plus belles jaquettes qu'il déchire incessamment ; mais ne pas se rebuter des convulsions de cette folle vie et en faire le chef-d'œuvre animé qui parle à tous les regards en sculpture, à toutes les intelligences en littérature, à tous les souvenirs en peinture, à tous les cœurs en musique, c'est l'Exécution et ses travaux. La main doit s'avancer à tout moment, prête à tout moment à obéir à la tête. Or, la tête n'a pas plus les dispositions créatrices à commandement, que l'amour n'est continu.

Cette habitude de la création, cet amour infatigable de la Maternité qui fait la mère (ce chef-d'œuvre naturel si bien compris de Raphaël !), enfin, cette maternité cérébrale si difficile à conquérir, se perd avec une facilité prodigieuse. L'Inspiration, c'est l'Occasion du Génie. Elle court non pas sur un rasoir, elle est dans les airs et s'envole avec la défiance des corbeaux, elle n'a pas d'écharpe par où le poète la puisse prendre, sa chevelure est une flamme, elle se sauve comme ces beaux flamants blancs et roses, le désespoir des chasseurs. Aussi le travail est-il une lutte lassante que redoutent et que chérissent les belles et puissantes organisations qui souvent s'y brisent. Un grand poète de ce temps-ci [1] disait en parlant de ce labeur effrayant : « Je m'y mets avec désespoir et je le quitte avec chagrin. » Que les ignorants le sachent ! Si l'artiste ne se précipite pas dans son œuvre, comme Curtius [2] dans le gouffre, comme le soldat dans la redoute,

---

1. Ce « poète » pourrait être, au sens étymologique du mot où l'emploie souvent Balzac, le peintre Eugène Delacroix, dont le *Journal* livre des réflexions assez voisines.

2. Selon la légende, ce jeune patricien du IVe siècle avant J.-C, pour apaiser la colère des dieux, se précipita à cheval, tout armé, dans le gouffre ouvert par un tremblement de terre. L'abîme se referma comme l'avaient prédit les augures réclamant qu'on y précipite « la force de Rome ».

sans réfléchir ; et si, dans ce cratère, il ne travaille pas
comme le mineur enfoui sous un éboulement ; s'il
contemple enfin les difficultés au lieu de les vaincre une
à une, à l'exemple de ces amoureux des féeries, qui, pour
obtenir leurs princesses, combattaient des enchantements
renaissants, l'œuvre reste inachevée, elle périt au fond de
l'atelier, où la production devient impossible, et l'artiste
assiste au suicide de son talent. Rossini, ce génie frère de
Raphaël, en offre un exemple frappant, dans sa jeunesse
indigente superposée à son âge mûr opulent. Telle est la
raison de la récompense pareille, du pareil triomphe, du
même laurier accordé aux grands poètes et aux grands
généraux.

Wenceslas, nature rêveuse, avait dépensé tant d'énergie
à produire, à s'instruire, à travailler sous la direction despotique de Lisbeth, que l'amour et le bonheur amenèrent
une réaction. Le vrai caractère reparut. La paresse et la
nonchalance, la mollesse du Sarmate revinrent occuper
dans son âme les sillons complaisants d'où la verge du
maître d'école les avait chassées.

56

Effet de la lune de miel dans les arts

L'artiste, pendant les premiers mois, aima sa femme.
Hortense et Wenceslas se livrèrent aux adorables enfantillages de la passion légitime, heureuse, insensée. Hortense fut alors la première à dispenser Wenceslas de tout
travail, orgueilleuse de triompher ainsi de sa rivale, la
Sculpture. Les caresses d'une femme, d'ailleurs, font évanouir la Muse, et fléchir la féroce, la brutale fermeté du
travailleur. Six à sept mois passèrent, les doigts du sculpteur désapprirent à tenir l'ébauchoir. Quand la nécessité
de travailler se fit sentir, quand le prince de Wissembourg, président du comité de souscription, voulut voir

la statue, Wenceslas prononça le mot suprême des flâneurs : « Je vais m'y mettre ! » Et il berça sa chère Hortense de fallacieuses paroles, des magnifiques plans de
l'artiste fumeur. Hortense redoubla d'amour pour son
poète, elle entrevoyait une sublime statue du maréchal
Montcornet. Montcornet devait être l'idéalisation de
l'intrépidité, le type de la cavalerie, le courage à la Murat.
Ah bah ! l'on devait, à l'aspect de cette statue, concevoir
toutes les victoires de l'Empereur. Et quelle exécution !
Le crayon était bien complaisant, il suivait la parole.

En fait de statue, il vint un petit Wenceslas ravissant.

Dès qu'il s'agissait d'aller à l'atelier du Gros-Caillou,
manier la glaise et réaliser la maquette, tantôt la pendule
du prince exigeait la présence de Wenceslas à l'atelier de
Florent et de Chanor, où les figures se ciselaient ; tantôt
le jour était gris et sombre ; aujourd'hui des courses
d'affaires, demain un dîner de famille, sans compter les
malaises du talent et ceux du corps, et enfin les jours où
l'on batifole avec une femme adorée. Le maréchal prince
de Wissembourg fut obligé de se fâcher pour obtenir le
modèle, et de dire qu'il reviendrait sur sa décision. Ce fut
après mille reproches et force grosses paroles que le
comité des souscripteurs put voir le plâtre. Chaque jour
de travail, Steinbock revenait visiblement fatigué, se plaignant de ce labeur de maçon, de sa faiblesse physique.
Durant cette première année, le ménage jouissait d'une
certaine aisance. La comtesse Steinbock, folle de son
mari, dans les joies de l'amour satisfait, maudissait le
ministre de la Guerre ; elle alla le voir, et lui dit que les
grandes œuvres ne se fabriquaient pas comme des
canons, et que l'État devait être, comme Louis XIV,
François Iᵉʳ et Léon X, aux ordres du génie. La pauvre
Hortense, croyant tenir un Phidias dans ses bras, avait
pour son Wenceslas la lâcheté maternelle d'une femme
qui pousse l'amour jusqu'à l'idolâtrie. – Ne te presse pas,
dit-elle à son mari, tout notre avenir est dans cette statue,
prends ton temps, fais un chef-d'œuvre. Elle venait à
l'atelier. Steinbock, amoureux, perdait avec sa femme

cinq heures sur sept, à lui décrire sa statue au lieu de la
faire. Il mit ainsi dix-huit mois à terminer cette œuvre,
pour lui, capitale.

Quand le plâtre fut coulé, que le modèle exista, la
pauvre Hortense, après avoir assisté aux énormes efforts
de son mari, dont la santé souffrit de ces lassitudes qui
brisent le corps, les bras et la main des sculpteurs, Hortense trouva l'œuvre admirable. Son père, ignorant en
sculpture, la baronne, non moins ignorante, crièrent au
chef-d'œuvre ; le ministre de la Guerre vint alors amené
par eux, et séduit par eux, il fut content de ce plâtre isolé,
mis dans son jour, et bien présenté devant une toile verte.
Hélas ! à l'exposition de 1841, le blâme unanime dégé-
néra dans la bouche des gens irrités d'une idole si promptement élevée sur son piédestal, en huées et en moqueries.
Stidmann voulut éclairer son ami Wenceslas, il fut accusé
de jalousie. Les articles de journaux furent pour Hortense les cris de l'Envie. Stidmann, ce digne garçon,
obtint des articles où les critiques furent combattues, où
l'on fit observer que les sculpteurs modifiaient tellement
leurs œuvres entre le plâtre et le marbre, qu'on exposait
le marbre. « Entre le projet en plâtre et la statue exécutée
en marbre, on pouvait, disait Claude Vignon, défigurer
un chef-d'œuvre ou faire une grande chose d'une mauvaise. Le plâtre est le manuscrit, le marbre est le livre. »

En deux ans et demi, Steinbock fit une statue et un
enfant. L'enfant était sublime de beauté, la statue fut
détestable.

La pendule du prince et la statue payèrent les dettes du
jeune ménage. Steinbock avait alors contracté l'habitude
d'aller dans le monde, au spectacle, aux Italiens ; il parlait admirablement sur l'art, il se maintenait, aux yeux
des gens du monde, grand artiste par la parole, par ses
explications critiques. Il y a des gens de génie à Paris qui
passent leur vie *à se parler*, et qui se contentent d'une
espèce de gloire de salon. Steinbock, en imitant ces charmants eunuques, contractait une aversion croissante de

jour en jour pour le travail. Il apercevait toutes les difficultés de l'œuvre en voulant la commencer, et le découragement qui s'ensuivait, faisait mollir chez lui la volonté.
L'Inspiration, cette folie de la génération intellectuelle,
s'enfuyait à tire-d'aile, à l'aspect de cet amant malade[1].

57

De la sculpture

La sculpture est comme l'art dramatique, à la fois le
plus difficile et le plus facile de tous les arts. Copiez un
modèle, et l'œuvre est accomplie ; mais y imprimer une
âme, faire un type en représentant un homme ou une
femme, c'est le péché de Prométhée. On compte ce succès
dans les annales de la sculpture, comme on compte les
poètes dans l'humanité. Michel-Ange, Michel Columb,
Jean Goujon, Phidias, Praxitèle, Polyclète, Puget,
Canova, Albert Dürer sont les frères de Milton, de Virgile, de Dante, de Shakespeare, du Tasse, d'Homère et de
Molière. Cette œuvre est si grandiose, qu'une statue suffit
à l'immortalité d'un homme, comme celles de Figaro, de
Lovelace, de Manon Lescaut suffirent à immortaliser
Beaumarchais, Richardson et l'abbé Prévost. Les gens
superficiels (les artistes en comptent beaucoup trop dans
leur sein) ont dit que la sculpture existait par le nu seulement, qu'elle était morte avec la Grèce et que le vêtement
moderne la rendait impossible. D'abord, les anciens ont
fait de sublimes statues entièrement voilées, comme la
Polymnie, la Julie[2], etc., et nous n'avons pas trouvé la

---

1. Le parallélisme entre la génération physique et la génération intellectuelle, entre l'enfant, œuvre de chair, et l'œuvre d'art, est un *topos*
de toute la littérature du XIXe siècle.
2. Deux statues du musée du Louvre : la *Polymnie* est une statue
grecque représentant la muse de la pantomime et de la poésie lyrique ;
la *Julie* est une statue romaine qui représente la déesse Junon sous les
traits de Julie, fille d'Auguste.

dixième partie de leurs œuvres. Puis, que les vrais amants de l'art aillent voir à Florence *le Penseur* de Michel-Ange, et dans la cathédrale de Mayence la Vierge d'Albert Dürer, qui a fait, en ébène, une femme vivante sous ses triples robes, et la chevelure la plus ondoyante, la plus maniable que jamais femme de chambre ait peignée ; que les ignorants y courent, et tous reconnaîtront que le génie peut imprégner l'habit, l'armure, la robe, d'une pensée et y mettre un corps, tout aussi bien que l'homme imprime son caractère et les habitudes de sa vie à son enveloppe. La sculpture est la réalisation continuelle du fait qui s'est appelé pour la seule et unique fois dans la peinture : Raphaël ! La solution de ce terrible problème ne se trouve que dans un travail constant, soutenu, car les difficultés matérielles doivent être tellement vaincues, la main doit être si châtiée, si prête et obéissante, que le sculpteur puisse lutter âme à âme avec cette insaisissable nature morale qu'il faut transfigurer en la matérialisant. Si Paganini, qui faisait raconter son âme par les cordes de son violon, avait passé trois jours sans étudier, il aurait perdu, selon son expression, le *registre* de son instrument ; il désignait ainsi le mariage existant entre le bois, l'archet, les cordes et lui ; cet accord dissous, il serait devenu soudain un violoniste ordinaire. Le travail constant est la loi de l'art comme celle de la vie ; car l'art, c'est la création idéalisée. Aussi les grands artistes, les poètes complets n'attendent-ils ni les commandes, ni les chalands, ils enfantent aujourd'hui, demain, toujours. Il en résulte cette habitude du labeur, cette perpétuelle connaissance des difficultés qui les maintient en concubinage avec la Muse, avec ses forces créatrices. Canova vivait dans son atelier, comme Voltaire a vécu dans son cabinet. Homère et Phidias [1] ont dû vivre ainsi [2].

1. Phidias : célèbre sculpteur, architecte et peintre athénien du Ve siècle avant Jésus Christ, qui dirigea le chantier de l'Acropole à Athènes.
2. Balzac développe dans ce fragment ses considérations esquissées dans l'*Essai sur la fécondité littéraire*, chapitre XLIV de l'édition originale de *La Muse du département* (1843). Il y insiste sur la nécessité que

Wenceslas Steinbock était sur la route aride parcourue par ces grands hommes, et qui mène aux Alpes de la Gloire, quand Lisbeth l'avait enchaîné dans sa mansarde. Le bonheur, sous la figure d'Hortense, avait rendu le poète à la paresse, état normal de tous les artistes, car leur paresse, à eux, est occupée. C'est le plaisir des pachas au sérail : ils caressent des idées, ils s'enivrent aux sources de l'intelligence. De grands artistes, tels que Steinbock, dévorés par la rêverie, ont été justement nommés des *Rêveurs*. Ces mangeurs d'opium [1] tombent tous dans la misère ; tandis que, maintenus par l'inflexibilité des circonstances, ils eussent été de grands hommes. Ces demi-artistes sont d'ailleurs charmants, les hommes les aiment et les enivrent de louanges, ils paraissent supérieurs aux véritables artistes taxés de personnalité, de sauvagerie, de rébellion aux lois du monde. Voici pourquoi : les grands hommes appartiennent à leurs œuvres. Leur détachement de toutes choses, leur dévouement au travail, les constituent égoïstes aux yeux des niais ; car on les veut vêtus des mêmes habits que le dandy, accomplissant des évolutions sociales, appelées devoirs du monde. On voudrait les lions de l'Atlas peignés et parfumés comme des bichons de marquise. Ces hommes, qui comptent peu de pairs et qui les rencontrent rarement, tombent dans l'exclusivité de la solitude ; ils deviennent inexplicables pour la majorité, composée, comme on le sait, de sots, d'envieux, d'ignorants et de gens superficiels. Comprenez-vous maintenant le rôle d'une femme auprès de ces grandioses exceptions ? Une femme doit être à la fois ce qu'avait été Lisbeth pendant cinq ans, et offrir de plus l'amour, l'amour humble, discret, toujours prêt, toujours souriant.

connaissent les hommes d'élite de maintenir « leur cerveau dans les conditions de production, comme jadis un preux avait ses armes toujours en état ».

1. L'expression vient des *Confessions d'un mangeur d'opium* (1821) de Thomas de Quincey. Sur l'expérience, réelle, quoique limitée, que Balzac avait eue du haschisch, voir Pléiade, p. 1310, n. 1.

Hortense, éclairée par ses souffrances de mère, pressée par d'affreuses nécessités, s'apercevait trop tard des fautes que son excessif amour lui avait fait involontairement commettre ; mais, en digne fille de sa mère, son cœur se brisait à l'idée de tourmenter Wenceslas ; elle aimait trop pour se faire le bourreau de son cher poète, et elle voyait arriver le moment où la misère allait l'atteindre, elle, son fils et son mari.

58

Où l'on voit la puissance de ce grand dissolvant social, la misère

— Ah ! ça, voyons, ma petite, dit Bette en voyant rouler des larmes dans les beaux yeux de sa petite cousine, il ne faut pas désespérer. Un verre plein de tes larmes ne paierait pas une assiettée de soupe ! Que vous faut-il ?

— Mais cinq à six mille francs.

— Je n'ai que trois mille francs au plus, dit Lisbeth. Et que fait en ce moment Wenceslas ?

— On lui propose d'entreprendre pour six mille francs, de compagnie avec Stidmann, un dessert [1] pour le duc d'Hérouville. M. Chanor se chargerait alors de payer quatre mille francs dus à MM. Léon de Lora et Bridau, une dette d'honneur.

— Comment, vous avez reçu le prix de la statue et des bas-reliefs du monument élevé au maréchal Montcornet, et vous n'avez pas payé cela !

— Mais, dit Hortense, depuis trois ans nous dépensons douze mille francs par an, et j'ai cent louis de revenu. Le monument du maréchal, tous frais payés, n'a pas donné

---

1. Sorte de corbeille d'osier doré ou de faïence ajourée, dont on a fait usage au XVIIIᵉ siècle et sous la Restauration pour servir les fruits sur la table.

plus de seize mille francs. En vérité, si Wenceslas ne travaille pas, je ne sais ce que nous allons devenir. Ah ! si je pouvais apprendre à faire des statues, comme je remuerais la glaise ! dit-elle en tendant ses beaux bras.

On voyait que la femme tenait les promesses de la jeune fille. L'œil d'Hortense étincelait ; il coulait dans ses veines un sang chargé de fer, impétueux ; elle déplorait d'employer son énergie à tenir son enfant.

– Ah ! ma chère petite bichette, une fille sage ne doit épouser un artiste qu'au moment où il a sa fortune faite et non quand elle est à faire.

En ce moment on entendit le bruit des pas et des voix de Stidmann et de Wenceslas qui reconduisaient Chanor ; puis bientôt Wenceslas vint avec Stidmann. Stidmann, artiste lancé dans le monde des journalistes et des illustres actrices, des lorettes célèbres, était un jeune homme élégant que Valérie voulait avoir chez elle, et que Claude Vignon lui avait déjà présenté. Stidmann venait de voir finir ses relations avec la fameuse Mme Schontz, mariée depuis quelques mois et partie en province. Valérie et Lisbeth, qui avaient su cette rupture par Claude Vignon, jugèrent nécessaire d'attirer rue Vaneau l'ami de Wenceslas. Comme Stidmann, par discrétion, visitait peu les Steinbock, et que Lisbeth n'avait pas été témoin de sa présentation récente par Claude Vignon, elle le voyait pour la première fois. En examinant ce célèbre artiste, elle surprit quelques regards jetés par lui sur Hortense, qui lui firent entrevoir la possibilité de le donner comme consolation à la comtesse Steinbock, si Wenceslas la trahissait. Stidmann pensait en effet que si Wenceslas n'était pas son camarade, Hortense, cette jeune et magnifique comtesse, ferait une adorable maîtresse ; mais ce désir, contenu par l'honneur, l'éloignait de cette maison. Lisbeth remarqua cet embarras significatif qui gêne les hommes en présence d'une femme avec laquelle ils se sont interdit de coqueter.

– Il est très bien, ce jeune homme, dit-elle à l'oreille d'Hortense.

– Ah ! tu trouves ? répondit-elle, je ne l'ai jamais remarqué...

– Stidmann, mon brave, dit Wenceslas à l'oreille de son camarade, nous ne nous gênons point entre nous, eh bien ! nous avons à causer d'affaires avec cette vieille fille.

Stidmann salua les deux cousines et partit.

– C'est fini, dit Wenceslas en revenant après avoir reconduit Stidmann ; mais ce travail-là demandera six mois, et il faut pouvoir vivre pendant tout ce temps-là.

– J'ai mes diamants, s'écria la jeune comtesse Steinbock avec le sublime élan des femmes qui aiment.

Une larme vint aux yeux de Wenceslas.

– Oh ! je vais travailler, répondit-il en venant s'asseoir auprès de sa femme qu'il prit sur ses genoux. Je vais faire des *brocantes* [1], une corbeille de mariage, des groupes en bronze...

– Mais, mes chers enfants, dit Lisbeth, car vous savez que vous êtes mes héritiers, et je vous laisserai, croyez-le, un joli magot, surtout si vous m'aidez à épouser le maréchal ; si nous réussissions promptement, je vous prendrais en pension chez moi, vous et Adeline. Ah ! nous pourrions vivre bien heureux ensemble. Pour le moment, écoutez ma vieille expérience. Ne recourez pas au Mont-de-Piété, c'est la perte de l'emprunteur. J'ai toujours vu les nécessiteux manquant, lors du renouvellement, de l'argent nécessaire au service de l'intérêt, et tout est perdu. Je puis vous faire prêter de l'argent à cinq pour cent seulement sur billet.

– Ah ! nous serions sauvés ! dit Hortense.

– Eh bien ! ma petite, que Wenceslas vienne chez la personne qui l'obligerait à ma prière. C'est Mme Marneffe ; en la flattant, car elle est vaniteuse comme une parvenue, elle vous tirera d'embarras de la façon la plus

---

1. Mot familier et vieux. Petit travail d'occasion qu'une personne fait en dehors de sa journée, pour en ajouter le produit à son salaire (Robert). Ouvrage inattendu et de peu de valeur que les ouvriers font pour leur compte (Littré).

obligeante. Viens dans cette maison-là, ma chère Hortense.

Hortense regarda Wenceslas de l'air que doivent avoir les condamnés à mort en montant à l'échafaud.

— Claude Vignon a présenté là Stidmann, répondit Wenceslas. C'est une maison très agréable.

Hortense baissa la tête. Ce qu'elle éprouvait, un seul mot peut le faire comprendre : ce n'était pas une douleur, mais une maladie.

— Mais, ma chère Hortense, apprends donc la vie ! s'écria Lisbeth en comprenant l'éloquence du mouvement d'Hortense. Sinon, tu seras comme ta mère, déportée dans une chambre déserte où tu pleureras comme Calypso le départ d'Ulysse [1], à un âge où il n'y a plus de Télémaque !... ajouta-t-elle en répétant une raillerie de Mme Marneffe. Il faut considérer les gens dans le monde comme des ustensiles dont on se sert, qu'on prend, qu'on laisse selon leur utilité. Servez-vous, mes chers enfants, de Mme Marneffe, et quittez-la plus tard. As-tu peur que Wenceslas qui t'adore, se prenne de passion pour une femme de quatre ou cinq ans plus âgée que toi, fanée comme une botte de luzerne, et...

— J'aime mieux mettre mes diamants en gage, dit Hortense. Oh ! ne va jamais là, Wenceslas !... c'est l'enfer !

— Hortense a raison ! dit Wenceslas en embrassant sa femme.

— Merci, mon ami, répondit la jeune femme, au comble du bonheur. Vois-tu, Lisbeth, mon mari est un ange : il ne joue pas, nous allons partout ensemble, et s'il

---

1. Référence au début des *Aventures de Télémaque* (1699) de Fénelon : « Calypso ne pouvait se consoler du départ d'Ulysse. Dans sa douleur, elle se trouvait malheureuse d'être immortelle » (Fénelon, *Œuvres*, t. II, éd. Jacques Le Brun, Gallimard, « Bibliothèque de la Pléiade », 1997, p. 3). La nymphe Calypso, éprise d'Ulysse avec qui elle vécut sept ans sur l'île d'Ogygie, lui proposa de lui donner l'immortalité s'il acceptait de rester avec elle. Mais, habité par la nostalgie d'Ithaque, le héros refusa et, sur la demande de Zeus, elle l'aida à fabriquer un radeau pour partir.

pouvait se mettre au travail, non, je serais trop heureuse. Pourquoi nous montrer chez la maîtresse de notre père, chez une femme qui le ruine et qui cause les chagrins dont se meurt notre héroïque maman ?...

– Mon enfant, la ruine de ton père ne vient pas de là ; c'est sa cantatrice qui l'a ruiné, puis ton mariage ! répondit la cousine Bette. Mon Dieu ! Mme Marneffe lui est bien utile, va !... mais je ne dois rien dire...

– Tu défends tout le monde, chère Bette...

Hortense fut appelée au jardin par les cris de son enfant, et Lisbeth resta seule avec Wenceslas.

– Vous avez un ange pour femme, Wenceslas ! dit la cousine Bette ; aimez-la bien, ne lui faites jamais de chagrin.

– Oui, je l'aime tant, que je lui cache notre situation, répondit Wenceslas ; mais à vous, Lisbeth, je puis vous en parler... Eh bien ! en mettant les diamants de ma femme au Mont-de-Piété, nous ne serions pas plus avancés.

– Eh bien ! empruntez à Mme Marneffe... dit Lisbeth. Décidez Hortense, Wenceslas, à vous y laisser venir, ou, ma foi allez-y sans qu'elle s'en doute !

– C'est à quoi je pensais, répondit Wenceslas, au moment où je refusais d'y aller pour ne pas affliger Hortense.

– Écoutez, Wenceslas, je vous aime trop tous les deux pour ne pas vous prévenir du danger. Si vous venez là, tenez votre cœur à deux mains, car cette femme est un démon ; tous ceux qui la voient l'adorent ; elle est si vicieuse, si affriolante !... elle fascine comme un chef-d'œuvre. Empruntez-lui son argent, et ne laissez pas votre âme en gage ! Je ne me consolerais pas si ma cousine devait être trahie. La voici ! s'écria Lisbeth ; ne disons plus rien, j'arrangerai votre affaire.

– Embrasse Lisbeth, mon ange, dit Wenceslas à sa femme, elle nous tirera d'embarras en nous prêtant ses économies.

Et il fit un signe à Lisbeth, que Lisbeth comprit.

— J'espère alors que tu travailleras, mon chérubin ? dit Hortense.

— Ah ! répondit l'artiste, dès demain.

— C'est ce demain qui nous ruine, dit Hortense en lui souriant.

— Ah ! ma chère enfant, dis toi-même si chaque jour il ne s'est pas rencontré des empêchements, des obstacles, des affaires ?

— Oui, tu as raison, mon amour.

— J'ai là, reprit Steinbock en se frappant le front, des idées !... oh ! mais je veux étonner tous mes ennemis. Je veux faire un service de table dans le genre allemand du XVIe siècle, le genre rêveur ! Je tortillerai des feuilles pleines d'insectes ; j'y coucherai des enfants, j'y mêlerai des chimères nouvelles, de vraies chimères, les corps de nos rêves !... je les tiens ! Ce sera fouillé, léger et touffu tout à la fois. Chanor est sorti tout émerveillé... J'avais besoin d'être encouragé, car le dernier article fait sur le monument de Montcornet m'avait bien effondré.

Pendant un moment de la journée où Lisbeth et Wenceslas furent seuls, l'artiste convint avec la vieille fille de venir le lendemain voir Mme Marneffe, car, ou sa femme le lui aurait permis, ou il irait secrètement.

59

Considérations sur les mouches

Valérie, instruite le soir même de ce triomphe, exigea du baron Hulot qu'il allât inviter à dîner Stidmann, Claude Vignon et Steinbock ; car elle commençait à le tyranniser comme ces sortes de femmes savent tyranniser les vieillards qui trottent par la ville et vont supplier quiconque est nécessaire aux intérêts, aux vanités de ces dures maîtresses.

Le lendemain, Valérie se mit sous les armes en faisant une de ces toilettes que les Parisiennes inventent quand

elles veulent jouir de tous leurs avantages. Elle s'étudia
dans cette œuvre, comme un homme qui va se battre
repasse ses *feintes* et ses *rompus* [1]. Pas un pli, pas une
ride. Valérie avait sa plus belle blancheur, sa mollesse,
sa finesse. Enfin ses mouches attiraient insensiblement le
regard. On croit les mouches du XVIIIᵉ siècle perdues ou
supprimées ; on se trompe. Aujourd'hui les femmes, plus
habiles que celles du temps passé, mendient le coup de
lorgnette par d'audacieux stratagèmes. Telle découvre, la
première, cette cocarde de rubans, au centre de laquelle
on met un diamant, et elle accapare les regards pendant
toute une soirée ; telle autre ressuscite la résille ou se
plante un poignard dans les cheveux pour faire penser à
sa jarretière ; celle-ci se met des poignets en velours noir ;
celle-là reparaît avec des barbes [2]. Ces sublimes efforts,
ces Austerlitz [3] de la Coquetterie ou de l'Amour
deviennent alors des modes pour les sphères inférieures,
au moment où les heureuses créatrices en cherchent
d'autres. Pour cette soirée, où Valérie voulait réussir, elle
se posa trois mouches. Elle s'était fait peigner avec une
eau qui changea, pour quelques jours, ses cheveux blonds
en cheveux cendrés. Mme Steinbock étant d'un blond
ardent, elle voulut ne lui ressembler en rien. Cette couleur nouvelle donna quelque chose de piquant et
d'étrange à Valérie qui préoccupa ses fidèles à tel point,
que Montès lui dit : « Qu'avez-vous donc ce soir ?... »
Puis elle se mit un collier de velours noir assez large qui
fit ressortir la blancheur de sa poitrine. La troisième
mouche pouvait se comparer à *l'ex-assassine* [4] de nos

---

1. Termes d'escrime.
2. Dentelles, ou morceaux d'étoffe très fine, ornant les coiffures féminines sous l'Ancien Régime, et dont la mode revenait à l'époque de
Balzac.
3. Cette victoire de Napoléon sur les forces austro-russes le
2 décembre 1805 est considérée comme un chef-d'œuvre de tactique,
auquel sont comparés ici les pièges de la séduction et les ruses de la
coquetterie.
4. *Mouche assassine* : mouche noire que les dames se mettaient au-
dessous de l'œil.

grand-mères. Valérie se planta le plus joli petit bouton de rose au milieu de son corsage, en haut du busc, dans le creux le plus mignon. C'était à faire baisser les regards de tous les hommes au-dessous de trente ans.

– Je suis à croquer ! se dit-elle en repassant ses attitudes dans la glace, absolument comme une danseuse fait ses *pliés*[1].

Lisbeth était allée à la Halle, et le dîner devait être un de ces dîners superfins que Mathurine cuisinait pour son évêque quand il traitait le prélat du diocèse voisin.

60

Une belle entrée

Stidmann, Claude Vignon et le comte Steinbock arrivèrent presque à la fois, vers six heures. Une femme vulgaire ou naturelle, si vous voulez, serait accourue au nom de l'être si ardemment désiré ; mais Valérie, qui, depuis cinq heures, attendait dans sa chambre, laissa ses trois convives ensemble, certaine d'être l'objet de leur conversation ou de leurs pensées secrètes. Elle-même, en dirigeant l'arrangement de son salon, elle avait mis en évidence ces délicieuses babioles que produit Paris, et que nulle autre ville ne pourra produire, qui révèlent la femme et l'annoncent pour ainsi dire : des souvenirs reliés en émail et brodés de perles, des coupes pleines de bagues charmantes, des chefs-d'œuvre de Sèvres ou de Saxe montés avec un goût exquis par Florent et Chanor, enfin des statuettes et des albums, tous ces colifichets qui valent des sommes folles, et que commande aux fabricants la passion dans son premier délire ou pour son dernier raccommodement. Valérie se trouvait d'ailleurs sous le coup de l'ivresse que cause le succès, elle avait

---

1. En danse classique, exercices d'assouplissement.

promis à Crevel d'être sa femme, si Marneffe mourait. Or, l'amoureux Crevel avait fait opérer au nom de Valérie Fortin le transfert de dix mille francs de rente, somme de ses gains dans les affaires de chemins de fer depuis trois ans, tout ce que lui avait rapporté ce capital de cent mille écus offert à la baronne Hulot. Ainsi Valérie possédait trente-deux mille francs de rente. Crevel venait de lâcher une promesse bien autrement importante que le don de ses profits. Dans le paroxysme de passion où sa duchesse l'avait plongé de deux heures à quatre (il donnait ce surnom à Mme *de* Marneffe pour compléter ses illusions), car Valérie s'était surpassée rue du Dauphin, il crut devoir encourager la fidélité promise en offrant la perspective d'un joli petit hôtel qu'un imprudent entrepreneur s'était bâti rue Barbet et qu'on allait vendre. Valérie se voyait dans cette charmante maison entre cour et jardin, avec voiture !

— Quelle est la vie honnête qui peut donner tout cela en si peu de temps et si facilement ? avait-elle dit à Lisbeth en achevant sa toilette.

Lisbeth dînait ce jour-là chez Valérie, afin d'en pouvoir dire à Steinbock ce que personne ne peut dire soi-même de soi. Mme Marneffe, la figure radieuse de bonheur, fit son entrée dans le salon avec une grâce modeste, suivie de Bette, qui, mise tout en noir et jaune, lui servait de repoussoir, en terme d'atelier.

— Bonjour, Claude, dit-elle en tendant la main à l'ancien critique si célèbre.

Claude Vignon était devenu, comme tant d'autres, un homme politique, nouveau mot pris pour désigner un ambitieux à la première étape de son chemin. *L'homme politique* de 1840 est en quelque sorte *l'abbé* du XVIIIe siècle. Aucun salon ne serait complet, sans son homme politique.

— Ma chère, voilà mon petit cousin le comte de Steinbock, dit Lisbeth en présentant Wenceslas que Valérie paraissait ne pas apercevoir.

    – J'ai bien reconnu monsieur le comte, répondit Valérie en faisant un gracieux salut de tête à l'artiste. Je vous voyais souvent rue du Doyenné ; j'ai eu le plaisir d'assister à votre mariage. Ma chère, dit-elle à Lisbeth, il est difficile d'oublier ton ex-enfant, ne l'eût-on vu qu'une fois. – Monsieur Stidmann est bien bon, reprit-elle en saluant le sculpteur, d'avoir accepté mon invitation à si court délai ; mais nécessité n'a pas de loi ! Je vous savais l'ami de ces deux messieurs. Rien n'est plus froid, plus maussade, qu'un dîner où les convives sont inconnus les uns aux autres, et je vous ai racolé pour leur compte ; mais vous viendrez une autre fois pour le mien, n'est-ce pas ?... dites : oui !...

    Et elle se promena pendant quelques instants avec Stidmann, en paraissant uniquement occupée de lui. On annonça successivement Crevel, le baron Hulot, et un député nommé Beauvisage. Ce personnage, un Crevel de province, un de ces gens mis au monde pour faire foule, votait sous la bannière de Giraud, conseiller d'État, et de Victorin Hulot. Ces deux hommes politiques voulaient faire un noyau de Progressistes dans la grande phalange des Conservateurs. Giraud venait quelquefois le soir chez Mme Marneffe, qui se flattait d'avoir aussi Victorin Hulot ; mais l'avocat puritain avait jusqu'alors trouvé des prétextes pour résister à son père et à son beau-père. Se montrer chez la femme qui faisait couler les larmes de sa mère, lui paraissait un crime. Victorin Hulot était aux puritains de la politique ce qu'une femme pieuse est aux dévotes. Beauvisage, ancien bonnetier d'Arcis, *voulait prendre le genre de Paris*. Cet homme, une des bornes de la Chambre, se formait chez la délicieuse, la ravissante Mme Marneffe, où, séduit par Crevel, il l'avait accepté de Valérie pour modèle et pour maître ; il le consultait en tout, il lui demandait l'adresse de son tailleur, il l'imitait, il essayait de se mettre en position comme lui ; enfin Crevel était son grand homme. Valérie, entourée de ces personnages et des trois artistes, bien accompagnée par Lisbeth, apparut d'autant plus à Wenceslas comme une femme supérieure, que Claude Vignon lui fit l'éloge de Mme Marneffe en homme épris.

– C'est Mme de Maintenon dans la jupe de Ninon ! dit l'ancien critique. Lui plaire, c'est l'affaire d'une soirée où l'on a de l'esprit ; mais être aimé d'elle, c'est un triomphe qui peut suffire à l'orgueil d'un homme, et en remplir la vie.

Valérie, en apparence froide et insouciante pour son ancien voisin, en attaqua la vanité, sans le savoir d'ailleurs, car elle ignorait le caractère polonais.

61

*Du Polonais en général
et de Steinbock en particulier*

Il y a chez le Slave un côté enfant, comme chez tous les peuples primitivement sauvages, et qui ont plutôt fait irruption chez les nations civilisées qu'ils ne se sont réellement civilisés. Cette race s'est répandue comme une inondation, et a couvert une immense surface du globe. Elle y habite des déserts où les espaces sont si vastes, qu'elle s'y trouve à l'aise ; on ne s'y coudoie pas, comme en Europe, et la civilisation est impossible sans le frottement continuel des esprits et des intérêts. L'Ukraine, la Russie, les plaines du Danube, le peuple slave enfin, c'est un trait d'union entre l'Europe et l'Asie, entre la civilisation et la barbarie. Aussi le Polonais, la plus riche fraction du peuple slave, a-t-il dans le caractère les enfantillages et l'inconstance des nations imberbes. Il possède le courage, l'esprit et la force ; mais, frappés d'inconsistance, ce courage et cette force, cet esprit n'ont ni méthode ni esprit, car le Polonais offre une mobilité semblable à celle du vent qui règne sur cette immense plaine coupée de marécages ; s'il a l'impétuosité des

Chasse-Neige, qui tordent et emportent des maisons ; de même que ces terribles avalanches aériennes, il va se perdre dans le premier étang venu, dissous en eau. L'homme prend toujours quelque chose des milieux où il vit. Sans cesse en lutte avec les Turcs, les Polonais en ont reçu le goût des magnificences orientales ; ils sacrifient souvent le nécessaire pour briller, ils se parent comme des femmes, et cependant le climat leur a donné la dure constitution des Arabes. Aussi, le Polonais, sublime dans la douleur, a-t-il fatigué les bras de ses oppresseurs à force de se faire assommer, en recommençant ainsi, au XIXᵉ siècle, le spectacle qu'ont offert les premiers chrétiens. Introduisez dix pour cent de sournoiserie anglaise dans le caractère polonais, si franc, si ouvert, et le généreux aigle blanc régnerait aujourd'hui partout où se glisse l'aigle à deux têtes. Un peu de machiavélisme eût empêché la Pologne de sauver l'Autriche qui l'a partagée, d'emprunter à la Prusse, son usurière, qui l'a minée, et de se diviser au moment du premier partage. Au baptême de la Pologne, une fée Carabosse oubliée par les génies qui dotaient cette séduisante nation des plus brillantes qualités, est sans doute venue dire : « Garde tous les dons que mes sœurs t'ont dispensés, mais tu ne sauras jamais ce que tu voudras ! » Si, dans son duel héroïque avec la Russie, la Pologne avait triomphé, les Polonais se battraient entre eux aujourd'hui comme autrefois dans leurs diètes pour s'empêcher les uns les autres d'être roi. Le jour où cette nation, uniquement composée de courages sanguins, aura le bon sens de chercher un Louis XI dans ses entrailles, d'en accepter la tyrannie et la dynastie, elle sera sauvée. Ce que la Pologne fut en politique, la plupart des Polonais le sont dans leur vie privée, surtout lorsque les désastres arrivent. Ainsi, Wenceslas Steinbock, qui depuis trois ans adorait sa femme, et qui se savait un dieu pour elle, fut tellement piqué de se voir à peine remarqué par Mme Marneffe, qu'il se fit un point d'honneur en lui-même d'en obtenir quelque attention. En comparant

Valérie à sa femme, il donna l'avantage à la première.
Hortense était une belle chair, comme le disait Valérie à
Lisbeth ; mais il y avait en Mme Marneffe l'Esprit dans
la Forme et le piquant du Vice. Le dévouement d'Hortense est un sentiment qui, pour un mari, lui semble dû ;
la conscience de l'immense valeur d'un amour absolu se
perd bientôt, comme le débiteur se figure, au bout de
quelque temps, que le prêt est à lui. Cette loyauté sublime
devient en quelque sorte le pain quotidien de l'âme, et
l'infidélité séduit comme une friandise. La femme dédai-
gneuse, une femme dangereuse surtout, irrite la curiosité,
comme les épices relèvent la bonne chère. Le mépris, si
bien joué par Valérie, était d'ailleurs une nouveauté pour
Wenceslas, après trois ans de plaisirs faciles. Hortense fut
la femme et Valérie fut la maîtresse. Beaucoup d'hommes
veulent avoir ces deux éditions du même ouvrage,
quoique ce soit une immense preuve d'infériorité chez un
homme que de ne pas savoir faire de sa femme sa maîtresse. La variété dans ce genre est un signe d'impuis-
sance. La constance sera toujours le génie de l'amour,
l'indice d'une force immense, celle qui constitue le poète !
On doit avoir toutes les femmes dans la sienne, comme
les poètes crottés du XVIIe siècle faisaient de leurs
Manons des Iris et des Chloés !

    – Eh bien ! dit Lisbeth à son petit cousin au moment
où elle le vit fasciné, comment trouvez-vous Valérie ?

    – Trop charmante ! répondit Wenceslas.

    – Vous n'avez pas voulu m'écouter, repartit la cousine
Bette. Ah ! mon petit Wenceslas, si nous étions restés
ensemble, vous auriez été l'amant de cette sirène-là, vous
l'auriez épousée dès qu'elle serait devenue veuve, et vous
auriez eu les quarante mille livres de rentes qu'elle a !

    – Vraiment !…

    – Mais oui, répondit Lisbeth. Allons, prenez garde à
vous, je vous ai bien prévenu du danger, ne vous brûlez
pas à la bougie ! donnez-moi le bras, l'on a servi.

Aucun discours n'était plus démoralisant que celui-là, car, montrez un précipice à un Polonais, il s'y jette aussitôt. Ce peuple a surtout le génie de la cavalerie, il croit pouvoir enfoncer tous les obstacles et en sortir victorieux. Ce coup d'éperon par lequel Lisbeth labourait la vanité de son cousin fut appuyé par le spectacle de la salle à manger, où brillait une magnifique argenterie, où Steinbock aperçut toutes les délicatesses et les recherches du luxe parisien.

– J'aurais mieux fait, se dit-il en lui-même, d'épouser Célimène [1].

62
Commentaires sur l'histoire de Dalila

Pendant ce dîner, Hulot, content de voir là son gendre, et plus satisfait encore de la certitude d'un raccommodement avec Valérie, qu'il se flattait de rendre fidèle par la promesse de la succession Coquet, fut charmant. Stidmann répondit à l'amabilité du baron par les gerbes de la plaisanterie parisienne, et par sa verve d'artiste. Steinbock ne voulut pas se laisser éclipser par son camarade, il déploya son esprit, il eut des saillies, il fit de l'effet, il fut content de lui ; Mme Marneffe lui sourit à plusieurs reprises en lui montrant qu'elle le comprenait bien. La bonne chère, les vins capiteux achevèrent de plonger Wenceslas dans ce qu'il faut appeler le bourbier du plaisir. Animé par une pointe de vin, il s'étendit, après le dîner, sur un divan, en proie à un bonheur à la fois physique et spirituel, que Mme Marneffe mit au comble en venant se poser près de lui, légère, parfumée, belle à

---

1. Le personnage de jeune femme coquette du *Misanthrope* de Molière, aimée par Alceste, et qui désigne ici bien évidemment Valérie Marneffe.

damner les anges. Elle s'inclina vers Wenceslas, elle
effleura presque son oreille pour lui parler tout bas.

– Ce n'est pas ce soir que nous pouvons causer
d'affaires, à moins que vous ne vouliez rester le dernier.
Entre vous, Lisbeth et moi, nous arrangerions les choses
à votre convenance...

– Ah ! vous êtes un ange, madame ! dit Wenceslas en
lui répondant de la même manière. J'ai fait une fameuse
sottise de ne point écouter Lisbeth...

– Que vous disait-elle ?...

– Elle prétendait, rue du Doyenné, que vous
m'aimiez !...

Mme Marneffe regarda Wenceslas, eut l'air d'être
confuse et se leva brusquement. Une femme, jeune et
jolie, n'a jamais impunément éveillé chez un homme
l'idée d'un succès immédiat. Ce mouvement de femme
vertueuse, réprimant une passion gardée au fond du
cœur, était plus éloquent mille fois que la déclaration la
plus passionnée.

Aussi le désir fut-il si vivement irrité chez Wenceslas,
qu'il redoubla d'attentions pour Valérie. Femme en vue,
femme souhaitée ! De là vient la terrible puissance des
actrices. Mme Marneffe, se sachant étudiée, se comporta
comme une actrice applaudie. Elle fut charmante et
obtint un triomphe complet.

– Les folies de mon beau-père ne m'étonnent plus, dit
Wenceslas à Lisbeth.

– Si vous parlez ainsi, Wenceslas, répondit la cousine,
je me repentirai toute ma vie de vous avoir fait prêter ces
dix mille francs. Seriez-vous donc comme eux tous,
dit-elle en montrant les convives, amoureux fou de cette
créature ? Songez donc que vous seriez le rival de votre
beau-père. Enfin pensez à tout le chagrin que vous cause-
riez à Hortense.

– C'est vrai, dit Wenceslas, Hortense est un ange, je
serais un monstre !

– Il y en a bien assez d'un dans la famille, répliqua
Lisbeth.

– Les artistes ne devraient jamais se marier ! s'écria Steinbock.

– Ah ! c'est ce que je vous disais rue du Doyenné. Vos enfants, à vous, ce sont vos groupes, vos statues, vos chefs-d'œuvre.

– Que dites-vous donc là ? vint demander Valérie en se joignant à Lisbeth. Sers le thé, cousine.

Steinbock, par une forfanterie polonaise, voulut paraître familier avec cette fée du salon. Après avoir insulté Stidmann, Claude Vignon, Crevel, par un regard, il prit Valérie par la main et la força de s'asseoir à côté de lui sur le divan.

– Vous êtes par trop grand seigneur, comte Steinbock ! dit-elle en résistant peu.

Et elle se mit à rire en tombant près de lui, non sans lui montrer le petit bouton de rose qui parait son corsage.

– Hélas ! si j'étais grand seigneur, je ne viendrais pas ici, dit-il, en emprunteur.

– Pauvre enfant ! je me souviens de vos nuits de travail à la rue du Doyenné. Vous avez été un peu *bêta*. Vous vous êtes marié, comme un affamé se jette sur le pain. Vous ne connaissez point Paris ! Voyez où vous en êtes ? Mais vous avez fait la sourde oreille au dévouement de la Bette comme à l'amour de la Parisienne, qui savait son Paris par cœur.

– Ne me dites plus rien, s'écria Steinbock, je suis bâté.

– Vous aurez vos dix mille francs, mon cher Wenceslas ; mais à une condition, dit-elle en jouant avec ses admirables rouleaux de cheveux.

– Laquelle ?...

– Eh bien ! je ne veux pas d'intérêts...

– Madame !...

– Oh ! ne vous fâchez pas ; vous me les remplacerez par un groupe en bronze. Vous avez commencé l'histoire de Samson, achevez-la... Faites Dalila [1] coupant les cheveux à l'Hercule juif !... Mais vous qui serez, si vous

---

1. Personnage de l'Ancien Testament. Dans le Livre des Juges, cette Philistine séduit le juge Samson. Apprenant que la force de Samson

voulez m'écouter, un grand artiste, j'espère que vous
comprendrez le sujet. Il s'agit d'exprimer la puissance de
la femme. Samson n'est rien, là. C'est le cadavre de la
force. Dalila, c'est la passion qui ruine tout. Comme cette
réplique… Est-ce comme cela que vous dites ?… ajouta-
t-elle finement en voyant Claude Vignon et Stidmann qui
s'approchèrent d'eux en voyant qu'il s'agissait de sculpture ; comme cette réplique d'Hercule aux pieds
d'Omphale est bien plus belle que le mythe grec ! Est-ce
la Grèce qui a copié la Judée ? est-ce la Judée qui a pris
à la Grèce ce symbole ?

— Ah ! vous soulevez là, madame, une grave question !
celle des époques auxquelles auraient été composés les
différents livres de la Bible. Le grand et immortel Spinoza, si niaisement rangé parmi les athées, et qui a
mathématiquement prouvé Dieu, prétendait que la
Genèse, et la partie politique, pour ainsi dire, de la Bible,

---

réside dans ses cheveux, elle l'endort et lui rase les sept tresses de sa
chevelure : « Ainsi elle commença à le dominer et sa force se retira de
lui » (Juges, XVI, 19). Dalila livre alors Samson aux Philistins, qui lui
crèvent les yeux et l'enchaînent. Elle est le type de la femme séductrice,
traîtresse et castratrice, type qui a hanté Balzac. Pierre Barbéris (Folio,
p. 486) fait un rapprochement avec le poème violemment misogyne de
Vigny, « La Colère de Samson ». Même si Balzac n'a pu avoir connaissance de ce texte publié posthume en 1864 (comme le souligne A.-M.
Meininger, Pléiade, p. 1314, n. 1), ce rapprochement est intéressant du
point de vue de la représentation de la femme à l'époque. Ce poème
fait de Dalila, qui dissout par ses « baisers menteurs » et ses « amours
factices » (v. 136 et 134) la volonté et l'énergie de l'homme, une figure
de la Femme : « Et, plus ou moins, la Femme est toujours DALILA »
(v. 60). D'un pessimisme total, il évoque la guerre éternelle des sexes :
« Une lutte éternelle en tout temps, en tout lieu/ Se livre sur la terre,
en présence de Dieu,/ Entre la bonté d'Homme et la ruse de Femme./
Car la Femme est un être impur de corps et d'âme » (v. 35-38). Cette
représentation de la femme comme un être glacé, hypocrite, menteur et
assoiffé de domination connaîtra une immense fortune dans la littérature du XIXᵉ siècle, en particulier dans le roman naturaliste et dans la
littérature décadente. Pierre Barbéris souligne aussi que le fait que la
Dalila de Vigny est lesbienne (« La Femme aura Gomorrhe et l'Homme
aura Sodome », v. 78) est intéressant quand on pense au lien homo-
sexuel au moins latent qui unit Lisbeth Fischer et Valérie Marneffe.

est du temps de Moïse, et il démontrait les interpolations par des preuves philologiques[1]. Aussi a-t-il reçu trois coups de couteau à l'entrée de la synagogue.

– Je ne me savais pas si savante, dit Valérie ennuyée de voir son tête-à-tête interrompu.

– Les femmes savent tout par instinct, répliqua Claude Vignon.

– Eh bien ! me promettez-vous ? dit-elle à Steinbock en lui prenant la main avec une précaution de jeune fille amoureuse.

– Vous êtes assez heureux, mon cher, s'écria Stidmann, pour que madame vous demande quelque chose ?...

– Qu'est-ce ? dit Claude Vignon.

– Un petit groupe en bronze, répondit Steinbock, Dalila coupant les cheveux à Samson.

– C'est difficile, fit observer Claude Vignon, à cause du lit...

– C'est au contraire excessivement facile, répliqua Valérie en souriant.

– Ah ! faites-nous de la sculpture !... dit Stidmann.

– Madame est la chose à sculpter ! répliqua Claude Vignon en jetant un regard fin à Valérie.

– Eh bien ! reprit-elle, voilà comment je comprends la composition. Samson s'est réveillé sans cheveux, comme beaucoup de dandies à faux toupets. Le héros est là sur le bord du lit, vous n'avez donc qu'à en figurer la base, cachée par des linges, par des draperies. Il est là comme Marius sur les ruines de Carthage, les bras croisés, la tête rasée, Napoléon à Sainte-Hélène, quoi ! Dalila est à genoux, à peu près comme la Madeleine de Canova. Quand une fille a ruiné son homme, elle l'adore. Selon moi, la Juive a eu peur de Samson, terrible, puissant, mais elle a dû aimer Samson devenu petit garçon. Donc, Dalila déplore sa faute, elle voudrait rendre à son amant ses cheveux, elle n'ose pas le regarder, et elle le regarde

_____
1. Dans son *Traité théologico-politique* (1670), chapitres 8 à 10.

en souriant, car elle aperçoit son pardon dans la faiblesse de Samson. Ce groupe, et celui de la farouche Judith, seraient la femme expliquée. La Vertu coupe la tête, le Vice ne vous coupe que les cheveux. Prenez garde à vos toupets, messieurs !

Et elle laissa les deux artistes confondus, qui firent, avec le critique, un concert de louanges en son honneur.

– On n'est pas plus délicieuse ! s'écria Stidmann.

– Oh ! c'est, dit Claude Vignon, la femme la plus intelligente et la plus désirable que j'aie vue. Réunir l'esprit et la beauté, c'est si rare !

– Si vous, qui avez eu l'honneur de connaître intimement Camille Maupin, vous lancez de pareils arrêts, répondit Stidmann, que devons-nous penser ?

– Si vous voulez faire de Dalila, mon cher comte, un portrait de Valérie, dit Crevel qui venait de quitter le jeu pour un moment et qui avait tout entendu, je vous paie un exemplaire de ce groupe mille écus. Oh ! oui, sapristi ! mille écus, *je me fends !*

– *Je me fends !* qu'est-ce que cela veut dire ? demanda Beauvisage à Claude Vignon.

– Il faudrait que madame daignât poser... dit Steinbock en montrant Valérie à Crevel. Demandez-lui.

63

Jeune, artiste et Polonais,
que vouliez-vous qu'il fît[1] ?

En ce moment, Valérie apportait elle-même à Steinbock une tasse de thé. C'était plus qu'une distinction,

---

1. Citation d'une réplique de Scapin dans *Les Fourberies de Scapin*, I, 4 : « Que vouliez-vous qu'il fît ? Il voit une jeune personne qui lui veut du bien [...] Il la trouve charmante. Il lui rend des visites, lui conte des douceurs, soupire galamment, fait le passionné. Elle se rend à sa poursuite. Il pousse sa fortune. Le voilà surpris avec elle par ses parents, qui, la force à la main, le contraignent de l'épouser. » La phrase de

c'était une faveur. Il y a, dans la manière dont une femme s'acquitte de cette fonction, tout un langage ; mais les femmes le savent bien ; aussi est-ce une étude curieuse à faire que celle de leurs mouvements, de leurs gestes, de leurs regards, de leur ton, de leur accent, quand elles accomplissent cet acte de politesse en apparence si simple. Depuis la demande : « Prenez-vous du thé ? – Voulez-vous du thé ? – Une tasse de thé ? » froidement formulée, et l'ordre d'en apporter donné à la nymphe qui tient l'urne, jusqu'à l'énorme poème de l'Odalisque venant de la table à thé, la tasse à la main, jusqu'au pacha du cœur et la lui présentant d'un air soumis, l'offrant d'une voix caressante, avec un regard plein de promesses voluptueuses, un physiologiste peut observer tous les sentiments féminins, depuis l'aversion, depuis l'indifférence, jusqu'à la déclaration de Phèdre à Hippolyte. Les femmes peuvent là se faire, à volonté, méprisantes jusqu'à l'insulte, humbles jusqu'à l'esclavage de l'Orient. Valérie fut plus qu'une femme, elle fut le serpent fait femme, elle acheva son œuvre diabolique en marchant jusqu'à Steinbock, une tasse de thé à la main.

— Je prendrai, dit l'artiste à l'oreille de Valérie en se levant et effleurant de ses doigts les doigts de Valérie, autant de tasses de thé que vous voudrez m'en offrir, pour me les voir présenter ainsi !...

— Que parlez-vous de poser ? demanda-t-elle sans paraître avoir reçu en plein cœur cette explosion si rageusement attendue.

— Le père Crevel m'achète un exemplaire de votre groupe mille écus.

— Mille écus, lui, un groupe ?

— Oui, si vous voulez poser en Dalila, dit Steinbock.

— Il n'y sera pas, j'espère, reprit-elle, le groupe vaudrait alors plus que sa fortune, car Dalila doit être un peu décolletée...

Scapin reprend elle-même une réplique de Julie dans *Horace* de Corneille, III, 6 : « Que vouliez-vous qu'il fît contre trois ? »

De même que Crevel se mettait en position, toutes les femmes ont une attitude victorieuse, une pose étudiée, où elles se font irrésistiblement admirer. On en voit qui, dans les salons, passent leur vie à regarder la dentelle de leurs chemisettes et à remettre en place les épaulettes de leurs robes, ou bien à faire jouer les brillants de leur prunelle en contemplant les corniches. Mme Marneffe, elle, ne triomphait pas en face comme toutes les autres. Elle se retourna brusquement pour aller à la table à thé retrouver Lisbeth. Ce mouvement de danseuse agitant sa robe, par lequel elle avait conquis Hulot, fascina Steinbock.

— Ta vengeance est complète, dit Valérie à l'oreille de Lisbeth, Hortense pleurera toutes ses larmes et maudira le jour où elle t'a pris Wenceslas.

— Tant que je ne serai pas Mme la maréchale, je n'aurai rien fait, répondit la Lorraine ; mais *ils* commencent à le vouloir tous... Ce matin, je suis allée chez Victorin. J'ai oublié de te raconter cela. Les Hulot jeunes ont racheté les lettres de change du baron à Vauvinet, ils souscrivent demain une obligation de soixante-douze mille francs à cinq pour cent d'intérêt, remboursables en trois ans, avec hypothèque sur leur maison. Voilà les Hulot jeunes dans la gêne pour trois ans, il leur serait impossible de trouver maintenant de l'argent sur cette propriété. Victorin est d'une tristesse affreuse, il a compris son père. Enfin Crevel est capable de ne plus voir ses enfants, tant il sera courroucé de ce dévouement.

— Le baron doit maintenant être sans ressources ? dit Valérie à l'oreille de Lisbeth en souriant à Hulot.

— Je ne lui vois plus rien ; mais il rentre dans son traitement au mois de septembre.

— Et il a sa police d'assurance, il l'a renouvelée ! Allons, il est temps qu'il fasse Marneffe chef de bureau, je vais l'assassiner ce soir.

— Mon petit cousin, alla dire Lisbeth à Wenceslas, retirez-vous, je vous en prie. Vous êtes ridicule, vous regardez Valérie de façon à la compromettre, et son mari est d'une jalousie effrénée. N'imitez pas votre beau-père, et retournez chez vous, je suis sûre qu'Hortense vous attend...

– Mme Marneffe m'a dit de rester le dernier, pour arranger notre petite affaire entre nous trois, répondit Wenceslas.

– Non, dit Lisbeth, je vais vous remettre les dix mille francs, car son mari a les yeux sur vous, il serait imprudent à vous de rester. Demain, à neuf heures, apportez la lettre de change ; à cette heure-là, ce Chinois de Marneffe est à son bureau, Valérie est tranquille... Vous lui avez donc demandé de poser pour un groupe ?... Entrez d'abord chez moi. Ah ! je savais bien, dit Lisbeth en surprenant le regard par lequel Steinbock salua Valérie, que vous étiez un libertin en herbe. Valérie est bien belle, mais tâchez de ne pas faire de chagrin à Hortense.

Rien n'irrite les gens mariés autant que de rencontrer, à tout propos, leur femme entre eux et un désir, fût-il passager.

64

Retour au logis

Wenceslas revint chez lui vers une heure du matin, Hortense l'attendait depuis environ neuf heures et demie. De neuf heures et demie à dix heures, elle écouta le bruit des voitures, en se disant que jamais Wenceslas, quand il dînait sans elle chez Chanor et Florent, n'était rentré si tard. Elle cousait auprès du berceau de son fils, car elle commençait à épargner la journée d'une ouvrière en faisant elle-même certains raccommodages. De dix heures à dix heures et demie, elle eut une pensée de défiance, elle se demanda : « Mais est-il allé dîner, comme il me l'a dit, chez Chanor et Florent ? Il a voulu, pour s'habiller, sa plus belle cravate, sa plus belle épingle. Il a mis à sa toilette autant de temps qu'une femme qui veut paraître encore mieux qu'elle n'est. Je suis folle ! il m'aime. Le voici d'ailleurs. » Au lieu d'arrêter, la voiture, que la jeune femme entendait, passa. De onze heures à minuit, Hortense fut livrée à des terreurs inouïes, causées par la solitude de son quartier. – S'il est revenu à pied, se dit-elle, il peut lui arriver quelque accident !... On se tue en rencontrant un bout de trottoir ou en ne s'attendant pas à des lacunes. Les artistes sont si distraits !... Si des voleurs l'avaient arrêté !... Voici la première fois qu'il me laisse seule ici, pendant six heures et demie. Pourquoi me tourmenter ? Il n'aime que moi. Les hommes devraient être fidèles aux femmes qui les aiment, ne fût-ce qu'à cause des miracles perpétuels produits par le véritable amour dans le monde sublime appelé le *monde spirituel*. Une femme aimante est, par rapport à l'homme aimé, dans la situation d'une somnambule à qui le magnétiseur donnerait le triste pouvoir, en cessant d'être le miroir du monde, d'avoir conscience, comme femme, de ce qu'elle aperçoit comme somnambule. La passion fait arriver les forces nerveuses de la femme à cet état extatique où le pressentiment équivaut à la vision des Voyants. Une femme se sait trahie, elle ne s'écoute pas, elle doute, tant elle aime ! et elle dément le cri de sa puissance de pythonisse. Ce paroxysme de l'amour devrait obtenir un culte. Chez les esprits nobles, l'admiration de ce divin phénomène sera toujours une barrière qui les séparera de l'infidélité. Comment ne pas adorer une belle, une spirituelle créature dont l'âme arrive à de pareilles manifestations ?... À une heure du matin, Hortense avait atteint à un tel degré d'angoisse qu'elle se précipita vers la porte en reconnaissant Wenceslas à sa manière de sonner, elle le prit dans ses bras, en l'y serrant maternellement.

– Enfin, te voilà !... dit-elle en recouvrant l'usage de la parole. Mon ami, désormais j'irai partout où tu iras, car je ne veux pas éprouver une seconde fois la torture d'une pareille attente... Je t'ai vu heurtant contre un trottoir et la tête fracassée ! tué par des voleurs !... Non, une autre fois, je sens que je deviendrais folle… Tu t'es donc bien amusé… sans moi ? vilain ?

– Que veux-tu, mon petit bon ange, il y avait là Bixiou qui nous a fait de nouvelles charges, Léon de Lora dont l'esprit n'a pas tari, Claude Vignon à qui je dois le seul article consolant qu'on ait écrit sur le monument du maréchal Montcornet. Il y avait…

– Il n'y avait pas de femmes ?… demanda vivement Hortense.

– La respectable Mme Florent…

– Tu m'avais dit que c'était au *Rocher-de-Cancale*, c'était donc chez eux ?

– Oui, chez eux, je me suis trompé…

– Tu n'es pas venu en voiture ?

– Non !

– Et tu arrives à pied de la rue des Tournelles ?

– Stidmann et Bixiou m'ont reconduit par les boulevards jusqu'à la Madeleine, tout en causant.

– Il fait donc bien sec sur les boulevards, sur la place de la Concorde et la rue de Bourgogne, tu n'es pas crotté, dit Hortense en examinant les bottes vernies de son mari.

Il avait plu ; mais de la rue Vaneau à la rue Saint-Dominique, Wenceslas n'avait pu souiller ses bottes.

– Tiens, voilà cinq mille francs que Chanor m'a généreusement prêtés, dit Wenceslas pour couper court à ces interrogations quasi judiciaires.

Il avait fait deux paquets de ses dix billets de mille francs, un pour Hortense et un pour lui-même, car il avait pour cinq mille francs de dettes ignorées d'Hortense. Il devait à son praticien et à ses ouvriers.

– Te voilà sans inquiétudes, ma chère, dit-il en embrassant sa femme. Je vais, dès demain, me mettre à l'ouvrage ! Oh ! demain, je décampe à huit heures et demie, et je vais à l'atelier. Ainsi, je me couche tout de suite pour être levé de bonne heure, tu me le permets, ma minette ?

Le soupçon entré dans le cœur d'Hortense disparut ; elle fut à mille lieues de la vérité. Mme Marneffe ! elle n'y pensait pas. Elle craignait pour son Wenceslas la société des lorettes. Les noms de Bixiou, de Léon de Lora, deux artistes connus pour leur vie effrénée, l'avaient inquiétée.

Le lendemain, elle vit partir Wenceslas à neuf heures, entièrement rassurée. – Le voilà maintenant à l'ouvrage, se disait-elle en procédant à l'habillement de son enfant. Oh ! je le vois, il est en train ! Eh bien ! si nous n'avons pas la gloire de Michel-Ange, nous aurons celle de Benvenuto Cellini !

65

Le premier coup de poignard

Bercée elle-même par ses propres espérances, Hortense croyait à un heureux avenir ; et elle parlait à son fils, âgé de vingt mois, ce langage tout en onomatopées qui fait sourire les enfants, quand, vers onze heures, la cuisinière, qui n'avait pas vu sortir Wenceslas, introduisit Stidmann.

– Pardon, madame, dit l'artiste. Comment, Wenceslas est déjà parti ?

– Il est à son atelier.

– Je venais m'entendre avec lui pour nos travaux.

– Je vais l'envoyer chercher, dit Hortense en faisant signe à Stidmann de s'asseoir.

La jeune femme, rendant grâce en elle-même au ciel de ce hasard, voulut garder Stidmann afin d'avoir des détails sur la soirée de la veille. Stidmann s'inclina pour remercier la comtesse de cette faveur. Mme Steinbock sonna, la cuisinière vint, elle lui donna l'ordre d'aller chercher monsieur à l'atelier.

– Vous êtes-vous bien amusé hier ? dit Hortense, car Wenceslas n'est revenu qu'après une heure du matin.

– Amusé ?... pas précisément, répondit l'artiste qui la veille avait voulu *faire* Mme Marneffe. On ne s'amuse dans le monde que lorsqu'on y a des intérêts. Cette petite Mme Marneffe est excessivement spirituelle, mais elle est coquette...

– Et comment Wenceslas l'a-t-il trouvée ?... demanda la pauvre Hortense en essayant de rester calme, il ne m'en a rien dit.

– Je ne vous en dirai qu'une seule chose, répondit Stidmann, c'est que je la crois bien dangereuse.

Hortense devint pâle comme une accouchée.

– Ainsi, c'est bien... chez Mme Marneffe... et non pas... chez Chanor que vous avez dîné... dit-elle, hier... avec Wenceslas, et il...

Stidmann, sans savoir quel malheur il faisait, devina qu'il en causait un. La comtesse n'acheva pas sa phrase, elle s'évanouit complètement. L'artiste sonna, la femme de chambre vint. Quand Louise essaya d'emporter la comtesse Steinbock dans sa chambre, une attaque nerveuse de la plus grande gravité se déclara par d'horribles convulsions. Stidmann, comme tous ceux dont une involontaire indiscrétion détruit l'échafaudage élevé par le mensonge d'un mari dans son intérieur, ne pouvait croire à sa parole une pareille portée ; il pensa que la comtesse se trouvait dans cet état maladif où la plus légère contrariété devient un danger. La cuisinière vint annoncer, malheureusement à haute voix, que monsieur n'était pas à son atelier. Au milieu de sa crise, la comtesse entendit cette réponse, les convulsions recommencèrent.

– Allez chercher la mère de Madame !... dit Louise à la cuisinière ; courez !

– Si je savais où se trouve Wenceslas, j'irais l'avertir, dit Stidmann au désespoir.

– Il est chez cette femme !... cria la pauvre Hortense. Il s'est habillé bien autrement que pour aller à son atelier.

Stidmann courut chez Mme Marneffe en reconnaissant la vérité de cet aperçu dû à la *seconde vue* des passions. En ce moment Valérie posait en Dalila. Trop fin pour demander Mme Marneffe, Stidmann passa roide devant la loge, monta rapidement au second, en se faisant ce raisonnement : « Si je demande Mme Marneffe, elle n'y sera pas. Si je demande bêtement Steinbock, on me rira au nez… Cassons les vitres ! » Au coup de sonnette, Reine arriva.

– Dites à M. le comte Steinbock de venir, sa femme se meurt !…

Reine, aussi spirituelle que Stidmann, le regarda d'un air passablement stupide.

– Mais, monsieur, je ne sais pas… ce que vous…

– Je vous dis que mon ami Steinbock est ici, sa femme se meurt, la chose vaut bien la peine que vous dérangiez votre maîtresse.

Et Stidmann s'en alla. – Oh ! il y est, se dit-il. En effet, Stidmann, qui resta quelques instants rue Vaneau, vit sortir Wenceslas, et lui fit signe de venir promptement. Après avoir raconté la tragédie qui se jouait rue Saint-Dominique, Stidmann gronda Steinbock de ne l'avoir pas prévenu de garder le secret sur le dîner de la veille.

– Je suis perdu, lui répondit Wenceslas, mais je te pardonne. J'ai tout à fait oublié notre rendez-vous ce matin, et j'ai commis la faute de ne pas te dire que nous devions avoir dîné chez Florent. Que veux-tu ? Cette Valérie m'a rendu fou ; mais, mon cher, elle vaut la gloire, elle vaut le malheur [1]… Ah ! c'est… Mon Dieu ! me voilà dans un terrible embarras ! Conseille-moi. Que dire ? comment me justifier ?

– Te conseiller ? je ne sais rien, répondit Stidmann. Mais tu es aimé de ta femme, n'est-ce pas ? Eh bien ! elle croira tout. Dis-lui surtout que tu venais chez moi, pendant que j'allais chez toi ; tu sauveras toujours ainsi ta *pose* de ce matin. Adieu !

1. Cette déclaration de Wenceslas rappelle le titre primitif de *La Maison du Chat-qui-pelote*, *Gloire et malheur*, et l'histoire du mariage malheureux d'Augustine Guillaume, « femme aimante », avec Théodore de Sommervieux, « homme d'imagination ». Balzac écrit, le 7 janvier 1846 à Mme Hanska : « Il n'y a rien qui prévaille contre toi, la gloire, le renom… »

Au coin de la rue Hillerin-Bertin, Lisbeth avertie par Reine et qui courait après Steinbock, le rejoignit ; car elle craignait sa naïveté polonaise. Ne voulant pas être compromise, elle dit quelques mots à Wenceslas qui, dans sa joie, l'embrassa en pleine rue. Elle avait tendu sans doute à l'artiste une planche pour passer ce détroit de la vie conjugale.

66

La première querelle de la vie conjugale

À la vue de sa mère, arrivée en toute hâte, Hortense avait versé des torrents de larmes. Aussi la crise nerveuse changea fort heureusement d'aspect.

– Trahie ! ma chère maman, lui dit-elle. Wenceslas, après m'avoir donné sa parole d'honneur de ne pas aller chez Mme Marneffe, y a dîné hier, et n'est rentré qu'à une heure un quart du matin !... Si tu savais, la veille, nous avions eu, non pas une querelle, mais une explication. Je lui avais dit des choses si touchantes : « J'étais jalouse, une infidélité me ferait mourir ; j'étais ombrageuse, il devait respecter mes faiblesses, puisqu'elles venaient de mon amour pour lui, j'avais dans les veines autant du sang de mon père que du tien ; dans le premier moment d'une trahison, je serais folle à faire des folies, à me venger, à nous déshonorer tous, lui, son fils et moi ; qu'enfin je pourrais le tuer et me tuer après ! » etc. Et il y est allé, et il y est ! Cette femme a entrepris de nous désoler tous ! Hier, mon frère et Célestine se sont engagés pour retirer soixante-douze mille francs de lettres de change souscrites pour cette vaurienne... Oui, maman, on allait poursuivre mon père et le mettre en prison. Cette horrible femme n'a-t-elle pas assez de mon père et de tes larmes ! Pourquoi me prendre Wenceslas !... J'irai chez elle, je la poignarderai !

Mme Hulot, atteinte au cœur par l'affreuse confidence que dans sa rage Hortense lui faisait sans le savoir, dompta sa douleur par un de ces héroïques efforts dont sont capables les grandes mères, et elle prit la tête de sa fille sur son sein pour la couvrir de baisers.

— Attends Wenceslas, mon enfant, et tout s'expliquera. Le mal ne doit pas être aussi grand que tu le penses ! J'ai été trahie aussi, moi ! ma chère Hortense. Tu me trouves belle, je suis vertueuse, et je suis cependant abandonnée depuis vingt-trois ans, pour des Jenny Cadine, des Joséepha, des Marneffe ?... le savais-tu ?...

— Toi, maman, toi !... tu souffres cela depuis vingt... Elle s'arrêta devant ses propres idées.

— Imite-moi, mon enfant, reprit la mère. Sois douce et bonne, et tu auras la conscience paisible. Au lit de mort, un homme se dit : « Ma femme ne m'a jamais causé la moindre peine !... » Et Dieu, qui entend ces derniers soupirs-là, nous les compte. Si je m'étais livrée à des fureurs, comme toi, que serait-il arrivé ?... Ton père se serait aigri, peut-être m'aurait-il quittée, et il n'aurait pas été retenu par la crainte de m'affliger ; notre ruine, aujourd'hui consommée, l'eût été dix ans plus tôt, nous aurions offert le spectacle d'un mari et d'une femme vivant chacun de son côté, scandale affreux, désolant, car c'est la mort de la Famille. Ni ton frère, ni toi, vous n'eussiez pu vous établir... Je me suis sacrifiée, et si courageusement que, sans cette dernière liaison de ton père, le monde me croirait encore heureuse. Mon officieux et bien courageux mensonge a jusqu'à présent protégé Hector ; il est encore considéré ; seulement cette passion de vieillard l'entraîne trop loin, je le vois. Sa folie, je le crains, crèvera le paravent que je mettais entre le monde et nous... Mais, je l'ai tenu pendant vingt-trois ans, ce rideau, derrière lequel je pleurais, sans mère, sans confident, sans autre secours que celui de la religion, et j'ai procuré vingt-trois ans d'honneur à la famille.

Hortense écoutait sa mère, les yeux fixes. La voix calme et la résignation de cette suprême douleur fit taire l'irritation de la première blessure chez la jeune femme, les larmes la gagnèrent, elles revinrent à torrents. Dans un accès de piété filiale, écrasée par la sublimité de sa mère, elle se mit à genoux devant elle, saisit le bas de sa robe et la baisa, comme de pieux catholiques baisent les saintes reliques d'un martyr.

– Lève-toi, mon Hortense, dit la baronne, un pareil témoignage de ma fille efface de bien mauvais souvenirs ! Viens sur mon cœur, oppressé de ton chagrin seulement. Le désespoir de ma pauvre petite fille, dont la joie était ma seule joie, a brisé le cachet sépulcral que rien ne devait lever de ma lèvre. Oui, je voulais emporter mes douleurs au tombeau, comme un suaire de plus. Pour calmer ta fureur, j'ai parlé… Dieu me pardonnera ! Oh ! si ma vie devait être ta vie, que ne ferais-je pas !… Les hommes, le monde, le hasard, la nature, Dieu, je crois, nous vendent l'amour au prix des plus cruelles tortures. Je paierai de vingt-quatre années de désespoir, de chagrins incessants, d'amertumes, dix années heureuses…

– Tu as eu dix ans, chère maman, et moi trois ans seulement !… dit l'égoïste amoureuse.

– Rien n'est perdu, ma petite, attends Wenceslas.

– Ma mère, dit-elle, il a menti ! Il m'a trompée… Il m'a dit : « Je n'irai pas », et il y est allé. Et cela, devant le berceau de son enfant !…

– Pour leur plaisir, les hommes, mon ange, commettent les plus grandes lâchetés, des infamies, des crimes ; c'est à ce qu'il paraît dans leur nature. Nous autres femmes, nous sommes vouées au sacrifice. Je croyais mes malheurs achevés, et ils commencent, car je ne m'attendais pas à souffrir doublement en souffrant dans ma fille. Courage et silence !… Mon Hortense, jure-moi de ne parler qu'à moi de tes chagrins, de n'en rien laisser voir devant des tiers… Oh ! sois aussi fière que ta mère !

En ce moment Hortense tressaillit, elle entendit le pas de son mari.

– Il paraît, dit Wenceslas en entrant, que Stidmann est venu pendant que j'étais allé chez lui.

– Vraiment !... s'écria la pauvre Hortense avec la sauvage ironie d'une femme offensée qui se sert de la parole comme d'un poignard.

– Mais oui, nous venons de nous rencontrer, répondit Wenceslas en jouant l'étonnement.

– Mais hier !... reprit Hortense.

– Eh bien ! je t'ai trompée, mon cher amour, et ta mère va nous juger...

Cette franchise desserra le cœur d'Hortense. Toutes les femmes vraiment nobles préfèrent la vérité au mensonge. Elles ne veulent pas voir leur idole dégradée, elles veulent être fières de la domination qu'elles acceptent.

Il y a de ce sentiment chez les Russes, à propos de leur Czar.

– Écoutez, chère mère... dit Wenceslas, j'aime tant ma bonne et douce Hortense, que je lui ai caché l'étendue de notre détresse. Que voulez-vous !... elle nourrissait encore, et des chagrins lui auraient fait bien du mal. Vous savez tout ce que risque alors une femme. Sa beauté, sa fraîcheur, sa santé sont en danger. Est-ce un tort ?... Elle croit que nous ne devons que cinq mille francs, mais j'en dois cinq mille autres... Avant-hier, nous étions au désespoir !... Personne au monde ne prête aux artistes. On se défie de nos talents tout autant que de nos fantaisies. J'ai frappé vainement à toutes les portes. Lisbeth nous a offert ses économies.

– Pauvre fille, dit Hortense.

– Pauvre fille, dit la baronne.

– Mais les deux mille francs de Lisbeth, qu'est-ce ?... tout pour elle, rien pour nous. Alors la cousine nous a parlé, tu sais, Hortense, de Mme Marneffe, qui, par un amour-propre, devant tant au baron, ne prendrait pas le moindre intérêt... Hortense a voulu mettre ses diamants au Mont-de-Piété. Nous aurions eu quelques milliers de francs, et il nous en fallait dix mille. Ces dix mille francs se trouvaient là, sans intérêt, pour un an !... Je me suis

dit : « Hortense n'en saura rien, allons les prendre. »
Cette femme m'a fait inviter par mon beau-père à dîner
hier, en me donnant à entendre que Lisbeth avait parlé,
que j'aurais de l'argent. Entre le désespoir d'Hortense et
ce dîner, je n'ai pas hésité. Voilà tout. Comment, Hortense, à vingt-quatre ans, fraîche, pure et vertueuse, elle
qui est tout mon bonheur et ma gloire, que je n'ai pas
quittée depuis notre mariage, peut-elle imaginer que je
lui préférerais quoi ?... une femme tannée, fanée, *panée*,
dit-il en employant une atroce expression de l'argot des
ateliers pour faire croire à son mépris par une de ces
exagérations qui plaisent aux femmes.

– Ah ! si ton père m'avait parlé comme cela ! s'écria
la baronne.

Hortense se jeta gracieusement au cou de son mari.

– Oui, voilà ce que j'aurais fait, dit Adeline. Wenceslas, mon ami, votre femme a failli mourir, reprit-elle gravement. Vous voyez combien elle vous aime. Elle est à
vous, hélas ! Et elle soupira profondément. – Il peut en
faire une martyre ou une femme heureuse, se dit-elle à
elle-même en pensant ce que pensent toutes les mères lors
du mariage de leurs filles. – Il me semble, ajouta-t-elle à
haute voix, que je souffre assez pour voir mes enfants
heureux.

– Soyez tranquille, chère maman, dit Wenceslas au
comble du bonheur de voir cette crise heureusement terminée. Dans deux mois, j'aurai rendu l'argent à cette horrible femme. Que voulez-vous ? reprit-il en répétant ce
mot essentiellement polonais avec la grâce polonaise, il y
a des moments où l'on emprunterait au diable. C'est,
après tout, l'argent de la famille. Et une fois invité,
l'aurais-je eu, cet argent qui nous coûte si cher, si j'avais
répondu par des grossièretés à une politesse ?

– Oh ! maman, quel mal nous fait papa ! s'écria
Hortense.

La baronne mit un doigt sur ses lèvres, et Hortense
regretta cette plainte, le premier blâme qu'elle laissait

échapper sur un père si héroïquement protégé par un sublime silence.

— Adieu, mes enfants, dit Mme Hulot, voilà le beau temps revenu. Mais ne vous fâchez plus.

67

Un soupçon suit toujours
le premier coup de poignard

Quand, après avoir reconduit la baronne, Wenceslas et sa femme furent revenus dans leur chambre, Hortense dit à son mari : « Raconte-moi ta soirée ! » Et elle épia le visage de Wenceslas pendant ce récit, entrecoupé de ces questions qui se pressent sur les lèvres d'une femme en pareil cas. Ce récit rendit Hortense songeuse, elle entrevoyait les diaboliques amusements que des artistes devaient trouver dans cette vicieuse société.

— Sois franc ! mon Wenceslas !... il y avait là Stidmann, Claude Vignon, Vernisset, qui encore ?... Enfin tu t'es amusé !...

— Moi ?... je ne pensais qu'à nos dix mille francs, et je me disais : « Mon Hortense sera sans inquiétudes ! »

Cet interrogatoire fatiguait énormément le Livonien, et il saisit un moment de gaieté pour dire à Hortense :

— Et toi, mon ange, qu'aurais-tu fait, si ton artiste s'était trouvé coupable ?...

— Moi, dit-elle d'un petit air décidé, j'aurais pris Stidmann, mais sans l'aimer, bien entendu !

— Hortense ! s'écria Steinbock en se levant avec brusquerie et par un mouvement théâtral, tu n'en aurais pas eu le temps, je t'aurais tuée.

Hortense se jeta sur son mari, l'embrassa à l'étouffer, le couvrit de caresses, et lui dit : « Ah ! tu m'aimes ! Wenceslas ! va, je ne crains rien ! Mais plus de Marneffe. Ne te plonge plus jamais dans de semblables bourbiers. »

– Je te jure, ma chère Hortense, que je n'y retournerai
que pour retirer mon billet…

Elle bouda, mais comme boudent les femmes aimantes
qui veulent les bénéfices d'une bouderie. Wenceslas, fatigué d'une pareille matinée, laissa bouder sa femme et
partit pour son atelier y faire la maquette du groupe de
Samson et Dalila, dont le dessin était dans sa poche.
Hortense, inquiète de sa bouderie et croyant Wenceslas
fâché, vint à l'atelier au moment où son mari finissait de
fouiller sa glaise avec cette rage qui pousse les artistes
en puissance de fantaisie. À l'aspect de sa femme, il jeta
vivement un linge mouillé sur le groupe ébauché, et prit
Hortense dans ses bras en lui disant : « Ah ! nous ne
sommes pas fâchés, n'est-ce pas, ma minette ? »

Hortense avait vu le groupe, le linge jeté dessus, elle ne
dit rien ; mais avant de quitter l'atelier, elle se retourna,
saisit le chiffon, regarda l'esquisse et demanda : « Qu'est-
ce que cela ? »

– Un groupe dont l'idée m'est venue.

– Et pourquoi me l'as-tu caché ?

– Je voulais ne te le montrer que fini.

– La femme est bien jolie ! dit Hortense.

Et mille soupçons poussèrent dans son âme comme
poussent, dans les Indes, ces végétations, grandes et touf-
fues, du jour au lendemain.

68

Un enfant trouvé

Au bout de trois semaines environ, Mme Marneffe fut
profondément irritée contre Hortense. Les femmes de
cette espèce ont leur amour-propre, elles veulent qu'on
baise l'ergot du diable [1], elles ne pardonnent jamais à la

---

1. La griffe du diable. Allusion au conte en vers de Voltaire, *La Mule
du pape* (1733), où l'on voit le pape « bais[er] l'ergot de messer satanas »
pour obtenir la toute-puissance.

Vertu qui ne redoute pas leur puissance ou qui lutte avec
elles. Or, Wenceslas n'avait pas fait une seule visite rue
Vaneau, pas même celle qu'exigeait la politesse après la
pose d'une femme en Dalila. Chaque fois que Lisbeth
était allée chez les Steinbock, elle n'avait trouvé personne
au logis. M. et Mme vivaient à l'atelier. Lisbeth, qui
relança les deux tourtereaux jusque dans leur nid du
Gros-Caillou, vit Wenceslas travaillant avec ardeur, et
apprit par la cuisinière que Madame ne quittait jamais
Monsieur. Wenceslas subissait le despotisme de l'amour.
Valérie épousa donc pour son compte la haine de Lisbeth
envers Hortense. Les femmes tiennent autant aux amants
qu'on leur dispute, que les hommes tiennent aux femmes
qui sont désirées par plusieurs fats. Aussi, les réflexions
faites à propos de Mme Marneffe s'appliquent-elles parfaitement aux hommes à bonnes fortunes qui sont des
espèces de courtisanes-hommes. Le caprice de Valérie fut
une rage, elle voulait avoir surtout son groupe, et elle
se proposait, un matin, d'aller à l'atelier voir Wenceslas,
quand survint un de ces événements graves qui peuvent
s'appeler pour ces sortes de femmes *fructus belli*[1]. Voici
comment Valérie donna la nouvelle de ce fait, entièrement personnel. Elle déjeunait avec Lisbeth et
M. Marneffe.

— Dis donc, Marneffe ? te doutes-tu d'être père pour
la seconde fois ?

— Vraiment, tu serais grosse ?... Oh ! laisse-moi
t'embrasser...

Il se leva, fit le tour de la table, et sa femme lui tendit
le front de manière que le baiser glissât sur les cheveux.

— De ce coup-là, reprit-il, je suis chef de bureau et
officier de la Légion d'honneur ! Ah ! ça, ma petite, je ne
veux pas que Stanislas soit ruiné ! Pauvre petit !...

— Pauvre petit ?... s'écria Lisbeth. Il y a sept mois que
vous ne l'avez vu ; je passe à la pension pour être sa mère,
car je suis la seule de la maison qui s'occupe de lui !...

_____

1. Les fruits de la guerre.

– Un enfant, qui nous coûte cent écus tous les trois mois !... dit Valérie. D'ailleurs, c'est ton enfant, celui-là, Marneffe ! tu devrais bien payer sa pension sur tes appointements... Le nouveau, loin de produire des mémoires de marchands de soupe, nous sauvera de la misère...

– Valérie, répondit Marneffe en imitant Crevel en position, j'espère que M. le baron Hulot aura soin de son fils, et qu'il n'en chargera pas un pauvre employé ; je compte me montrer très exigeant avec lui. Aussi, prenez vos sûretés, madame ? tâchez d'avoir de lui des lettres où il vous parle de son bonheur, car il se fait un peu trop tirer l'oreille pour ma nomination...

Et Marneffe partit pour le ministère, où la précieuse amitié de son directeur lui permettait d'aller à son bureau vers onze heures ; il y faisait d'ailleurs peu de besogne, vu son incapacité notoire et son aversion pour le travail.

Une fois seules, Lisbeth et Valérie se regardèrent pendant un moment comme des augures, et partirent ensemble d'un immense éclat de rire.

– Voyons, Valérie, est-ce vrai ? dit Lisbeth, ou n'est-ce qu'une comédie ?

– C'est une vérité physique ! répondit Valérie. Hortense *m'embête* ! Et, cette nuit, je pensais à lancer cet enfant comme une bombe dans le ménage de Wenceslas.

Valérie rentra dans sa chambre, suivie de Lisbeth, et lui montra tout écrite la lettre suivante :

Wenceslas, mon ami, je crois encore à ton amour, quoique je ne t'aie pas vu depuis bientôt vingt jours. Est-ce du dédain ? Dalila ne le saurait penser. N'est-ce pas plutôt un effet de la tyrannie d'une femme que tu m'as dit ne pouvoir plus aimer ? Wenceslas, tu es un trop grand artiste pour te laisser ainsi dominer. Le ménage est le tombeau de la gloire... Vois si tu ressembles au Wenceslas de la rue du Doyenné ? Tu as raté le monument de mon père ; mais chez toi l'amant est bien supérieur à l'artiste, tu es plus heureux avec la fille : tu es père, mon adoré Wenceslas. Si tu ne venais pas me voir dans l'état où je suis, tu passerais pour bien mauvais homme aux yeux de tes amis ; mais, je le sens, je t'aime si follement, que je n'aurai jamais la force de te maudire. Puis-je me dire toujours

Ta VALÉRIE.

– Que dis-tu de mon projet d'envoyer cette lettre à l'atelier au moment où notre chère Hortense y sera seule ? demanda Valérie à Lisbeth. Hier au soir, j'ai su par Stidmann que Wenceslas doit l'aller prendre à onze heures pour une affaire chez Chanor ; ainsi cette gaupe d'Hortense sera seule.

– Après un tour semblable, répondit Lisbeth, je ne pourrai plus rester ostensiblement ton amie, et il faudra que je te donne congé, que je sois censée ne plus te voir, ni même te parler.

– Évidemment, dit Valérie ; mais...

– Oh ! sois tranquille, répondit Lisbeth. Nous nous reverrons quand je serai madame la maréchale ; *ils* le veulent maintenant tous, le baron seul ignore ce projet ; mais tu le décideras.

– Mais, répondit Valérie, il est possible que je sois bientôt en délicatesse avec le baron.

– Mme Olivier est la seule qui puisse se faire bien surprendre la lettre par Hortense, dit Lisbeth, il faut l'envoyer d'abord rue Saint-Dominique avant d'aller à l'atelier.

– Oh ! notre petite bellote sera chez elle, répondit Mme Marneffe en sonnant Reine pour faire demander Mme Olivier.

69

Second père de la chambre Marneffe

Dix minutes après l'envoi de cette fatale lettre, le baron Hulot vint. Mme Marneffe s'élança, par un mouvement de chatte, au cou du vieillard.

– Hector, tu es père ! lui dit-elle à l'oreille. Voilà ce que c'est que de se brouiller et de se raccommoder...

En voyant un certain étonnement que le baron ne dissimula pas assez promptement, Valérie prit un air froid qui désespéra le conseiller d'État. Elle se fit arracher les preuves les plus décisives, une à une. Lorsque la Conviction, que la Vanité prit doucement par la main, fut entrée dans l'esprit du vieillard, elle lui parla de la fureur de M. Marneffe.

– Mon vieux grognard, lui dit-elle, il t'est bien difficile de ne pas faire nommer ton éditeur responsable, notre gérant, si tu veux, chef de bureau et officier de la Légion d'honneur, car tu l'as ruiné, cet homme ; il adore son Stanislas, ce petit *monstrico* [1] qui tient de lui, et que je ne puis souffrir. À moins que tu ne préfères donner une rente de douze cents francs à Stanislas, en nue propriété bien entendu, l'usufruit en mon nom.

– Mais si je fais des rentes, je préfère que ce soit au nom de mon fils, et non au *monstrico* ! dit le baron.

Cette phrase imprudente, où le mot *mon fils* passa gros comme un fleuve débordant, fut transformée, au bout d'une heure de conversation, en une promesse formelle de faire douze cents francs de rente à l'enfant à venir. Puis cette promesse fut, sur la langue et la physionomie de Valérie, ce qu'est un tambour entre les mains d'un marmot, elle devait en jouer pendant vingt jours.

70

Différence entre la mère et la fille

Au moment où le baron Hulot, heureux comme le marié d'un an qui désire un héritier, sortait de la rue

---

1. Balzac avait aussi doté de ce surnom peu amène une nièce de Mme Hanska, Ernestine (lettre à Mme Hanska du 6-7 novembre 1846).

Vaneau, Mme Olivier s'était fait arracher, par Hortense, la lettre qu'elle devait remettre à M. le comte, en mains propres. La jeune femme paya cette lettre d'une pièce de vingt francs. Le suicide [1] paie son opium, son pistolet, son charbon. Hortense lut la lettre, elle la relut ; elle ne voyait que ce papier blanc bariolé de lignes noires, il n'y avait que ce papier dans la nature, tout était noir autour d'elle. La lueur de l'incendie qui dévorait l'édifice de son bonheur éclairait le papier, car la nuit la plus profonde régnait autour d'elle. Les cris de son petit Wenceslas, qui jouait, parvenaient à son oreille comme s'il eût été dans le fond d'un vallon, et qu'elle eût été sur un sommet. Outragée à vingt-quatre ans, dans tout l'éclat de la beauté, parée d'un amour pur et dévoué, c'était non pas un coup de poignard, mais la mort. La première attaque avait été purement nerveuse, le corps s'était tordu sous l'étreinte de la jalousie ; mais la certitude attaqua l'âme, le corps fut anéanti. Hortense demeura pendant dix minutes environ sous cette oppression. Le fantôme de sa mère lui apparut et lui fit une révolution ; elle devint calme et froide, elle recouvra sa raison. Elle sonna.

– Que Louise, ma chère, dit-elle à la cuisinière, vous aide. Vous allez faire, le plus tôt possible, des paquets de tout ce qui est à moi ici, et de tout ce qui regarde mon fils. Je vous donne une heure. Quand tout sera prêt, allez chercher sur la place une voiture, et prévenez-moi. Pas d'observations ! Je quitte la maison et j'emmène Louise. Vous resterez, vous, avec monsieur ; ayez bien soin de lui...

Elle passa dans sa chambre, se mit à sa table, et écrivit la lettre suivante :

Monsieur le Comte,

La lettre jointe à la mienne vous expliquera la cause de la résolution que j'ai prise.

---

1. Dans un emploi ancien, le mot *suicide* ne désigne pas seulement l'acte de se tuer, mais la personne qui veut se tuer ou s'est tuée elle-même.

Quand vous lirez ces lignes, j'aurai quitté votre maison, et je me serai retirée auprès de ma mère, avec notre enfant.

Ne comptez pas que je revienne jamais sur ce parti. Ne croyez pas à l'emportement de la jeunesse, à son irréflexion, à la vivacité de l'amour jeune offensé, vous vous tromperiez étrangement.

J'ai prodigieusement pensé, depuis quinze jours, à la vie, à l'amour, à notre union, à nos devoirs mutuels. J'ai connu dans son entier le dévouement de ma mère, elle m'a dit ses douleurs ! Elle est héroïque tous les jours, depuis vingt-trois ans ; mais je ne me sens pas la force de l'imiter, non que je vous aie aimé moins qu'elle aime mon père, mais par des raisons tirées de mon caractère. Notre intérieur deviendrait un enfer, et je pourrais perdre la tête au point de vous déshonorer, de me déshonorer, de déshonorer notre enfant. Je ne veux pas être une Mme Marneffe ; et dans cette carrière, une femme de ma trempe ne s'arrêterait peut-être pas. Je suis, malheureusement pour moi, une Hulot et non pas une Fischer.

Seule et loin du spectacle de vos désordres, je réponds de moi, surtout occupée de notre enfant, près de ma forte et sublime mère, dont la vie agira sur les mouvements tumultueux de mon cœur. Là, je puis être une bonne mère, bien élever notre fils et vivre. Chez vous, la Femme tuerait la Mère, et des querelles incessantes aigriraient mon caractère.

J'accepterais la mort d'un coup ; mais je ne veux pas être malade pendant vingt-cinq ans comme ma mère. Si vous m'avez trahie après trois ans d'un amour absolu, continu, pour la maîtresse de votre beau-père, quelles rivales ne me donneriez-vous pas plus tard ? Ah ! monsieur, vous commencez, bien plus tôt que mon père, cette carrière de libertinage, de prodigalité qui déshonore un père de famille, qui diminue le respect des enfants, et au bout de laquelle se trouvent la honte et le désespoir.

Je ne suis point implacable. Des sentiments inflexibles ne conviennent point à des êtres faibles qui vivent sous l'œil de Dieu. Si vous conquérez gloire et fortune par des travaux soutenus, si vous renoncez aux courtisanes, aux sentiers ignobles et bourbeux, vous retrouverez une femme digne de vous.

Je vous crois trop gentilhomme pour recourir à la loi. Vous respecterez ma volonté, monsieur le comte, en me laissant chez ma mère ; et, surtout, ne vous y présentez jamais. Je vous ai laissé tout l'argent que vous a prêté cette odieuse femme. Adieu !

Hortense Hulot.

Cette lettre fut péniblement écrite. Hortense s'abandonnait aux pleurs, aux cris de la passion égorgée. Elle quittait et reprenait la plume pour exprimer simplement ce que l'amour déclame ordinairement dans ces lettres testamentaires. Le cœur s'exhalait en interjections, en plaintes, en pleurs ; mais la raison dictait.

La jeune femme, avertie par Louise que tout était prêt, parcourut lentement le jardinet, la chambre, le salon, y regarda tout pour la dernière fois. Puis elle fit à la cuisinière les recommandations les plus vives pour qu'elle veillât au bien-être de Monsieur, en lui promettant de la récompenser si elle voulait être honnête. Enfin, elle monta dans la voiture pour se rendre chez sa mère, le cœur brisé, pleurant à faire peine à sa femme de chambre, et couvrant le petit Wenceslas de baisers avec une joie délirante qui trahissait encore bien de l'amour pour le père.

La baronne savait déjà par Lisbeth que le beau-père était pour beaucoup dans la faute de son gendre, elle ne fut pas surprise de voir arriver sa fille, elle l'approuva et consentit à la garder près d'elle. Adeline, en voyant que la douceur et le dévouement n'avaient jamais arrêté son Hector, pour qui son estime commençait à diminuer, trouva que sa fille avait raison de prendre une autre voie. En vingt jours, la pauvre mère venait de recevoir deux blessures dont les souffrances surpassaient toutes ses tortures passées. Le baron avait mis Victorin et sa femme dans la gêne ; puis il était la cause, suivant Lisbeth, du dérangement de Wenceslas, il avait dépravé son gendre. La majesté de ce père de famille, maintenue pendant si longtemps par des sacrifices insensés, était dégradée.

Sans regretter leur argent, les Hulot jeunes concevaient à la fois de la défiance et des inquiétudes à l'égard du baron. Ce sentiment assez visible affligeait profondément Adeline, elle pressentait la dissolution de la famille.

71

Troisième père de la chambre Marneffe

La baronne logea sa fille dans la salle à manger, qui fut promptement transformée en chambre à coucher, grâce à l'argent du maréchal ; et l'antichambre devint, comme dans beaucoup de ménages, la salle à manger.

Quand Wenceslas revint chez lui, quand il eut achevé de lire les deux lettres, il éprouva comme un sentiment de joie mêlé de tristesse. Gardé pour ainsi dire à vue par sa femme, il s'était intérieurement rebellé contre ce nouvel emprisonnement à la Lisbeth. Gorgé d'amour depuis trois ans, il avait, lui aussi, réfléchi pendant ces derniers quinze jours ; et il trouvait la famille lourde à porter. Il venait de s'entendre féliciter par Stidmann sur la passion qu'il inspirait à Valérie ; car Stidmann, dans une arrière-pensée assez concevable, jugeait à propos de flatter la vanité du mari d'Hortense en espérant consoler la victime. Wenceslas fut donc heureux de pouvoir retourner chez Mme Marneffe. Mais il se rappela le bonheur entier et pur dont il avait joui, les perfections d'Hortense, sa sagesse, son innocent et naïf amour, et il la regretta vivement. Il voulut courir chez sa belle-mère y obtenir son pardon, mais il fit comme Hulot et Crevel, il alla voir Mme Marneffe à laquelle il apporta la lettre de sa femme pour lui montrer le désastre dont elle était la cause, et, pour ainsi dire, escompter ce malheur, en demandant en retour des plaisirs à sa maîtresse. Il trouva Crevel chez Valérie. Le maire, bouffi d'orgueil, allait et venait dans le salon, comme un homme agité par des sentiments tumultueux. Il se mettait en position comme s'il voulait parler et il n'osait. Sa physionomie resplendissait, et il courait à la croisée tambouriner de ses doigts sur les vitres. Il regardait Valérie d'un air touché, attendri. Heureusement pour Crevel, Lisbeth entra.

— Cousine, lui dit-il à l'oreille, vous savez la nouvelle ? je suis père ! Il me semble que j'aime moins ma pauvre Célestine. Oh ! ce que c'est que d'avoir un enfant d'une femme qu'on idolâtre ! Joindre la paternité du cœur à la paternité du sang ! Oh ! voyez-vous, dites-le à Valérie ! je vais travailler pour cet enfant, je le veux riche ! Elle m'a dit qu'elle croyait, à certains indices, que ce serait un garçon ! Si c'est un garçon, je veux qu'il se nomme Crevel : je consulterai mon notaire.

— Je sais combien elle vous aime, dit Lisbeth ; mais au nom de votre avenir et du sien, contenez-vous, ne vous frottez pas les mains à tout moment.

Pendant que Lisbeth faisait cet *a parte* avec Crevel, Valérie avait redemandé sa lettre à Wenceslas, et elle lui tenait à l'oreille des propos qui dissipaient sa tristesse.

— Te voilà libre, mon ami, dit-elle. Est-ce que les grands artistes devraient se marier ? Vous n'existez que par la fantaisie et par la liberté ! Va, je t'aimerai tant, mon cher poète, que tu ne regretteras jamais ta femme. Mais cependant, si, comme beaucoup de gens, tu veux garder le décorum, je me charge de faire revenir Hortense chez toi, dans peu de temps…

— Oh ! si c'était possible ?

— J'en suis sûre, dit Valérie piquée. Ton pauvre beau-père est un homme fini sous tous les rapports, qui par amour-propre veut avoir l'air d'être aimé, veut faire croire qu'il a une maîtresse, et il a tant de vanité sur cet article que je le gouverne entièrement. La baronne aime encore tant son vieil Hector (il me semble toujours parler de l'*Iliade*), que les deux vieux obtiendront d'Hortense ton raccommodement. Seulement, si tu ne veux pas avoir des orages chez toi, ne reste pas vingt jours sans venir voir ta maîtresse… Je me mourais. Mon petit, on doit des égards, quand on est gentilhomme, à une femme qu'on a compromise au point où je le suis, surtout quand cette femme a bien des ménagements à prendre pour sa réputation… Reste à dîner, mon ange… Et songe que je dois être d'autant plus froide avec toi, que tu es l'auteur de cette trop visible faute.

72

Les cinq pères de l'Église Marneffe

On annonça le baron Montès, Valérie se leva, courut à sa rencontre, lui parla pendant quelques instants à l'oreille, et fit avec lui les mêmes réserves pour son maintien qu'elle venait de faire avec Wenceslas ; car le Brésilien eut une contenance diplomatique appropriée à la grande nouvelle qui le comblait de joie, il était certain de sa paternité, lui !…

Grâce à cette stratégie basée sur l'amour-propre de l'homme à l'état d'amant, Valérie eut à sa table, tous joyeux, animés, charmés, quatre hommes se croyant adorés, et que Marneffe nomma plaisamment à Lisbeth, en s'y comprenant, les cinq pères de l'Église.

Le baron Hulot seul montra d'abord une figure soucieuse. Voici pourquoi : au moment de quitter son cabinet, il était venu voir le Directeur du Personnel, un général, son camarade depuis trente ans, et il lui avait parlé de nommer Marneffe à la place de Coquet, qui consentait à donner sa démission.

– Mon cher ami, lui dit-il, je ne voudrais pas demander cette faveur au maréchal sans que nous soyons d'accord et que j'aie eu votre agrément.

– Mon cher ami, répondit le Directeur du Personnel, permettez-moi de vous faire observer que, pour vous-même, vous ne devriez pas insister sur cette nomination. Je vous ai déjà dit mon opinion. Ce serait un scandale dans les bureaux, où l'on s'occupe déjà beaucoup trop de vous et de Mme Marneffe. Ceci, bien entre nous. Je ne veux pas attaquer votre endroit sensible, ni vous désobliger en quoi que ce soit, je vais vous en donner la preuve. Si vous y tenez absolument, si vous voulez demander la place de M. Coquet, qui sera vraiment une perte pour les bureaux de la Guerre (il y est depuis 1809), je partirai pour quinze jours à la campagne, afin de vous laisser le champ libre auprès du maréchal qui vous aime comme son fils. Je ne serai donc ni pour, ni contre, et je n'aurai rien fait contre ma conscience d'administrateur.

— Je vous remercie, répondit le baron, je réfléchirai à ce que vous venez de me dire.

— Si je me permets cette observation, mon cher ami, c'est qu'il y va beaucoup plus de votre intérêt personnel que de mon affaire ou de mon amour-propre. Le maréchal est le maître, d'abord. Puis, mon cher, on nous reproche tant de choses, qu'une de plus ou de moins ! nous n'en sommes pas à notre virginité en fait de critiques. Sous la Restauration, on a nommé des gens pour leur donner des appointements et sans s'embarrasser du service... Nous sommes de vieux camarades...

— Oui, répondit le baron, et c'est bien pour ne pas altérer notre vieille et précieuse amitié que je...

— Allons, reprit le Directeur du Personnel, en voyant l'embarras peint sur la figure de Hulot, je voyagerai, mon vieux... Mais prenez garde ! vous avez des ennemis, c'est-à-dire des gens qui convoitent votre magnifique traitement, et vous n'êtes amarré que sur une ancre. Ah ! si vous étiez député comme moi, vous ne craindriez rien ; aussi tenez-vous bien...

Ce discours, plein d'amitié, fit une vive impression sur le conseiller d'État.

— Mais enfin, Roger, qu'y a-t-il ? Ne faites pas le mystérieux avec moi !

Le personnage que Hulot nommait Roger, regarda Hulot, lui prit la main, la lui serra.

– Nous sommes de trop vieux amis pour que je ne vous donne pas un avis. Si vous voulez rester, il faudrait vous faire votre lit de repos vous-même. Ainsi, dans votre position, au lieu de demander au maréchal la place de M. Coquet pour M. Marneffe, je le prierais d'user de son influence pour me réserver le Conseil d'État en service ordinaire, où je mourrais tranquille ; et, comme le castor, j'abandonnerais ma Direction générale aux chasseurs.

– Comment, le maréchal oublierait…

– Mon vieux, le maréchal vous a si bien défendu en plein conseil des ministres, qu'on ne songe plus à vous dégommer ; mais il en a été question !… Ainsi ne donnez pas de prétextes… Je ne veux pas vous en dire davantage. En ce moment, vous pouvez faire vos conditions, être conseiller d'État et pair de France. Si vous attendez trop, si vous donnez prise sur vous, je ne réponds de rien… Dois-je voyager ?…

– Attendez, je verrai le maréchal, répondit Hulot, et j'enverrai mon frère sonder le terrain près du patron.

On peut comprendre en quelle humeur revint le baron chez Mme Marneffe, il avait presque oublié qu'il était père, car Roger venait de faire acte de vraie et bonne camaraderie, en lui éclairant sa position. Néanmoins, telle était l'influence de Valérie, qu'au milieu du dîner, le baron se mit à l'unisson, et devint d'autant plus gai qu'il avait plus de soucis à étouffer ; mais le malheureux ne se doutait pas que, dans cette soirée, il allait se trouver entre son bonheur et le danger signalé par le Directeur du Personnel, c'est-à-dire forcé d'opter entre Mme Marneffe et sa position.

73

Exploitation au père

Vers onze heures, au moment où la soirée atteignait à son apogée d'animation, car le salon était plein de monde, Valérie prit avec elle Hector dans un coin de son divan.

— Mon bon vieux, lui dit-elle à l'oreille, ta fille s'est si fort irritée de ce que Wenceslas vient ici, qu'elle l'a planté là. C'est une mauvaise tête qu'Hortense. Demande à Wenceslas de voir la lettre que cette petite sotte lui a écrite. Cette séparation de deux amoureux dont on veut que je sois la cause, peut me faire un tort inouï, car voilà la manière dont s'attaquent entre elles les femmes vertueuses. C'est un scandale que de jouer à la victime, pour jeter le blâme sur une femme qui n'a d'autres torts que d'avoir une maison agréable. Si tu m'aimes, tu me disculperas en rapatriant les deux tourtereaux. Je ne tiens pas du tout, d'ailleurs, à recevoir ton gendre, c'est toi qui me l'as amené, remporte-le ! Si tu as de l'autorité dans ta famille, il me semble que tu pourrais bien exiger de ta femme qu'elle fît ce raccommodement. Dis-lui de ma part, à cette bonne vieille, que si l'on me donne injustement le tort d'avoir brouillé un jeune ménage, de troubler l'union d'une famille, et de prendre à la fois le père et le gendre, je mériterai ma réputation en les tracassant à ma façon ! Ne voilà-t-il pas Lisbeth qui parle de me quitter ?... Elle me préfère sa famille, je ne veux pas l'en blâmer. Elle ne reste ici, m'a-t-elle dit, que si les jeunes gens se raccommodent. Nous voilà propres, la dépense sera triplée ici !...

— Oh ! quant à cela, dit le baron en apprenant l'esclandre de sa fille, j'y mettrai bon ordre.

— Eh bien ! reprit Valérie, à autre chose. Et la place de Coquet ?...

— Ceci, répondit Hector en baissant les yeux, est plus difficile, pour ne pas dire impossible !...

— Impossible, mon cher Hector, dit Mme Marneffe à l'oreille du baron ; mais tu ne sais pas à quelles extrémités va se porter Marneffe, je suis en son pouvoir ; il est immoral, dans son intérêt, comme la plupart des hommes, mais il est excessivement vindicatif à la façon des petits esprits, des impuissants. Dans la situation où tu m'as mise, je suis à sa discrétion. Obligée de me remettre avec lui pour quelques jours, il est capable de ne plus quitter ma chambre.

Hulot fit un prodigieux haut-le-corps.

— Il me laissait tranquille à la condition d'être chef de bureau. C'est infâme, mais c'est logique.

— Valérie, m'aimes-tu ?...

— Cette question dans l'état où je suis est, mon cher, une injustice de laquais...

— Eh bien ! si je veux tenter, seulement tenter, de demander au maréchal une place pour Marneffe, je ne suis plus rien et Marneffe est destitué.

— Je croyais que le prince et toi, vous étiez deux amis intimes.

— Certes, il me l'a bien prouvé ; mais, mon enfant, au-dessus du maréchal, il y a quelqu'un, et il y a encore tout le conseil des ministres, par exemple... Avec un peu de temps, en louvoyant, nous arriverons. Pour réussir, il faut attendre le moment où l'on me demandera quelque service à moi. Je pourrai dire alors : Je vous passe la casse passez-moi le séné...

— Si je dis cela, mon pauvre Hector, à Marneffe, il nous jouera quelque méchant tour. Tiens, dis-lui toi-même qu'il faut attendre, je ne m'en charge pas. Oh ! je connais mon sort, il sait comment me punir, il ne quittera pas ma chambre... N'oublie pas les douze cents francs de rente pour le petit.

Hulot prit M. Marneffe à part, en se sentant menacé dans son plaisir ; et, pour la première fois, il quitta le ton hautain qu'il avait gardé jusqu'alors, tant il était épouvanté par la perspective de cet agonisant dans la chambre de cette jolie femme.

— Marneffe, mon cher ami, dit-il, il a été question de vous aujourd'hui ! Mais vous ne serez pas chef de bureau d'emblée... Il nous faut du temps.

— Je le serai, monsieur le baron, répliqua nettement Marneffe.

— Mais, mon cher...

– Je le serai, monsieur le baron, répéta froidement Marneffe en regardant alternativement le baron et Valérie. Vous avez mis ma femme dans la nécessité de se raccommoder avec moi, je la garde ; car, *mon cher ami*, elle est charmante, ajouta-t-il avec une épouvantable ironie. Je suis le maître ici, plus que vous ne l'êtes au ministère.

Le baron sentit en lui-même une de ces douleurs qui produisent dans le cœur l'effet d'une rage de dents, et il faillit laisser voir des larmes dans ses yeux. Pendant cette courte scène, Valérie notifiait à l'oreille de Henri Montès la prétendue volonté de Marneffe, et se débarrassait ainsi de lui pour quelque temps.

Des quatre fidèles, Crevel seul, possesseur de sa petite maison économique, était excepté de cette mesure ; aussi montrait-il sur sa physionomie un air de béatitude vraiment insolent, malgré les espèces de réprimandes que lui adressait Valérie par des froncements de sourcils et des mines significatives ; mais sa radieuse paternité se jouait dans tous ses traits. À un mot de reproche que Valérie alla lui jeter à l'oreille, il la saisit par la main et lui répondit : « Demain, ma duchesse, tu auras ton petit hôtel !... c'est demain l'adjudication définitive. »

– Et le mobilier ? répondit-elle en souriant.

– J'ai mille actions de Versailles, rive gauche, achetées à cent vingt-cinq francs, et elles iront à trois cents à cause d'une fusion des deux chemins, dans le secret de laquelle j'ai été mis [1]. Tu seras meublée comme une reine !... Mais tu ne seras plus qu'à moi, n'est-ce-pas ?...

– Oui, gros maire, dit en souriant cette Mme de Merteuil bourgeoise [2] ; mais de la tenue ! respecte la future Mme Crevel.

---

1. En juin 1846, une fusion entre les deux compagnies rivales du chemin de fer reliant Paris à Versailles (rive droite et rive gauche) fut projetée, dans le secret de laquelle Crevel a donc été mis. Mais le projet ne fut finalement pas réalisé. Pour de plus amples renseignements concernant les projets de chemins de fer à l'époque de la publication du roman, voir Pléiade p. 1319, n. 1.

2. Dans l'édition originale du roman, Balzac avait écrit « Ninon bourgeoise ». Ninon est remplacée, à partir de l'édition du roman dans

– Mon cher cousin, disait Lisbeth au baron, je serai demain chez Adeline de bonne heure, car, vous comprenez, je ne peux décemment rester ici. J'irai tenir le ménage de votre frère le maréchal.

– Je retourne ce soir chez moi, dit le baron.

– Eh bien ! j'y viendrai déjeuner demain, répondit Lisbeth en souriant.

74

Un triste bonheur

Elle comprit combien sa présence était nécessaire à la scène de famille qui devait avoir lieu, le lendemain. Aussi, dès le matin, alla-t-elle chez Victorin à qui elle apprit la séparation d'Hortense et de Wenceslas.

Lorsque le baron entra chez lui, vers dix heures et demie du soir, Mariette et Louise, dont la journée avait été laborieuse, fermaient la porte de l'appartement, Hulot n'eut donc pas besoin de sonner. Le mari, très contrarié d'être vertueux, alla droit à la chambre de sa femme ; et, par la porte entrouverte, il la vit prosternée devant son crucifix, abîmée dans la prière, et dans une de ces poses expressives qui font la gloire des peintres ou des sculpteurs assez heureux pour les bien rendre après les avoir trouvées. Adeline, emportée par l'exaltation, disait à haute voix : « Mon Dieu ! faites-nous la grâce de l'éclairer !... » Ainsi la baronne priait pour son Hector. À ce spectacle, si différent de celui qu'il quittait, en entendant cette phrase dictée par l'événement de cette

---

Le Siècle, par l'héroïne cynique des *Liaisons dangereuses* (1782) de Laclos, à laquelle Valérie fait étrangement penser. Elle possède des « spécialités de tendresse » (chap. 38), et sait, comme la marquise de Merteuil, « être tour à tour enfant et raisonnable, folâtre et sensible, quelquefois même libertine » (*Les Liaisons dangereuses*, lettre X). Valérie séduit Steinbock, Mme de Merteuil enlève Danceny à Cécile, etc. Voir Dossier, p. 611.

journée, le baron attendri laissa partir un soupir. Adeline se retourna, le visage couvert de larmes. Elle crut si bien sa prière exaucée qu'elle fit un bond, et saisit son Hector avec la force que donne la passion heureuse. Adeline avait dépouillé tout intérêt de femme, la douleur éteignait jusqu'au souvenir. Il n'y avait plus en elle que maternité, honneur de famille, et l'attachement le plus pur d'une épouse chrétienne pour un mari fourvoyé, cette sainte tendresse qui survit à tout dans le cœur de la femme. Tout cela se devinait.

– Hector ! dit-elle enfin, nous reviendrais-tu ? Dieu prendrait-il en pitié notre famille ?

– Chère Adeline ! reprit le baron en entrant et asseyant sa femme sur un fauteuil à côté de lui, tu es la plus sainte créature que je connaisse, et il y a longtemps que je ne me trouve plus digne de toi.

– Tu aurais peu de chose à faire, mon ami, dit-elle en tenant la main de Hulot et tremblant si fort qu'elle semblait avoir un tic nerveux, bien peu de chose pour rétablir l'ordre...

Elle n'osa poursuivre, elle sentit que chaque mot serait un blâme, et elle ne voulait pas troubler le bonheur que cette entrevue lui versait à torrents dans l'âme.

– Hortense m'amène ici, reprit Hulot. Cette petite fille peut nous faire plus de mal par sa démarche précipitée que ne nous en a fait mon absurde passion pour Valérie. Mais nous causerons de tout cela demain matin. Hortense dort, m'a dit Mariette, laissons-la tranquille.

– Oui, dit Mme Hulot envahie soudain par une profonde tristesse.

Elle devina que le baron revenait chez lui, ramené moins par le désir de voir sa famille, que par un intérêt étranger.

– Laissons-la tranquille encore demain, car la pauvre enfant est dans un état déplorable, elle a pleuré pendant toute la journée, dit la baronne.

75

Quels ravages font les madame Marneffe
au sein des familles

Le lendemain, à neuf heures du matin, le baron, en attendant sa fille à laquelle il avait fait dire de venir, se promenait dans l'immense salon inhabité, cherchant des raisons à donner pour vaincre l'entêtement le plus difficile à dompter, celui d'une jeune femme offensée et implacable, comme l'est la jeunesse irréprochable, à qui les honteux ménagements du monde sont inconnus, parce qu'elle en ignore les passions et les intérêts.

— Me voici, papa ! dit d'une voix tremblante Hortense que ses souffrances avaient pâlie.

Hulot, assis sur une chaise, prit sa fille par la taille et la força de se mettre sur ses genoux.

— Eh bien ! mon enfant, dit-il en l'embrassant au front, il y a donc de la brouille dans le ménage, et nous avons fait un coup de tête ?... Ce n'est pas d'une fille bien élevée. Mon Hortense ne devait pas prendre à elle seule un parti décisif, comme celui de quitter sa maison, d'abandonner son mari, sans consulter ses parents. Si ma chère Hortense était venue voir sa bonne et excellente mère, elle ne m'aurait pas causé le violent chagrin que je ressens !... Tu ne connais pas le monde, il est bien méchant. On peut dire que c'est ton mari qui t'a renvoyée à tes parents. Les enfants élevés, comme vous, dans le giron maternel, restent plus longtemps enfants que les autres, ils ne savent pas la vie ! La passion naïve et fraîche, comme celle que tu as pour Wenceslas, ne calcule malheureusement rien, elle est toute à ses premiers mouvements. Notre petit cœur part, la tête suit. On brûlerait Paris pour se venger, sans penser à la cour d'assises ! Quand ton vieux père vient te dire que tu n'as pas gardé les convenances, tu peux le croire ; et je ne te parle pas encore de la profonde douleur que j'ai ressentie, elle est bien amère, car tu jettes le blâme sur une femme dont le cœur ne t'est pas connu, dont l'inimitié peut devenir terrible... Hélas ! toi, si pleine de candeur, d'innocence, de pureté, tu ne doutes de rien : tu peux être salie, calomniée. D'ailleurs, mon cher petit ange, tu as pris au sérieux une plaisanterie, et je puis, moi, te garantir l'innocence de ton mari. Mme Marneffe...

Jusque-là le baron, comme un artiste en diplomatie, modulait admirablement bien ses remontrances. Il avait, comme on le voit, supérieurement ménagé l'introduction de ce nom ; mais, en l'entendant, Hortense fit le geste d'une personne blessée au vif.

— Écoute-moi, j'ai de l'expérience et j'ai tout observé, reprit le père en empêchant sa fille de parler. Cette dame traite ton mari très froidement. Oui, tu as été l'objet d'une mystification, je vais t'en donner les preuves. Tiens, hier Wenceslas était à dîner...

— Il y dînait ?... demanda la jeune femme en se dressant sur ses pieds et regardant son père avec l'horreur peinte sur le visage. Hier ! après avoir lu ma lettre ?... Oh ! mon Dieu !... Pourquoi ne suis-je pas entrée dans un couvent, au lieu de me marier ! Ma vie n'est plus à moi, j'ai un enfant ! ajouta-t-elle en sanglotant.

Ces larmes atteignirent Mme Hulot au cœur, elle sortit de sa chambre, elle courut à sa fille, la prit dans ses bras, et lui fit de ces questions stupides de douleur, les premières qui viennent sur les lèvres.

— Voilà les larmes !... se disait le baron, tout allait si bien ! Maintenant que faire avec des femmes qui pleurent ?...

— Mon enfant, dit la baronne à Hortense, écoute ton père ? il nous aime, va...

— Voyons, Hortense, ma chère petite fille, ne pleure pas, tu deviens trop laide, dit le baron. Voyons ! un peu de raison. Reviens sagement dans ton ménage, et je te promets que Wenceslas ne mettra jamais les pieds dans cette maison. Je te demande ce sacrifice, si c'est un sacrifice que de pardonner la plus légère des fautes à un mari qu'on aime ! je te le demande par mes cheveux blancs, par l'amour que tu portes à ta mère... Tu ne veux pas remplir mes vieux jours d'amertume et de chagrin ?...

Hortense se jeta, comme une folle, aux pieds de son père par un mouvement si désespéré, que ses cheveux mal attachés se dénouèrent, et elle lui tendit les mains avec un geste où se peignait son désespoir.

– Mon père, vous me demandez ma vie ! dit-elle, prenez-la si vous voulez ; mais au moins prenez-la pure et sans tache, je vous l'abandonnerai certes avec plaisir. Ne me demandez pas de mourir déshonorée, criminelle ! Je ne ressemble pas à ma mère ! je ne dévorerai pas d'outrages ! Si je rentre sous le toit conjugal, je puis étouffer Wenceslas dans un accès de jalousie, ou faire pis encore. N'exigez pas de moi des choses au-dessus de mes forces. Ne me pleurez pas vivante ! car, le moins pour moi, c'est de devenir folle... Je sens la folie à deux pas de moi ! Hier ! hier ! il dînait chez cette femme après avoir lu ma lettre !... Les autres hommes sont-ils ainsi faits ?... Je vous donne ma vie, mais que la mort ne soit pas ignominieuse !... Sa faute ?... légère !... Avoir un enfant de cette femme !

– Un enfant ? dit Hulot en faisant deux pas en arrière. Allons ! c'est bien certainement une plaisanterie.

En ce moment, Victorin et la cousine Bette entrèrent, et restèrent hébétés de ce spectacle. La fille était prosternée aux pieds de son père. La baronne, muette et prise entre le sentiment maternel et le sentiment conjugal, offrait un visage bouleversé, couvert de larmes.

– Lisbeth, dit le baron en saisissant la vieille fille par la main et lui montrant Hortense, tu peux me venir en aide. Ma pauvre Hortense a la tête tournée, elle croit son Wenceslas aimé de Mme Marneffe, tandis qu'elle a voulu tout bonnement avoir un groupe de lui.

– Dalila ! cria la jeune femme, la seule chose qu'il ait faite en un moment depuis notre mariage. Ce monsieur ne pouvait pas travailler pour moi, pour son fils, et il a travaillé pour cette vaurienne avec une ardeur... Oh !

achevez-moi, mon père, car chacune de vos paroles est un coup de poignard.

En s'adressant à la baronne et à Victorin, Lisbeth haussa les épaules par un geste de pitié en leur montrant le baron qui ne pouvait pas la voir.

— Écoutez, mon cousin, dit Lisbeth, je ne savais pas ce qu'était Mme Marneffe quand vous m'avez priée d'aller me loger au-dessus de chez elle et de tenir sa maison ; mais, en trois ans, on apprend bien des choses. Cette créature est une *fille* ! et une fille d'une dépravation qui ne peut se comparer qu'à celle de son infâme et hideux mari. Vous êtes la dupe, le *Milord Pot-au-Feu* de ces gens-là, vous serez mené par eux plus loin que vous ne le pensez ! Il faut vous parler clairement, car vous êtes au fond d'un abîme.

En entendant parler ainsi Lisbeth, la baronne et sa fille lui jetèrent des regards semblables à ceux des dévots remerciant une madone de leur avoir sauvé la vie.

— Elle a voulu, cette horrible femme, brouiller le ménage de votre gendre, dans quel intérêt ? je n'en sais rien ; car mon intelligence est trop faible pour que je puisse voir clair dans ces ténébreuses intrigues, si perverses, ignobles, infâmes. Votre Mme Marneffe n'aime pas votre gendre, mais elle le veut à ses genoux par vengeance. Je viens de traiter cette misérable comme elle le méritait. C'est une courtisane sans pudeur, je lui ai déclaré que je quittais sa maison, que je voulais dégager mon honneur de ce bourbier... Je suis de ma famille avant tout. J'ai su que ma petite cousine avait quitté Wenceslas, et je viens ! Votre Valérie que vous prenez pour une sainte est la cause de cette cruelle séparation ; puis-je rester chez une pareille femme ? Notre petite chère Hortense, dit-elle en touchant le bras au baron d'une manière significative, est peut-être la dupe d'un désir de ces sortes de femmes qui, pour avoir un bijou, sacrifieraient toute une famille. Je ne crois pas Wenceslas coupable, mais je le crois faible et je ne dis pas qu'il ne succomberait point à des coquetteries si raffinées. Ma résolution est prise. Cette femme vous est funeste, elle vous mettra sur la paille. Je ne veux pas avoir l'air de tremper dans la ruine de ma famille ; moi qui ne suis là depuis trois ans que pour l'empêcher. Vous êtes trompé, mon cousin. Dites bien fermement que vous ne vous mêlerez pas de la nomination de cet ignoble M. Marneffe, et vous verrez ce qui arrivera ! L'on vous taille de fameuses étrivières pour ce cas-là.

Lisbeth releva sa petite cousine et l'embrassa passionnément.

— Ma chère Hortense, tiens bon, lui dit-elle à l'oreille.

La baronne embrassa sa cousine Bette avec l'enthousiasme d'une femme qui se voit vengée. La famille tout entière gardait un silence profond autour de ce père, assez spirituel pour savoir ce que dénotait ce silence. Une formidable colère passa sur son front et sur son visage en signes évidents ; toutes les veines grossirent, les yeux s'injectèrent de sang, le teint se marbra. Adeline se jeta vivement à genoux devant lui, lui prit les mains : « Mon ami, mon ami, grâce ! »

— Je vous suis odieux ! dit le baron en laissant échapper le cri de sa conscience.

Nous sommes tous dans le secret de nos torts. Nous supposons presque toujours à nos victimes les sentiments haineux que la vengeance doit leur inspirer ; et, malgré les efforts de l'hypocrisie, notre langage ou notre figure avoue au milieu d'une torture imprévue, comme avouait jadis le criminel entre les mains du bourreau.

— Nos enfants, dit-il pour revenir sur son aveu, finissent par devenir nos ennemis.

— Mon père… dit Victorin.

— Vous interrompez votre père !… reprit d'une voix foudroyante le baron en regardant son fils.

— Mon père, écoutez, dit Victorin d'une voix ferme et nette, la voix d'un député puritain. Je connais trop le respect que je vous dois pour en manquer jamais, et vous aurez certainement toujours en moi le fils le plus soumis et le plus obéissant.

Tous ceux qui assistent aux séances des Chambres reconnaîtront les habitudes de la lutte parlementaire dans ces phrases filandreuses avec lesquelles on calme les irritations en gagnant du temps.

— Nous sommes loin d'être vos ennemis, dit Victorin ; je me suis brouillé avec mon beau-père, M. Crevel, pour avoir retiré les soixante mille francs de lettres de change de Vauvinet, et certes, cet argent est dans les mains de Mme Marneffe. Oh ! je ne vous blâme point, mon père, ajouta-t-il à un geste du baron ; mais je veux seulement joindre ma voix à celle de la cousine Lisbeth, et vous faire observer que si mon dévouement pour vous est aveugle, mon père, et sans bornes, mon bon père, malheureusement nos ressources pécuniaires sont bornées.

— De l'argent ! dit en tombant sur une chaise le passionné vieillard écrasé par ce raisonnement. Et c'est mon fils ! On vous le rendra, monsieur, votre argent, dit-il en se levant.

Il marcha vers la porte.

— Hector !

Ce cri fit retourner le baron, et il montra soudain un visage inondé de larmes à sa femme, qui l'entoura de ses bras avec la force du désespoir.

— Ne t'en va pas ainsi… ne nous quitte pas en colère. Je ne t'ai rien dit, moi !…

À ce cri sublime les enfants se jetèrent aux genoux de leur père.

— Nous vous aimons tous, dit Hortense.

Lisbeth, immobile comme une statue, observait ce groupe avec un sourire superbe sur les lèvres. En ce moment, le maréchal Hulot entra dans l'antichambre et sa voix se fit entendre. La famille comprit l'importance du secret, et la scène changea subitement d'aspect. Les deux enfants se relevèrent, et chacun essaya de cacher son émotion.

76

Résumé de l'histoire des favorites

Une querelle s'élevait à la porte entre Mariette et un soldat qui devint si pressant, que la cuisinière entra au salon.

– Monsieur, un fourrier de régiment qui revient de *l'Algère* veut absolument vous parler.

– Qu'il attende.

– Monsieur, dit Mariette à l'oreille de son maître, il m'a dit de vous dire tout bas qu'il s'agissait de monsieur votre oncle.

Le baron tressaillit, il crut à l'envoi des fonds qu'il avait secrètement demandés depuis deux mois pour payer ses lettres de change, il laissa sa famille, et courut dans l'antichambre. Il aperçut une figure alsacienne.

– Est-ce monsieur *la paron Hilotte* ?

– Oui...

– Lui-même ?

– Lui-même.

Le fourrier, qui fouillait dans la doublure de son képi pendant ce colloque, en tira une lettre que le baron décacheta vivement et il lut ce qui suit :

Mon neveu, loin de pouvoir vous envoyer les cent mille francs que vous demandez, ma position n'est pas tenable, si vous ne prenez pas des mesures énergiques pour me sauver. Nous avons sur le dos un procureur du roi, qui parle morale et baragouine des bêtises sur l'administration. Impossible de faire taire ce pékin-là. Si le ministère de la Guerre se laisse manger dans la main par les habits noirs, je suis mort. Je suis sûr du porteur, tâchez de l'avancer, car il nous a rendu service. Ne me laissez pas aux corbeaux !

Cette lettre fut un coup de foudre, le baron y voyait éclore les déchirements intestins qui tiraillent encore aujourd'hui le gouvernement de l'Algérie entre le civil et le militaire, et il devait inventer sur-le-champ des pallia-tifs à la plaie qui se déclarait. Il dit au soldat de revenir le lendemain ; et après l'avoir congédié non sans de belles promesses d'avancement, il rentra dans le salon.

— Bonjour, et adieu, mon frère ! dit-il au maréchal. Adieu, mes enfants, adieu, ma bonne Adeline. Et que vas-tu devenir, Lisbeth ? dit-il.

— Moi, je vais tenir le ménage du maréchal, car il faut que j'achève ma carrière en vous rendant toujours service aux uns ou aux autres.

— Ne quitte pas Valérie sans que je t'aie vue, dit Hulot à l'oreille de sa cousine. Adieu, Hortense, ma petite insubordonnée, tâche d'être bien raisonnable, il me survient des affaires graves, nous reprendrons la question de ton raccommodement. Penses-y, ma bonne petite chatte, dit-il en l'embrassant.

Il quitta sa femme et ses enfants, si manifestement troublé qu'ils demeurèrent en proie aux plus vives appréhensions.

— Lisbeth, dit la baronne, il faut savoir ce que peut avoir Hector, jamais je ne l'ai vu dans un pareil état ; reste encore deux ou trois jours chez cette femme ; il lui dit tout, à elle, et nous apprendrons ainsi ce qui l'a si subitement changé. Sois tranquille, nous allons arranger ton mariage avec le maréchal, car ce mariage est bien nécessaire.

— Je n'oublierai jamais le courage que tu as eu dans cette matinée, dit Hortense en embrassant Lisbeth.

— Tu as vengé notre pauvre mère, dit Victorin.

Le maréchal observait d'un air curieux les témoignages d'affection prodigués à Lisbeth, qui revint raconter cette scène à Valérie.

Cette esquisse permet aux âmes innocentes de deviner les différents ravages que les Mme Marneffe exercent dans les familles, et par quels moyens elles atteignent de pauvres femmes vertueuses en apparence si loin d'elles. Mais si l'on veut transporter par la pensée ces troubles à l'étage supérieur de la société, près du trône ; en voyant ce que doivent avoir coûté les maîtresses des rois, on mesure l'étendue des obligations du peuple envers ses souverains quand ils donnent l'exemple des bonnes mœurs et de la vie de famille.

77

Audace d'un des cinq pères

À Paris, chaque ministère est une petite ville d'où les femmes sont bannies ; mais il s'y fait des commérages et des noirceurs comme si la population féminine s'y trouvait. Après trois ans, la position de M. Marneffe avait été pour ainsi dire éclairée, mise à jour, et l'on se demandait dans les bureaux : « M. Marneffe sera-t-il ou ne sera-t-il pas le successeur de M. Coquet ? » absolument comme à la Chambre on se demandait naguère : « La dotation passera-t-elle ou ne passera-t-elle pas ? » On observait les moindres mouvements à la Direction du Personnel, on scrutait tout dans la Division du baron Hulot. Le fin conseiller d'État avait mis dans son parti la victime de la promotion de Marneffe, un travailleur capable, en lui disant que, s'il voulait faire la besogne de Marneffe, il en serait infailliblement le successeur, il le lui avait montré mourant. Cet employé cabalait pour Marneffe.

Quand Hulot traversa son salon d'audience, rempli de visiteurs, il y vit dans un coin la figure blême de Marneffe, et Marneffe fut le premier appelé.

– Qu'avez-vous à me demander, mon cher ? dit le baron en cachant son inquiétude.

– Monsieur le Directeur, on se moque de moi dans les bureaux, car on vient d'apprendre que M. le Directeur du Personnel est parti ce matin en congé pour raison de santé, son voyage sera d'environ un mois. Attendre un mois, on sait ce que cela veut dire. Vous me livrez à la risée de mes ennemis, et c'est assez d'être tambouriné d'un côté ; des deux à la fois, monsieur le Directeur, la caisse peut crever.

– Mon cher Marneffe, il faut beaucoup de patience pour arriver à son but. Vous ne pouvez pas être chef de bureau, si vous l'êtes jamais, avant deux mois d'ici. Ce n'est pas au moment où je vais être obligé de consolider ma position, que je puis demander un avancement scandaleux.

– Si vous sautez, je ne serai jamais chef de bureau, dit froidement M. Marneffe ; faites-moi nommer, il n'en sera ni plus ni moins.

– Ainsi je dois me sacrifier à vous ? demanda le baron.

– S'il en était autrement, je perdrais bien des illusions sur vous.

– Vous êtes par trop Marneffe, monsieur Marneffe !... dit le baron en se levant et montrant la porte au sous-chef.

– J'ai l'honneur de vous saluer, monsieur le baron, répondit humblement Marneffe.

– Quel infâme drôle ! se dit le baron. Ceci ressemble assez à une sommation de payer dans les vingt-quatre heures, sous peine d'expropriation.

78

Autres sommations

Deux heures après, au moment où le baron achevait d'endoctriner Claude Vignon, qu'il voulait envoyer au ministère de la Justice prendre des renseignements sur les autorités judiciaires dans la circonscription desquelles se trouvait Johann Fischer, Reine ouvrit le cabinet de M. le Directeur, et vint lui remettre une petite lettre en en demandant la réponse.

– Envoyer Reine ! se dit le baron. Valérie est folle, elle nous compromet tous, et compromet la nomination de cet abominable Marneffe !

Il congédia le secrétaire particulier du Ministre et lut ce qui suit :

Ah ! mon ami, quelle scène je viens de subir ; si tu m'as donné le bonheur depuis trois ans, je l'ai bien payé ! Il est rentré de son bureau dans un état de fureur à faire frissonner. Je le connaissais bien laid, je l'ai vu monstrueux. Ses quatre véritables dents tremblaient, et il m'a menacée de son odieuse compagnie, si je continuais à te recevoir. Mon pauvre chat, hélas ! notre porte sera fermée pour toi désormais. Tu vois mes larmes, elles tombent sur mon papier, elles le trempent ! pourras-tu me lire, mon cher Hector ? Ah ! ne plus te voir, renoncer à toi, quand j'ai en moi un peu de ta vie comme je crois avoir ton cœur, c'est à en mourir. Songe à notre petit Hector ! ne m'abandonne pas ; mais ne te déshonore pas pour Marneffe, ne cède pas à ses menaces ! Ah ! je t'aime comme je n'ai jamais aimé ! Je me suis rappelé tous les sacrifices que tu as faits pour ta Valérie, elle n'est pas et ne sera jamais ingrate : tu es, tu seras mon seul mari. Ne pense plus aux douze cents francs de rente que je te demande pour ce cher petit Hector qui viendra dans quelques mois... je ne veux plus rien te coûter. D'ailleurs, ma fortune sera toujours la tienne.

Ah ! si tu m'aimais autant que je t'aime, mon Hector, tu prendrais ta retraite, nous laisserions là chacun nos familles, nos ennuis, nos entourages où il y a tant de haine, et nous irions vivre avec Lisbeth dans un joli pays, en Bretagne, où tu voudras. Là nous ne verrions personne, et nous serions heureux, loin de tout ce monde. Ta pension de retraite, et le peu que j'ai, en mon nom, nous suffira. Tu deviens jaloux, eh bien ! tu verrais ta Valérie occupée uniquement de son Hector, et tu n'aurais jamais à faire ta grosse voix comme l'autre jour. Je n'aurai jamais qu'un enfant, ce sera le nôtre, sois-en bien sûr, mon vieux grognard aimé. Non, tu ne peux pas te figurer ma rage, car il faut savoir comment il m'a traitée, et les grossièretés qu'il a vomies sur ta Valérie ! ces mots-là saliraient ce papier ; mais une femme comme moi, la fille de Montcornet, n'aurait jamais dû dans toute sa vie en entendre un seul. Oh ! je t'aurais voulu là pour le punir par le spectacle de la passion insensée qui me prenait pour toi. Mon père aurait sabré ce misérable, moi je ne peux que ce que peut une femme : t'aimer avec frénésie ! Aussi, mon amour, dans l'état d'exaspération où je suis, m'est-il impossible de renoncer à te voir. Oui ! je veux te voir en secret, tous les jours ! Nous sommes ainsi, nous autres femmes ; j'épouse ton ressentiment. De grâce, si tu m'aimes, ne le fais pas chef de bureau, qu'il crève sous-chef !... En ce moment, je n'ai plus la tête à moi, j'entends encore ses injures. Bette, qui voulait me quitter, a eu pitié de moi, elle reste pour quelques jours.

Mon bon chéri, je ne sais encore que faire. Je ne vois que la fuite. J'ai toujours adoré la campagne, la Bretagne, le Languedoc, tout ce que tu voudras, pourvu que je puisse t'aimer en liberté. Pauvre chat, comme je te plains ! te voilà forcé de revenir à ta vieille Adeline, à cette urne lacrymale, car il a dû te le dire, le monstre, il veillera jour et nuit sur moi ; il a parlé de commissaire de police ! Ne viens pas ! je comprends qu'il est capable de tout, du moment où il faisait de moi la plus ignoble des spéculations. Aussi voudrais-je pouvoir te rendre tout ce que je tiens de tes générosités. Ah ! mon bon Hector, j'ai pu coqueter, te paraître légère, mais tu ne connaissais pas ta Valérie ; elle aimait à te tourmenter, mais elle te préfère à tout au monde. On ne peut pas t'empêcher de venir voir ta cousine, je vais combiner avec elle les moyens de nous parler. Mon bon chat, écris-moi de grâce un petit mot pour me rassurer, à défaut de ta chère présence... (oh ! je donnerais une main pour te tenir sur notre divan). Une lettre me fera l'effet d'un talisman ; écris-moi quelque chose où soit toute ta belle âme ; je te rendrai ta lettre, car il faut être prudent, je ne saurais où la cacher, il fouille partout. Enfin, rassure ta Valérie, ta femme, la mère de ton enfant. Être obligée de t'écrire, moi qui te voyais tous les jours. Aussi dis-je à Lisbeth : Je ne connaissais pas mon bonheur. Mille caresses, mon chat. Aime bien

Ta Valérie.

– Et des larmes !... se dit Hulot en achevant cette lettre, des larmes qui rendent son nom indéchiffrable.
– Comment va-t-elle ? dit-il à Reine.
– Madame est au lit, elle a des convulsions, répondit Reine. L'attaque de nerfs a tordu Madame comme un lien de fagot, ça l'a prise après avoir écrit. Oh ! c'est d'avoir pleuré... L'on entendait la voix de Monsieur dans les escaliers.

Le baron, dans son trouble, écrivit la lettre suivante sur son papier officiel, à têtes imprimées :

Sois tranquille, mon ange, *il* crèvera sous-chef ! Ton idée est excellente, nous nous en irons vivre loin de Paris, nous serons heureux avec notre petit Hector ; je prendrai ma retraite, je saurai trouver une belle place dans quelque chemin de fer. Ah ! mon aimable amie, je me sens rajeuni par ta lettre ! Oh ! je recommencerai la vie, et je ferai, tu le verras, une fortune à notre cher petit. En lisant ta lettre, mille fois plus brûlante que celles de *la Nouvelle Héloïse*, elle a fait un miracle : je ne croyais pas que mon amour pour toi pût augmenter. Tu verras ce soir chez Lisbeth

Ton HECTOR pour la vie !

Reine emporta cette réponse, la première lettre que le baron écrivait *à son aimable amie* ! De semblables émotions formaient un contrepoids aux désastres qui grondaient à l'horizon ; mais, en ce moment, le baron se croyant sûr de parer les coups portés à son oncle, Johann Fischer, ne se préoccupait que du déficit.

Une des particularités du caractère bonapartiste, c'est la foi dans la puissance du sabre, la certitude de la prééminence du militaire sur le civil. Hulot se moquait du procureur du roi de l'Algérie, où règne le ministère de la Guerre. L'homme reste ce qu'il a été. Comment les officiers de la Garde impériale peuvent-ils oublier d'avoir vu les Maires des bonnes villes de l'Empire, les Préfets de l'Empereur, ces empereurs au petit pied, venant recevoir la Garde impériale, la complimenter à la limite des départements qu'elle traversait, et lui rendre enfin des honneurs souverains ?

79

La porte au nez

À quatre heures et demie, le baron alla droit chez Mme Marneffe ; le cœur lui battait en montant l'escalier comme à un jeune homme, car il s'adressait cette question mentale : « La verrai-je ? ne la verrai-je pas ? » Comment pouvait-il se souvenir de la scène du matin où sa famille en larmes gisait à ses pieds ? La lettre de Valérie, mise pour toujours dans un mince portefeuille sur son cœur, ne lui prouvait-elle pas qu'il était plus aimé que le plus aimable des jeunes gens ? Après avoir sonné, l'infortuné baron entendit la traînerie des chaussons et l'exécrable tousserie de l'invalide Marneffe. Marneffe ouvrit la porte, mais pour se mettre en position et pour indiquer l'escalier à Hulot par un geste exactement semblable à celui par lequel Hulot lui avait montré la porte de son cabinet.

– Vous êtes par trop Hulot, monsieur Hulot !... dit-il.

Le baron voulut passer, Marneffe tira un pistolet de sa poche et l'arma.

– Monsieur le conseiller d'État, quand un homme est aussi vil que moi, car vous me croyez bien vil, n'est-ce pas ? ce serait le dernier des forçats, s'il n'avait pas tous les bénéfices de son honneur vendu. Vous voulez la guerre, elle sera vive et sans quartier. Ne revenez plus, et n'essayez point de passer : j'ai prévenu le commissaire de police de ma situation envers vous.

Et profitant de la stupéfaction de Hulot, il le poussa dehors et ferma la porte.

– Quel profond scélérat ! se dit Hulot en montant chez Lisbeth. Oh ! je comprends maintenant la lettre. Valérie et moi nous quitterons Paris. Valérie est à moi pour le reste de mes jours ; elle me fermera les yeux.

Lisbeth n'était pas chez elle. Mme Olivier apprit à Hulot qu'elle était allée chez Mme la baronne en pensant y trouver M. le baron.

– Pauvre fille ! je ne l'aurais pas crue si fine qu'elle l'a été ce matin, se dit le baron qui se rappela la conduite de Lisbeth en faisant le chemin de la rue Vaneau à la rue Plumet. Au détour de la rue Vaneau et de la rue de Babylone, il regarda l'Éden d'où l'Hymen le bannissait l'épée de la Loi à la main. Valérie, à sa fenêtre, suivait Hulot des yeux ; quand il leva la tête, elle agita son mouchoir ; mais l'infâme Marneffe souffleta le bonnet de sa femme, et la retira violemment de la fenêtre. Une larme vint aux yeux du conseiller d'État. – Être aimé ainsi ! voir maltraiter une femme, et avoir bientôt soixante-dix ans ! se dit-il.

Lisbeth était venue annoncer à la famille la bonne nouvelle. Adeline et Hortense savaient déjà que le baron, ne voulant pas se déshonorer aux yeux de toute l'Administration en nommant Marneffe chef de bureau, serait congédié par ce mari devenu Hulotphobe. Aussi l'heureuse Adeline avait-elle commandé son dîner de manière que son Hector le trouvât meilleur que chez Valérie, et la dévouée Lisbeth aida Mariette à obtenir ce difficile résultat. La cousine Bette était à l'état d'idole ; la mère et la fille lui baisèrent les mains, et lui avaient appris avec une joie touchante que le maréchal consentait à faire d'elle sa ménagère.

– Et de là, ma chère, à devenir sa femme, il n'y a qu'un pas, dit Adeline.

– Enfin, il n'a pas dit non, quand Victorin lui en a parlé, ajouta la comtesse de Steinbock.

Le baron fut accueilli dans sa famille avec des témoignages d'affection si gracieux, si touchants et où débordait tant d'amour, qu'il fut obligé de dissimuler son chagrin. Le maréchal vint dîner. Après le dîner, Hulot ne s'en alla pas. Victorin et sa femme vinrent. On fit un whist.

– Il y a longtemps, Hector, dit gravement le maréchal, que tu ne *nous* as donné pareille soirée !…

Ce mot, chez le vieux soldat, qui gâtait son frère et qui le blâmait implicitement ainsi, fit une impression profonde. On y reconnut les larges et longues lésions d'un cœur où toutes les douleurs devinées avaient eu leur écho. À huit heures, le baron voulut reconduire Lisbeth lui-même, en promettant de revenir.

– Eh bien ! Lisbeth, *il* la maltraite ! lui dit-il dans la rue. Ah ! je ne l'ai jamais tant aimée !

– Ah ! je n'aurais pas cru que Valérie vous aimât tant ! répondit Lisbeth. Elle est légère, elle est coquette, elle aime à se voir courtisée, à ce qu'on lui joue la comédie de l'amour, comme elle dit ; mais vous êtes son seul attachement.

– Que t'a-t-elle dit pour moi ?

– Voilà, reprit Lisbeth. Elle a, vous le savez, eu des bontés pour Crevel ; il ne faut pas lui en vouloir, car c'est ce qui l'a mise à l'abri de la misère pour le reste de ses jours ; mais elle le déteste, et c'est à peu près fini. Eh bien ! elle a gardé la clef d'un appartement.

– Rue du Dauphin ! s'écria le bienheureux Hulot. Rien que pour cela, je lui passerais Crevel... J'y suis allé, je sais...

– Cette clef, la voici, dit Lisbeth, faites-en faire une pareille demain dans la journée, deux si vous pouvez.

– Après ?... dit avidement Hulot.

– Eh bien ! je reviendrai dîner encore demain avec vous, vous me rendrez la clef de Valérie (car le père Crevel peut lui redemander celle qu'il a donnée), et vous irez vous voir après-demain ; là, vous conviendrez de vos faits. Vous serez bien en sûreté, car il existe deux sorties. Si, par hasard, Crevel, qui sans doute a des mœurs de Régence, comme il dit, entrait par l'allée, vous sortiriez par la boutique, et réciproquement. Eh bien ! vieux scélérat, c'est à moi que vous devez cela. Que ferez-vous pour moi ?...

– Tout ce que tu voudras !

– Eh bien ! ne vous opposez pas à mon mariage avec votre frère !

– Toi, la maréchale Hulot ! toi, comtesse de Forzheim ! s'écria Hector surpris.

– Adeline est bien baronne ?... répliqua d'un ton aigre et formidable la Bette. Écoutez, vieux libertin, vous savez où en sont vos affaires ! votre famille peut se voir sans pain et dans la boue...

– C'est ma terreur ! dit Hulot saisi.

— Si votre frère meurt, qui soutiendra votre femme, votre fille ? La veuve d'un maréchal de France peut obtenir au moins six mille francs de pension, n'est-ce pas ? Eh bien ! je ne me marie que pour assurer du pain à votre fille et à votre femme, vieil insensé !

— Je n'apercevais pas ce résultat ! dit le baron. Je prêcherai mon frère, car nous sommes sûrs de toi... Dis à mon ange que ma vie est à *elle* !...

Et le baron, après avoir vu entrer Lisbeth rue Vaneau, revint faire le whist et resta chez lui. La baronne fut au comble du bonheur, son mari paraissait revenir à la vie de famille ; car, pendant quinze jours environ, il alla le matin au ministère à neuf heures, il était de retour à six heures pour dîner, et il demeurait le soir au milieu de sa famille. Il mena deux fois Adeline et Hortense au spectacle. La mère et la fille firent dire trois messes d'actions de grâces, et prièrent Dieu de leur conserver le mari, le père qu'il leur avait rendu.

80

Un réveil

Un soir, Victorin Hulot en voyant son père aller se coucher dit à sa mère : « Eh bien ! nous sommes heureux, mon père nous est revenu ; aussi ne regretterons-nous pas, ma femme et moi, nos capitaux, si cela tient... »

— Votre père a soixante-dix ans bientôt, répondit la baronne, il pense encore à Mme Marneffe, je m'en suis aperçue ; mais bientôt il n'y pensera plus : la passion des femmes n'est pas comme le jeu, comme la spéculation, ou comme l'avarice, on y voit un terme.

La belle Adeline, car cette femme était toujours belle en dépit de ses cinquante ans et de ses chagrins, se trompait en ceci. Les libertins, ces gens que la nature a doués de la faculté précieuse d'aimer au-delà des limites qu'elle fixe à l'amour, n'ont presque jamais leur âge. Pendant ce laps de vertu, le baron était allé trois fois rue du Dauphin, et il n'y avait jamais eu soixante-dix ans. La passion ranimée le rajeunissait, et il eût livré son honneur à Valérie, sa famille, tout, sans un regret. Mais Valérie, entièrement changée, ne lui parlait jamais ni d'argent, ni des douze cents francs de rente à faire à leur fils ; au contraire, elle lui offrait de l'or, elle aimait Hulot comme une femme de trente-six ans aime un bel étudiant en droit, bien pauvre, bien poétique, bien amoureux. Et la pauvre Adeline croyait avoir reconquis son cher Hector ! Le quatrième rendez-vous des deux amants avait été pris, au dernier moment du troisième, absolument comme autrefois la Comédie-Italienne annonçait à la fin de la représentation le spectacle du lendemain. L'heure dite était neuf du matin. Au jour de l'échéance de ce bonheur dont l'espérance faisait accepter au passionné vieillard la vie de famille, vers huit heures, Reine fit demander le baron. Hulot, craignant une catastrophe, alla parler à Reine, qui ne voulut pas entrer dans l'appartement. La fidèle femme de chambre remit la lettre suivante au baron :

> Mon vieux grognard, ne va pas rue du Dauphin, notre cauchemar est malade, et je dois le soigner ; mais sois là ce soir, à neuf heures. Crevel est à Corbeil, chez M. Lebas, je suis certaine qu'il n'amènera pas de princesse à sa petite maison. Moi je me suis arrangée ici pour avoir ma nuit, je puis être de retour avant que Marneffe ne s'éveille. Réponds-moi sur tout cela ; car peut-être ta grande élégie de femme ne te laisse-t-elle plus ta liberté comme autrefois. On la dit si belle encore que tu es capable de me trahir, tu es un si grand libertin ! Brûle ma lettre, je me défie de tout.

Hulot écrivit ce petit bout de réponse :

> Mon amour, jamais ma femme, comme je te l'ai dit, n'a depuis vingt-cinq ans gêné mes plaisirs. Je te sacrifierais cent Adeline ! Je serai ce soir, à neuf heures, dans le temple Crevel,

attendant ma divinité. Puisse le sous-chef crever bientôt !
nous ne serions plus séparés ; voilà le plus cher des vœux de

Ton Hector.

Le soir, le baron dit à sa femme qu'il irait travailler
avec le Ministre à Saint-Cloud, qu'il reviendrait à quatre
ou cinq heures du matin, et il alla rue du Dauphin. On
était alors à la fin du mois de juin.

Peu d'hommes ont éprouvé réellement dans leur vie la
sensation terrible d'aller à la mort, ceux qui reviennent
de l'échafaud se comptent ; mais quelques rêveurs ont
vigoureusement senti cette agonie en rêve, ils en ont tout
ressenti, jusqu'au couteau qui s'applique sur le cou dans
le moment où le Réveil arrive avec le Jour pour les délivrer... Eh bien ! la sensation à laquelle le conseiller
d'État fut en proie à cinq heures du matin, dans le lit
élégant et coquet de Crevel, surpassa de beaucoup celle
de se sentir appliqué sur la fatale bascule, en présence de
dix mille spectateurs qui vous regardent par vingt mille
rayons de flamme. Valérie dormait dans une pose charmante. Elle était belle comme sont belles les femmes
assez belles pour être belles en dormant. C'est l'art faisant invasion dans la nature, c'est enfin le tableau réalisé.
Dans sa position horizontale, le baron avait les yeux à
trois pieds du sol ; ses yeux, égarés au hasard, comme
ceux de tout homme qui s'éveille et qui rappelle ses idées,
tombèrent sur la porte couverte de fleurs peintes par Jan,
un artiste qui fait fi de la gloire[1]. Le baron ne vit pas,
comme le condamné à mort, vingt mille rayons visuels,
il n'en vit qu'un seul dont le regard est véritablement plus

---

1. Alphonse Jean Laurent, dit Laurent-Jan (1808-1877) : dessinateur
et homme d'esprit, il fut l'ami intime et dévoué de Balzac. Artiste paresseux, il prête quelques traits à Steinbock. Lors de la mort de Balzac en
août 1850, il se montra très secourable pour Ève Balzac, se chargeant
de la déclaration du décès à la mairie, des notices nécrologiques pour
les journaux, allant chercher le peintre Eugène Giraud pour qu'il fasse
un portrait de Balzac sur son lit de mort, etc.

81

Son, recoupe et recoupette[1]

Le commissaire de police, planté sur des souliers dont les oreilles étaient attachées avec des rubans à nœuds barbotants, se terminait par un crâne jaune, pauvre en cheveux, qui dénotait un matois égrillard, rieur, et pour qui la vie de Paris n'avait plus de secrets. Ses yeux, doublés de lunettes, perçaient le verre par des regards fins et moqueurs. Le juge de paix, ancien avoué, vieil adorateur du beau sexe, enviait le justiciable.

– Veuillez excuser la rigueur de notre ministère, monsieur le baron ! dit le commissaire, nous sommes requis par un plaignant. M. le juge de paix assiste à l'ouverture du domicile. Je sais qui vous êtes, et qui est la délinquante.

Valérie ouvrit des yeux étonnés, jeta le cri perçant que les actrices ont inventé pour annoncer la folie au théâtre, elle se tordit en convulsions sur le lit, comme une démoniaque au Moyen Âge dans sa chemise de soufre, sur un lit de fagots.

– La mort !… mon cher Hector, mais la police correctionnelle ? oh ! jamais ! Elle bondit, elle passa comme un nuage blanc entre les trois spectateurs, et alla se blottir sous le bonheur-du-jour[2], en se cachant la tête dans ses mains. – Perdue ! morte !… cria-t-elle.

– Monsieur, dit Marneffe à Hulot, si Mme Marneffe devenait folle, vous seriez plus qu'un libertin, vous seriez un assassin…

Que peut faire, que peut dire un homme surpris dans un lit qui ne lui appartient pas, même à titre de location, avec une femme qui ne lui appartient pas davantage ? Voici.

---

1. *Recoupe* : farine grossière de seconde mouture. *Recoupette* : farine tirée du son des recoupes, utilisée dans la fabrication de l'amidon.
2. Petit bureau à tiroir, en vogue au XVIIIe siècle.

– Monsieur le juge de paix, monsieur le commissaire de police, dit le baron avec dignité, veuillez prendre soin de la malheureuse femme dont la raison me semble en danger... et vous verbaliserez après. Les portes sont sans doute fermées, vous n'avez pas d'évasion à craindre ni de sa part, ni de la mienne, vu l'état où nous sommes...

Les deux fonctionnaires obtempérèrent à l'injonction du conseiller d'État.

– Viens me parler, misérable laquais !... dit Hulot tout bas à Marneffe en lui prenant le bras et l'amenant à lui. – Ce n'est pas moi qui serais l'assassin ! c'est toi ! Tu veux être chef de bureau et officier de la Légion d'honneur ?

– Surtout, mon Directeur, répondit Marneffe en inclinant la tête.

– Tu seras tout cela, rassure ta femme, renvoie ces messieurs.

– Nenni, répliqua spirituellement Marneffe. Il faut que ces messieurs dressent le procès-verbal de flagrant délit, car, sans cette pièce, la base de ma plainte, que deviendrais-je ? La haute administration regorge de filouteries. Vous m'avez volé ma femme et ne m'avez pas fait chef de bureau. Monsieur le baron, je ne vous donne que deux jours pour vous exécuter. Voici des lettres...

– Des lettres !... cria le baron en interrompant Marneffe.

– Oui, des lettres qui prouvent que l'enfant que ma femme porte en ce moment dans son sein est de vous... Vous comprenez ? vous devrez constituer à mon fils une rente égale à la portion que ce bâtard lui prend. Mais je serai modeste, cela ne me regarde point, je ne suis pas ivre de paternité, moi ! Cent louis de rente suffiront. Je serai demain matin successeur de M. Coquet, et porté sur la liste de ceux qui vont être promus officiers, à propos des fêtes de juillet, ou... le procès-verbal sera déposé avec ma plainte au Parquet. Je suis bon prince, n'est-ce pas ?

– Mon Dieu ! la jolie femme ! disait le juge de paix au commissaire de police. Quelle perte pour le monde si elle devenait folle !

– Elle n'est point folle, répondit sentencieusement le commissaire de police.

La police est toujours le doute incarné.

– M. le baron Hulot a donné dans un piège, ajouta le commissaire de police assez haut pour être entendu de Valérie.

Valérie lança sur le commissaire une œillade qui l'eût tué, si les regards pouvaient communiquer la rage qu'ils expriment. Le commissaire sourit, il avait tendu son piège aussi, la femme y tombait. Marneffe invita sa femme à rentrer dans la chambre et à s'y vêtir décemment, car il s'était entendu sur tous les points avec le baron, qui prit une robe de chambre et revint dans la première pièce.

– Messieurs, dit-il aux deux fonctionnaires, je n'ai pas besoin de vous demander le secret.

Les deux magistrats s'inclinèrent. Le commissaire de police frappa deux petits coups à la porte, son secrétaire entra, s'assit devant le petit bonheur-du-jour, et se mit à écrire sous la dictée du commissaire de police qui lui parlait à voix basse. Valérie continuait de pleurer à chaudes larmes. Quand elle eut fini sa toilette, Hulot passa dans la chambre et s'habilla. Pendant ce temps, le procès-verbal se fit. Marneffe voulut alors emmener sa femme ; mais Hulot, en croyant la voir pour la dernière fois, implora par un geste la faveur de lui parler.

– Monsieur, madame me coûte assez cher pour que vous me permettiez de lui dire adieu, bien entendu, en présence de tous.

Valérie vint, et Hulot lui dit à l'oreille : « Il ne nous reste plus qu'à fuir ; mais comment correspondre ? nous avons été trahis... »

– Par Reine ! répondit-elle. Mais, mon bon ami, après cet éclat, nous ne devons plus nous revoir. Je suis déshonorée. D'ailleurs, on te dira des infamies de moi, et tu les

croiras... Le baron fit un mouvement de dénégation.
– Tu les croiras, et j'en rends grâces au ciel, car tu ne me
regretteras peut-être pas.

– *Il ne crèvera pas sous-chef!* dit Marneffe à l'oreille
du conseiller d'État en revenant prendre sa femme à
laquelle il dit brutalement : « Assez, madame, si je suis
faible pour vous, je ne veux pas être un sot pour les
autres. »

Valérie quitta la petite maison Crevel, en jetant au
baron un dernier regard si coquin qu'il se crut adoré. Le
juge de paix donna galamment la main à Mme Marneffe,
en la conduisant en voiture.

82

Opération chirurgicale

Le baron qui devait signer le procès-verbal, restait là
tout hébété, seul avec le commissaire de police. Quand le
conseiller d'État eut signé, le commissaire de police le
regarda d'un air fin, par-dessus ses lunettes.

– Vous aimez beaucoup cette petite dame, monsieur
le baron ?...

– Pour mon malheur, vous le voyez...

– Si elle ne vous aimait pas ? reprit le commissaire, si
elle vous trompait ?...

– Je l'ai déjà su, là, monsieur, à cette place... Nous
nous le sommes dit, M. Crevel et moi...

– Ah ! vous savez que vous êtes ici dans la petite
maison de M. le maire.

– Parfaitement.

Le commissaire souleva légèrement son chapeau pour
saluer le vieillard.

– Vous êtes bien amoureux, je me tais, dit-il. Je respecte les passions invétérées, autant que les médecins res-
pectent les maladies invé... J'ai vu M. de Nucingen, le
banquier, atteint d'une passion de ce genre-là...

– C'est mon ami, reprit le baron. J'ai soupé souvent avec la belle Esther, elle valait les deux millions qu'elle lui a coûté.

– Plus, dit le commissaire. Cette fantaisie du vieux financier a coûté la vie à quatre personnes [1]. Oh ! ces passions-là, c'est comme le choléra [2]...

– Qu'aviez-vous à me dire ? demanda le conseiller d'État qui prit mal cet avis indirect.

– Pourquoi vous ôterais-je vos illusions ? répliqua le commissaire de police ; il est si rare d'en conserver à votre âge.

– Débarrassez-m'en ! s'écria le conseiller d'État.

– On maudit le médecin plus tard, répondit le commissaire en souriant.

– De grâce, monsieur le commissaire ?...

– Eh bien ! cette femme était d'accord avec son mari...

– Oh !...

– Cela, monsieur, arrive deux fois sur dix. Oh ! nous nous y connaissons.

– Quelle preuve avez-vous de cette complicité ?

– Oh ! d'abord le mari !... dit le fin commissaire de police avec le calme d'un chirurgien habitué à débrider des plaies. La spéculation est écrite sur cette plate et atroce figure. Mais, ne deviez-vous pas beaucoup tenir à certaine lettre écrite par cette femme et où il est question de l'enfant...

– Je tiens tant à cette lettre que je la porte toujours sur moi, répondit le baron Hulot au commissaire de police en fouillant dans sa poche de côté pour prendre le petit portefeuille qui ne le quittait jamais.

– Laissez le portefeuille où il est, dit le commissaire foudroyant comme un réquisitoire, voici la lettre. Je sais

---

1. Allusion à *Splendeurs et misères des courtisanes*. Ces quatre personnes sont Lucien de Rubempré, Esther, les policiers Contenson et Peyrade.

2. On se souvient qu'au chapitre 9, Balzac avait déjà comparé l'envie, autre passion, ô combien ravageuse, à un germe de peste.

maintenant tout ce que je voulais savoir. Mme Marneffe
devait être dans la confidence de ce que contenait ce portefeuille.

– Elle seule au monde.

– C'est ce que je pensais... Maintenant voici la preuve
que vous me demandez de la complicité de cette petite
femme.

– Voyons ! dit le baron encore incrédule.

– Quand nous sommes arrivés, monsieur le baron,
reprit le commissaire, ce misérable Marneffe a passé le
premier, et il a pris cette lettre que sa femme avait sans
doute posée sur ce meuble, dit-il en montrant le bonheur-
du-jour. Évidemment cette place avait été convenue entre
la femme et le mari, si toutefois elle parvenait à vous
dérober la lettre pendant votre sommeil ; car la lettre que
cette dame vous a écrite est, avec celles que vous lui avez
adressées, décisive au procès correctionnel[1].

Le commissaire fit voir à Hulot la lettre que le baron
avait reçue par Reine dans son cabinet au ministère.

– Elle fait partie du dossier, dit le commissaire,
rendez-la-moi, monsieur.

– Eh bien ! monsieur, dit Hulot dont la figure se
décomposa, cette femme, c'est le libertinage en coupes
réglées, je suis certain maintenant qu'elle a trois amants !

– Ça se voit, dit le commissaire de police. Ah ! elles ne
sont pas toutes sur le trottoir. Quand on fait ce métier-
là, monsieur le baron, en équipages, dans les salons, ou
dans son ménage, il ne s'agit plus de francs ni de centimes. Mlle Esther, dont vous parlez, et qui s'est empoisonnée, a dévoré des millions... Si vous m'en croyez,

---

1. « La Chouette aura gardé des lettres qui parlent de Victor »,
annonce Balzac le 10 juillet 1847 à Mme Hanska. En effet, d'après
Balzac, sa gouvernante congédiée aurait dérobé, pendant qu'il raccom-
pagnait Mme Hanska en Allemagne, au début de mai 1847, vingt-deux
lettres intimes écrites par la comtesse afin de la compromettre auprès
des siens et d'empêcher son mariage avec Balzac. Cet épisode, bien qu'il
soit postérieur à la publication de *La Cousine Bette*, intéresse le roman
de près, car il témoigne d'une curieuse correspondance qui s'établit
entre la vie personnelle de l'écrivain et sa création littéraire.

vous détellerez, monsieur le baron. Cette dernière partie vous coûtera cher. Ce gredin de mari a pour lui la loi... Enfin, sans moi, la petite femme vous repinçait !

– Merci, monsieur, dit le conseiller d'État qui tâcha de garder une contenance digne.

– Monsieur, nous allons fermer l'appartement, la farce est jouée, et vous remettrez la clef à M. le maire [1].

83

Réflexions morales

Hulot revint chez lui dans un état d'abattement voisin de la défaillance, et perdu dans les pensées les plus sombres, il réveilla sa noble, sa sainte et pure femme, et il lui jeta l'histoire de ces trois années dans le cœur, en sanglotant comme un enfant à qui l'on ôte un jouet. Cette confession d'un vieillard jeune de cœur, cette affreuse et navrante épopée, tout en attendrissant inté-rieurement Adeline, lui causa la joie intérieure la plus vive, elle remercia le ciel de ce dernier coup, car elle vit son mari fixé pour toujours au sein de la famille.

– Lisbeth avait raison ! dit Mme Hulot d'une voix douce et sans faire de remontrances inutiles, elle nous a dit cela d'avance.

– Oui ! Ah ! si je l'avais écoutée, au lieu de me mettre en colère, le jour où je voulais que la pauvre Hortense rentrât dans son ménage pour ne pas compromettre la réputation de cette... Oh ! chère Adeline, il faut sauver Wenceslas ! il est dans cette fange jusqu'au menton !

– Mon pauvre ami, la petite bourgeoise ne t'a pas mieux réussi que les actrices, dit Adeline en souriant.

La baronne était effrayée du changement que présen-tait son Hector ; quand elle le voyait malheureux, souf-frant, courbé sous le poids des peines, elle était tout cœur,

---

1. Le lecteur aura été sensible au caractère extrêmement théâtral de cette scène, comme de nombreuses scènes du roman.

tout pitié, tout amour, elle eût donné son sang pour rendre Hulot heureux.

— Reste avec nous, mon cher Hector. Dis-moi comment elles font, ces femmes, pour t'attacher ainsi ; je tâcherai... pourquoi ne m'as-tu pas formée à ton usage ? est-ce que je manque d'intelligence ? on me trouve encore assez belle pour me faire la cour.

Beaucoup de femmes mariées, attachées à leurs devoirs et à leurs maris, pourront ici se demander pourquoi ces hommes si forts et si bons, si pitoyables à des Mme Marneffe, ne prennent pas leurs femmes, surtout quand elles ressemblent à la baronne Adeline Hulot, pour l'objet de leur fantaisie et de leurs passions. Ceci tient aux plus profonds mystères de l'organisation humaine. L'amour, cette immense débauche de la raison, ce mâle et sévère plaisir des grandes âmes, et le plaisir, cette vulgarité vendue sur la place, sont deux faces différentes d'un même fait. La femme qui satisfait ces deux vastes appétits des deux natures, est aussi rare, dans le sexe, que le grand général, le grand écrivain, le grand artiste, le grand inventeur, le sont dans une nation [1]. L'homme supérieur comme l'imbécile, un Hulot comme un Crevel, ressentent également le besoin de l'idéal et celui du plaisir ; tous vont cherchant ce mystérieux androgyne, cette rareté,

---

1. Balzac, physiologiste du mariage, traite de ce problème dans plusieurs de ses romans. « Votre programme est inexécutable. Être à la fois Mme de Mortsauf et lady Dudley, mais, mon ami, n'est-ce pas vouloir réunir l'eau et le feu ? » écrit Nathalie de Manerville à Félix de Vandenesse dans *Le Lys dans la vallée*. Dans *Splendeurs et misères des courtisanes*, Lucien se plaint lui aussi de ne pouvoir « trouver sa femme [qu']en deux volumes ! » même si, dans son cas, ces deux volumes sont, d'un côté, « la poésie, la volupté, l'amour, le dévouement, la beauté, la gentillesse... », et, de l'autre, « la noblesse du nom, la race, les honneurs, le rang, la science du monde ». « Et aucun moyen de les réunir en une seule personne ! » Balzac déplore ce fait auquel seuls des êtres exceptionnels peuvent remédier. Dans *Mémoires de deux jeunes mariées*, la vie mouvementée et tragique de Mme Gaston, ex-baronne Macumer, semble prouver qu'il est impossible de maintenir « à l'état de passion un sentiment qui doit devenir dans le mariage une force égale et pure ».

qui, la plupart du temps, se trouve être un ouvrage en deux volumes. Cette recherche est une dépravation due à la société. Certes, le mariage doit être accepté comme une tâche, il est la vie avec ses travaux et ses durs sacrifices également faits des deux côtés. Les libertins, ces chercheurs de trésors, sont aussi coupables que d'autres malfaiteurs plus sévèrement punis qu'eux. Cette réflexion n'est pas un placage de morale, elle donne la raison de bien des malheurs incompris. Cette Scène porte d'ailleurs avec elle ses moralités qui sont de plus d'un genre.

84

Fructus belli, *tout retombe*
sur le ministre de la Guerre

Le baron alla promptement chez le maréchal prince de Wissembourg, dont la haute protection était sa dernière ressource. Protégé par le vieux guerrier depuis trente-cinq ans, il avait les entrées grandes et petites, il put pénétrer dans les appartements à l'heure du lever.

– Eh ! bonjour, mon cher Hector, dit ce grand et bon capitaine. Qu'avez-vous ? vous paraissez soucieux. La session est finie, cependant. Encore une de passée ! je parle de cela maintenant, comme autrefois de nos campagnes. Je crois, ma foi, que les journaux appellent aussi les sessions, des campagnes parlementaires.

– Nous avons eu du mal, en effet, maréchal ; mais c'est la misère du temps ! dit Hulot. Que voulez-vous ? le monde est ainsi fait. Chaque époque a ses inconvénients. Le plus grand malheur de l'an 1841, c'est que ni la royauté ni les ministres ne sont libres dans leur action comme l'était l'Empereur.

Le maréchal jeta sur Hulot un de ces regards d'aigle dont la fierté, la lucidité, la perspicacité montraient que, malgré les années, cette grande âme restait toujours ferme et vigoureuse.

— Tu veux quelque chose de moi ? dit-il en prenant un air enjoué.

— Je me trouve dans la nécessité de vous demander, comme une grâce personnelle, la promotion d'un de mes sous-chefs au grade de chef de bureau, et sa nomination d'officier dans la Légion...

— Comment se nomme-t-il ? dit le maréchal en lançant au baron un regard qui fut comme un éclair.

— Marneffe !

— Il a une jolie femme, je l'ai vue au mariage de ta fille... Si Roger... mais Roger n'est plus ici. Hector, mon fils, il s'agit de ton plaisir. Comment ! tu t'en donnes encore. Ah ! tu fais honneur à la Garde impériale ! voilà ce que c'est que d'avoir appartenu à l'intendance, tu as des réserves !... Laisse là cette affaire, mon cher garçon, elle est trop galante pour devenir administrative.

— Non, maréchal, c'est une mauvaise affaire, car il s'agit de la police correctionnelle ; voulez-vous m'y voir ?

— Ah ! diantre, s'écria le maréchal devenant soucieux. Continue.

— Mais vous me voyez dans l'état d'un renard pris au piège... Vous avez toujours été si bon pour moi, que vous daignerez me tirer de la situation honteuse où je suis.

Hulot raconta le plus spirituellement et le plus gaiement possible sa mésaventure.

— Voulez-vous, prince, dit-il en terminant, faire mourir de chagrin mon frère que vous aimez tant, et laisser déshonorer un de vos directeurs, un conseiller d'État ? Mon Marneffe est un misérable, nous le mettrons à la retraite dans deux ou trois ans.

— Comme tu parles de deux ou trois ans, mon cher ami !... dit le maréchal.

— Mais, prince, la Garde impériale est immortelle.

— Je suis maintenant le seul maréchal de la première promotion, dit le ministre. Écoute, Hector. Tu ne sais pas à quel point je te suis attaché ! tu vas le voir ! Le jour où je quitterai le ministère, nous le quitterons ensemble. Ah ! tu n'es pas député, mon ami. Beaucoup de gens veulent ta place ; et, sans moi, tu n'y serais plus. Oui, j'ai rompu bien des lances pour te garder... Eh bien ! je t'accorde tes deux requêtes, car il serait par trop dur de te voir assis sur la sellette à ton âge et dans la position que tu occupes. Mais tu fais trop de brèches à ton crédit. Si cette nomination donne lieu à quelque tapage, on nous en voudra. Moi, je m'en moque, mais c'est épine de plus sous ton pied. À la prochaine session, tu sauteras. Ta succession est présentée comme un appât à cinq ou six personnes influentes, et tu n'as été conservé que par la subtilité de mon raisonnement. J'ai dit que le jour où tu prendrais ta retraite, et que ta place serait donnée, nous aurions cinq mécontents et un heureux ; tandis qu'en te laissant *branlant dans le manche* pendant deux ou trois ans, nous aurions nos six voix. On s'est mis à rire au conseil, et l'on a trouvé que le *vieux de la vieille*, comme on dit, devenait assez fort en tactique parlementaire... Je te dis cela nettement. D'ailleurs, tu grisonnes... Es-tu heureux de pouvoir encore te mettre dans des embarras pareils ! Où est le temps où le sous-lieutenant Cottin avait des maîtresses ! Le maréchal sonna. – Il faut faire déchirer ce procès-verbal ! ajouta-t-il.

– Vous agissez, monseigneur, comme un père ! je n'osais vous parler de mon anxiété.

– Je veux toujours que Roger soit ici, s'écria le maréchal en voyant entrer Mitouflet, son huissier, et j'allais le faire demander. Allez-vous-en, Mitouflet. Et toi, va, mon vieux camarade, va faire préparer cette nomination, je la signerai. Mais cet infâme intrigant ne jouira pas pendant longtemps du fruit de ses crimes, il sera surveillé et cassé en tête de la compagnie, à la moindre faute. Maintenant que te voilà sauvé, mon cher Hector, prends garde à toi. Ne lasse pas tes amis, on t'enverra ta nomination ce matin, et ton homme sera officier !... Quel âge as-tu maintenant ?

– Soixante-dix ans, dans trois mois.

– Quel gaillard tu fais ! dit le maréchal en souriant. C'est toi qui mériterais une promotion, mais mille boulets ! nous ne sommes pas sous Louis XV !

Tel est l'effet de la camaraderie qui lie entre eux les glorieux restes de la phalange napoléonienne, ils se croient toujours au bivouac, obligés de se protéger envers et contre tous.

– Encore une faveur comme celle-là, se dit Hulot en traversant la cour, et je suis perdu.

Le malheureux fonctionnaire alla chez le baron de Nucingen auquel il ne devait plus qu'une somme insignifiante, il réussit à lui emprunter quarante mille francs en engageant son traitement pour deux années de plus ; mais le baron stipula que, dans le cas de la mise à la retraite de Hulot, la quotité saisissable de sa pension serait affectée au remboursement de cette somme, jusqu'à épuisement des intérêts et du capital. Cette nouvelle affaire fut faite, comme la première, sous le nom de Vauvinet, à qui le baron souscrivit pour douze mille francs de lettres de change. Le lendemain, le fatal procès-verbal, la plainte du mari, les lettres, tout fut anéanti. Les scandaleuses promotions du sieur Marneffe, à peine remarquées dans le mouvement des fêtes de juillet, ne donnèrent lieu à aucun article de journal.

85

Autre désastre

Lisbeth, en apparence brouillée avec Mme Marneffe, s'installa chez le maréchal Hulot. Dix jours après ces événements, on publia le premier ban du mariage de la vieille fille avec l'illustre vieillard à qui, pour obtenir un consentement, Adeline raconta la catastrophe financière arrivée à son Hector en le priant de ne jamais en parler au baron qui, dit-elle, était sombre, très abattu, tout affaissé... – Hélas ! il a son âge ! ajouta-t-elle. Lisbeth triomphait donc ! Elle allait atteindre au but de son ambition, elle allait voir son plan accompli, sa haine satisfaite. Elle jouissait par avance du bonheur de régner sur la famille qui l'avait si longtemps méprisée. Elle se promettait d'être la protectrice de ses protecteurs, l'ange sauveur qui ferait vivre la famille ruinée, elle s'appelait elle-même *madame la comtesse* ou *madame la maréchale* ! en se saluant dans la glace. Adeline et Hortense achèveraient leurs jours dans la détresse, en combattant la misère, tandis que la cousine Bette, admise aux Tuileries, trônerait dans le monde.

Un événement terrible renversa la vieille fille du sommet social où elle se posait si fièrement.

Le jour même où ce premier ban fut publié, le baron reçut un autre message d'Afrique. Un second Alsacien se présenta, remit une lettre en s'assurant qu'il la donnait au baron Hulot, et après lui avoir laissé l'adresse de son logement, il quitta le haut fonctionnaire qu'il laissa foudroyé à la lecture des premières lignes de cette lettre.

> Mon neveu, vous recevrez cette lettre, d'après mon calcul, le sept août. En supposant que vous employiez trois jours pour nous envoyer le secours que nous réclamons, et qu'il mette quinze jours à venir ici, nous atteignons au premier septembre.
>
> Si l'exécution répond à ces délais, vous aurez sauvé l'honneur et la vie à votre dévoué Johann Fischer.
>
> Voici ce que demande l'employé que vous m'avez donné pour complice ; car je suis, à ce qu'il paraît, susceptible d'aller en cour d'assises ou devant un conseil de Guerre. Vous comprenez que jamais on ne traînera Johann Fischer devant aucun tribunal, il ira de lui-même à celui de Dieu.
>
> Votre employé me semble être un mauvais gars, très capable de vous compromettre ; mais il est intelligent comme un fripon. Il prétend que vous devez crier plus fort que les autres, et nous envoyer un inspecteur, un commissaire spécial chargé de découvrir les coupables, de chercher les abus, de sévir enfin ; mais qui s'interposera d'abord entre nous et les tribunaux, en élevant un conflit.

Si votre commissaire arrive ici le premier septembre et qu'il ait de vous le mot d'ordre, si vous nous envoyez deux cent mille francs pour rétablir en magasin les quantités que nous disons avoir dans les localités éloignées, nous serons regardés comme des comptables purs et sans tache.

Vous pouvez confier au soldat qui vous remettra cette lettre, un mandat à mon ordre sur une maison d'Alger. C'est un homme solide, un parent, incapable de chercher à savoir ce qu'il porte. J'ai pris des mesures pour assurer le retour de ce garçon. Si vous ne pouvez rien, je mourrai volontiers pour celui à qui nous devons le bonheur de notre Adeline.

Les angoisses et les plaisirs de la passion, la catastrophe qui venait de terminer sa carrière galante avaient empêché le baron Hulot de penser au pauvre Johann Fischer, dont la première lettre annonçait cependant positivement le danger, devenu maintenant si pressant. Le baron quitta la salle à manger dans un tel trouble, qu'il se laissa tomber sur le canapé du salon. Il était anéanti, perdu dans l'engourdissement que cause une chute violente. Il regardait fixement une rosace du tapis sans s'apercevoir qu'il tenait à la main la fatale lettre de Johann. Adeline entendit de sa chambre son mari se jetant sur le canapé comme une masse. Ce bruit fut si singulier qu'elle crut à quelque attaque d'apoplexie. Elle regarda par la porte dans la glace, en proie à cette peur qui coupe la respiration, qui fait rester immobile, et elle vit son Hector dans la posture d'un homme terrassé. La baronne vint sur la pointe du pied, Hector n'entendit rien, elle put s'approcher, elle aperçut la lettre, elle la prit, la lut, et trembla de tous ses membres. Elle éprouva l'une de ces révolutions nerveuses si violentes que le corps en garde éternellement la trace. Elle devint, quelques jours après, sujette à un tressaillement continuel ; car, ce premier moment passé, la nécessité d'agir lui donna cette force qui ne se prend qu'aux sources mêmes de la puissance vitale.

– Hector ! viens dans ma chambre, dit-elle d'une voix qui ressemblait à un souffle. Que ta fille ne te voie pas ainsi ! viens, mon ami, viens.

– Où trouver deux cent mille francs ? je puis obtenir l'envoi de Claude Vignon comme commissaire. C'est un garçon spirituel, intelligent... C'est l'affaire de deux jours... Mais deux cent mille francs, mon fils ne les a pas, sa maison est grevée de trois cent mille francs d'hypothèques. Mon frère a tout au plus trente mille francs d'économies. Nucingen se moquerait de moi !... Vauvinet ?... il m'a peu gracieusement accordé dix mille francs pour compléter la somme donnée pour le fils de l'infâme Marneffe. Non, tout est dit, il faut que j'aille me jeter aux pieds du maréchal, lui avouer l'état des choses, m'entendre dire que je suis une canaille, accepter sa bordée afin de sombrer décemment.

– Mais Hector ; ce n'est plus seulement la ruine, c'est le déshonneur, dit Adeline. Mon pauvre oncle se tuera. Ne tue que nous, tu en as le droit, mais ne sois pas un assassin ! Reprends courage, il y a de la ressource.

– Aucune ! dit le baron. Personne dans le gouvernement ne peut trouver deux cent mille francs, quand même il s'agirait de sauver un ministère ! Oh ! Napoléon, où es-tu ?

– Mon oncle ! pauvre homme ! Hector, on ne peut pas le laisser se tuer déshonoré !

– Il y aurait bien une ressource, dit-il ; mais... c'est bien chanceux... Oui, Crevel est à couteaux tirés avec sa fille... Ah ! il a bien de l'argent, lui seul pourrait...

– Tiens, Hector, il vaut mieux que ta femme périsse que de laisser périr notre oncle, ton frère, et l'honneur de la famille ! dit la baronne frappée d'un trait de lumière. Oui, je puis vous sauver tous... Oh ! mon Dieu ! quelle ignoble pensée ! comment a-t-elle pu me venir ?

Elle joignit les mains, tomba sur ses genoux, et fit une prière. En se relevant, elle vit une si folle expression de joie sur la figure de son mari, que la pensée diabolique revint, et alors Adeline tomba dans la tristesse des idiots.

– Va, mon ami, cours au ministère, s'écria-t-elle en se réveillant de cette torpeur, tâche d'envoyer un commissaire, il le faut. *Entortille le maréchal*[1] ! et à ton retour, à cinq heures, tu trouveras peut-être... oui ! tu trouveras deux cent mille francs. Ta famille, ton honneur d'homme, de conseiller d'État, d'administrateur, ta probité, ton fils, tout sera sauvé ; mais ton Adeline sera perdue, et tu ne la reverras jamais. Hector, mon ami, dit-elle en s'agenouillant, lui serrant la main et la baisant, bénis-moi, dis-moi adieu !

Ce fut si déchirant qu'en prenant sa femme, la relevant et l'embrassant, Hulot lui dit : « Je ne te comprends pas ! »

— Si tu comprenais, reprit-elle, je mourrais de honte, ou je n'aurais plus la force d'accomplir ce dernier sacrifice.

— Madame est servie, vint dire Mariette.

Hortense vint souhaiter le bonjour à son père et à sa mère. Il fallut aller déjeuner et montrer des visages menteurs.

— Allez déjeuner sans moi, je vous rejoindrai ! dit la baronne.

Elle se mit à sa table et écrivit la lettre suivante :

> Mon cher monsieur Crevel, j'ai un service à vous demander, je vous attends ce matin, et je compte sur votre galanterie, qui m'est connue, pour que vous ne fassiez pas attendre trop longtemps
>
> *Votre dévouée servante,*
>
> Adeline HULOT.

— Louise, dit-elle à la femme de chambre de sa fille qui servait, descendez cette lettre au concierge, dites-lui de la porter sur-le-champ à son adresse et de demander une réponse.

---

1. Ces propos, dans la bouche d'Adeline, ont un caractère nettement dégradant. « Va, ma petite biche, va l'entortiller », dit le Chevalier de Valois à Suzanne, quand il envoie la blanchisseuse dévergondée chez l'impuissant du Bousquier (*La Vieille Fille*). Dans *Illusions perdues*, Lucien, au faîte de sa gloire parisienne, « fut caressé, câliné, fêté par ces trois femmes qui l'entortillèrent avec un art infini ».

Le baron, qui lisait les journaux, tendit un journal républicain à sa femme en lui désignant un article, et lui disant : « Sera-t-il temps ? Voici l'article, un de ces terribles entrefilets avec lesquels les journaux nuancent leurs tartines politiques. »

Un de nos correspondants nous écrit d'Alger qu'il s'est révélé de tels abus dans le service des vivres de la province d'Oran, que la justice informe. Les malversations sont évidentes, les coupables sont connus. Si la répression n'est pas sévère, nous continuerons à perdre plus d'hommes par le fait des concussions qui frappent sur leur nourriture que par le fer des Arabes et le feu du climat. Nous attendrons de nouveaux renseignements, avant de continuer ce déplorable sujet.

Nous ne nous étonnons plus de la peur que cause l'établissement en Algérie de la Presse comme l'a entendue la Charte de 1830.

– Je vais m'habiller et aller au ministère, dit le baron en quittant la table, le temps est trop précieux, il y a la vie d'un homme dans chaque minute.

– Oh ! maman, je n'ai plus d'espoir, dit Hortense.

Et, sans pouvoir retenir ses larmes, elle tendit à sa mère une *Revue des Beaux-Arts*. Mme Hulot aperçut une gravure du groupe de Dalila par le comte Steinbock, dessous laquelle était imprimé : *Appartenant à madame Marneffe*. Dès les premières lignes, l'article signé d'un V révélait le talent et la complaisance de Claude Vignon.

– Pauvre petite… dit la baronne.

Effrayée de l'accent presque indifférent de sa mère, Hortense la regarda, reconnut l'expression d'une douleur auprès de laquelle la sienne devait pâlir, et elle vint embrasser sa mère à qui elle dit : « Qu'as-tu, maman ? qu'arrive-t-il, pouvons-nous être plus malheureuses que nous ne le sommes ? »

– Mon enfant, il me semble en comparaison de ce que je souffre aujourd'hui que mes horribles souffrances passées ne sont rien. Quand ne souffrirai-je plus ?

– Au ciel, ma mère ! dit gravement Hortense.

– Viens, mon ange, tu m'aideras à m'habiller... mais non... Je ne veux pas que tu t'occupes de cette toilette. Envoie-moi Louise.

86

Autre toilette

Adeline, rentrée dans sa chambre, alla s'examiner au miroir. Elle se contempla tristement et curieusement en se demandant à elle-même : « Suis-je encore belle ?... Peut-on me désirer encore ?... Ai-je des rides ?... »

Elle souleva ses beaux cheveux blonds et se découvrit les tempes ! Là tout était frais comme chez une jeune fille. Adeline alla plus loin, elle se découvrit les épaules et fut satisfaite, elle eut un mouvement d'orgueil. La beauté des épaules qui sont belles, est celle qui s'en va la dernière chez la femme, surtout quand la vie a été pure. Adeline choisit avec soin les éléments de sa toilette ; mais la femme pieuse et chaste resta chastement mise, malgré ses petites inventions de coquetterie. À quoi bon des bas de soie gris tout neufs, des souliers en satin à cothurnes, puisqu'elle ignorait totalement l'art d'avancer, au moment décisif, un joli pied en le faisant dépasser de quelques lignes une robe à demi soulevée pour ouvrir des horizons au désir ! Elle mit bien sa plus jolie robe de mousseline à fleurs peintes, décolletée et à manches courtes ; mais, épouvantée de ses nudités, elle couvrit ses beaux bras de manches en gaze claire, elle voila sa poitrine et ses épaules d'un fichu brodé. Sa coiffure à l'anglaise lui parut être trop significative, elle en éteignit l'entrain par un très joli bonnet ; mais, avec ou sans bonnet, eût-elle su jouer avec ses rouleaux dorés pour exhiber, pour faire admirer ses mains en fuseau ?... Voici quel fut son fard. La certitude de sa criminalité, les préparatifs d'une faute délibérée causèrent à cette sainte femme une violente fièvre qui lui rendit l'éclat de la jeunesse pour un moment. Ses yeux brillèrent, son teint resplendit. Au lieu de se donner un air séduisant, elle se vit en quelque sorte un air dévergondé qui lui fit horreur. Lisbeth avait, à la prière d'Adeline, raconté les circonstances de l'infidélité de Wenceslas, et la baronne avait alors appris, à son grand étonnement, qu'en une soirée, en un moment, Mme Marneffe s'était rendue maîtresse de l'artiste ensorcelé. – Comment font ces femmes ? avait demandé la baronne à Lisbeth. Rien n'égale la curiosité des femmes vertueuses à ce sujet, elles voudraient posséder les séductions du Vice et rester pures. – Mais, elles séduisent, c'est leur état, avait répondu la cousine Bette. Valérie était, ce soir-là, vois-tu, ma chère, à faire damner un ange. – Raconte-moi donc comment elle s'y est prise ? – Il n'y a pas de théorie, il n'y a que la pratique dans ce métier, avait dit railleusement Lisbeth. La baronne, en se rappelant cette conversation, aurait voulu consulter la cousine Bette ; mais le temps manquait. La pauvre Adeline, incapable d'inventer une mouche, de se poser un bouton de rose dans le beau milieu du corsage, de trouver les stratagèmes de toilette destinés à réveiller chez les hommes des désirs amortis, ne fut que soigneusement habillée. N'est pas courtisane qui veut ! La femme est le potage de l'homme, a dit plaisamment Molière par la bouche du judicieux Gros-René [1]. Cette comparaison suppose une sorte de science culinaire en amour. La femme vertueuse et digne serait alors le repas homérique, la chair jetée sur les charbons ardents. La courtisane, au contraire, serait l'œuvre de Carême [2] avec ses condiments,

---

1. Gros-René est un personnage de valet dans *Le Dépit amoureux* de Molière. Mais la réplique citée par Balzac est en fait d'Alain dans *L'École des femmes*, II, 3.

2. Marie Antoine Carême (1784-1833) : célèbre cuisinier et gastronome français. Auteur de nombreux ouvrages de gastronomie, il fut au service de Talleyrand, de George IV d'Angleterre, des empereurs d'Autriche et de Russie, et fut responsable de la restauration lors de plusieurs congrès européens.

avec ses épices et ses recherches. La baronne ne pouvait pas, ne savait pas *servir* sa blanche poitrine dans un magnifique plat de guipure, à l'instar de Mme Marneffe. Elle ignorait le secret de certaines attitudes, l'effet de certains regards. Enfin, elle n'avait pas sa botte secrète. La noble femme se serait bien retournée cent fois, elle n'aurait rien su offrir à l'œil savant du libertin. Être une honnête et *prude* femme pour le monde, et se faire courtisane pour son mari, c'est être une femme de génie, et il y en a peu. Là est le secret des longs attachements, inexplicables pour les femmes qui sont déshéritées de ces doubles et magnifiques facultés. Supposez Mme Marneffe vertueuse !... vous avez la marquise de Pescaire [1] ! Ces grandes et illustres femmes, ces belles Diane de Poitiers vertueuses, on les compte.

La scène par laquelle commence cette sérieuse et terrible Étude de mœurs parisiennes allait donc se reproduire avec cette singulière différence que les misères prophétisées par le capitaine de la milice bourgeoise y changeaient les rôles. Mme Hulot attendait Crevel dans les intentions qui le faisaient venir en souriant aux Parisiens du haut de son milord, trois ans auparavant. Enfin, chose étrange ! la baronne était fidèle à elle-même, à son amour, en se livrant à la plus grossière des infidélités, celle que l'entraînement d'une passion ne justifie pas aux yeux de certains juges. – Comment faire pour être une Mme Marneffe ? se dit-elle en entendant sonner. Elle comprima ses larmes, la fièvre anima ses traits, elle se promit d'être bien courtisane, la pauvre et noble créature !

---

1. Vittoria Colonna, poétesse italienne, descendante d'une des plus illustres familles de Naples, amie de Michel-Ange (1490-1547). Fille de Fabrizio Colonna, grand connétable de Naples, elle épousa en 1509 le marquis de Pescara (1489-1525), général de Charles Quint. Elle fut inconsolable après la mort de son mari en 1525 à la suite de la bataille de Pavie et, malgré les illustres prétendants que sa grâce et son intelligence attirèrent, elle demeura fidèle à sa mémoire. Elle incarne pour Balzac, qui l'admirait, un modèle de fidélité conjugale, mais aussi de dons intellectuels et de beauté.

– Que diable me veut cette brave baronne Hulot ? se
disait Crevel en montant le grand escalier. Ah ! bah ! elle
va me parler de ma querelle avec Célestine et Victorin ;
mais je ne plierai pas !... En entrant dans le salon, où il
suivait Louise, il se dit en regardant la nudité *du local*
(style Crevel) : « Pauvre femme !... la voilà comme ces
beaux tableaux mis au grenier par un homme qui ne se
connaît pas en peinture. » Crevel, qui voyait le comte
Popinot, ministre du Commerce, achetant des tableaux et
des statues, voulait se rendre célèbre parmi les Mécènes
parisiens dont l'amour pour les arts consiste à chercher
des pièces de vingt francs pour des pièces de vingt sous.

87

Une courtisane sublime

Adeline sourit gracieusement à Crevel en lui montrant
une chaise devant elle.

– Me voici, belle dame, à vos ordres, dit Crevel.

M. le maire, devenu homme politique, avait adopté le
drap noir. Sa figure apparaissait au-dessus de ce vêtement comme une pleine lune dominant un rideau de
nuages bruns. Sa chemise, étoilée de trois grosses perles
de cinq cents francs chacune, donnait une haute idée de
ses capacités... thoraciques, et il disait : « On voit en moi
le futur athlète de la tribune ! » Ses larges mains rotu-
rières portaient le gant jaune dès le matin. Ses bottes
vernies accusaient le petit coupé brun à un cheval qui
l'avait amené. Depuis trois ans, l'ambition avait modifié
la pose de Crevel. Comme les grands peintres, il en était
à sa seconde manière. Dans le grand monde, quand il
allait chez le prince de Wissembourg, à la Préfecture,
chez le comte Popinot, etc., il gardait son chapeau à la
main d'une façon dégagée que Valérie lui avait apprise,
et il insérait le pouce de l'autre main dans l'entournure

de son gilet d'un air coquet, en minaudant de la tête et des yeux. Cette autre *mise en position* était due à la railleuse Valérie qui, sous prétexte de rajeunir son maire, l'avait doté d'un ridicule de plus.

— Je vous ai prié de venir, mon bon et cher monsieur Crevel, dit la baronne d'une voix troublée, pour une affaire de la plus haute importance...

— Je la devine, madame, dit Crevel d'un air fin ; mais vous demandez l'impossible... Oh ! je ne suis pas un père barbare, un homme, selon le mot de Napoléon, *carré de base comme de hauteur* dans son avarice. Écoutez-moi, belle dame. Si mes enfants se ruinaient pour eux, je viendrais à leur secours ; mais garantir votre mari, madame ?... c'est vouloir remplir le tonneau des Danaïdes ! Une maison hypothéquée de trois cent mille francs pour un père incorrigible ! Ils n'ont plus rien, les misérables ! et ils ne se sont pas amusés ! Ils auront maintenant pour vivre ce que gagnera Victorin au Palais. Qu'il *jabote*[1], monsieur votre fils !... Ah ! il devait être ministre, ce petit docteur ! notre espérance à tous. Joli remorqueur qui s'engrave bêtement, car, s'il empruntait pour parvenir, s'il s'endettait pour avoir festoyé des députés, pour obtenir des voix et augmenter son influence, je lui dirais : « Voilà ma bourse, puise, mon ami ! » Mais payer les folies du papa, des folies que je vous ai prédites ! Ah ! son père l'a rejeté loin du pouvoir... C'est moi qui serai ministre...

— Hélas ! *cher Crevel*, il ne s'agit pas de nos enfants, pauvres dévoués !... Si votre cœur se ferme pour Victorin et Célestine, je les aimerai tant, que peut-être pourrai-je adoucir l'amertume que met dans leurs belles âmes votre colère. Vous punissez vos enfants d'une bonne action !

— Oui, d'une bonne action mal faite ! C'est un demi-crime ! dit Crevel très content de ce mot.

---

1. *Jaboter* : parler beaucoup, d'une voix peu élevée et de choses peu intéressantes (Littré). Le sens donné par le Robert est sensiblement différent : bavarder à plusieurs, et, par extension, cancaner.

– Faire le bien, mon cher Crevel, reprit la baronne, ce n'est pas prendre l'argent dans une bourse qui en regorge ! c'est endurer des privations à cause de sa générosité, c'est souffrir de son bienfait ! c'est s'attendre à l'ingratitude ! La charité qui ne coûte rien, le ciel l'ignore...

– Il est permis, madame, aux saints d'aller à l'hôpital, ils savent que c'est, pour eux, la porte du ciel. Moi, je suis un mondain, je crains Dieu, mais je crains encore plus l'enfer de la misère. Être sans le sou, c'est le dernier degré du malheur dans notre ordre social actuel. Je suis de mon temps, j'honore l'argent !...

– Vous avez raison, dit Adeline, au point de vue du monde.

Elle se trouvait à cent lieues de la question, et elle se sentait, comme saint Laurent, sur un gril, en pensant à son oncle ; car elle le voyait se tirant un coup de pistolet ! Elle baissa les yeux, puis elle les releva sur Crevel pleins d'une angélique douceur, et non de cette provocante luxure, si spirituelle chez Valérie. Trois ans auparavant, elle eût fasciné Crevel par cet adorable regard.

– Je vous ai connu, dit-elle, plus généreux... Vous parliez de trois cent mille francs comme en parlent les grands seigneurs...

Crevel regarda Mme Hulot, il la vit comme un lys sur la fin de sa floraison, il eut de vagues idées ; mais il honorait tant cette sainte créature qu'il refoula ces soupçons dans le côté libertin de son cœur.

– Madame, je suis toujours le même, mais un ancien négociant est et doit être grand seigneur avec méthode, avec économie, il porte en tout ses idées d'ordre. On ouvre un compte aux fredaines, on les crédite, on consacre à ce chapitre certains bénéfices, mais entamer son capital !... ce serait une folie. Mes enfants auront tout leur bien, celui de leur mère et le mien ; mais ils ne veulent sans doute pas que leur père s'ennuie, se moinifie et se momifie !... Ma vie est joyeuse ! Je descends gaiement le fleuve. Je remplis tous les devoirs que m'imposent

la loi, le cœur et la famille, de même que j'acquittais scru-
puleusement mes billets à l'échéance. Que mes enfants
se comportent comme moi dans mon ménage, je serai
content ; et, quant au présent, pourvu que mes folies,
car j'en fais, ne coûtent rien à personne qu'aux *gogos*…
(pardon ! vous ne connaissez pas ce mot de Bourse), ils
n'auront rien à me reprocher, et trouveront encore une
belle fortune, à ma mort. Vos enfants n'en diront pas
autant de leur père, qui carambole en ruinant son fils et
ma fille…

Plus elle allait, plus la baronne s'éloignait de son but…

– Vous en voulez beaucoup à mon mari, mon cher
Crevel, et vous seriez cependant son meilleur ami, si vous
aviez trouvé sa femme faible…

Elle lança sur Crevel une œillade brûlante. Mais alors
elle fit comme Dubois qui donnait trop de coups de pied
au Régent, elle se déguisa trop[1], et les idées libertines
revinrent si bien au parfumeur-régence qu'il se dit :
« Voudrait-elle se venger de Hulot ?… Me trouverait-elle
mieux en maire qu'en garde national ?… Les femmes
sont si bizarres ! » Et il se mit en position dans sa
seconde manière en regardant la baronne d'un air
Régence.

– On dirait, dit-elle en continuant, que vous vous
vengez sur lui d'une vertu qui vous a résisté, d'une
femme que vous aimiez assez… pour… l'acheter, ajouta-
t-elle tout bas.

– D'une femme divine, reprit Crevel en souriant signi-
ficativement à la baronne qui baissait les yeux et dont les
cils se mouillèrent ; car, en avez-vous avalé des cou-
leuvres !… depuis trois ans… hein ? ma belle[2] !

---

1. Pour Pierre Citron, il y a ici une « allusion à une aventure galante
où le Régent et l'abbé Dubois (plus tard cardinal) avaient interverti
leurs personnages, et où Dubois en profitait pour traiter le Régent
comme il était traité d'ordinaire par lui » (voir sa note dans *La Cousine
Bette*, Seuil, 1966, p. 113).

2. La version définitive est plus expressive que celle du *Constitutionnel*, qui donnait : « car, vous en avez souffert ! depuis trois ans… hein ?
ma belle ! »

– Ne parlons pas de mes souffrances, *cher Crevel*, elles sont au-dessus des forces de la créature. Ah ! si vous m'aimiez encore, vous pourriez me retirer du gouffre où je suis ! Oui, je suis dans l'enfer ! Les régicides qu'on tenaillait, qu'on tirait à quatre chevaux, étaient sur des roses, comparés à moi, car on ne leur démembrait que le corps, et j'ai le cœur tiré à quatre chevaux !...

La main de Crevel quitta l'entournure du gilet, il posa son chapeau sur la travailleuse, il rompit sa position, il souriait ! Ce sourire fut si niais que la baronne s'y méprit, elle crut à une expression de bonté.

– Vous voyez une femme, non pas au désespoir, mais à l'agonie de l'honneur, et déterminée à tout, *mon ami*, pour empêcher des crimes... Craignant qu'Hortense ne vînt, elle poussa le verrou de sa porte ; puis, par le même élan, elle se mit aux pieds de Crevel, lui prit la main et la lui baisa. – Soyez, dit-elle, mon sauveur ! Elle supposa des fibres généreuses dans ce cœur de négociant, et fut saisie par un espoir, qui brilla soudain, d'obtenir les deux cent mille francs sans se déshonorer. – Achetez une âme, vous qui vouliez acheter une vertu !... reprit-elle en lui jetant un regard fou. Fiez-vous à ma probité de femme, à mon honneur, dont la solidité vous est connue ! Soyez mon ami ! Sauvez une famille entière de la ruine, de la honte, du désespoir, empêchez-la de rouler dans un bourbier où la fange se fera avec du sang ! Oh ! ne me demandez pas d'explication !... fit-elle à un mouvement de Crevel qui voulut parler. Surtout, ne me dites pas : « Je vous l'avais prédit ! » comme les amis heureux d'un malheur. Voyons !... obéissez à celle que vous aimiez, à une femme dont l'abaissement à vos pieds est peut-être le comble de la noblesse ; ne lui demandez rien, attendez tout de sa reconnaissance !... Non, ne donnez rien ; mais prêtez-moi, prêtez à celle que vous nommiez Adeline !...

Ici les larmes arrivèrent avec une telle abondance, Adeline sanglota tellement qu'elle en mouilla les gants de Crevel. Ces mots : « Il me faut deux cent mille francs !... » furent à peine distinctibles dans le torrent de

pleurs, de même que les pierres, quelque grosses qu'elles
soient, ne marquent point dans les cascades alpestres
enflées à la fonte des neiges.

Telle est l'inexpérience de la Vertu ! le Vice ne demande
rien, comme on l'a vu par Mme Marneffe, il se fait tout
offrir. Ces sortes de femmes ne deviennent exigeantes
qu'au moment où elles se sont rendues indispensables,
ou quand il s'agit d'exploiter un homme, comme on
exploite une carrière où le plâtre devient rare, *en ruine*,
disent les carriers. En entendant ces mots : « Deux cent
mille francs ! » Crevel comprit tout. Il releva galamment
la baronne en lui disant cette insolente phrase : « Allons,
soyons calme, *ma petite mère* [1]», que dans son égarement
Adeline n'entendit pas. La scène changeait de face,
Crevel devenait, selon son mot, maître de la position.

88
Crevel professe

L'énormité de la somme agit si fortement sur Crevel,
que sa vive émotion, en voyant à ses pieds cette belle
femme en pleurs, se dissipa. Puis, quelque angélique et
sainte que soit une femme, quand elle pleure à chaudes
larmes, sa beauté disparaît. Les Mme Marneffe, comme
on l'a vu, pleurnichent quelquefois, laissent une larme
glisser le long de leurs joues ; mais fondre en larmes, se
rougir les yeux et le nez !... elles ne commettent jamais
cette faute.

– Voyons, *mon enfant*, du calme, sapristi ! reprit Crevel
en prenant les mains de la belle Mme Hulot dans ses
mains et les y tapotant. Pourquoi me demandez-vous
deux cent mille francs ? qu'en voulez-vous faire ? pour
qui est-ce ?

---

1. Pendant au « bonhomme » dont Josépha avait gratifié le baron
Hulot au chapitre 19.

– N'exigez de moi, répondit-elle, aucune explication, donnez-les-moi !... Vous aurez sauvé la vie à trois personnes et l'honneur à vos enfants.

– Et vous croyez, ma petite mère, dit Crevel, que vous trouverez dans Paris un homme qui, sur la parole d'une femme à peu près folle, ira chercher, *hic et nunc* [1], dans un tiroir, n'importe où, deux cent mille francs qui mijotent là, tout doucement, en attendant qu'elle daigne les écumer ? Voilà comment vous connaissez la vie ! les affaires, ma belle ?... Vos gens sont bien malades. envoyez-leur les sacrements ; car personne dans Paris, excepté Son Altesse Divine Madame la Banque, l'illustre Nucingen ou des avares insensés amoureux de l'or, comme nous autres nous le sommes d'une femme, ne peut accomplir un pareil miracle ! La Liste Civile, quelque civile qu'elle soit, la Liste Civile elle-même vous prierait de repasser demain. Tout le monde fait valoir son argent et le tripote de son mieux. Vous vous abusez, cher ange, si vous croyez que c'est le roi Louis-Philippe qui règne, et il ne s'abuse pas là-dessus. Il sait comme nous tous, qu'au-dessus de la Charte, il y a la sainte, la vénérée, la solide, l'aimable, la gracieuse, la belle, la noble, la jeune, la toute-puissante pièce de cent sous ! Or, mon bel ange, l'argent exige des intérêts, et il est toujours occupé à les percevoir ! Dieu des Juifs, tu l'emportes ! a dit le grand Racine [2]. Enfin, l'éternelle allégorie du veau d'or !... Du temps de Moïse, on agiotait dans le désert ! Nous sommes revenus aux temps bibliques ! Le veau d'or a été le premier grand-livre connu, reprit-il. Vous vivez par trop, mon Adeline, rue Plumet ! Les Égyptiens devaient des emprunts énormes aux Hébreux, et ils ne couraient pas après le peuple de Dieu, mais après des capitaux. Il regarda la baronne d'un air qui voulait dire : « Ai-je de l'esprit ! » – Vous ignorez l'amour de tous les

---

1. Ici et maintenant.
2. Racine, *Athalie*, V, 6, v. 1768.

citoyens pour leur Saint-Frusquin [1] ? reprit-il après cette pause. Pardon. Écoutez-moi bien ! Saisissez ce raisonnement. Vous voulez deux cent mille francs ?... personne ne peut les donner sans changer des placements faits. Comptez !... Pour avoir deux cent mille francs d'*argent vivant*, il faut vendre environ sept mille francs de rentes trois pour cent ! Eh bien ! vous n'avez votre argent qu'au bout de deux jours. Voilà la voie la plus prompte. Pour décider quelqu'un à se dessaisir d'une fortune, car c'est toute la fortune de bien des gens, deux cent mille francs ! encore doit-on lui dire où tout cela va, pour quel motif...

— Il s'agit, mon bon et cher Crevel, de la vie de deux hommes, dont l'un mourra de chagrin, dont l'autre se tuera ! Enfin, il s'agit de moi, qui deviendrai folle ! Ne le suis-je pas un peu déjà ?

— Pas si folle ! dit-il en prenant Mme Hulot par les genoux, le père Crevel a son prix, puisque tu as daigné penser à lui, mon ange.

— Il paraît qu'il faut se laisser prendre les genoux ! pensa la sainte et noble femme en se cachant la figure dans les mains. Vous m'offriez jadis une fortune ! dit-elle en rougissant.

— Ah ! ma petite mère, il y a trois ans ! reprit Crevel. Oh ! vous êtes plus belle que je ne vous ai jamais vue !... s'écria-t-il en saisissant le bras de la baronne et le serrant contre son cœur. Vous avez de la mémoire, chère enfant, sapristi !... Eh bien ! voyez comme vous avez eu tort de faire la bégueule ! car les trois cent mille francs que vous avez noblement refusés sont dans l'escarcelle d'une autre. Je vous aimais et je vous aime encore ; mais reportons-nous à trois ans d'ici. Quand je vous disais : « Je vous aurai ! » quel était mon dessein ? Je voulais me venger de ce scélérat de Hulot. Or, votre mari, ma belle, a pris pour maîtresse un bijou de femme, une perle, une petite

---

1. En langage familier, populaire, le saint-frusquin désigne tout ce qu'on a d'argent, d'effets. L'expression s'emploie souvent à la fin d'une énumération, « tout le saint-frusquin » signifiant « et tout le reste ».

finaude alors âgée de vingt-trois ans, car elle en a vingt-six aujourd'hui. J'ai trouvé plus drôle, plus complet, plus Louis XV, plus maréchal de Richelieu, plus corsé de lui souffler cette charmante créature, qui d'ailleurs n'a jamais aimé Hulot, et qui depuis trois ans est folle de votre serviteur...

En disant cela, Crevel, des mains de qui la baronne avait retiré ses mains, s'était remis en position. Il tenait ses entournures et battait son torse de ses deux mains, comme par deux ailes, en croyant se rendre désirable et charmant. Il semblait dire : « Voilà l'homme que vous avez mis à la porte ! »

– Voilà, ma chère enfant, je suis vengé, votre mari l'a su ! Je lui ai catégoriquement démontré qu'il était *dindonné*, ce que nous appelons *refait au même*... Mme Marneffe est *ma* maîtresse, et si le sieur Marneffe crève, elle sera ma femme...

Mme Hulot regardait Crevel d'un œil fixe et presque égaré.

– Hector a su cela ! dit-elle.

– Et il y est retourné ! répondit Crevel, et je l'ai souffert, parce que Valérie voulait être la femme d'un chef de bureau ; mais elle m'a juré d'arranger les choses de manière à ce que notre baron fût si bien *roulé*, qu'il ne reparût plus. Et ma petite duchesse (car elle est née duchesse, cette femme-là, parole d'honneur !) a tenu parole. Elle vous a rendu, madame, comme elle le dit si spirituellement, votre Hector *vertueux à perpétuité* !... La leçon a été bonne, allez ! le baron en a vu de sévères ; il n'entretiendra plus ni danseuses, ni femmes comme il faut ; il est guéri radicalement, car il est rincé comme un verre à bière. Si vous aviez écouté Crevel au lieu de l'humilier, de le jeter à la porte, vous auriez quatre cent mille francs, car ma vengeance me coûte bien cette somme-là. Mais je retrouverai ma monnaie, je l'espère, à la mort de Marneffe... J'ai placé sur ma future. C'est là le secret de mes prodigalités. J'ai résolu le problème d'être grand seigneur à bon marché.

– Vous donnerez une pareille belle-mère à votre fille ?… s'écria Mme Hulot.

89

Où la fausse courtisane se relève une sainte

– Vous ne connaissez pas Valérie, madame, reprit gravement Crevel, qui se mit en position dans sa première manière. C'est à la fois une femme bien née, une femme comme il faut et une femme qui jouit de la plus haute considération. Tenez, hier, le vicaire de la paroisse dînait chez elle. Nous avons donné, car elle est pieuse, un superbe ostensoir à l'église. Oh ! elle est habile, elle est spirituelle, elle est délicieuse, instruite, elle a tout pour elle. Quant à moi, chère Adeline, je dois tout à cette charmante femme ; elle a dégourdi mon esprit, épuré, comme vous voyez, mon langage ; elle corrige mes saillies, elle me donne des mots et des idées. Je ne dis plus rien d'inconvenant. On voit de grands changements en moi, vous devez les avoir remarqués. Enfin, elle a réveillé mon ambition. Je serais député, je ne ferais point de *boulettes*, car je consulterais mon Égérie dans les moindres choses. Ces grands politiques, Numa, notre illustre ministre actuel, ont tous eu leur Sibylle d'*écume*[1]. Valérie reçoit une vingtaine de députés, elle devient très influente, et

---

1. C'est la nymphe Égérie, et non la Sibylle de Cumes, qui est considérée comme l'inspiratrice et la conseillère du roi légendaire Numa Pompilius, deuxième roi de Rome, qui aurait régné de 715 à 672 avant J.-C. La Sibylle de Cumes est l'une des douze sibylles, celle que consulte Énée avant de descendre aux Enfers. L'« illustre ministre actuel » dont il est question ici est Guizot, et son inspiratrice la comtesse de Lieven. Mais il y a sans doute aussi une allusion à Thiers et à Mme Dosne. Dans ses *Lettres russes* (1840), Balzac dénonce énergiquement l'influence de *Madame-Mère*, « espèce de père Joseph en jupon ». La déformation du nom de la sibylle, ici dite *d'écume*, montre l'ignorance, alliée à la prétention, de ce parvenu qu'est Crevel.

maintenant qu'elle va se trouver dans un charmant hôtel avec voiture, elle sera l'une des souveraines occultes de Paris. C'est une fière locomotive qu'une pareille femme ! Ah ! je vous ai bien souvent remerciée de votre rigueur !...

– Ceci ferait douter de la vertu de Dieu, dit Adeline chez qui l'indignation avait séché les larmes. Mais non, la justice divine doit planer sur cette tête-là !...

– Vous ignorez le monde, belle dame, reprit le grand politique Crevel profondément blessé. Le monde, mon Adeline, aime le succès ! Voyons ? Vient-il chercher votre sublime vertu dont le tarif est de deux cent mille francs ?

Ce mot fit frissonner Mme Hulot, qui fut reprise de son tremblement nerveux. Elle comprit que le parfumeur retiré se vengeait d'elle ignoblement, comme il s'était vengé de Hulot ; le dégoût lui souleva le cœur, et le lui crispa si bien qu'elle eut le gosier serré à ne pouvoir parler.

– L'argent !... toujours l'argent !... dit-elle enfin.

– Vous m'avez bien ému, reprit Crevel ramené par ce mot à l'abaissement de cette femme, quand je vous ai vue là pleurant à mes pieds !... Tenez, vous ne me croirez peut-être pas ? eh bien ! si j'avais eu mon portefeuille, il était à vous. Voyons, il vous faut cette somme ?...

En entendant cette phrase grosse de deux cent mille francs, Adeline oublia les abominables injures de ce grand seigneur à bon marché, devant cet allèchement du succès si machiavéliquement présenté par Crevel, qui voulait seulement pénétrer les secrets d'Adeline pour en rire avec Valérie [1].

– Ah ! je ferai tout ! s'écria la malheureuse femme. Monsieur, je me vendrai, je deviendrai, s'il le faut, une Valérie.

-----

1. Ces cinq mots ajoutés par Balzac dans l'édition Chlendowski au texte du *Constitutionnel* rendent Crevel franchement odieux. Par la suite, le parfumeur se moquera de la baronne Hulot. Il veut commander « une berline d'apparat avec un siège superbe qui tressaille comme Mme Hulot » (chap. 111).

– Cela vous serait difficile, répondit Crevel. Valérie est le sublime du genre. Ma petite mère, vingt-cinq ans de vertu, ça repousse toujours, comme une maladie mal soignée. Et votre vertu a bien moisi ici, ma chère enfant. Mais vous allez voir à quel point je vous aime. Je vais vous faire avoir vos deux cent mille francs.

Adeline saisit la main de Crevel, la prit, la mit sur son cœur, sans pouvoir articuler un mot, et une larme de joie mouilla ses paupières.

– Oh ! attendez ! il y aura du tirage ! Moi, je suis un bon vivant, un bon enfant, sans préjugés, et je vais vous dire tout bonifacement les choses. Vous voulez faire comme Valérie, bon. Cela ne suffit pas, il faut un Gogo, un actionnaire, un Hulot. Je connais un gros épicier retiré, c'est même un bonnetier. C'est lourd, épais, sans idées, je le forme, et je ne sais pas quand il pourra me faire honneur. Mon homme est député, bête et vaniteux, conservé par la tyrannie d'une espèce de femme à turban, au fond de la province, dans une entière virginité sous le rapport du luxe et des plaisirs de la vie parisienne ; mais Beauvisage (il se nomme Beauvisage) est millionnaire, et il donnerait comme moi, ma chère petite, il y a trois ans, cent mille écus pour être aimé d'une femme comme il faut... Oui, dit-il en croyant avoir bien interprété le geste que fit Adeline, il est jaloux de moi, voyez-vous !... oui, jaloux de mon bonheur avec Mme Marneffe, et le gars est homme à vendre une propriété pour être propriétaire d'une...

– Assez ! monsieur Crevel, dit Mme Hulot en ne déguisant plus son dégoût et laissant paraître toute sa honte sur son visage. Je suis punie maintenant au-delà de mon péché. Ma conscience, si violemment contenue par la main de fer de la nécessité, me crie à cette dernière insulte que de tels sacrifices sont impossibles. Je n'ai plus de fierté, je ne me courrouce point comme jadis, je ne vous dirai pas : « Sortez ! » après avoir reçu ce coup mortel. J'en ai perdu le droit : je me suis offerte à vous, comme une prostituée... Oui, reprit-elle en répondant à un geste de dénégation, j'ai sali ma vie, jusqu'ici pure, par une intention ignoble ; et... je suis sans excuse, je le savais !... Je mérite toutes les injures dont vous m'accablez ! Que la volonté de Dieu s'accomplisse ! S'il veut la mort de deux êtres dignes d'aller à lui, qu'ils meurent, je les pleurerai, je prierai pour eux ! S'il veut l'humiliation de notre famille, courbons-nous sous l'épée vengeresse, et baisons-la, chrétiens que nous sommes ! Je sais comment expier cette honte d'un moment qui sera le tourment de tous mes derniers jours. Ce n'est plus Mme Hulot, monsieur, qui vous parle, c'est la pauvre, l'humble pécheresse, la chrétienne dont le cœur n'aura plus qu'un seul sentiment, le repentir, et qui sera toute à la prière et à la charité. Je ne puis être que la dernière des femmes et la première des repenties par la puissance de ma faute. Vous avez été l'instrument de mon retour à la raison, à la voix de Dieu qui maintenant parle en moi, je vous remercie !...

Elle tremblait de ce tremblement qui, depuis ce moment, ne la quitta plus. Sa voix pleine de douceur contrastait avec la fiévreuse parole de la femme décidée au déshonneur pour sauver une famille. Le sang abandonna ses joues, elle devint blanche, et ses yeux furent secs.

— Je jouais, d'ailleurs, bien mal mon rôle, n'est-ce pas ? reprit-elle en regardant Crevel avec la douceur que les martyrs devaient mettre en jetant les yeux sur le proconsul. L'amour vrai, l'amour saint et dévoué d'une femme a d'autres plaisirs que ceux qui s'achètent au marché de la prostitution !... Pourquoi ces paroles ? dit-elle en faisant un retour sur elle-même et un pas de plus dans la voie de la perfection, elles ressemblent à de l'ironie, et je n'en ai point ! pardonnez-les-moi. D'ailleurs, monsieur, peut-être n'est-ce que moi que j'ai voulu blesser...

La majesté de la vertu, sa céleste lumière avait balayé l'impureté passagère de cette femme, qui, resplendissante de la beauté qui lui était propre, parut grandie à Crevel. Adeline fut en ce moment sublime comme ces figures de

la Religion, soutenues par une croix, que les vieux Véni-
tiens ont peintes ; mais elle exprimait toute la grandeur
de son infortune et celle de l'Église catholique, où elle
se réfugiait par un vol de colombe blessée. Crevel fut
ébloui, abasourdi.

— Madame, je suis à vous sans condition ! dit-il dans
un élan de générosité. Nous allons examiner l'affaire,
et... que voulez-vous ?... tenez ! l'impossible ?... je le
ferai. Je déposerai des rentes à la Banque, et, dans deux
heures, vous aurez votre argent...

— Mon Dieu ! quel miracle ! dit la pauvre Adeline en
se jetant à genoux.

Elle récita une prière avec une onction qui toucha si
profondément Crevel, que Mme Hulot lui vit des larmes
aux yeux, quand elle se releva, sa prière finie.

— Soyez mon ami, monsieur !... lui dit-elle. Vous avez
l'âme meilleure que la conduite et que la parole. Dieu
vous a donné votre âme, et vous tenez vos idées du
monde et de vos passions ! Oh ! je vous aimerai bien !
s'écria-t-elle avec une ardeur angélique dont l'expression
contrastait singulièrement avec ses méchantes petites
coquetteries.

— Ne tremblez plus ainsi, dit Crevel.

— Est-ce que je tremble ? demanda la baronne qui ne
s'apercevait pas de cette infirmité si rapidement venue.

— Oui, tenez, voyez, dit Crevel en prenant le bras
d'Adeline et lui démontrant qu'elle avait un tremblement
nerveux. Allons, madame, reprit-il avec respect, calmez-
vous, je vais à la Banque...

— Revenez promptement ! Songez, mon ami, dit-elle
en livrant ses secrets, qu'il s'agit d'empêcher le suicide de
mon pauvre oncle Fischer, compromis par mon mari, car
j'ai confiance en vous maintenant, et je vous dis tout !
Ah ! si nous n'arrivons pas à temps, je connais le maréchal, il a l'âme si délicate, qu'il mourrait en quelques
jours.

— Je pars alors, dit Crevel en baisant la main de la
baronne. Mais qu'a donc fait ce pauvre Hulot ?

– Il a volé l'État !

– Ah ! mon Dieu !… je cours, madame, je vous comprends, je vous admire.

Crevel fléchit un genou, baisa la robe de Mme Hulot, et disparut en disant : « À bientôt. »

90

Autre guitare [1]

Malheureusement, de la rue Plumet, pour aller chez lui prendre des inscriptions, Crevel passa par la rue Vaneau ; et il ne put résister au plaisir d'aller voir sa petite duchesse. Il arriva la figure encore bouleversée. Il entra dans la chambre de Valérie, qu'il trouva se faisant coiffer. Elle examina Crevel dans la glace, et fut, comme toutes ces sortes de femmes, choquée, sans rien savoir encore, de lui voir une émotion forte, de laquelle elle n'était pas la cause.

– Qu'as-tu, ma biche ? dit-elle à Crevel. Est-ce qu'on entre ainsi chez sa petite duchesse ? Je ne serais plus une duchesse pour vous, monsieur, que je suis toujours ta *petite louloutte*, vieux monstre !

Crevel répondit par un sourire triste, et montra Reine.

– Reine, ma fille, assez pour aujourd'hui, j'achèverai ma coiffure moi-même ! donne-moi ma robe de chambre en étoffe chinoise, car *mon monsieur* me paraît joliment *chinoisé*…

Reine, fille dont la figure était trouée comme une écumoire et qui semblait avoir été faite exprès pour Valérie, échangea un sourire avec sa maîtresse, et apporta la robe de chambre. Valérie ôta son peignoir, elle était en chemise, elle se trouva dans sa robe de chambre comme une couleuvre sous sa touffe d'herbe.

1. Le titre de ce chapitre est la reprise du titre du poème XXIII de Hugo dans *Les Rayons et les Ombres* (1840).

– Madame n'y est pour personne ?

– Cette question ! dit Valérie. Allons, dis, mon gros minet, la rive gauche a baissé ?

– Non.

– L'hôtel est frappé de surenchère ?

– Non.

– Tu ne te crois pas le père de ton petit Crevel ?

– C'te bêtise ! répliqua l'homme sûr d'être aimé.

– Ma foi, je n'y suis plus, dit Mme Marneffe. Quand je dois tirer les peines d'un ami comme on tire les bouchons aux bouteilles de vin de Champagne, je laisse tout là… Va-t'en, tu m'em…

– Ce n'est rien, dit Crevel. Il me faut deux cent mille francs dans deux heures…

– Oh ! tu les trouveras ! Tiens, je n'ai pas employé les cinquante mille francs du procès-verbal Hulot, et je puis demander cinquante mille francs à Henri !

– Henri ! toujours Henri !… s'écria Crevel.

– Crois-tu, gros Machiavel en herbe, que je congédierai Henri ! La France désarme-t-elle sa flotte ?… Henri, mais c'est le poignard pendu dans sa gaine à un clou. Ce garçon, dit-elle, me sert à savoir si tu m'aimes. Et tu ne m'aimes pas ce matin.

– Je ne t'aime pas, Valérie ! dit Crevel, je t'aime comme un million !

– Ce n'est pas assez !… reprit-elle en sautant sur les genoux de Crevel et lui passant ses deux bras au cou comme autour d'une patère pour s'y accrocher. Je veux être aimée comme dix millions, comme tout l'or de la terre, et plus que cela. Jamais Henri ne resterait cinq minutes sans me dire ce qu'il a sur le cœur ! Voyons, qu'as-tu, gros chéri ? Faisons notre petit déballage… Disons tout et vivement à notre petite louloutte ! Et elle frôla le visage de Crevel avec ses cheveux en lui tortillant le nez.

– Peut-on avoir un nez comme ça, reprit-elle, et garder un secret pour sa Vava-lélé-ririe !… *Vava*, le nez allait à droite, *lélé*, il était à gauche, *ririe*, elle le remit en place.

– Eh bien ! je viens de voir... Crevel s'interrompit, regarda Mme Marneffe. – Valérie, mon bijou, tu me promets sur ton honneur... tu sais, le nôtre, de ne pas répéter un mot de ce que je vais te dire...

– Connu, maire ! on lève la main, tiens !... et le pied !

Elle se posa de manière à rendre Crevel, comme a dit Rabelais, déchaussé de sa cervelle jusqu'aux talons [1], tant elle fut drôle et sublime de nu visible à travers le brouillard de la batiste.

– Je viens de voir le désespoir de la Vertu !...

– Ça a de la vertu, le désespoir ? dit-elle en hochant la tête et se croisant les bras à la Napoléon.

– C'est la pauvre Mme Hulot, il lui faut deux cent mille francs ! Sinon le maréchal et le père Fischer se brûlent la cervelle, et comme tu es un peu la cause de tout cela, ma petite duchesse, je vais réparer le mal. Oh ! c'est une sainte femme, je la connais, elle me rendra tout.

Au mot Hulot, et aux deux cent mille francs, Valérie eut un regard qui passa, comme la lueur du canon dans sa fumée, entre ses longues paupières.

– Qu'a-t-elle donc fait pour t'apitoyer, la vieille ! elle t'a montré, quoi ? sa... sa religion !...

– Ne te moque pas d'elle, mon cœur, c'est une bien sainte, une bien noble et pieuse femme, digne de respect !...

– Je ne suis donc pas digne de respect, moi ! dit Valérie en regardant Crevel d'un air sinistre.

– Je ne dis pas cela, répondit Crevel en comprenant combien l'éloge de la vertu devait blesser Mme Marneffe.

– Moi aussi je suis pieuse, dit Valérie en allant s'asseoir dans un fauteuil ; mais je ne fais pas métier de ma religion, je me cache pour aller à l'église.

Elle resta silencieuse et ne fit plus attention à Crevel. Crevel, excessivement inquiet, vint se poser devant le fauteuil où s'était plongée Valérie et la trouva perdue dans les pensées qu'il avait si niaisement réveillées.

---

1. L'expression n'est pas de Rabelais, mais de Béroalde de Verville, dans *Le Moyen de parvenir* (1616), chap. 20.

– Valérie, mon petit ange ?...

Profond silence. Une larme assez problématique fut essuyée furtivement.

– Un mot, ma louloutte...

– Monsieur !

– À quoi penses-tu, mon amour ?

– Ah ! monsieur Crevel, je pense au jour de ma première communion ! Étais-je belle ! Étais-je pure ! Étais-je sainte... immaculée !... ah ! si quelqu'un était venu dire à ma mère : « Votre fille sera *une traînée*, elle trompera son mari. Un jour, un commissaire de police la trouvera dans une petite maison, elle se vendra à un Crevel pour trahir un Hulot, deux atroces vieillards... » Pouah !... fi ! Elle serait morte avant la fin de la phrase, tant elle m'aimait, la pauvre femme !

– Calme-toi !

– Tu ne sais pas combien il faut aimer un homme pour imposer silence à ces remords qui viennent vous pincer le cœur d'une femme adultère. Je suis fâchée que Reine soit partie ; elle t'aurait dit que, ce matin, elle m'a trouvée les larmes aux yeux et priant Dieu. Moi, voyez-vous, monsieur Crevel, je ne me moque point de la religion. M'avez-vous jamais entendue dire un mot de mal à ce sujet ?...

Crevel fit un geste d'approbation.

– Je défends qu'on en parle devant moi... Je blague sur tout ce qu'on voudra : les rois, la politique, la finance, tout ce qu'il y a de sacré pour le monde, les juges, le mariage, l'amour, les jeunes filles, les vieillards !... Mais l'Église... mais Dieu !... Oh ! là, moi, je m'arrête ! Je sais bien que je fais mal, que je vous sacrifie mon avenir... Et vous ne vous doutez pas de l'étendue de mon amour !

Crevel joignit les mains.

– Ah ! il faudrait pénétrer dans mon cœur, y mesurer l'étendue de mes convictions pour savoir tout ce que je vous sacrifie !... Je sens en moi l'étoffe d'une Madeleine [1].

1. Figure de la pécheresse repentie dans la religion chrétienne. Les peintres l'ont très souvent représentée au pied de la Croix du Christ

Aussi voyez de quel respect j'entoure les prêtres ! Comptez les présents que je fais à l'Église ! Ma mère m'a élevée dans la foi catholique, et je comprends Dieu ! C'est à nous autres perverties qu'il parle le plus terriblement.

Valérie essuya deux larmes qui roulèrent sur ses joues. Crevel fut épouvanté ; Mme Marneffe se leva, s'exalta.

– Calme-toi, ma loulotte !... tu m'effraies !

Mme Marneffe tomba sur ses genoux.

– Mon Dieu ! je ne suis pas mauvaise ! dit-elle en joignant les mains. Daignez ramasser votre brebis égarée, frappez-la, meurtrissez-la, pour la reprendre aux mains qui la font infâme et adultère, elle se blottira joyeusement sur votre épaule ! elle reviendra tout heureuse au bercail !

Elle se leva, regarda Crevel, et Crevel eut peur des yeux blancs de Valérie.

– Et puis, Crevel, sais-tu ? Moi, j'ai peur, par moments... La justice de Dieu s'exerce aussi bien dans ce bas monde que dans l'autre. Qu'est-ce que je peux attendre de bon de Dieu ? Sa vengeance fond sur la coupable de toutes les manières, elle emprunte tous les caractères du malheur. Tous les malheurs que ne s'expliquent pas les imbéciles, sont des expiations. Voilà ce que me disait ma mère à son lit de mort en me parlant de sa vieillesse. Et si je te perdais !... ajouta-t-elle en saisissant Crevel par une étreinte d'une sauvage énergie... Ah ! j'en mourrais !

Mme Marneffe lâcha Crevel, s'agenouilla de nouveau devant son fauteuil, joignit les mains (et dans quelle pose ravissante !), et dit avec une incroyable onction la prière suivante : « Et vous, sainte Valérie, ma bonne patronne, pourquoi ne visitez-vous pas plus souvent le chevet de celle qui vous est confiée ? Oh ! venez ce soir, comme

---

comme une femme éplorée, sa longue chevelure répandue sur ses épaules. Balzac avait déjà employé l'image de Madeleine, mais d'une « Madeleine irréprochable », pour parler d'Adeline Hulot au chapitre 42. Cette figure a beaucoup habité Balzac ainsi que, de façon plus générale, l'imaginaire du XIXe siècle.

vous êtes venue ce matin, m'inspirer de bonnes pensées, et je quitterai le mauvais sentier, je renoncerai, comme Madeleine, aux joies trompeuses, à l'éclat menteur du monde, même à celui que j'aime tant ! »

– Ma louloutte ! dit Crevel.

– Il n'y a plus de louloutte, monsieur ! Elle se retourna fière comme une femme vertueuse, et, les yeux humides de larmes, elle se montra digne, froide, indifférente. – Laissez-moi, dit-elle en repoussant Crevel. Quel est mon devoir ?... d'être à mon mari. Cet homme est mourant, et que fais-je ? je le trompe au bord de la tombe. Il croit votre fils à lui... Je vais lui dire la vérité, commencer par acheter son pardon, avant de demander celui de Dieu. Quittons-nous !... Adieu, monsieur Crevel !... reprit-elle debout en tendant à Crevel une main glacée. Adieu, mon ami, nous ne nous verrons plus que dans un monde meilleur... Vous m'avez dû quelques plaisirs, bien criminels, maintenant je veux... oui, j'aurai votre estime...

Crevel pleurait à chaudes larmes.

– Gros cornichon ! s'écria-t-elle en poussant un infernal éclat de rire, voilà la manière dont les femmes pieuses s'y prennent pour vous tirer une carotte de deux cent mille francs ! Et toi, qui parles du maréchal de Richelieu, cet original de Lovelace, tu te laisses prendre à ce poncif-là ! comme dit Steinbock. Je t'en arracherais des deux cent mille francs, moi, si je voulais, grand imbécile !... Garde donc ton argent ! Si tu en as de trop, ce trop m'appartient ! Si tu donnes deux sous à cette femme respectable qui fait de la piété parce qu'elle a cinquante-sept ans, nous ne nous reverrons jamais, et tu la prendras pour maîtresse ; tu me reviendras le lendemain tout meurtri de ses caresses anguleuses et soûl de ses larmes, de ses petits bonnets *ginguets* [1], de ses pleurnicheries qui doivent faire de ses faveurs des averses !...

---

1. *Ginguet* : qui a peu de force, peu de valeur ; qui est court.

– Le fait est, dit Crevel, que deux cent mille francs, c'est de l'argent.

– Elles ont bon appétit, les femmes pieuses !... ah ! microscope ! elles vendent mieux leurs sermons que nous ne vendons ce qu'il y a de plus rare et de plus certain sur la terre, le plaisir... Et elles font des romans ! Non... ah ! je les connais, j'en ai vu chez ma mère ! Elles se croient tout permis pour l'église, pour... Tiens, tu devrais être honteux, ma biche ! toi si peu donnant... car tu ne m'as pas donné deux cent mille francs en tout, à moi !

– Ah ! si, reprit Crevel, rien que le petit hôtel coûtera cela...

– Tu as donc alors quatre cent mille francs ? dit-elle d'un air rêveur.

– Non.

– Eh bien ! monsieur, vous vouliez prêter à cette vieille horreur les deux cent mille francs de mon hôtel ? en voilà un crime de lèse-loulloutte !...

– Mais écoute-moi donc !

– Si tu donnais cet argent à quelque bête d'invention philanthropique, tu passerais pour être un homme d'avenir, dit-elle en s'animant, et je serais la première à te le conseiller, car tu as trop d'innocence pour écrire de gros livres politiques qui vous font une réputation ; tu n'as pas assez de style pour tartiner des brochures ; tu pourrais te poser comme tous ceux qui sont dans ton cas, et qui dorent de gloire leur nom en se mettant à la tête d'une chose sociale, morale, nationale ou générale. On t'a volé la Bienfaisance, elle est maintenant trop mal portée... Les petits repris de justice, à qui l'on fait un sort meilleur que celui des pauvres diables honnêtes, c'est usé. Je te voudrais voir inventer, pour deux cent mille francs, une chose plus difficile, une chose vraiment utile. On parlerait de toi, comme d'un *petit manteau bleu*, d'un Montyon[1], et je serais fière de toi ! Mais jeter deux cent

1. *Comme d'un petit manteau bleu* : comme d'un bienfaiteur des pauvres, comme d'un être généreux et désintéressé. Edme Champion (1764-1852), orphelin élevé par la charité publique, joaillier fortuné,

mille francs dans un bénitier, les prêter à une dévote abandonnée de son mari pour une raison quelconque, va ! il y a toujours une raison (me quitte-t-on, moi ?), c'est une stupidité qui, dans notre époque, ne peut germer que dans le crâne d'un ancien parfumeur ! Cela sent son comptoir. Tu n'oserais plus, deux jours après, te regarder dans ton miroir ! Va déposer ton prix à la caisse d'amortissement, cours, car je ne te reçois plus sans le récépissé de la somme. Va ! et vite, et tôt ! »

Elle poussa Crevel par les épaules hors de sa chambre, en voyant sur sa figure l'avarice refleurie. Quand la porte de l'appartement se ferma, elle dit : « Voilà Lisbeth outre-vengée !... Quel dommage qu'elle soit chez son vieux maréchal, aurions-nous ri ! Ah ! la vieille veut m'ôter le pain de la bouche !... je vais te la secouer, moi ! »

91

Un trait du maréchal Hulot

Obligé de prendre un appartement en harmonie avec la première dignité militaire, le maréchal Hulot s'était logé dans un magnifique hôtel, situé rue du Mont-Parnasse, où il se trouve deux ou trois maisons princières. Quoiqu'il eût loué tout l'hôtel, il n'en occupait que le rez-de-chaussée. Lorsque Lisbeth vint tenir la maison, elle voulut aussitôt sous-louer le premier étage qui, disait-elle, paierait toute la location, le comte serait alors logé pour presque rien ; mais le vieux soldat s'y refusa.

---

philanthrope, distribuait la soupe aux démunis revêtu d'un manteau bleu. Antoine Auget, baron de Montyon (1733-1820), fut le fondateur des prix de vertu décernés par l'Académie (voir *supra*, p. 251, n. 1). Dans *Le Cousin Pons*, le parent pauvre et gourmand pense à la cuisinière du comte Popinot, et évoque le souvenir « d'une carpe grasse ! accompagnée d'une sauce, claire dans la saucière, épaisse sur la langue, une sauce à mériter le prix Montyon ! ».

Depuis quelques mois, le maréchal était travaillé par de tristes pensées. Il avait deviné la gêne de sa belle-sœur, il en soupçonnait les malheurs sans en pénétrer la cause. Ce vieillard, d'une sérénité si joyeuse, devenait taciturne, il pensait qu'un jour sa maison serait l'asile de la baronne Hulot et de sa fille, et il leur réservait ce premier étage. La médiocrité de fortune du comte de Forzheim était si connue, que le ministre de la Guerre, le prince de Wissembourg, avait exigé de son vieux camarade qu'il acceptât une indemnité d'installation. Hulot employa cette indemnité à meubler le rez-de-chaussée, où tout était convenable, car il ne voulait pas, selon son expression, du bâton de maréchal pour le porter à pied. L'hôtel ayant appartenu sous l'Empire à un sénateur, les salons du rez-de-chaussée avaient été établis avec une grande magnificence, tous blanc et or, sculptés, et se trouvaient bien conservés. Le maréchal y avait mis de beaux vieux meubles analogues. Il gardait sous la remise une voiture, où sur les panneaux étaient peints les deux bâtons en sautoir, et il louait des chevaux quand il devait aller *in fiocchi*, soit au ministère, soit au château, dans une cérémonie ou à quelque fête. Ayant pour domestique, depuis trente ans, un ancien soldat âgé de soixante ans, dont la sœur était sa cuisinière, il pouvait économiser une dizaine de mille francs qu'il joignait à un petit trésor destiné à Hortense. Tous les jours le vieillard venait à pied de la rue du Mont-Parnasse à la rue Plumet par le boulevard ; chaque invalide, en le voyant venir, ne manquait jamais à se mettre en ligne, à le saluer, et le maréchal récompensait le vieux soldat par un sourire.

– Qu'est-ce que c'est que celui-là pour qui vous vous alignez ? disait un jour un jeune ouvrier à un vieux capitaine des Invalides. – Je vais te le dire, gamin, répondit l'officier. Le gamin se posa comme un homme qui se résigne à écouter un bavard. – En 1809, dit l'invalide, nous protégions le flanc de la Grande Armée, commandée par l'Empereur, qui marchait sur Vienne. Nous arrivons à un pont défendu par une triple batterie de canons étagés sur une manière de rocher, trois redoutes l'une sur l'autre, et qui enfilaient le pont. Nous étions sous les ordres du maréchal Masséna. Celui que tu vois était alors colonel des grenadiers de la Garde, et je marchais avec... Nos colonnes occupaient un côté du fleuve, les redoutes étaient de l'autre. On a trois fois attaqué le pont, et trois fois on a boudé. « Qu'on aille chercher Hulot ! a dit le maréchal, il n'y a que lui et ses hommes qui puissent avaler ce morceau-là. » Nous arrivons. Le dernier général qui se retirait de devant ce pont arrête Hulot sous le feu pour lui dire la manière de s'y prendre, et il embarrassait le chemin. – « Il ne me faut pas de conseils, mais de la place pour passer », a dit tranquillement le général en franchissant le pont en tête de sa colonne. Et puis, rrran ! une décharge de trente canons sur nous[1]. – Ah ! nom d'un petit bonhomme ! s'écria l'ouvrier, ça a dû en faire de ces béquilles ! – Si tu avais entendu dire paisiblement ce mot-là, comme moi, petit, tu saluerais cet homme jusqu'à terre ! Ce n'est pas si connu que le pont d'Arcole, c'est peut-être plus beau. Et nous sommes arrivés avec Hulot à la course dans les batteries. Honneur à ceux qui y sont restés ! fit l'officier en ôtant son chapeau. Les *Kaiserlicks*[2] ont été étourdis du coup. Aussi l'Empereur a-t-il nommé comte le vieux que tu vois ; il nous a honorés tous dans notre chef, et ceux-ci ont eu grandement raison de le faire maréchal. – Vive le maréchal ! dit l'ouvrier. – Oh ! tu peux crier, va, le maréchal est sourd à force d'avoir entendu le canon.

Cette anecdote peut donner la mesure du respect avec lequel les invalides traitaient le maréchal Hulot, à qui ses opinions républicaines invariables conciliaient les sympathies populaires dans tout le quartier.

---

1. Voir, en annexe, la note de Balzac dans le numéro du *Constitutionnel* du 18 novembre 1846.
2. Nom donné, pendant la Révolution française, aux soldats de l'empereur d'Allemagne ou d'Autriche.

L'affliction, entrée dans cette âme si calme, si pure, si noble, était un spectacle désolant. La baronne ne pouvait que mentir et cacher à son beau-frère, avec l'adresse des femmes, toute l'affreuse vérité. Pendant cette désastreuse matinée, le maréchal, qui dormait peu comme tous les vieillards, avait obtenu de Lisbeth des aveux sur la situation de son frère, en lui promettant de l'épouser pour prix de son indiscrétion. Chacun comprendra le plaisir qu'eut la vieille fille à se laisser arracher des confidences que, depuis son entrée au logis, elle voulait faire à son futur ; car elle consolidait ainsi son mariage.

– Votre frère est incurable ! criait Lisbeth dans la bonne oreille du maréchal.

La voix forte et claire de la Lorraine lui permettait de causer avec le vieillard. Elle fatiguait ses poumons, tant elle tenait à démontrer à son futur qu'il ne serait jamais sourd avec elle.

– Il a eu trois maîtresses, disait le vieillard, et il avait une Adeline ! pauvre Adeline !...

– Si vous voulez m'écouter, cria Lisbeth, vous profiterez de votre influence auprès du prince de Wissembourg pour obtenir à ma cousine une place honorable ; elle en aura besoin, car le traitement du baron est engagé pour trois ans.

– Je vais aller au ministère, répondit-il, voir le maréchal, savoir ce qu'il pense de mon frère, et lui demander son active protection pour ma sœur. Trouvez une place digne d'elle...

– Les dames de charité de Paris ont formé des associations de bienfaisance d'accord avec l'archevêque ; elles ont besoin d'inspectrices honorablement rétribuées, employées à reconnaître les vrais besoins. De telles fonctions conviendraient à ma chère Adeline, elles seraient selon son cœur.

– Envoyez demander les chevaux ! dit le maréchal, je vais m'habiller. J'irai, s'il le faut, à Neuilly [1].

_____

1. C'est-à-dire dans la résidence d'été de la famille du roi Louis-Philippe. C'est en s'y rendant que, le 13 juillet 1842, le duc d'Orléans, Ferdinand-Philippe, eut l'accident de voiture qui lui coûta la vie.

– Comme il l'aime ! Je la trouverai donc toujours, et partout, dit la Lorraine.

Lisbeth trônait déjà dans la maison, mais loin des regards du maréchal. Elle avait imprimé la crainte aux trois serviteurs. Elle s'était donné une femme de chambre et déployait son activité de vieille fille en se faisant rendre compte de tout, examinant tout, et cherchant, en toute chose, le bien-être de son cher maréchal. Aussi républicaine que son futur, Lisbeth lui plaisait beaucoup par ses côtés démocratiques, elle le flattait d'ailleurs avec une habileté prodigieuse ; et, depuis deux semaines, le maréchal, qui vivait mieux, qui se trouvait soigné comme l'est un enfant par sa mère, avait fini par apercevoir en Lisbeth une partie de son rêve.

– Mon cher maréchal ! cria-t-elle en l'accompagnant au perron, levez les glaces, ne vous mettez pas entre deux airs, faites cela pour moi !...

Le maréchal, ce vieux garçon, qui n'avait jamais été dorloté, partit en souriant à Lisbeth, quoiqu'il eût le cœur navré.

92

La mercuriale du prince

En ce moment même, le baron Hulot quittait les bureaux de la Guerre et se rendait au cabinet du maréchal, prince de Wissembourg, qui l'avait fait demander. Quoiqu'il n'y eût rien d'extraordinaire à ce que le Ministre mandât un de ses Directeurs généraux, la conscience de Hulot était si malade, qu'il trouva je ne sais quoi de sinistre et de froid dans la figure de Mitouflet.

– Mitouflet, comment va le prince ? demanda-t-il en fermant son cabinet et rejoignant l'huissier qui s'en allait en avant.

– Il doit avoir une dent contre vous, monsieur le baron, répondit l'huissier, car sa voix, son regard, sa figure sont à l'orage...

Hulot devint blême et garda le silence, il traversa l'antichambre, les salons, et arriva, les pulsations du cœur troublées, à la porte du cabinet. Le maréchal, alors âgé de soixante et dix ans, les cheveux entièrement blancs, la figure tannée comme celle des vieillards de cet âge, se recommandait par un front d'une ampleur telle, que l'imagination y voyait un champ de bataille. Sous cette coupole grise, chargée de neige, brillaient, assombris par la saillie très prononcée des deux arcades sourcilières, des yeux d'un bleu napoléonien, ordinairement tristes, pleins de pensées amères et de regrets. Ce rival de Bernadotte avait espéré se reposer sur un trône. Mais ces yeux devenaient deux formidables éclairs lorsqu'un grand sentiment s'y peignait. La voix, presque toujours caverneuse, jetait alors des éclats stridents. En colère, le prince redevenait soldat, il parlait le langage du sous-lieutenant Cottin, il ne ménageait plus rien. Hulot d'Ervy aperçut ce vieux lion, les cheveux épars comme une crinière, debout à la cheminée, les sourcils contractés, le dos appuyé au chambranle et les yeux distraits en apparence.

– Me voici à l'ordre, mon prince ! dit Hulot gracieusement et d'un air dégagé.

Le maréchal regarda fixement le directeur sans mot dire pendant tout le temps qu'il mit à venir du seuil de la porte à quelques pas de lui. Ce regard de plomb fut comme le regard de Dieu, Hulot ne le supporta pas, il baissa les yeux d'un air confus. – Il sait tout, pensa-t-il.

– Votre conscience ne vous dit-elle rien ? demanda le maréchal de sa voix sourde et grave.

– Elle me dit, mon prince, que j'ai probablement tort de faire, sans vous en parler, des razzias en Algérie. À mon âge et avec mes goûts, après quarante-cinq ans de services, je suis sans fortune. Vous connaissez les principes des quatre cents élus de la France. Ces messieurs envient toutes les positions, ils ont rogné le traitement des ministres, c'est tout dire !... allez donc leur demander de l'argent pour un vieux serviteur !... Qu'attendre de gens qui paient aussi mal qu'elle l'est la magistrature ? qui donnent trente sous par jour aux ouvriers du port de Toulon, quand il y a impossibilité matérielle d'y vivre à moins de quarante sous pour une famille ? qui ne réfléchissent pas à l'atrocité des traitements d'employés à six cents, à mille et à douze cents francs dans Paris, et qui pour eux veulent nos places quand les appointements sont de quarante mille francs ?... enfin, qui refusent à la Couronne un bien de la Couronne confisqué en 1830 à la Couronne, et un acquêt fait des deniers de Louis XVI encore [1] ! quand on le leur demandait pour un prince pauvre !... Si vous n'aviez pas de fortune, on vous laisserait très bien, mon prince, comme mon frère, avec votre traitement tout sec [2], sans se souvenir que vous avez sauvé la Grande Armée, avec moi, dans les plaines marécageuses de la Pologne.

– Vous avez volé l'État [3], vous vous êtes mis dans le cas d'aller en cour d'assises, dit le maréchal, comme ce caissier du Trésor, et vous prenez cela, monsieur, avec cette légèreté ?

– Quelle différence, monseigneur ! s'écria le baron Hulot. Ai-je plongé les mains dans une caisse qui m'était confiée ?...

---

1. Il y a ici une allusion aux difficultés soulevées en 1831 par la Chambre pour la liste civile de Louis-Philippe. Certains des anciens biens de la Couronne furent enlevés au domaine royal : ainsi le parc et le château de Rambouillet, acquis par Louis XVI de ses propres deniers, furent rattachés à l'administration des Domaines (pour de plus amples détails, voir Pléiade, p. 1321-1322 et p. 1336, n. 3).

2. Le personnage du baron Hulot a été inspiré par le maréchal Soult, dont l'immense fortune avait été acquise de façon plus que douteuse et dont la cupidité insatiable était connue. « Quand fut mis en question le cumul des gros traitements, en 1832, Soult, se voyant menacé de perdre son traitement de maréchal qu'il cumulait avec celui de ministre, avait déclaré qu'on lui ôterait plutôt la vie » (Pléiade, p. 1337, n. 1).

3. Sur l'affaire réelle du caissier Mathéo qui a inspiré Balzac, et qui est cité nommément dans la première publication du roman en feuilleton dans *Le Constitutionnel*, voir Pléiade, p. 1237-1238, n. 3.

– Quand on commet de pareilles infamies, dit le maréchal, on est deux fois coupable, dans votre position, de
faire les choses avec maladresse. Vous avez compromis
ignoblement notre haute administration, qui jusqu'à présent est la plus pure de l'Europe !... Et cela, monsieur,
pour deux cent mille francs et pour une gueuse !... dit le
maréchal d'une voix terrible. Vous êtes conseiller d'État, et
l'on punit de mort le simple soldat qui vend les effets du
régiment. Voici ce que m'a dit un jour le colonel Pourin,
du deuxième lanciers. À Saverne, un de ses hommes aimait
une petite Alsacienne qui désirait un châle ; la drôlesse fit
tant, que ce pauvre diable de lancier, qui devait être promu
maréchal des logis-chef, après vingt ans de services, l'honneur du régiment, a vendu, pour donner ce châle, des effets
de sa compagnie. Savez-vous ce qu'il a fait, le lancier,
baron d'Ervy ? il a mangé les vitres d'une fenêtre après les
avoir pilées, et il est mort de maladie, en onze heures, à
l'hôpital... Tâchez, vous, de mourir d'une apoplexie pour
que nous puissions vous sauver l'honneur...

Le baron regarda le vieux guerrier d'un œil hagard, et
le maréchal, voyant cette expression qui révélait un lâche,
eut quelque rougeur aux joues, ses yeux s'allumèrent.

– M'abandonneriez-vous ?... dit Hulot en balbutiant.

93

Très court duel entre le maréchal Hulot,
comte de Forzheim,
et Son Excellence monseigneur
le maréchal Cottin, prince de Wissembourg,
duc d'Orfano, ministre de la Guerre

En ce moment, le maréchal Hulot, ayant appris que
son frère et le ministre étaient seuls, se permit d'entrer ;
et il alla, comme les sourds, droit au prince.

– Oh ! cria le héros de la campagne de Pologne, je sais ce que tu viens faire, mon vieux camarade !... Mais tout est inutile...

– Inutile ?... répéta le maréchal Hulot qui n'entendit que ce mot.

– Oui, tu viens me parler pour ton frère ; mais sais-tu ce qu'est ton frère ?...

– Mon frère ?... demanda le sourd.

– Eh bien ! cria le maréchal, c'est un j... f... [1] indigne de toi !...

Et la colère du maréchal lui fit jeter par les yeux ces regards fulgurants qui, semblables à ceux de Napoléon, brisaient les volontés et les cerveaux.

– Tu en as menti, Cottin ! répliqua le maréchal Hulot devenu blême. Jette ton bâton comme je jette le mien !... je suis à tes ordres.

Le prince alla droit à son vieux camarade, le regarda fixement, et lui dit dans l'oreille en lui serrant la main : « Es-tu un homme ? »

– Tu le verras...

– Eh bien ! tiens-toi ferme ! il s'agit de porter le plus grand malheur qui pût t'arriver.

Le prince se retourna, prit sur sa table un dossier, le mit entre les mains du maréchal Hulot en lui criant : « Lis ! »

Le comte de Forzheim lut la lettre suivante, qui se trouvait sur le dossier.

À Son Excellence le président du Conseil.
(CONFIDENTIELLE.)

Alger, le...

Mon cher prince, nous avons sur les bras une bien mauvaise affaire, comme vous le verrez par la procédure que je vous envoie.

---

1. Un jean-foutre.

En résumé, le baron Hulot d'Ervy a envoyé dans la province d'O... un de ses oncles pour tripoter sur les grains et sur les fourrages, en lui donnant pour complice un garde-magasin. Ce garde-magasin a fait des aveux pour se rendre intéressant, et a fini par s'évader. Le procureur du roi a mené rudement l'affaire, en ne voyant que deux subalternes en cause ; mais Johann Fischer, oncle de votre Directeur général, se voyant sur le point d'être traduit en cour d'assises, s'est poignardé dans sa prison avec un clou.

Tout aurait été fini là, si ce digne et honnête homme, trompé vraisemblablement et par son complice et par son neveu, ne s'était pas avisé d'écrire au baron Hulot. Cette lettre, saisie par le parquet, a tellement étonné le procureur du roi qu'il est venu me voir. Ce serait un coup si terrible que l'arrestation et la mise en accusation d'un conseiller d'État, d'un Directeur général qui compte tant de bons et loyaux services, car il nous a sauvés tous après la Bérésina en réorganisant l'administration, que je me suis fait communiquer les pièces.

Faut-il que l'affaire suive son cours ? faut-il, le principal coupable visible étant mort, étouffer ce procès en faisant condamner le garde-magasin par contumace ?

Le procureur général consent à ce que les pièces vous soient transmises ; et le baron d'Ervy étant domicilié à Paris, le procès sera du ressort de votre Cour royale. Nous avons trouvé ce moyen, assez louche, de nous débarrasser momentanément de la difficulté.

Seulement, mon cher maréchal, prenez un parti promptement. On parle déjà beaucoup trop de cette déplorable affaire qui nous fera autant de mal qu'elle en causera, si la complicité du grand coupable, qui n'est encore connue que du procureur du roi, du juge d'instruction, du procureur général et de moi, venait à s'ébruiter.

Là, ce papier tomba des mains du maréchal Hulot, il regarda son frère, il vit qu'il était inutile de compulser le dossier ; mais il chercha la lettre de Johann Fischer, et la lui tendit après l'avoir lue en deux regards.

De la prison d'O...

Mon neveu, quand vous lirez cette lettre, je n'existerai plus.

Soyez tranquille, on ne trouvera pas de preuves contre vous. Moi, mort, votre jésuite de Chardin en fuite, le procès s'arrêtera. La figure de notre Adeline, si heureuse par vous, m'a rendu la mort très douce. Vous n'avez plus besoin d'envoyer les deux cent mille francs. Adieu.

Cette lettre vous sera remise par un détenu sur qui je crois pouvoir compter.

Johann FISCHER.

– Je vous demande pardon, dit avec une touchante fierté le maréchal Hulot au prince de Wissembourg.

– Allons, tutoie-moi toujours, Hulot ! répliqua le ministre en serrant la main de son vieil ami. – Le pauvre lancier n'a tué que lui, dit-il en foudroyant Hulot d'Ervy d'un regard.

– Combien avez-vous pris ? dit sévèrement le comte de Forzheim à son frère.

– Deux cent mille francs.

– Mon cher ami, dit le comte en s'adressant au ministre, vous aurez les deux cent mille francs sous quarante-huit heures. On ne pourra jamais dire qu'un homme portant le nom de Hulot a fait tort d'un denier à la chose publique…

– Quel enfantillage ! dit le maréchal. Je sais où sont les deux cent mille francs et je vais les faire restituer. Donnez vos démissions et demandez votre retraite ! reprit-il en faisant voler une double feuille de papier tellière[1] jusqu'à l'endroit où s'était assis à la table le conseiller d'État dont les jambes flageolaient. Ce serait une honte pour nous tous que votre procès ; aussi ai-je obtenu du conseil des ministres la liberté d'agir comme je le fais. Puisque vous acceptez la vie sans l'honneur, sans mon estime, une vie dégradée, vous aurez la retraite qui vous est due. Seulement, faites-vous bien oublier.

Le maréchal sonna.

– L'employé Marneffe est-il là ?

---

1. *Papier tellière* : format de papier (34 × 44). Le papier ministre en est une variété.

– Oui, monseigneur, dit l'huissier.

– Qu'il entre.

– Vous, s'écria le ministre en voyant Marneffe, et votre femme, vous avez sciemment ruiné le baron d'Ervy que voici.

– Monsieur le ministre, je vous demande pardon, nous sommes très pauvres, je n'ai que ma place pour vivre, et j'ai deux enfants, dont le petit dernier aura été mis dans ma famille par M. le baron.

– Quelle figure de coquin ! dit le prince en montrant Marneffe au maréchal Hulot. Trêve de discours à la Sganarelle, reprit-il, vous rendrez deux cent mille francs, ou vous irez en Algérie.

– Mais *monsieur le ministre*, vous ne connaissez pas ma femme, elle a tout mangé. M. le baron invitait tous les jours six personnes à dîner... On dépensait chez moi cinquante mille francs par an.

– Retirez-vous, dit le ministre de la voix formidable qui sonnait la charge au fort des batailles, vous recevrez avis de votre changement dans deux heures... allez.

– Je préfère donner ma démission, dit insolemment Marneffe ; car c'est trop d'être ce que je suis, et battu ; je ne serais pas content, moi [1] !

Et il sortit.

– Quel impudent drôle, dit le prince.

Le maréchal Hulot, qui pendant cette scène était resté debout, immobile, pâle comme un cadavre, examinant son frère à la dérobée, alla prendre la main du prince et lui répéta : « Dans quarante-huit heures, le tort matériel sera réparé ; mais l'honneur ! Adieu, maréchal ! c'est le dernier coup qui tue... Oui, j'en mourrai », lui dit-il à l'oreille.

---

1. Allusion au conte de La Fontaine (I, 3) inspiré de Boccace, *Le Cocu battu et content* (1665), dans lequel un barbon, cocufié par sa femme avec son valet, est battu comme plâtre par celui-ci mais néanmoins content, car il croit sa femme vertueuse.

– Pourquoi diantre es-tu venu ce matin ? répondit le prince ému.

– Je venais pour sa femme, répliqua le comte en montrant Hector ; elle est sans pain ! surtout maintenant.

– Il a sa retraite !

– Elle est engagée !

– Il faut avoir le diable au corps ! dit le prince en haussant les épaules. Quel philtre vous font donc avaler ces femmes-là pour vous ôter l'esprit ? demanda-t-il à Hulot d'Ervy. Comment pouviez-vous, vous qui connaissez la minutieuse exactitude avec laquelle l'Administration française écrit tout, verbalise sur tout, consomme des rames de papier pour constater l'entrée et la sortie de quelques centimes, vous qui déploriez qu'il fallût des centaines de signatures pour des riens, pour libérer un soldat, pour acheter des étrilles, comment pouviez-vous donc espérer de cacher un vol pendant longtemps ? Et les journaux ! et les envieux ! et les gens qui voudraient voler ! Ces femmes-là vous ôtent donc le bon sens ? elles vous mettent donc des coquilles de noix sur les yeux ? ou vous êtes donc fait autrement que nous autres ? Il fallait quitter l'Administration du moment où vous n'étiez plus un homme, mais un tempérament ! Si vous avez joint tant de sottises à votre crime, vous finirez... je ne veux pas vous dire où...

– Promets-moi de t'occuper d'elle, Cottin ?... demanda le comte de Forzheim qui n'entendait rien et qui ne pensait qu'à sa belle-sœur.

– Sois tranquille ! dit le ministre.

– Eh bien ! merci, et adieu ! – Venez, monsieur ? dit-il à son frère.

Le prince regarda d'un œil en apparence calme les deux frères, si différents d'attitude, de conformation et de caractère, le brave et le lâche, le voluptueux et le rigide, l'honnête et le concussionnaire, et il se dit : « Ce lâche ne saura pas mourir ! et mon pauvre Hulot, si probe, a la mort dans son sac, lui ! » Il s'assit dans son fauteuil et

reprit la lecture des dépêches d'Afrique par un mouvement qui peignait à la fois le sang-froid du capitaine et
la pitié profonde que donne le spectacle des champs de
bataille ! car il n'y a rien de plus humain en réalité que
les militaires, si rudes en apparence, et à qui l'habitude
de la guerre communique cet absolu glacial, si nécessaire
sur les champs de bataille.

94

Théorie des canards

Le lendemain, quelques journaux contenaient, sous
des rubriques différentes, ces différents articles :

M. le baron Hulot d'Ervy vient de demander sa retraite.
Les désordres de la comptabilité de l'administration algérienne qui ont été signalés par la mort et par la fuite de deux
employés ont influé sur la détermination prise par ce haut
fonctionnaire. En apprenant les fautes commises par des
employés, en qui malheureusement il avait placé sa confiance,
M. le baron Hulot a éprouvé dans le cabinet même du
ministre une attaque de paralysie.

M. Hulot d'Ervy, frère du maréchal, compte quarante-
cinq ans de services. Cette résolution, vainement combattue,
a été vue avec regret par tous ceux qui connaissent M. Hulot,
dont les qualités privées égalent les talents administratifs.
Personne n'a oublié le dévouement de l'ordonnateur en chef
de la Garde impériale à Varsovie, ni l'activité merveilleuse
avec laquelle il a su organiser les différents services de
l'armée improvisée en 1815 par Napoléon.

C'est encore une des gloires de l'époque impériale qui va
quitter la scène. Depuis 1830, M. le baron Hulot n'a cessé
d'être une des lumières nécessaires au Conseil d'État et au
ministère de la Guerre.

ALGER. – L'affaire dite des fourrages, à laquelle quelques
journaux ont donné des proportions ridicules, est terminée
par la mort du principal coupable. Le sieur Johann Wisch

s'est tué dans sa prison et son complice est en fuite ; mais il sera jugé par contumace.

Wisch, ancien fournisseur des armées, était un honnête homme, très estimé, qui n'a pas supporté l'idée d'avoir été la dupe du sieur Chardin, le garde-magasin en fuite.

Et aux faits-Paris on lisait ceci :

M. le maréchal ministre de la Guerre, pour éviter à l'avenir tout désordre, a résolu de créer un bureau des subsistances en Afrique. On désigne un chef de bureau, M. Marneffe, comme devant être chargé de cette organisation.

La succession du baron Hulot excite toutes les ambitions. Cette direction est, dit-on, promise à M. le comte Martial de la Roche-Hugon, député, beau-frère de M. le comte de Rastignac. M. Massol, maître des requêtes, serait nommé conseiller d'État, et M. Claude Vignon, maître des requêtes.

De toutes les espèces de *canards*, la plus dangereuse pour les journaux de l'Opposition, c'est le canard officiel. Quelque rusés que soient les journalistes, ils sont parfois les dupes volontaires ou involontaires de l'habileté de ceux d'entre eux qui, de la Presse, ont passé, comme Claude Vignon, dans les hautes régions du Pouvoir [1]. Le journal ne peut être vaincu que par le journaliste. Aussi doit-on se dire, en travestissant Voltaire :

Le fait-Paris n'est pas ce qu'un vain peuple pense [2].

---

1. Claude Vignon (dont l'un des modèles dans *Béatrix* est Gustave Planche) rappelle ici le jeune Joseph Lingay qui, dans *Béatrix*, commence sa carrière comme professeur de lycée. Grand manœuvrier de la presse, maître des requêtes, secrétaire à la présidence du Conseil, collaborateur du maréchal Soult, il devient l'éminence grise du règne de Louis-Philippe.

2. Parodie d'*Œdipe* de Voltaire, IV, 1 : « Nos prêtres ne sont pas ce qu'un vain peuple pense. »

95

La mercuriale du frère

Le maréchal Hulot ramena son frère, qui se tint sur le devant de la voiture, en laissant respectueusement son aîné dans le fond. Les deux frères n'échangèrent pas une parole. Hector était anéanti. Le maréchal resta concentré, comme un homme qui rassemble ses forces et qui les bande pour soutenir un poids écrasant. Rentré dans son hôtel, il amena, sans dire un mot et par des gestes impératifs, son frère dans son cabinet. Le comte avait reçu de l'empereur Napoléon une magnifique paire de pistolets de la manufacture de Versailles ; il tira la boîte, sur laquelle était gravée l'inscription : *Donnée par l'Empereur Napoléon au général Hulot*, du secrétaire où il la mettait, et la montrant à son frère, il lui dit : « Voilà ton médecin. »

Lisbeth, qui regardait par la porte entrebâillée, courut à la voiture, et donna l'ordre d'aller au grand trot rue Plumet. En vingt minutes à peu près, elle amena la baronne instruite de la menace du maréchal à son frère.

Le comte, sans regarder son frère, sonna pour demander son factotum, le vieux soldat qui le servait depuis trente ans.

– Beaupied, lui dit-il, amène-moi mon notaire, le comte Steinbock, ma nièce Hortense et l'agent de change du Trésor. Il est dix heures et demie, il me faut tout ce monde à midi. Prends des voitures… Et va *plus vite que ça* !… dit-il en retrouvant une locution républicaine qu'il avait souvent à la bouche jadis. Et il fit la moue terrible qui rendait ses soldats attentifs quand il examinait les genêts de la Bretagne en 1799. (Voir *Les Chouans*.)

– Vous serez obéi, maréchal, dit Beaupied en mettant le revers de sa main à son front.

Sans s'occuper de son frère, le vieillard revint dans son cabinet, prit une clef cachée dans un secrétaire, et ouvrit

une cassette en malachite plaquée sur acier, présent de
l'empereur Alexandre. Par ordre de l'empereur Napoléon, il était venu rendre à l'empereur russe des effets
particuliers pris à la bataille de Dresde, et contre lesquels
Napoléon espérait obtenir Vandamme [1]. Le Czar récompensa magnifiquement le général Hulot en lui donnant
cette cassette, et lui dit qu'il espérait pouvoir un jour
avoir la même courtoisie pour l'empereur des Français ;
mais il garda Vandamme. Les armes impériales de Russie
étaient en or sur le couvercle de cette boîte garnie tout
en or. Le maréchal compta les billets de banque et l'or
qui s'y trouvaient ; il possédait cent cinquante-deux mille
francs ! Il laissa échapper un mouvement de satisfaction.
En ce moment, Mme Hulot entra dans un état à attendrir
des juges politiques. Elle se jeta sur Hector, en regardant
la boîte de pistolets, et le maréchal, alternativement, d'un
air fou.

– Qu'avez-vous contre votre frère ? Que vous a fait
mon mari ? dit-elle d'une voix si vibrante que le maréchal l'entendit.

– Il nous a déshonorés tous ! répondit le vieux soldat
de la République qui rouvrit par cet effort une de ses
blessures. Il a volé l'État ! Il m'a rendu mon nom odieux ;
il me fait souhaiter de mourir, il m'a tué... Je n'ai de
force que pour accomplir la restitution !... J'ai été humilié devant le Condé de la République, devant l'homme
que j'estime le plus, et à qui j'ai donné injustement un
démenti, le prince de Wissembourg !... Est-ce rien, cela ?
Voilà son compte avec la Patrie !

Il essuya une larme.

– À sa famille maintenant ! reprit-il. Il vous arrache le
pain que je vous gardais, le fruit de trente ans d'économies, le trésor des privations du vieux soldat ! Voilà ce

1. Le général Vandamme avait été capturé par les Russes avec six
mille de ses hommes, lors de la défaite de Kulm. Il fut conduit à
Wintka, aux frontières de la Sibérie, et ne rentra en France qu'en septembre 1814.

que je vous destinais ! dit-il en montrant les billets de banque. Il a tué son oncle Fischer, noble et digne enfant de l'Alsace, qui n'a pas, comme lui, pu soutenir l'idée d'une tache à son nom de paysan. Enfin, Dieu, par une clémence adorable, lui avait permis de choisir un ange entre toutes les femmes ! il a eu le bonheur inouï de prendre pour épouse une Adeline ! et il l'a trahie, il l'a abreuvée de chagrins, il l'a quittée pour des catins, pour des gourgandines, pour des sauteuses, des actrices, des Cadine, des Josépha, des Marneffe... Et voilà l'homme de qui j'ai fait mon enfant, mon orgueil... Va, malheureux, si tu acceptes la vie infâme que tu t'es faite, sors ! Moi ! je n'ai pas la force de maudire un frère que j'ai tant aimé ; je suis aussi faible pour lui que vous l'êtes, Adeline ; mais qu'il ne reparaisse plus devant moi. Je lui défends d'assister à mon convoi, de suivre mon cercueil. Qu'il ait la pudeur du crime, s'il n'en a pas le remords...

Le maréchal, devenu blême, se laissa tomber sur le divan de son cabinet, épuisé par ces solennelles paroles. Et, pour la première fois de sa vie peut-être, deux larmes roulèrent de ses yeux et sillonnèrent ses joues.

– Mon pauvre oncle Fischer ! s'écria Lisbeth qui se mit un mouchoir sur les yeux.

– Mon frère ! dit Adeline en venant s'agenouiller devant le maréchal, vivez pour moi ! Aidez-moi dans l'œuvre que j'entreprendrai de réconcilier Hector avec la vie, de lui faire racheter ses fautes !...

– Lui ! dit le maréchal, s'il vit, il n'est pas au bout de ses crimes ! Un homme qui a méconnu une Adeline, et qui a éteint en lui les sentiments du vrai républicain, cet amour du Pays, de la Famille et du Pauvre que je m'efforçais de lui inculquer, cet homme est un monstre, un pourceau... Emmenez-le, si vous l'aimez encore, car je sens en moi une voix qui me crie de charger mes pistolets et de lui faire sauter la cervelle ! En le tuant, je vous sauverais tous, et je le sauverais de lui-même.

Le vieux maréchal se leva par un mouvement si redoutable, que la pauvre Adeline s'écria : « Viens, Hector ! »

Elle saisit son mari, l'emmena, quitta la maison, entraînant le baron, si défait, qu'elle fut obligée de le mettre en voiture pour le transporter rue Plumet, où il prit le lit. Cet homme, quasi dissous, y resta plusieurs jours, refusant toute nourriture sans dire un mot. Adeline obtenait à force de larmes qu'il avalât des bouillons ; elle le gardait, assise à son chevet, et ne sentant plus, de tous les sentiments qui naguère lui remplissaient le cœur, qu'une pitié profonde.

96

Un bel enterrement

À midi et demi, Lisbeth introduisit dans le cabinet de son cher maréchal, qu'elle ne quittait pas, tant elle fut effrayée des changements qui s'opéraient en lui, le notaire et le comte Steinbock.

— Monsieur le comte, dit le maréchal, je vous prie de signer l'autorisation nécessaire à ma nièce, votre femme, pour vendre une inscription de rentes dont elle ne possède encore que la nue propriété. Mademoiselle Fischer, vous acquiescerez à cette vente en abandonnant votre usufruit.

— Oui, cher comte, dit Lisbeth sans hésiter.

— Bien, ma chère, répondit le vieux soldat. J'espère vivre assez pour vous récompenser. Je ne doutais pas de vous : vous êtes une vraie républicaine, une fille du peuple.

Il prit la main de la vieille fille et y mit un baiser.

— Monsieur Hannequin, dit-il au notaire, faites l'acte nécessaire sous forme de procuration, que je l'aie d'ici à deux heures, afin de pouvoir vendre la rente à la Bourse d'aujourd'hui. Ma nièce, la comtesse, a le titre ; elle va venir, elle signera l'acte quand vous l'apporterez, ainsi que mademoiselle. M. le comte vous accompagnera chez vous pour vous donner sa signature.

L'artiste, sur un signe de Lisbeth, salua respectueusement le maréchal et sortit.

Le lendemain, à dix heures du matin, le comte de Forzheim se fit annoncer chez le prince de Wissembourg et
fut aussitôt admis.

– Eh bien ! mon cher Hulot, dit le maréchal Cottin en
présentant les journaux à son vieil ami, nous avons, vous
le voyez, sauvé les apparences… Lisez.

Le maréchal Hulot posa les journaux sur le bureau de
son vieux camarade et lui tendit deux cent mille francs.

– Voici ce que mon frère a pris à l'État, dit-il.

– Quelle folie ! s'écria le ministre. Il nous est impossible, ajouta-t-il en prenant le cornet que lui présenta le
maréchal et lui parlant dans l'oreille, d'opérer cette restitution. Nous serions obligés d'avouer les concussions de
votre frère, et nous avons tout fait pour les cacher…

– Faites-en ce que vous voudrez ; mais je ne veux pas
qu'il y ait dans la fortune de la famille Hulot un liard de
volé dans les deniers de l'État, dit le comte.

– Je prendrai les ordres du roi à ce sujet. N'en parlons
plus, répondit le ministre en reconnaissant l'impossibilité
de vaincre le sublime entêtement du vieillard.

– Adieu, Cottin, dit le vieillard en prenant la main du
prince de Wissembourg, je me sens l'âme gelée… Puis,
après avoir fait un pas, il se retourna, regarda le prince
qu'il vit ému fortement, il ouvrit les bras pour l'y serrer,
et le prince embrassa le maréchal. – Il me semble que je
dis adieu, dit-il, à toute la Grande Armée en ta
personne…

– Adieu donc, mon bon et vieux camarade ! dit le
ministre.

– Oui, adieu, car je vais où sont tous ceux de nos soldats que nous avons pleurés…

En ce moment, Claude Vignon entra. Les deux vieux
débris des phalanges napoléoniennes se saluèrent gravement en faisant disparaître toute trace d'émotion.

– Vous avez dû, mon prince, être content des journaux ? dit le futur maître des requêtes. J'ai manœuvré de

manière à faire croire aux feuilles de l'Opposition qu'elles publiaient nos secrets...

— Malheureusement, tout est inutile, répliqua le ministre qui regarda le maréchal s'en allant par le salon. Je viens de dire un dernier adieu qui m'a fait bien du mal. Le maréchal Hulot n'a pas trois jours à vivre, je l'ai bien vu, d'ailleurs, hier. Cet homme, une de ces probités divines, un soldat respecté par les boulets malgré sa bravoure... tenez... là, sur ce fauteuil !... a reçu le coup mortel, et de ma main, par un papier !... Sonnez et demandez ma voiture. Je vais à Neuilly, dit-il en serrant les deux cent mille francs dans son portefeuille ministériel.

Malgré les soins de Lisbeth, trois jours après, le maréchal Hulot était mort. De tels hommes sont l'honneur des partis qu'ils ont embrassés. Pour les républicains, le maréchal était l'idéal du patriotisme ; aussi se trouvèrent-ils tous à son convoi, qui fut suivi d'une foule immense. L'Armée, l'Administration, la Cour, le Peuple, tout le monde vint rendre hommage à cette haute vertu, à cette intacte probité, à cette gloire si pure. N'a pas, qui veut, le peuple à son convoi. Ces obsèques furent marquées par un de ces témoignages pleins de délicatesse, de bon goût et de cœur, qui, de loin en loin, rappellent les mérites et la gloire de la Noblesse française. Derrière le cercueil du maréchal on vit le vieux marquis de Montauran, le frère de celui qui, dans la levée de boucliers des Chouans en 1799, avait été l'adversaire et l'adversaire malheureux de Hulot. Le marquis, en mourant sous les balles des Bleus, avait confié les intérêts de son jeune frère au soldat de la République. (Voir *Les Chouans*.) Hulot avait si bien accepté le testament verbal du noble, qu'il réussit à sauver les biens de ce jeune homme, alors émigré. Ainsi, l'hommage de la vieille noblesse française ne manqua pas au soldat qui, neuf ans auparavant, avait vaincu Madame [1].

---

1. Allusion à l'équipée de la duchesse de Berry, épouse du duc de Berry et belle-fille de Charles X, au printemps de 1832, pour tenter de soulever la Provence puis la Vendée contre Louis-Philippe. Balzac l'a évoquée dans *Les Secrets de la princesse de Cadignan* (1839).

Cette mort, arrivée quatre jours avant la dernière publication de son mariage, fut pour Lisbeth le coup de foudre
qui brûle la moisson engrangée avec la grange. La Lorraine, comme il arrive souvent, avait trop réussi. Le maréchal était mort des coups portés à cette famille, par elle et
par Mme Marneffe. La haine de la vieille fille, qui semblait
assouvie par le succès, s'accrut de toutes ses espérances
trompées. Lisbeth alla pleurer de rage chez Mme Marneffe ; car elle fut sans domicile, le maréchal ayant subor-
donné la durée de son bail à celle de sa vie. Crevel, pour
consoler l'amie de sa Valérie, en prit les économies, les
doubla largement, et plaça ce capital en cinq pour cent, en
lui donnant l'usufruit et mettant la propriété au nom de
Célestine. Grâce à cette opération, Lisbeth posséda deux
mille francs de rentes viagères. On trouva, lors de l'inventaire, un mot du maréchal à sa belle-sœur, à sa nièce Hortense, et à son neveu Victorin, qui les chargeait de payer, à
eux trois, douze cents francs de rentes viagères à celle qui
devait être sa femme, Mlle Lisbeth Fischer.

97

Départ du père prodigue

Adeline, voyant le baron entre la vie et la mort, réussit
à lui cacher pendant quelques jours le décès du
maréchal ; mais Lisbeth vint en deuil, et la fatale vérité
lui fut révélée onze jours après les funérailles. Ce coup
terrible rendit de l'énergie au malade, il se leva, trouva
toute sa famille réunie au salon, habillée en noir, et elle
devint silencieuse à son aspect. En quinze jours, Hulot,
devenu maigre comme un spectre, offrit à sa famille une
ombre de lui-même.

– Il faut prendre un parti, dit-il d'une voix éteinte en
s'asseyant sur un fauteuil et regardant cette réunion où
manquaient Crevel et Steinbock.

– Nous ne pouvons plus rester ici, faisait observer Hortense au moment où son père se montra, le loyer est trop cher…

– Quant à la question du logement, dit Victorin en rompant ce pénible silence, j'offre à *ma mère*…

En entendant ces mots, qui semblaient l'exclure, le baron releva sa tête inclinée vers le tapis où il contemplait les fleurs sans les voir, et jeta sur l'avocat un déplorable regard. Les droits du père sont toujours si sacrés, même lorsqu'il est infâme et dépouillé d'honneur, que Victorin s'arrêta.

– À votre mère… reprit le baron. Vous avez raison, mon fils !

– L'appartement au-dessus du nôtre, dans notre pavillon, dit Célestine achevant la phrase de son mari.

– Je vous gêne, mes enfants ?… dit le baron avec la douceur des gens qui se sont condamnés eux-mêmes. Oh ! soyez sans inquiétude pour l'avenir, vous n'aurez plus à vous plaindre de votre père, et vous ne le reverrez qu'au moment où vous n'aurez plus à rougir de lui.

Il alla prendre Hortense et la baisa au front. Il ouvrit ses bras à son fils qui s'y jeta désespérément en devinant les intentions de son père. Le baron fit un signe à Lisbeth, qui vint, et il l'embrassa au front. Puis, il se retira dans sa chambre où Adeline, dont l'inquiétude était poignante, le suivit.

– Mon frère avait raison, Adeline, lui dit-il en la prenant par la main. Je suis indigne de la vie de famille. Je n'ai pas osé bénir autrement que dans mon cœur mes pauvres enfants, dont la conduite a été sublime ; dis-leur que je n'ai pu que les embrasser ; car, d'un homme infâme, d'un père qui devient l'assassin, le fléau de la famille au lieu d'en être le protecteur et la gloire, une bénédiction pourrait être funeste ; mais je les bénirai de loin, tous les jours. Quant à toi, Dieu seul, car il est tout-puissant, peut te donner des récompenses proportionnées

à tes mérites !... Je te demande pardon, dit-il en s'agenouillant devant sa femme, lui prenant les mains et les
mouillant de larmes.

– Hector ! Hector ! tes fautes sont grandes ; mais la
miséricorde divine est infinie, et tu peux tout réparer en
restant avec moi... Relève-toi dans des sentiments chrétiens, mon ami... Je suis ta femme et non ton juge. Je
suis ta chose, fais de moi tout ce que tu voudras, mène-
moi où tu iras, je me sens la force de te consoler, de te
rendre la vie supportable, à force d'amour, de soins et de
respect !... Nos enfants sont établis, ils n'ont plus besoin
de moi. Laisse-moi tâcher d'être ton amusement, ta dis-
traction. Permets-moi de partager les peines de ton exil,
de ta misère, pour les adoucir. Je te serai toujours bonne
à quelque chose, ne fût-ce qu'à t'épargner la dépense
d'une servante...

– Me pardonnes-tu, ma chère et bien-aimée Adeline ?

– Oui ; mais, mon ami, relève-toi !

– Eh bien ! avec ce pardon, je pourrai vivre ! reprit-il
en se relevant. Je suis rentré dans notre chambre pour
que nos enfants ne fussent pas témoins de l'abaissement
de leur père. Ah ! voir tous les jours devant soi un père,
criminel comme je le suis, il y a quelque chose d'épouvantable qui ravale le pouvoir paternel et qui dissout la
famille. Je ne puis donc rester au milieu de vous, je vous
quitte pour vous épargner l'odieux spectacle d'un père
sans dignité. Ne t'oppose pas à ma fuite, Adeline. Ce
serait armer toi-même le pistolet avec lequel je me ferais
sauter la cervelle... Enfin ! ne me suis pas dans ma
retraite, tu me priverais de la seule force qui me reste,
celle du remords.

L'énergie d'Hector imposa silence à la mourante Adeline. Cette femme, si grande au milieu de tant de ruines,
puisait son courage dans son intime union avec son
mari ; car elle le voyait à elle, elle apercevait la mission
sublime de le consoler, de le rendre à la vie de famille, et
de le réconcilier avec lui-même.

– Hector, tu veux donc me laisser mourir de désespoir, d'anxiétés, d'inquiétudes !... dit-elle en se voyant enlever le principe de sa force.

– Je te reviendrai, ange descendu du ciel, je crois, exprès pour moi ; je vous reviendrai, sinon riche, du moins dans l'aisance. Écoute, ma bonne Adeline, je ne puis rester ici par une foule de raisons. D'abord, ma pension qui sera de six mille francs est engagée pour quatre ans, je n'ai donc rien. Ce n'est pas tout ! je vais être sous le coup de la contrainte par corps dans quelques jours, à cause des lettres de change souscrites à Vauvinet... Ainsi, je dois m'absenter, jusqu'à ce que mon fils, à qui je vais laisser des instructions précises, ait racheté ces titres. Ma disparition aidera puissamment cette opération. Lorsque ma pension de retraite sera libre, lorsque Vauvinet sera payé, je vous reviendrai... Tu décèlerais le secret de mon exil. Sois tranquille, ne pleure pas, Adeline... Il ne s'agit que d'un mois...

– Où iras-tu ? que feras-tu ? que deviendras-tu ? qui te soignera, toi qui n'es plus jeune ? Laisse-moi disparaître avec toi, nous irons à l'étranger, dit-elle.

– Eh bien ! nous allons voir, répondit-il.

Le baron sonna, donna l'ordre à Mariette de rassembler tous ses effets, de les mettre secrètement et promptement dans des malles. Puis, il pria sa femme, après l'avoir embrassée avec une effusion de tendresse à laquelle elle n'était pas habituée, de le laisser un moment seul pour écrire les instructions dont avait besoin Victorin, en lui promettant de ne quitter la maison qu'à la nuit et avec elle. Dès que la baronne fut rentrée au salon, le fin vieillard passa par le cabinet de toilette, gagna l'antichambre et sortit en remettant à Mariette un carré de papier, sur lequel il avait écrit : « Adressez mes malles par le chemin de fer de Corbeil, à M. Hector, bureau restant, à Corbeil. » Le baron, monté dans un fiacre, courait déjà dans Paris, lorsque Mariette vint montrer à la baronne ce mot, en lui disant que Monsieur venait de sortir. Adeline s'élança dans la chambre en tremblant

plus fortement que jamais ; ses enfants, effrayés, l'y sui-
virent en entendant un cri perçant. On releva la baronne
évanouie, il fallut la mettre au lit, car elle fut prise d'une
fièvre nerveuse qui la tint entre la vie et la mort pendant
un mois.

    – Où est-il ? était la seule parole qu'on obtenait d'elle.

    Les recherches de Victorin furent infructueuses. Voici
pourquoi.

98

Où Josépha reparaît

    Le baron s'était fait conduire à la place du Palais-
Royal. Là, cet homme qui retrouva tout son esprit pour
accomplir un dessein prémédité pendant les jours où il
était resté dans son lit anéanti de douleur et de chagrin,
traversa le Palais-Royal, et alla prendre une magnifique
voiture de remise, rue Joquelet. D'après l'ordre reçu, le
cocher entra rue de la Ville-l'Évêque, au fond de l'hôtel
de Josépha, dont les portes s'ouvrirent, au cri du cocher,
pour cette splendide voiture. Josépha vint, amenée par la
curiosité ; son valet de chambre lui avait dit qu'un
vieillard impotent, incapable de quitter sa voiture, la
priait de descendre pour un instant.

    – Josépha ! c'est moi !...

    L'illustre cantatrice ne reconnut son Hulot qu'à la
voix.

    – Comment, c'est toi ! mon pauvre vieux ?... Ma
parole d'honneur, tu ressembles aux pièces de vingt
francs que les Juifs d'Allemagne ont lavées et que les
changeurs refusent.

    – Hélas ! oui, répondit Hulot, je sors des bras de la
Mort ! Mais tu es toujours belle, toi ! seras-tu bonne ?

    – C'est selon, tout est relatif ! dit-elle.

    – Écoute-moi, reprit Hulot. Peux-tu me loger dans
une chambre de domestique, sous les toits, pendant

quelques jours ? Je suis sans un liard, sans espérance,
sans pain, sans pension, sans femme, sans enfants, sans
asile, sans honneur, sans courage, sans ami, et, pis que
cela ! sous le coup de lettres de change...

– Pauvre vieux ! c'est bien des sans ! Es-tu aussi
sans-culotte ?

– Tu ris, je suis perdu ! s'écria le baron. Je comptais
cependant sur toi, comme Gourville sur Ninon [1].

– C'est, m'a-t-on dit, demanda Josépha, une femme
du monde qui t'a mis dans cet état-là ? Les farceuses
s'entendent mieux que nous à la plumaison du
dinde [2] !... Oh ! te voilà comme une carcasse abandonnée
par les corbeaux... on voit le jour à travers !

– Le temps presse ! Josépha !

– Entre, mon vieux ! je suis seule, et mes gens ne te
connaissent pas. Renvoie ta voiture. Est-elle payée ?

– Oui, dit le baron en descendant appuyé sur le bras
de Josépha.

– Tu passeras, si tu veux, pour mon père, dit la cantatrice prise de pitié.

Elle fit asseoir Hulot dans le magnifique salon où il
l'avait vue la dernière fois.

– Est-ce vrai, vieux, reprit-elle, que tu as tué ton frère
et ton oncle, ruiné ta famille, surhypothéqué la maison
de tes enfants et mangé la grenouille [3] du gouvernement
en Afrique avec la princesse ?

Le baron inclina tristement la tête.

– Eh bien ! j'aime cela ! s'écria Josépha, qui se leva
pleine d'enthousiasme. C'est un *brûlage* général ! C'est

---

1. La célèbre courtisane et femme d'esprit Ninon de Lenclos (voir
supra, p. 83, n. 5) était réputée pour son sens de l'honnêteté. Gourville,
l'un de ses amants, lui avait confié une cassette qu'elle lui garda scrupu-
leusement.

2. Le substantif *dinde* peut être abusivement employé au masculin
pour désigner le dindon (Littré).

3. En argot militaire, la *grenouille* désigne la caisse du régiment,
parce que les tirelires avaient souvent la forme d'une grenouille. *Manger
la grenouille* signifie s'approprier les fonds déposés dans la caisse, dilapi-
der l'argent que l'on a en garde.

sardanapale[1] ! c'est grand ! c'est complet ! On est une canaille, mais on a du cœur. Eh bien ! moi, j'aime mieux un mange-tout, passionné comme toi pour les femmes, que ces froids banquiers sans âme, qu'on dit vertueux et qui ruinent des milliers de familles avec leurs rails qui sont de l'or pour eux et du fer pour les *Gogos*[2] ! Toi ! tu n'as ruiné que les tiens, tu n'as disposé que de toi ! et puis tu as une excuse, et physique et morale...

Elle se posa tragiquement et dit :

C'est Vénus tout entière à sa proie attachée[3].

— Et voilà ! ajouta-t-elle en pirouettant.

Hulot se trouvait absous par le Vice, le Vice lui souriait au milieu de son luxe effréné. La grandeur des crimes était là, comme pour les jurés, une circonstance atténuante.

— Est-elle jolie ta femme du monde, au moins ? demanda la cantatrice en essayant pour première aumône de distraire Hulot dont la douleur la navrait.

— Ma foi, presque autant que toi ! répondit finement le baron.

— Et... bien farce ? m'a-t-on dit. Que te faisait-elle donc ? Est-elle plus drôle que moi ?

— N'en parlons plus, dit Hulot.

---

1. Sardanapale est un roi légendaire d'Assyrie, évoqué par les auteurs grecs qui le représentent comme un tyran débauché. Assiégé par Arbakès, il se suicide après avoir fait incendier Ninive. On a rapproché Sardanapale de Shamash-shum-ukin : chargé par son frère Assurbanipal de gouverner Babylone, il intrigue contre lui, ce qui détermine Assurbanipal à faire le siège de Babylone (650-648). Sentant la défaite inéluctable, il se tue après avoir fait mettre à mort ses femmes, ses pages, ses chevaux et ses chiens favoris. Le tableau d'Eugène Delacroix, *La Mort de Sardanapale* (1827), qui représentait cet épisode sanglant, suscita de violentes critiques par son romantisme flamboyant, sa cruauté, son rejet du beau académique.

2. *Gogo* : homme crédule et niais, facile à tromper (du nom d'un personnage d'une comédie de Frédéric Lemaître, *Robert Macaire*, 1835).

3. Citation de Racine, *Phèdre*, I, 3, v. 306.

– On dit qu'elle a *enguirlandé* mon Crevel, le petit
Steinbock et un magnifique Brésilien.

– C'est bien possible…

– Elle est dans un hôtel aussi joli que celui-ci, donné
par Crevel. Cette gueuse-là, c'est mon prévôt, elle achève
les gens que j'ai entamés ! Voilà, vieux, pourquoi je suis
si curieuse de savoir comment elle est, je l'ai entrevue en
calèche au Bois, mais de loin… C'est, m'a dit Carabine,
une voleuse finie ! Elle essaie de manger Crevel ! mais elle
ne pourra que le grignoter. Crevel est un *rat* ! un rat bonhomme qui dit toujours *oui*, et qui n'en fait qu'à sa tête.
Il est vaniteux, il est passionné, mais son argent est froid.
On n'a rien de ces cadets-là que mille ou trois mille francs
par mois, et ils s'arrêtent devant la grosse dépense,
comme des ânes devant une rivière. Ce n'est pas comme
toi, mon vieux, tu es un homme à passions, on te ferait
vendre ta patrie ! Aussi, vois-tu, je suis prête à tout faire
pour toi ! Tu es mon père, tu m'as lancée ! c'est sacré.
Que te faut-il ? Veux-tu cent mille francs ? on s'extermi-
nera le tempérament pour te les gagner. Quant à te
donner la pâtée et la niche, ce n'est rien. Tu auras ton
couvert mis ici tous les jours, tu peux prendre une belle
chambre au second, et tu auras cent écus par mois pour
ta poche.

Le baron, touché de cette réception, eut un dernier
accès de noblesse.

– Non, ma petite, non, je ne suis pas venu pour me
faire entretenir, dit-il.

– À ton âge, c'est un fier triomphe ! dit-elle.

– Voici ce que je désire, mon enfant. Ton duc d'Hérouville a d'immenses propriétés en Normandie, et je voudrais être son régisseur sous le nom de Thoul[1]. J'ai la
capacité, l'honnêteté, car on prend à son gouvernement,
on ne vole pas pour cela dans une caisse…

– Hé ! hé ! fit Josépha, qui a bu, boira !

---

1. Anagramme de Hulot.

– Enfin, je ne demande qu'à vivre inconnu pendant trois ans...

– Ça, c'est l'affaire d'un instant, ce soir, après-dîner, dit Josépha, je n'ai qu'à parler. Le duc m'épouserait si je le voulais ; mais j'ai sa fortune, je veux plus !... son estime. C'est un duc de la haute école. C'est noble, c'est distingué, c'est grand comme Louis XIV et comme Napoléon mis l'un sur l'autre, quoique nain. Et puis, j'ai fait comme la Schontz avec Rochefide[1] : par mes conseils, il vient de gagner deux millions. Mais écoute-moi, mon vieux pistolet !... Je te connais, tu aimes les femmes, et tu courras là-bas après les petites Normandes qui sont des filles superbes ; tu te feras casser les os par les gars ou par les pères, et le duc sera forcé de te dégommer. Est-ce que je ne vois pas à la manière dont tu me regardes que le *jeune homme* n'est pas encore tué chez toi, comme a dit Fénelon ! Cette régie n'est pas ton affaire. On ne rompt pas comme on veut, vois-tu, vieux, avec Paris, avec nous autres ! Tu crèverais d'ennui à Hérouville !

– Que devenir ? demanda le baron, car je ne veux rester chez toi que le temps de prendre un parti.

– Voyons, veux-tu que je te case à mon idée ? Écoute, vieux chauffeur !...

99

Une agrafe

– Il te faut des femmes. Ça console de tout. Écoute-moi bien. Au bas de la Courtille, rue Saint-Maur-du-Temple[2], je connais une pauvre famille qui possède un trésor : une petite fille, plus jolie que je ne l'étais à seize ans !... Ah ! ton œil flambe déjà ! Ça travaille seize heures

---

1. Allusion à la deuxième partie de *Béatrix*.
2. Au pied de Belleville.

par jour à broder des étoffes précieuses pour les marchands de soieries [1] et ça gagne seize sous par jour, un sou par heure, une misère !... Et ça mange comme les Irlandais des pommes de terre, mais frites dans de la graisse de rat, du pain cinq fois la semaine, ça boit de l'eau de l'Ourcq [2] aux tuyaux de la Ville, parce que l'eau de la Seine est trop chère ; et ça ne peut pas avoir d'établissement à son compte, faute de six ou sept mille francs. Ça ferait les *cent* horreurs pour avoir sept ou huit mille francs. Ta famille et ta femme t'embêtent, n'est-ce pas ?... D'ailleurs, on ne peut pas se voir rien là où l'on était dieu. Un père sans argent et sans honneur, ça s'empaille et ça se met derrière un vitrage...

Le baron ne put s'empêcher de sourire à ces atroces plaisanteries.

– Eh bien ! la petite Bijou vient demain m'apporter une robe de chambre brodée, un amour, ils y ont passé six mois, personne n'aura pareille étoffe ! Bijou m'aime, car je lui donne des friandises et mes vieilles robes. Puis j'envoie des bons de pain, des bons de bois et de viande à la famille, qui casserait pour moi les deux tibias à un premier sujet si je le voulais. Je tâche de faire un peu de bien ! Ah ! je sais ce que j'ai souffert quand j'avais faim ! Bijou m'a versé dans le cœur ses petites confidences. Il y a chez cette petite fille l'étoffe d'une figurante de l'Ambigu-Comique. Bijou rêve de porter de belles robes comme les miennes, et surtout d'aller en voiture. Je lui dirai : « Ma petite, veux-tu d'un monsieur de...
– *Qu'êque-t'as ?*... demanda-t-elle en s'interrompant, soixante-douze...

---

1. Sur les échos intertextuels de ces détails dans *La Comédie humaine*, et sur l'assombrissement de la vision balzacienne par rapport aux romans des débuts, voir Pléiade p. 1342, n. 2.

2. Eau des fontaines publiques de Paris, alimentées par une dérivation de l'Ourcq ordonnée sous le Consulat ; cette eau était beaucoup moins chère que l'eau de la Seine, qui était, elle, fournie par les porteurs d'eau à domicile (de douze à dix-neuf fois moins chère, d'après P. Larousse, cité dans Pléiade, p. 1342).

– Je n'ai plus d'âge !

– « Veux-tu, lui dirai-je, d'un monsieur de soixante-douze ans, bien propret, qui ne prend pas de tabac, sain comme mon œil, qui vaut un jeune homme ? tu te marieras avec lui au Treizième, il vivra bien gentiment avec vous, il vous donnera sept mille francs pour être à votre compte, il te meublera un appartement tout en acajou ; puis, si tu es sage, il te mènera quelquefois au spectacle. Il te donnera cent francs par mois pour toi, et cinquante francs pour la dépense ! » Je connais Bijou, c'est moi-même à quatorze ans ! J'ai sauté de joie quand cet abominable Crevel m'a fait ces atroces propositions-là ! Eh bien ! vieux, tu seras emballé là pour trois ans. C'est sage, c'est honnête, et ça aura d'ailleurs des illusions pour trois ou quatre ans, pas plus.

Hulot n'hésitait pas, son parti de refuser était pris ; mais, pour remercier la bonne et excellente cantatrice qui faisait le bien à sa manière, il eut l'air de balancer entre le Vice et la Vertu.

– Ah çà ! tu restes froid comme un pavé en décembre ! reprit-elle étonnée. Voyons ! tu fais le bonheur d'une famille composée d'un grand-père qui trotte, d'une mère qui s'use à travailler, et de deux sœurs, dont une fort laide, qui gagnent à elles deux trente-deux sous en se tuant les yeux. Ça compense le malheur dont tu es la cause chez toi, tu rachètes tes fautes en t'amusant comme une lorette à Mabille [1].

---

1. Balzac évoque souvent le bal Mabille, situé sur l'actuelle avenue Montaigne aux Champs-Élysées, comme le bal préféré des lorettes. « C'était en 1813 une buvette, tenue par un maître de danse qui organisait l'été un bal fréquenté par des grisettes et des petits employés. Les tarifs étaient alors très bas. En 1843, les fils de Mabille agrandirent l'endroit en aménageant des allées sablées, des jardins, des pelouses, des galeries, une grotte, le tout éclairé par trois mille becs de gaz. C'était le bal le plus grand et le plus fréquenté par les Parisiens, malgré le droit d'entrée très élevé : 3 francs, 60 sous, c'était le salaire journalier d'un ouvrier non qualifié. [...] En raison de ces tarifs, le bal était surtout réservé à une clientèle aisée » (Bernard Vassor, « Le bal Mabille », article en ligne).

Hulot, pour mettre un terme à cette séduction, fit le geste de compter de l'argent.

– Sois tranquille sur les voies et moyens, reprit Josépha. Mon duc te prêtera dix mille francs : sept mille pour un établissement de broderie au nom de Bijou, trois mille pour te meubler, et tous les trois mois, tu trouveras six cent cinquante francs ici sur un billet. Quand tu recouvreras ta pension, tu rendras au duc ces dix-sept mille francs-là. En attendant, tu seras heureux comme un coq en pâte, et perdu dans un trou à ne pas pouvoir être trouvé par la police ! Tu te mettras en grosse redingote de castorine, tu auras l'air d'être un propriétaire aisé du quartier. Nomme-toi Thoul, si c'est ta fantaisie. Moi, je te donne à Bijou comme un de mes oncles venu d'Allemagne en faillite, et tu seras chouchouté comme un dieu. Voilà, papa !... Qui sait ? Peut-être ne regretteras-tu rien ? Si par hasard tu t'ennuyais, garde une de tes belles pelures, tu viendras ici me demander à dîner et passer la soirée.

– Moi, qui voulais devenir vertueux, rangé !... Tiens, fais-moi prêter vingt mille francs, et je pars faire fortune en Amérique, à l'exemple de mon ami d'Aiglemont quand Nucingen l'a ruiné...

– Toi ! s'écria Josépha, laisse donc les mœurs aux épiciers, aux simples tourlourous, aux citoyens frrrrançais, qui n'ont que la vertu pour se faire valoir ! Toi ! tu es né pour être autre chose qu'un jobard, tu es en homme ce que je suis en femme : un génie *gouapeur* [1] !

– La nuit porte conseil, nous causerons de tout cela demain.

– Tu vas dîner avec le duc. Mon d'Hérouville te recevra poliment, comme si tu avais sauvé l'État ! et demain tu prendras un parti. Allons, de la gaieté, mon vieux ? La vie est un vêtement : quand il est sale, on le brosse ! quand il est troué, on le raccommode, mais on reste vêtu tant qu'on peut !

---

1. En langage populaire, une *gouape* est un voyou, un vaurien.

Cette philosophie du vice et son entrain dissipèrent les chagrins cuisants de Hulot.

Le lendemain à midi, après un succulent déjeuner, Hulot vit entrer un de ces vivants chefs-d'œuvre que Paris, seul au monde, peut fabriquer à cause de l'incessant concubinage du Luxe et de la Misère, du Vice et de l'Honnêteté, du Désir réprimé et de la Tentation renaissante, qui rend cette ville l'héritière des Ninive, des Babylone et de la Rome impériale. Mlle Olympe Bijou [1], petite fille de seize ans, montra le visage sublime que Raphaël a trouvé pour ses vierges, des yeux d'une innocence attristée par des travaux excessifs, des yeux noirs rêveurs, armés de longs cils, et dont l'humidité se desséchait sous le feu de la Nuit laborieuse, des yeux assombris par la fatigue ; mais un teint de porcelaine et presque maladif ; mais une bouche comme une grenade entrouverte, un sein tumultueux, des formes pleines, de jolies mains, des dents d'un émail distingué, des cheveux noirs abondants, le tout ficelé d'indienne à soixante-quinze centimes le mètre, orné d'une collerette brodée, montée sur des souliers de peau sans clous, et décoré de gants à vingt-neuf sous. L'enfant, qui ne connaissait pas sa valeur, avait fait sa plus belle toilette pour venir chez la grande dame. Le baron, repris par la main griffue de la Volupté, sentit toute sa vie s'échapper par ses yeux. Il oublia tout devant cette sublime créature. Il fut comme le chasseur apercevant le gibier : devant un empereur, on le met en joue !

– Et, lui dit Josépha dans l'oreille, c'est garanti neuf, c'est honnête ! et pas de pain. Voilà Paris ! J'ai été ça !

– C'est dit, répliqua le vieillard en se levant et se frottant les mains.

Quand Olympe Bijou fut partie, Josépha regarda le baron d'un air malicieux.

---

1. A.-M. Meininger voit là une référence possible à Olympe Pélissier, d'abord surnommée la petite Bijou « avant de devenir une courtisane huppée et, enfin, la femme de Rossini » (Pléiade, p. 1343, n. 3).

– Si tu ne veux pas avoir du désagrément, papa, dit-elle, sois sévère comme un procureur général sur son siège. Tiens la petite en bride, sois Bartholo [1] ! Gare aux Auguste, aux Hippolyte, aux Nestor, aux Victor, à tous les *or* ! Dame ! une fois que ça sera vêtu, nourri, si ça lève la tête, tu seras mené comme un Russe... Je vais voir à t'emménager. Le duc fait bien les choses ; il te prête, c'est-à-dire il te donne dix mille francs, et il en met huit chez son notaire qui sera chargé de te compter six cents francs tous les trimestres, car je te crains. Suis-je gentille ?...

– Adorable !

Dix jours après avoir abandonné sa famille, au moment où, tout en larmes, elle était groupée autour du lit d'Adeline mourante, et qui disait d'une voix faible : « Que fait-il ? » Hector, sous le nom de Thoul, rue Saint-Maur, se trouvait avec Olympe à la tête d'un établissement de broderie, sous la déraison sociale Thoul et Bijou.

100

Le legs du maréchal

Victorin Hulot reçut, du malheur acharné sur sa famille, cette dernière façon qui perfectionne ou qui démoralise l'homme. Il devint parfait. Dans les grandes tempêtes de la vie, on imite les capitaines qui, par les ouragans, allègent le navire des grosses marchandises. L'avocat perdit son orgueil intérieur, son assurance visible, sa morgue d'orateur et ses prétentions politiques. Enfin il fut en homme ce que sa mère était en femme. Il résolut d'accepter sa Célestine, qui, certes, ne réalisait pas son rêve ; et jugea sainement la vie en voyant que la loi commune oblige à se contenter en toutes choses d'*à*

---

1. Personnage de jaloux du *Barbier de Séville* (1775) de Beaumarchais et de l'opéra de Rossini (1816).

peu près. Il se jura donc à lui-même d'accomplir ses devoirs, tant la conduite de son père lui fit horreur. Ces sentiments se fortifièrent au chevet du lit de sa mère, le jour où elle fut sauvée. Ce premier bonheur ne vint pas seul. Claude Vignon, qui, tous les jours, prenait de la part du prince de Wissembourg le bulletin de la santé de Mme Hulot, pria le député réélu de l'accompagner chez le ministre. – Son Excellence, lui dit-il, désire avoir une conférence avec vous sur vos affaires de famille. Victorin Hulot et le ministre se connaissaient depuis longtemps ; aussi le maréchal le reçut-il avec une affabilité caractéristique et de bon augure.

– Mon ami, dit le vieux guerrier, j'ai juré, dans ce cabinet, à votre oncle, le maréchal, de prendre soin de votre mère. Cette sainte femme va recouvrer la santé, m'a-t-on dit, le moment est venu de panser vos plaies. J'ai là deux cent mille francs pour vous, je vais vous les remettre.

L'avocat fit un geste digne de son oncle le maréchal.

– Rassurez-vous, dit le prince en souriant. C'est un fidéicommis [1]. Mes jours sont comptés, je ne serai pas toujours là, prenez donc cette somme, et remplacez-moi dans le sein de votre famille. Vous pouvez vous servir de cet argent pour payer les hypothèques qui grèvent votre maison. Ces deux cent mille francs appartiennent à votre mère et à votre sœur. Si je donnais cette somme à Mme Hulot, son dévouement à son mari me ferait craindre de la voir dissipée ; et l'intention de ceux qui la rendent est que ce soit le pain de Mme Hulot et celui de sa fille, la comtesse de Steinbock. Vous êtes un homme sage, le digne fils de votre noble mère, le vrai neveu de mon ami le maréchal, vous êtes bien apprécié ici, mon cher ami, comme ailleurs. Soyez donc l'ange tutélaire de votre famille, acceptez le legs de votre oncle et le mien.

---

1. En droit, disposition par laquelle une personne (le *disposant*) gratifie une autre personne (le *grevé de restitution*) d'un bien, pour qu'elle le remette à un tiers (l'*appelé* ou *fidéicommissaire*) à l'époque fixée par le disposant (généralement à son décès).

– Monseigneur, dit Hulot en prenant la main du ministre et la lui serrant, des hommes comme vous savent que les remerciements en paroles ne signifient rien, la reconnaissance se prouve.

– Prouvez-moi la vôtre ! dit le vieux soldat.

– Que faut-il faire ?

– Accepter mes propositions, dit le ministre. On veut vous nommer avocat du Contentieux de la Guerre, qui, dans la partie du Génie, se trouve surchargée d'affaires litigieuses à cause des fortifications de Paris ; puis avocat consultant de la préfecture de police, et conseil de la Liste civile. Ces trois fonctions vous constitueront dix-huit mille francs de traitement et ne vous enlèveront point votre indépendance. Vous voterez à la Chambre selon vos opinions politiques et votre conscience… Agissez en toute liberté, allez ! nous serions bien embarrassés si nous n'avions pas une Opposition nationale ! Enfin, un mot de votre oncle, écrit quelques heures avant qu'il ne rendît le dernier soupir, m'a tracé ma conduite envers votre mère, que le maréchal aimait bien !… Mmes Popinot, de Rastignac, de Navarreins, d'Espard, de Grandlieu, de Carigliano, de Lenoncourt et de La Bâtie ont créé pour votre chère mère une place d'inspectrice de bienfaisance. Ces présidentes de Sociétés de bonnes œuvres ne peuvent pas tout faire, elles ont besoin d'une dame probe qui puisse les suppléer activement, aller visiter les malheureux, savoir si la charité n'est pas trompée, vérifier si les secours sont bien remis à ceux qui les ont demandés, pénétrer chez les pauvres honteux, etc. Votre mère remplira la mission d'un ange, elle n'aura de rapports qu'avec messieurs les curés et les dames de charité ; on lui donnera six mille francs par an, et ses voitures seront payées. Vous voyez, jeune homme, que, du fond de son tombeau, l'homme pur, l'homme noblement vertueux protège encore sa famille. Des noms tels que celui de votre oncle sont et doivent être une égide contre le malheur dans les sociétés bien organisées. Suivez donc les traces de votre oncle, persistez-y, car vous y êtes ! je le sais.

– Tant de délicatesse, prince, ne m'étonne pas chez l'ami de mon oncle, dit Victorin. Je tâcherai de répondre à toutes vos espérances.

– Allez promptement consoler votre famille !... Ah ! dites-moi, reprit le prince en échangeant une poignée de main avec Victorin, votre père a disparu ?

– Hélas ! oui.

– Tant mieux. Ce malheureux a eu, ce qui ne lui manque pas d'ailleurs, de l'esprit.

– Il a des lettres de change à craindre.

– Ah ! vous recevrez, dit le maréchal, six mois d'honoraires de vos trois places. Ce paiement anticipé vous aidera sans doute à retirer ces titres des mains de l'usurier. Je verrai d'ailleurs Nucingen, et peut-être pourrai-je dégager la pension de votre père, sans qu'il en coûte un liard ni à vous ni à mon ministère. Le pair de France n'a pas tué le banquier, Nucingen est insatiable, et il demande une concession de je ne sais quoi...

À son retour, rue Plumet, Victorin put donc accomplir son projet de prendre chez lui sa mère et sa sœur.

101

Grands changements

Le jeune et célèbre avocat possédait, pour toute fortune, un des plus beaux immeubles de Paris, une maison achetée en 1834, en prévision de son mariage, et située sur le boulevard, entre la rue de la Paix et la rue Louis-le-Grand. Un spéculateur avait bâti sur la rue et sur le boulevard deux maisons, au milieu desquelles se trouvait, entre deux jardinets et des cours, un magnifique pavillon, débris des splendeurs du grand hôtel de Verneuil. Hulot fils, sûr de la dot de Mlle Crevel, acheta pour un million,

aux criées, cette superbe propriété, sur laquelle il paya
cinq cent mille francs. Il se logea dans le rez-de-chaussée
du pavillon, en croyant pouvoir achever le paiement de
son prix avec les loyers ; mais si les spéculations en maisons à Paris sont sûres, elles sont lentes ou capricieuses,
car elles dépendent de circonstances imprévisibles. Ainsi
que les flâneurs parisiens ont pu le remarquer, le boulevard entre la rue Louis-le-Grand et la rue de la Paix fruc-
tifia tardivement ; il se nettoya, s'embellit avec tant de
peine, que le Commerce ne vint étaler là qu'en 1840 ses
splendides devantures, l'or des changeurs, les féeries de
la mode et le luxe effréné de ses boutiques [1]. Malgré deux
cent mille francs offerts à sa fille par Crevel dans le temps
où son amour-propre était flatté de ce mariage et lorsque
le baron ne lui avait pas encore pris Josépha ; malgré
deux cent mille francs payés par Victorin en sept ans, la
dette qui pesait sur l'immeuble s'élevait encore à cinq
cent mille francs, à cause du dévouement du fils pour
le père. Heureusement l'élévation continue des loyers, la
beauté de la situation, donnaient en ce moment toute
leur valeur aux deux maisons. La spéculation se réalisait
à huit ans d'échéance pendant lesquels l'avocat s'était
épuisé à payer des intérêts et des sommes insignifiantes
sur le capital dû. Les marchands proposaient eux-mêmes
des loyers avantageux pour les boutiques, à condition de
porter les baux à dix-huit années de jouissance. Les
appartements acquéraient du prix par le changement du
centre des affaires, qui se fixait alors entre la Bourse et

---

1. Dans ses romans antérieurs, Balzac s'intéresse également au développement de la capitale vers le nord et l'ouest, et décrit fidèlement le
déplacement du centre des affaires du faubourg Saint-Antoine et du
faubourg Saint-Marceau vers le quartier de la Bourse. Dans *Histoire et
physiologie des boulevards de Paris – De la Madeleine à la Bastille*, il
écrit : « De la rue du Faubourg-du-Temple à la rue Charlot où grouillait
tout Paris, sa vie s'est transportée en 1815 au boulevard du Panorama.
En 1820, elle s'est fixée au boulevard dit de Gand, et maintenant elle
tend à remonter là vers la Madeleine. En 1860, le cœur de Paris sera
de la rue de la Paix à la place de la Concorde. »

la Madeleine, désormais le siège du pouvoir politique et de la finance à Paris. La somme remise par le ministre, jointe à l'année payée d'avance et aux pots-de-vin consentis par les locataires, allait réduire la dette de Victorin à deux cent mille francs. Les deux immeubles de produit entièrement loués devaient donner cent mille francs par an. Encore deux années, pendant lesquelles Hulot fils allait vivre de ses honoraires doublés par les places du maréchal, il se trouverait dans une position superbe. C'était la manne tombée du ciel. Victorin pouvait donner à sa mère tout le premier étage du pavillon, et à sa sœur le deuxième, où Lisbeth aurait deux chambres. Enfin, tenue par la cousine Bette, cette triple maison supporterait toutes ses charges et présenterait une surface honorable, comme il convenait au célèbre avocat. Les astres du Palais s'éclipsaient rapidement ; et Hulot fils, doué d'une parole sage, d'une probité sévère, était écouté par les juges et par les conseillers ; il étudiait ses affaires, il ne disait rien qu'il ne pût prouver, il ne plaidait pas indifféremment toutes les causes, il faisait enfin honneur au barreau.

Son habitation, rue Plumet, était tellement odieuse à la baronne, qu'elle se laissa transporter rue Louis-le-Grand. Par les soins de son fils, Adeline occupa donc un magnifique appartement ; on lui sauva tous les détails matériels de l'existence, car Lisbeth accepta la charge de recommencer les tours de force économiques accomplis chez Mme Marneffe, en voyant un moyen de faire peser sa sourde vengeance sur ces trois si nobles existences, objet d'une haine attisée par le renversement de toutes ses espérances. Une fois par mois, elle alla voir Valérie, chez qui elle fut envoyée par Hortense qui voulait avoir des nouvelles de Wenceslas, et par Célestine excessivement inquiète de la liaison avouée et reconnue de son père avec une femme à qui sa belle-mère et sa belle-sœur devaient leur ruine et leur malheur. Comme on le suppose, Lisbeth profita de cette curiosité pour voir Valérie aussi souvent qu'elle le voulait.

Vingt mois environ se passèrent, pendant lesquels la santé de la baronne se raffermit, sans que néanmoins son tremblement nerveux cessât. Elle se mit au courant de ses fonctions, qui présentaient de nobles distractions à sa douleur et un aliment aux divines facultés de son âme. Elle y vit d'ailleurs un moyen de retrouver son mari, par suite des hasards qui la conduisaient dans tous les quartiers de Paris. Pendant ce temps, les lettres de change de Vauvinet furent payées, et la pension de six mille francs, liquidée au profit du baron Hulot, fut presque libérée. Victorin acquittait toutes les dépenses de sa mère, ainsi que celles d'Hortense, avec les dix mille francs d'intérêt du capital remis par le maréchal en fidéicommis. Or, les appointements d'Adeline étant de six mille francs, cette somme, jointe aux six mille francs de la pension du baron, devait bientôt produire un revenu de douze mille francs par an, quittes de toute charge, à la mère et à la fille. La pauvre femme aurait eu presque le bonheur, sans ses perpétuelles inquiétudes sur le sort du baron, qu'elle aurait voulu faire jouir de la fortune qui commençait à sourire à la famille, sans le spectacle de sa fille abandonnée, et sans les coups terribles que lui portait *innocemment* Lisbeth, dont le caractère infernal se donnait pleine carrière.

Une scène qui se passa dans le commencement du mois de mars 1843 va d'ailleurs expliquer les effets produits par la haine persistante et latente de Lisbeth, toujours aidée par Mme Marneffe. Deux grands événements s'étaient accomplis chez Mme Marneffe. D'abord, elle avait mis au monde un enfant non viable, dont le cercueil lui valait deux mille francs de rente. Puis, quant au sieur Marneffe, onze mois auparavant, voici la nouvelle que Lisbeth avait donnée à la famille au retour d'une exploration à l'hôtel Marneffe. – Ce matin, cette affreuse Valérie, avait-elle dit, a fait demander le docteur Bianchon pour savoir si les médecins, qui, la veille, ont condamné son mari, ne se trompaient point. Ce docteur a dit que cette nuit même cet homme immonde appartiendrait à l'enfer qui l'attend. Le père Crevel et Mme Marneffe ont reconduit le médecin à qui votre père, ma chère Célestine, a donné cinq pièces d'or pour cette bonne nouvelle. Rentré dans le salon, Crevel a battu des entrechats comme un danseur ; il a embrassé cette femme, et il criait : « Tu seras donc enfin madame Crevel !... » Et à moi, quand elle nous a laissés seuls en allant reprendre sa place au chevet de son mari qui râlait, votre honorable père m'a dit : « Avec Valérie pour femme, je deviendrai pair de France ! J'achète une terre que je guette, la terre de Presles, que veut vendre Mme de Sérisy. Je serai Crevel de Presles, je deviendrai membre du Conseil général de Seine-et-Oise et député. J'aurai un fils ! Je serai tout ce que je voudrai être. – Eh bien ! lui ai-je dit, et votre fille ? – Bah ! c'est une fille, a-t-il répondu, et elle est devenue par trop une Hulot, et Valérie a ces gens-là en horreur… Mon gendre n'a jamais voulu venir ici, pourquoi fait-il le Mentor, le Spartiate, le puritain, le philanthrope ? D'ailleurs, j'ai rendu mes comptes à ma fille, et elle a reçu toute la fortune de sa mère et deux cent mille francs de plus ! Aussi suis-je maître de me conduire à ma guise. Je jugerai mon gendre et ma fille lors de mon mariage ; comme ils feront, je ferai. S'ils sont bons pour leur belle-mère, je verrai ! Je suis un homme, moi ! » Enfin toutes ses bêtises ! et il se posait comme Napoléon sur la colonne ! Les dix mois du veuvage officiel, ordonnés par le Code Napoléon [1], étaient expirés depuis quelques jours. La terre de Presles avait été achetée. Victorin et Célestine avaient envoyé le matin même Lisbeth chercher des nouvelles chez Mme Marneffe sur le mariage de cette charmante veuve avec le maire de Paris, devenu membre du Conseil général de Seine-et-Oise.

---

1. Article 228 du Code civil des Français (21 mars 1804) : « La femme ne peut contracter un nouveau mariage qu'après trois cents jours révolus depuis la dissolution du mariage précédent. »

102
L'épée de Damoclès

Célestine et Hortense, dont les liens d'affection s'étaient resserrés par l'habitation sous le même toit, vivaient presque ensemble. La baronne, entraînée par un sentiment de probité qui lui faisait exagérer les devoirs de sa place, se sacrifiait aux œuvres de bienfaisance dont elle était l'intermédiaire, elle sortait presque tous les jours de onze heures à cinq heures. Les deux belles-sœurs, réunies par les soins à donner à leurs enfants, qu'elles surveillaient en commun, restaient et travaillaient donc ensemble au logis. Elles en étaient arrivées à penser tout haut, en offrant le touchant accord de deux sœurs, l'une heureuse, l'autre mélancolique. Belle, pleine de vie débordante, animée, rieuse et spirituelle, la sœur malheureuse semblait démentir sa situation réelle par son extérieur ; de même que la mélancolique, douce et calme, égale comme la raison, habituellement pensive et réfléchie, eût fait croire à des peines secrètes. Peut-être ce contraste contribuait-il à leur vive amitié. Ces deux femmes se prêtaient l'une à l'autre ce qui leur manquait. Assises dans un petit kiosque au milieu du jardinet que la truelle de la spéculation avait respecté par un caprice du constructeur, qui croyait conserver ces cent pieds carrés pour lui-même, elles jouissaient de ces premières pousses des lilas, fête printanière qui n'est savourée dans toute son étendue qu'à Paris, où, durant six mois, les Parisiens ont vécu dans l'oubli de la végétation, entre les falaises de pierre où s'agite leur océan humain.

— Célestine, disait Hortense en répondant à une observation de sa belle-sœur qui se plaignait de savoir son mari par un si beau temps à la Chambre, je trouve que tu n'apprécies pas assez ton bonheur. Victorin est un ange, et tu le tourmentes parfois.

— Ma chère, les hommes aiment à être tourmentés ! Certaines tracasseries sont une preuve d'affection. Si ta pauvre mère avait été non pas exigeante, mais toujours près de l'être, vous n'eussiez sans doute pas eu tant de malheurs à déplorer.

— Lisbeth ne revient pas ! Je vais chanter la chanson de Malborough [1] ! dit Hortense. Comme il me tarde d'avoir des nouvelles de Wenceslas... De quoi vit-il ? Il n'a rien fait depuis deux ans.

— Victorin l'a, m'a-t-il dit, aperçu l'autre jour avec cette odieuse femme, et il suppose qu'elle l'entretient dans la paresse... Ah ! si tu voulais, chère sœur, tu pourrais encore ramener ton mari.

Hortense fit un signe de tête négatif.

— Crois-moi, ta situation deviendra bientôt intolérable, dit Célestine en continuant. Dans le premier moment, la colère et le désespoir, l'indignation t'ont prêté des forces. Les malheurs inouïs qui depuis ont accablé notre famille : deux morts, la ruine, la catastrophe du baron Hulot, ont occupé ton esprit et ton cœur ; mais, maintenant que tu vis dans le calme et le silence, tu ne supporteras pas facilement le vide de ta vie ; et, comme tu ne peux pas, que tu ne veux pas sortir du sentier de l'honneur, il faudra bien se réconcilier avec Wenceslas. Victorin, qui t'aime tant, est de cet avis. Il y a quelque chose de plus fort que nos sentiments, c'est la nature !

— Un homme si lâche ! s'écria la fière Hortense. Il aime cette femme parce qu'elle le nourrit... Elle a donc payé ses dettes ? elle !... Mon Dieu ! je pense nuit et jour à la situation de cet homme ! Il est le père de mon enfant, et il se déshonore...

— Vois ta mère, ma petite... reprit Célestine.

Célestine appartenait à ce genre de femmes qui, lorsqu'on leur a donné des raisons assez fortes pour

---

1. Très célèbre chanson, qui chante la mort de John Churchill, premier duc de Marlborough, général anglais qui combattit les Français à la bataille de Malplaquet en septembre 1709, sous le règne de Louis XIV. Contrairement à ce que dit la chanson, Churchill ne fut que blessé à cette bataille, et mourut bien plus tard, en 1722.

convaincre des paysans bretons, recommencent pour la centième fois leur raisonnement primitif. Le caractère de sa figure un peu plate, froide et commune, ses cheveux châtain clair disposés en bandeaux roides, la couleur de son teint, tout indiquait en elle la femme raisonnable, sans charme, mais aussi sans faiblesse.

— La baronne voudrait bien être près de son mari déshonoré, le consoler, le cacher dans son cœur à tous les regards, dit Célestine en continuant. Elle a fait arranger là-haut la chambre de M. Hulot, comme si, d'un jour à l'autre, elle allait le retrouver et l'y installer.

— Oh! ma mère est sublime! répondit Hortense, elle est sublime, à chaque instant, tous les jours, depuis vingt-six ans; mais je n'ai pas ce tempérament-là... Que veux-tu? je m'emporte quelquefois contre moi-même. Ah! tu ne sais pas ce que c'est, Célestine, que d'avoir à pactiser avec l'infamie!

— Et mon père!... reprit tranquillement Célestine. Il est certainement dans la voie où le tien a péri! Mon père a dix ans de moins que le baron, il a été commerçant, c'est vrai; mais comment cela finira-t-il? Cette Mme Marneffe a fait de mon père son chien, elle dispose de sa fortune, de ses idées, et rien ne peut éclairer mon père. Enfin, je tremble d'apprendre que les bans de son mariage sont publiés! Mon mari tente un effort, il regarde comme un devoir de venger la société, la famille, et de demander compte à cette femme de tous ses crimes. Ah! chère Hortense, de nobles esprits comme celui de Victorin, des cœurs comme les nôtres comprennent trop tard le monde et ses moyens! Ceci, chère sœur, est un secret, je te le confie, car il t'intéresse; mais que pas une parole, pas un geste ne le révèle ni à Lisbeth, ni à ta mère, à personne, car...

— Voici Lisbeth! dit Hortense. Eh bien! cousine, comment va l'enfer de la rue Barbet[1]?

---

1. Rue Barbet-de-Jouy.

– Mal pour vous, mes enfants. Ton mari, ma bonne Hortense, est plus ivre que jamais de cette femme, qui, j'en conviens, éprouve pour lui une passion folle. Votre père, chère Célestine, est d'un aveuglement royal. Ceci n'est rien, c'est ce que je vais observer tous les quinze jours, et vraiment je suis heureuse de n'avoir jamais su ce qu'est un homme... C'est de vrais animaux ! Dans cinq jours d'ici, Victorin et vous, chère petite, vous aurez perdu la fortune de votre père !

– Les bans sont publiés ?... dit Célestine.

– Oui, répondit Lisbeth. Je viens de plaider votre cause. J'ai dit à ce monstre, qui marche sur les traces de l'autre, que, s'il voulait vous sortir de l'embarras où vous étiez, en libérant votre maison, vous en seriez reconnaissants, que vous recevriez votre belle-mère...

Hortense fit un geste d'effroi.

– Victorin avisera... répondit Célestine froidement.

– Savez-vous ce que M. le maire m'a répondu ? reprit Lisbeth : « Je veux les laisser dans l'embarras, on ne dompte les chevaux que par la faim, le défaut de sommeil et le sucre ! » Le baron Hulot valait mieux que M. Crevel. Ainsi, mes pauvres enfants, faites votre deuil de la succession. Et quelle fortune ! Votre père a payé les trois millions de la terre de Presles, et il lui reste trente mille francs de rente ! Oh ! il n'a pas de secrets pour moi ! Il parle d'acheter l'hôtel de Navarreins, rue du Bac. Mme Marneffe possède, elle, quarante mille francs de rente. – Ah ! voilà notre ange gardien, voici ta mère !... s'écria-t-elle en entendant le roulement d'une voiture.

La baronne, en effet, descendit bientôt le perron et vint se joindre au groupe de la famille. À cinquante-cinq ans, éprouvée par tant de douleurs, tressaillant sans cesse comme si elle était saisie d'un frisson de fièvre, Adeline, devenue pâle et ridée, conservait une belle taille, des lignes magnifiques et sa noblesse naturelle. On disait en la voyant : « Elle a dû être bien belle ! » Dévorée par le chagrin d'ignorer le sort de son mari, de ne pouvoir lui faire partager dans cette oasis parisienne, dans la retraite et le silence, le bien-être dont sa famille allait jouir, elle offrait la suave majesté des ruines. À chaque lueur d'espoir évanouie, à chaque recherche inutile, Adeline tombait dans des mélancolies noires qui désespéraient ses enfants. La baronne, partie le matin avec une espérance, était impatiemment attendue. Un intendant général, l'obligé de Hulot, à qui ce fonctionnaire devait sa fortune administrative, disait avoir aperçu le baron dans une loge au théâtre de l'Ambigu-Comique avec une femme d'une beauté splendide. Adeline était allée chez le baron Vernier. Ce haut fonctionnaire, tout en affirmant avoir vu son vieux protecteur, et prétendant que sa manière d'être avec cette femme pendant la représentation accusait un mariage clandestin, venait de dire à Mme Hulot que son mari, pour éviter de le rencontrer, était sorti bien avant la fin du spectacle. – Il était comme un homme en famille, et sa mise annonçait une gêne cachée, ajouta-t-il en terminant.

– Eh ! bien ? dirent les trois femmes à la baronne.

– Eh bien ! M. Hulot est à Paris ; et c'est déjà pour moi, répondit Adeline, un éclair de bonheur que de le savoir près de nous.

– Il ne paraît pas s'être amendé ! dit Lisbeth quand Adeline eut fini de raconter son entrevue avec le baron Vernier, il se sera mis avec une petite ouvrière. Mais où peut-il prendre de l'argent ? Je parie qu'il en demande à ses anciennes maîtresses, à Mlle Jenny Cadine ou à Josépha.

La baronne eut un redoublement dans le jeu constant de ses nerfs, elle essuya les larmes qui lui vinrent aux yeux, et les leva douloureusement vers le ciel.

– Je ne crois pas qu'un grand officier de la Légion d'honneur soit descendu si bas, dit-elle.

– Pour son plaisir, reprit Lisbeth, que ne ferait-il pas ? il a volé l'État, il volera les particuliers, il assassinera peut-être.

– Oh ! Lisbeth ! s'écria la baronne, garde ces pensées-là pour toi.

103

L'ami du baron Hulot

En ce moment, Louise vint jusqu'au groupe formé par la famille, auquel s'étaient joints les deux petits Hulot et le petit Wenceslas pour voir si les poches de leur grand-mère contenaient des friandises.

– Qu'y a-t-il, Louise ?... demanda-t-on.

– C'est un homme qui demande Mlle Fischer.

– Quel homme est-ce ? dit Lisbeth.

– Mademoiselle, il est en haillons, il a du duvet sur lui comme un matelassier, il a le nez rouge, il sent le vin et l'eau-de-vie... C'est un de ces ouvriers qui travaillent à peine la moitié de la semaine.

Cette description peu engageante eut pour effet de faire aller vivement Lisbeth dans la cour de la maison de la rue Louis-le-Grand où elle trouva l'homme fumant une pipe dont le culottage annonçait un artiste en fumerie.

– Pourquoi venez-vous ici, père Chardin ? lui dit-elle. Il est convenu que vous serez tous les premiers samedis de chaque mois à la porte de l'hôtel Marneffe, rue Barbet-de-Jouy ; j'en arrive après y être restée cinq heures, et vous n'y êtes pas venu ?...

– J'y suit été, ma respectable et charitable demoiselle ! répondit le matelassier ; maiz-i-le y avait une poule d'honneur au café des Savants, rue du Cœur-Volant [1], et chacun a ses passions. Moi c'est le billard. Sans le billard, je mangerais dans l'argent ; car, saisissez bien ceci ! dit-il en cherchant un papier dans le gousset de son pantalon déchiré, le billard entraîne le petit verre et la prune à l'eau-de-vie... C'est ruineux, comme toutes les belles choses, par les accessoires. Je connais la consigne, mais le vieux est dans un si grand embarras, que je suis venu

---

1. Aujourd'hui une partie de la rue Grégoire-de-Tours, entre la rue des Quatre-Vents et le boulevard Saint-Germain.

sur le terrain défendu... Si notre crin était tout crin, on se laisserait dormir dessus ; mais il y a du mélange ! Dieu n'est pas pour tout le monde, comme on dit, il a des préférences ; c'est son droit. Voici l'écriture de votre parent estimable et très ami du matelas... C'est là son opinion politique.

Le père Chardin essaya de tracer dans l'atmosphère des zigzags avec l'index de sa main droite.

Lisbeth, sans écouter, lisait ces deux lignes :

> Chère cousine, soyez ma providence ! Donnez-moi trois cents francs aujourd'hui.
>
> Hector.

— Pourquoi veut-il tant d'argent ?

— Le *popriétaire* ! dit le père Chardin qui tâchait toujours de dessiner des arabesques. Et puis, mon fils est revenu de l'Algérie par l'Espagne, Bayonne et... il n'a rien pris, contre son habitude ; car, c'est un *guerdin* fini, sous votre respect, mon fils. Que voulez-vous ? il a faim ; mais il va vous rendre ce que nous lui prêterons, car il veut faire une *comme on dite* ; il a des idées qui peuvent le mener loin...

— En police correctionnelle ! reprit Lisbeth. C'est l'assassin de mon oncle ! je ne l'oublierai pas.

— Lui, saigner un poulet ! il ne le pourrait pas !... respectable demoiselle.

— Tenez ! voilà trois cents francs, dit Lisbeth en tirant quinze pièces d'or de sa bourse. Allez-vous-en, et ne revenez jamais ici...

Elle accompagna le père du garde-magasin des vivres d'Oran jusqu'à la porte, où elle désigna le vieillard ivre au concierge.

— Toutes les fois que cet homme-là viendra, si, par hasard il vient, vous ne laisserez pas entrer, et vous lui direz que je n'y suis pas. S'il cherchait à savoir si M. Hulot fils, si Mme la baronne Hulot demeurent ici, vous lui répondriez que vous ne connaissez pas ces personnes-là...

– C'est bien, mademoiselle.

– Il y va de votre place, en cas d'une sottise, même involontaire, dit la vieille fille à l'oreille de la portière.

– Mon cousin, dit-elle à l'avocat qui rentrait, vous êtes menacé d'un grand malheur.

– Lequel ?

– Votre femme aura, dans quelques jours d'ici, Mme Marneffe pour belle-mère.

– C'est ce que nous verrons ! répondit Victorin.

Depuis six mois, Lisbeth payait exactement une petite pension à son protecteur, le baron Hulot, de qui elle était la protectrice ; elle connaissait le secret de sa demeure, et elle savourait les larmes d'Adeline à qui, lorsqu'elle la voyait gaie et pleine d'espoir, elle disait, comme on vient de le voir : « Attendez-vous à lire quelque jour le nom de mon pauvre cousin à l'article Tribunaux. » En ceci, comme précédemment, elle allait trop loin dans sa vengeance. Elle avait éveillé la prudence de Victorin. Victorin avait résolu d'en finir avec cette épée de Damoclès, incessamment montrée par Lisbeth, et avec le démon femelle à qui sa mère et la famille devaient tant de malheurs. Le prince de Wissembourg, qui connaissait la conduite de Mme Marneffe, appuyait l'entreprise secrète de l'avocat, il lui avait promis, comme promet un président du conseil, l'intervention cachée de la police pour éclairer Crevel, et pour sauver toute une fortune des griffes de la diabolique courtisane à laquelle il ne pardonnait ni la mort du maréchal Hulot, ni la ruine totale du conseiller d'État.

104

Le vice et la vertu

Ces mots : « Il en demande à ses anciennes maîtresses ! » dits par Lisbeth, occupèrent pendant toute la nuit la baronne. Semblable aux malades condamnés qui se livrent aux charlatans, semblable aux gens arrivés dans la dernière sphère dantesque du désespoir, ou aux noyés qui prennent des bâtons flottants pour des amarres, elle finit par croire à la bassesse dont le seul soupçon l'avait indignée, et elle eut l'idée d'appeler à son secours une de ces odieuses femmes[1]. Le lendemain matin, sans consulter ses enfants, sans dire un mot à personne, elle alla chez Mlle Josépha Mirah, *prima donna* de l'Académie royale de Musique, y chercher ou y perdre l'espoir qui venait de luire comme un feu follet. À midi, la femme de chambre de la célèbre cantatrice lui remettait la carte de la baronne Hulot, en lui disant que cette personne attendait à sa porte après avoir fait demander si mademoiselle pouvait la recevoir.

– L'appartement est-il fait ?
– Oui, mademoiselle.
– Les fleurs sont-elles renouvelées ?
– Oui, mademoiselle.
– Dis à Jean d'y donner un coup d'œil, que rien n'y cloche, avant d'y introduire cette dame, et qu'on ait pour elle les plus grands respects. Va, reviens m'habiller, car je veux être crânement belle ! Elle alla se regarder dans sa psyché. – Ficelons-nous ! se dit-elle. Il faut que le Vice soit sous les armes devant la Vertu ! Pauvre femme ! que me veut-elle ?... Ça me trouble, moi ! de voir

---

1. Cette scène rappelle irrésistiblement, à l'autre bout de la carrière littéraire de Balzac, celle de la nouvelle *La Maison du chat-qui-pelote*, qui ouvre *La Comédie humaine* : la « timide Augustine », épouse du peintre aristocrate Théodore de Sommervieux, désespérée par l'infidélité de son mari au bout de deux ans de mariage, décide naïvement de se rendre chez sa rivale, l'orgueilleuse duchesse de Carigliano, pour lui demander les moyens de reconquérir le cœur de son époux volage. En arrivant au somptueux hôtel de la duchesse, la « pauvre Augustine » est écrasée par le luxe et le goût exquis prodigués dans toutes les pièces, et prend conscience soudainement du gouffre social qui la sépare, elle, petite-bourgeoise issue d'un milieu commerçant, de son mari.

Du malheur auguste victime [1]!...

Elle achevait de chanter cet air célèbre, quand sa femme de chambre entra.

– Madame, dit la femme de chambre, cette dame est prise d'un tremblement nerveux...

– Offrez de la fleur d'oranger, du rhum, un potage !...

– C'est fait, mademoiselle, mais elle a tout refusé, en disant que c'était une petite infirmité, des nerfs agacés...

– Où l'avez-vous fait entrer ?

– Dans le grand salon.

– Dépêche-toi, ma fille ! Allons, mes plus belles pantoufles, ma robe de chambre en fleurs par Bijou, tout le tremblement des dentelles. Fais-moi une coiffure à étonner une femme... Cette femme tient le rôle opposé au mien [2] ! Et qu'on dise à cette dame... (Car c'est une grande dame, ma fille ! c'est encore mieux, c'est ce que tu ne seras jamais : une femme dont les prières délivrent des âmes de votre purgatoire.) Qu'on lui dise que je suis au lit, que j'ai joué hier, que je me lève...

La baronne, introduite dans le grand salon de l'appartement de Josépha, ne s'aperçut pas du temps qu'elle y passa, quoiqu'elle y attendît une grande demi-heure. Ce salon, déjà renouvelé depuis l'installation de Josépha dans ce petit hôtel, était en soieries couleur *massaca* et or [3] ! Le luxe que jadis les grands seigneurs déployaient

---

1. Citation de l'Aria de Thésée, à la scène 4 de l'acte II de l'opéra *Œdipe à Colone* (1787) d'Antonio Sacchini.

2. Dans l'édition du *Siècle*, Balzac supprime ici les mots suivants : « Il faut la poignarder. » Ces propos cruels ne sont pas conformes au caractère de Josépha, qui reçoit Adeline avec déférence. Dans son entretien avec sa femme de chambre, la comédienne garde cependant une attitude ironique à l'égard de la baronne.

3. « Le petit restaurateur de tableaux dit qu'il faut que notre salon soit *massaca* pour que les tableaux soient bien. Ainsi, tout est dit, le salon sera *massaca*, la couleur aimée de ma chérie. Tu m'aimes, n'est-ce pas ? » écrit Balzac le 29 juillet 1846 à Mme Hanska. Le mot n'apparaît pas dans les dictionnaires. Les spécialistes ont pu déduire néanmoins de son emploi dans les journaux de modes qu'il s'agit d'une variété de brun (voir Pléiade, p. 1346-1347).

dans leurs petites maisons et dont tant de restes magnifiques témoignent de ces *folies* qui justifiaient si bien leur nom, éclatait avec la perfection due aux moyens modernes, dans les quatre pièces ouvertes, dont la température douce était entretenue par un calorifère à bouches invisibles. La baronne étourdie examinait chaque objet d'art dans un étonnement profond. Elle y trouvait l'explication de ces fortunes fondues au creuset sous lequel le Plaisir et la Vanité attisent un feu dévorant. Cette femme qui, depuis vingt-six ans, vivait au milieu des froides reliques du luxe impérial, dont les yeux contemplaient des tapis à fleurs éteintes, des bronzes dédorés, des soieries flétries comme son cœur, entrevit la puissance des séductions du Vice en en voyant les résultats. On ne pouvait point ne pas envier ces belles choses, ces admirables créations auxquelles les grands artistes inconnus qui font le Paris actuel et sa production européenne avaient tous contribué. Là, tout surprenait par la perfection de la chose unique. Les modèles étant brisés, les formes, les figurines, les sculptures étaient toutes originales. C'est là le dernier mot du luxe aujourd'hui. Posséder des choses qui ne soient pas vulgarisées par deux mille bourgeois opulents qui se croient luxueux quand ils étalent des richesses dont sont encombrés les magasins, c'est le cachet du vrai luxe, le luxe des grands seigneurs modernes, étoiles éphémères du firmament parisien. En examinant des jardinières pleines de fleurs exotiques les plus rares, garnies de bronzes ciselés et faits dans le genre dit de Boule, la baronne fut effrayée de ce que cet appartement contenait de richesses. Nécessairement ce sentiment dut réagir sur la personne autour de qui ces profusions ruisselaient. Adeline pensa que Josépha Mirah, dont le portrait, dû au pinceau de Joseph Bridau, brillait dans le boudoir voisin, était une cantatrice de génie, une Malibran [1], et elle s'attendit à voir une vraie

---

1. Allusion à la célèbre cantatrice Maria Malibran (1808-1836), dont la mort prématurée à la suite d'une chute de cheval inspira à Musset ses célèbres *Stances à la Malibran* (1836).

lionne. Elle regretta d'être venue. Mais elle était poussée par un sentiment si puissant, si naturel, par un dévouement si peu calculateur, qu'elle rassembla son courage pour soutenir cette entrevue. Puis, elle allait satisfaire cette curiosité, qui la poignait, d'étudier le charme que possédaient ces sortes de femmes, pour extraire tant d'or des gisements avares du sol parisien. La baronne se regarda pour savoir si elle ne faisait pas tache dans ce luxe ; mais elle portait bien sa robe en velours à guimpe, sur laquelle s'étalait une belle collerette en magnifique dentelle ; son chapeau de velours en même couleur lui seyait. En se voyant encore imposante comme une reine, toujours reine même quand elle est détruite, elle pensa que la noblesse du malheur valait la noblesse du talent. Après avoir entendu ouvrir et fermer des portes, elle aperçut enfin Josépha. La cantatrice ressemblait à la Judith d'Alloris [1], gravée dans le souvenir de tous ceux qui l'ont vue dans le palais Pitti, auprès de la porte d'un grand salon : même fierté de pose, même visage sublime, des cheveux noirs tordus sans apprêt, et une robe de chambre jaune à mille fleurs brodées, absolument

----

1. Judith : héroïne juive du livre de Judith dans l'Ancien Testament. Pour sauver la ville de Béthulie des Assyriens, elle accepta l'invitation à un banquet du général ennemi, Holopherne, et le plongea tellement sous le charme qu'il but une énorme quantité de vin tout en la regardant. Une fois que tous les convives se furent retirés, elle profita de l'ivresse d'Holopherne pour lui trancher la tête (Judith, XII, 10-20, et XIII, 1-10). Les peintres – Mantegna, Michel-Ange, Botticelli, Véronèse, Lucas Cranach... – ont souvent représenté Judith tenant par les cheveux la tête d'Holopherne. Balzac, comme plus tard le romancier Barbey d'Aurevilly (*L'Ensorcelée, Les Diaboliques*...), est fasciné par ce type de la femme virile, séductrice, meurtrière et castratrice. On se rappelle, à ce sujet, qu'il a précédemment évoqué le personnage de Dalila (voir p. 331, n. 1). Il existe deux exemplaires du tableau le plus célèbre du peintre florentin Cristofano Allori (1577-1621), *Judith et Holopherne*, l'un à la Queen's Gallery de Londres, l'autre au palais Pitti à Florence. Le modèle de Judith était Mazzafira, la maîtresse du peintre, et la tête d'Holopherne est considérée comme un autoportrait.

semblable au brocart dont est habillée l'immortelle homi-
cide créée par le neveu du Bronzino [1].

— Madame la baronne, vous me voyez confondue de
l'honneur que vous me faites en venant ici, dit la cantatrice qui s'était promis de bien jouer son rôle de grande
dame.

Elle avança elle-même un fauteuil ganache [2] à la
baronne, et prit pour elle un pliant. Elle reconnut la
beauté disparue de cette femme, et fut saisie d'une pitié
profonde en la voyant agitée par ce tremblement nerveux
que la moindre émotion rendait convulsif. Elle lut d'un
seul regard cette vie sainte que jadis Hulot et Crevel lui
dépeignaient ; et non seulement elle perdit alors l'idée de
lutter avec cette femme, mais encore elle s'humilia devant
cette grandeur qu'elle comprit. La sublime artiste admira
ce dont se moquait la courtisane.

— Mademoiselle, je viens amenée par le désespoir qui
fait recourir à tous les moyens...

Un geste de Josépha fit comprendre à la baronne
qu'elle venait de blesser celle de qui elle attendait tant,
et elle regarda l'artiste. Ce regard plein de supplication
éteignit la flamme des yeux de Josépha qui finit par sourire. Ce fut entre ces deux femmes un jeu muet d'une
horrible éloquence.

— Voici deux ans et demi que M. Hulot a quitté sa
famille, et j'ignore où il est, quoique je sache qu'il habite
Paris, reprit la baronne d'une voix émue. Un rêve m'a
donné l'idée, absurde peut-être, que vous avez dû vous
intéresser à M. Hulot. Si vous pouviez me mettre à même
de revoir M. Hulot, ah ! mademoiselle, je prierais Dieu
pour vous, tous les jours, pendant le temps que je resterai
sur cette terre...

---

1. Bronzino (1503-1572) : célèbre peintre florentin, oncle du peintre
Alessandro Allori (1535-1607) qui recevra aussi le surnom de Bronzino
et le transmettra à son fils Cristofano Allori, l'auteur de la *Judith*.
2. Sorte de fauteuil capitonné.

Deux grosses larmes qui roulèrent dans les yeux de la cantatrice en annoncèrent la réponse.

— Madame, dit-elle avec l'accent d'une profonde humilité, je vous ai fait du mal sans vous connaître ; mais maintenant que j'ai le bonheur, en vous voyant, d'avoir entrevu la plus grande image de la Vertu sur la terre, croyez que je sens la portée de ma faute, j'en conçois un sincère repentir ; aussi, comptez que je suis capable de tout pour la réparer !...

Elle prit la main de la baronne, sans que la baronne eût pu s'opposer à ce mouvement, elle la baisa de la façon la plus respectueuse, et alla jusqu'à l'abaissement en pliant un genou. Puis elle se releva fière comme lorsqu'elle entrait en scène dans le rôle de Mathilde [1], et sonna.

— Allez, dit-elle à son valet de chambre, allez à cheval, et crevez-le s'il le faut, trouvez-moi la petite Bijou, rue Saint-Maur-du-Temple, amenez-la-moi, faites-la monter en voiture, et payez le cocher pour qu'il arrive au galop. Ne perdez pas une minute... ou je vous renvoie.

— Madame, dit-elle en revenant à la baronne et lui parlant d'une voix pleine de respect, vous devez me pardonner. Aussitôt que j'ai eu le duc d'Hérouville pour protecteur, je vous ai renvoyé le baron, en apprenant qu'il ruinait pour moi sa famille. Que pouvais-je faire de plus ? Dans la carrière du théâtre, une protection nous est nécessaire à toutes au moment où nous y débutons. Nos appointements ne soldent pas la moitié de nos dépenses, nous nous donnons donc des maris temporaires... Je ne tenais pas à M. Hulot, qui m'a fait quitter un homme riche, une bête vaniteuse. Le père Crevel m'aurait certainement épousée...

— Il me l'a dit, fit la baronne en interrompant la cantatrice.

— Eh bien ! voyez-vous, madame ! je serais une honnête femme aujourd'hui, n'ayant eu qu'un mari légal !

---

1. Dans l'opéra *Guillaume Tell* (1829) de Rossini.

– Vous avez des excuses, mademoiselle, dit la baronne, Dieu les appréciera. Mais moi, loin de vous faire des reproches, je suis venue au contraire contracter envers vous une dette de reconnaissance.

– Madame, j'ai pourvu, voici bientôt trois ans, aux besoins de monsieur le baron…

– Vous, s'écria la baronne à qui des larmes vinrent aux yeux. Ah ! que puis-je pour vous ? je ne puis que prier…

– Moi ! et M. le duc d'Hérouville, reprit la cantatrice, un noble cœur, un vrai gentilhomme…

Et Josépha raconta l'emménagement et le mariage du père Thoul.

– Ainsi, mademoiselle, dit la baronne, mon mari, grâce à vous, n'a manqué de rien ?

– Nous avons tout fait pour cela, madame.

– Et où se trouve-t-il ?

– M. le duc m'a dit, il y a six mois environ, que le baron, connu de son notaire sous le nom de Thoul, avait épuisé les huit mille francs qui devaient n'être remis que par parties égales de trois en trois mois, répondit Josépha. Ni moi ni M. d'Hérouville nous n'avons entendu parler du baron. Notre vie, à nous autres, est si occupée, si remplie, que je n'ai pu courir après le père Thoul. Par aventure, depuis six mois, Bijou, ma brodeuse, sa… comment dirais-je ?

– Sa maîtresse, dit Mme Hulot.

– Sa maîtresse, répéta Josépha, n'est pas venue ici. Mlle Olympe Bijou pourrait fort bien avoir divorcé. Le divorce est fréquent dans notre arrondissement.

105

Liquidation de la maison Thoul et Bijou

Josépha se leva, fourragea les fleurs rares de ses jardinières, et fit un charmant, un délicieux bouquet pour la baronne, dont l'attente était, disons-le, entièrement trompée. Semblable à ces bons bourgeois qui prennent les gens de génie pour des espèces de monstres mangeant, buvant, marchant, parlant, tout autrement que les autres hommes, la baronne espérait voir Josépha la fascinatrice, Josépha la cantatrice, la courtisane spirituelle et amoureuse ; et elle trouvait une femme calme et posée, ayant la noblesse de son talent, la simplicité d'une actrice qui se sait reine le soir, et enfin, mieux que cela, une fille qui rendait par ses regards, par son attitude et ses façons, un plein et entier hommage à la femme vertueuse, à la *Mater dolorosa* [1] de l'hymne saint, et qui en fleurissait les plaies, comme en Italie on fleurit la Madone.

— Madame, vint dire le valet revenu au bout d'une demi-heure, la mère Bijou est en route ; mais il ne faut pas compter sur la petite Olympe. La brodeuse de madame est devenue bourgeoise, elle est mariée...

— En détrempe ?... demanda Josépha.

— Non, Madame, vraiment mariée. Elle est à la tête d'un magnifique établissement, elle a épousé le propriétaire d'un grand magasin de nouveautés où l'on a dépensé des millions, sur le boulevard des Italiens, et elle a laissé son établissement de broderie à ses sœurs et à sa mère. Elle est madame Grenouville. Ce gros négociant...

— Un Crevel !

— Oui, Madame, dit le valet. Il a reconnu trente mille francs de rente au contrat de Mlle Bijou. Sa sœur aînée va, dit-on, aussi épouser un riche boucher.

— Votre affaire me semble aller bien mal, dit la cantatrice à la baronne. M. le baron n'est plus où je l'avais casé.

Dix minutes après, on annonça Mme Bijou. Josépha, par prudence, fit passer la baronne dans son boudoir, en en tirant la portière.

---

1. Mère souffrante. Expression employée pour désigner la Vierge Marie lors de la Passion du Christ.

– Vous l'intimideriez, dit-elle à la baronne, elle ne lâcherait rien en devinant que vous êtes intéressée à ses confidences, laissez-moi la confesser ! Cachez-vous là, vous entendrez tout. Cette scène se joue aussi souvent dans la vie qu'au théâtre. – Eh bien ! mère Bijou, dit la cantatrice à une vieille femme enveloppée d'étoffe dite *tartan* [1], et qui ressemblait à une portière endimanchée, vous voilà tous heureux ? votre fille a eu de la chance !

– Oh ! heureuse… ma fille nous donne cent francs par mois, et elle va en voiture, et elle mange dans de l'argent, elle est *miyonaire*. Olympe aurait bien pu me mettre hors de peine. À mon âge, travailler !… Est-ce un bienfait ?

– Elle a tort d'être ingrate, car elle vous doit sa beauté, reprit Josépha ; mais pourquoi n'est-elle pas venue me voir ? C'est moi qui l'ai tirée de peine en la mariant à mon oncle…

– Oui, madame, le père Thoul !… Mais il est ben vieux, ben cassé…

– Qu'en avez-vous donc fait ? Est-il chez vous ?… Elle a eu bien tort de s'en séparer, le voilà riche à millions…

– Ah ! Dieu de Dieu, fit la mère Bijou… c'est ce qu'on lui disait quand elle se comportait mal avec lui qu'était la douceur même, pauvre vieux ! Ah ! le faisait-elle *trimer* ! Olympe a été pervertie, madame !

– Et comment ?

– Elle a connu, sous votre respect, Madame, un claqueur, petit-neveu d'un vieux matelassier du faubourg Saint-Marceau. Ce *faigniant*, comme tous les jolis garçons, un *souteneur* de pièces, quoi ! est la coqueluche du boulevard du Temple où il travaille aux pièces nouvelles, et *soigne les entrées* des actrices, comme il dit. Dans la matinée, il déjeune ; avant le spectacle, il dîne pour se monter la tête ; enfin il aime les liqueurs et le billard de naissance.

– C'est pas un état cela ! que je disais à Olympe.

---

1. Étoffe de laine à bandes de couleur se coupant à angle droit, que portaient les montagnards d'Écosse.

– C'est malheureusement un état, dit Josépha.

– Enfin, Olympe avait la tête perdue pour ce gars-là, qui, Madame, ne voyait pas bonne compagnie, à preuve qu'il a failli être arrêté dans l'estaminet où sont les voleurs ; mais, pour lors, M. Braulard, le chef de la claque, l'a réclamé. Ça porte des boucles d'oreilles en or, et ça vit de ne rien faire, aux crochets des femmes qui sont folles de ces bels hommes-là ! Il a mangé tout l'argent que M. Thoul donnait à la petite. L'établissement allait fort mal. Ce qui venait de la broderie allait au billard. Pour lors, ce gars-là, Madame, avait une sœur jolie, qui faisait le même état que son frère, une pas grand-chose, dans le quartier des étudiants.

– Une lorette de *la Chaumière*, dit Josépha.

– Oui, Madame, dit la mère Bijou. Donc, Idamore, il se nomme Idamore, c'est son nom de guerre, car il s'appelle Chardin, Idamore a supposé que votre oncle devait avoir bien plus d'argent qu'il ne le disait, et il a trouvé moyen d'envoyer, sans que ma fille s'en doutât, Élodie, sa sœur (il lui a donné un nom de théâtre) [1], chez nous, comme ouvrière ; Dieu de Dieu ! qu'elle y a mis tout cen dessus dessous, elle a débauché toutes ces pauvres filles qui sont devenues indécrottables, sous votre respect… Et elle a tant fait, qu'elle a pris pour elle le père Thoul, et elle l'a emmené, que nous savons pas où, que ça nous a mis dans un embarras, rapport à tous les billets. Nous sommes encore aujor-d'ojord'hui sans pouvoir payer ; mais ma fille qu'est là-dedans veille aux échéances… Quand Idamore a évu le vieux à lui, rapport à sa sœur, il a laissé là ma pauvre fille, et il est maintenant avec une jeune première des Funambules [2]. Et de là, le mariage de ma fille, comme vous allez voir…

---

1. Ce nom est emprunté à *Élodie ou la Vierge du monastère*, mélodrame en trois actes de Victor Ducange et Varez, créé en janvier 1822 pour exploiter le succès du roman du vicomte d'Arlincourt, *Le Solitaire*, paru l'année précédente (Pléiade, p. 1350, n. 2).
2. Situé sur l'ancien boulevard du Temple, surnommé « boulevard du crime », ce théâtre, ouvert en 1816, donna d'abord des spectacles de pantomimes, puis des vaudevilles. C'est là que l'acteur Frédérick

– Mais vous savez où demeure le matelassier ?...
demanda Josépha.

– Le vieux père Chardin ? Est-ce que ça demeure
ça !... Il est ivre dès six heures du matin, il fait un matelas
tous les mois, il est toute la journée dans les estaminets
borgnes, il fait les poules...

– Comment, il fait les poules ?... c'est un fier coq !

– Vous ne comprenez pas, Madame ; c'est la poule [1]
au billard, il en gagne trois ou quatre tous les jours, et
il boit...

– Des laits de poule ! dit Josépha. Mais Idamore fonctionne au Boulevard, et en s'adressant à mon ami Braulard, on le trouvera...

– Je ne sais pas, Madame, vu que ces événements-là
se sont passés il y a six mois. Idamore est un de ces gens
qui doivent aller à la Correctionnelle, de là à Melun [2], et
puis... dame !...

– Au pré [3] ! dit Josépha.

– Ah ! Madame sait tout, dit en souriant la mère
Bijou. Si ma fille n'avait pas connu cet être-là, elle, elle
serait... Mais elle a eu bien de la chance, tout de même,
vous me direz ; car M. Grenouville en est devenu amoureux au point qu'il l'a épousée...

– Et comment ce mariage-là s'est-il fait ?...

– Par le désespoir d'Olympe, Madame. Quand elle
s'est vue abandonnée pour la jeune première à qui elle a

Lemaître (1800-1876) fit ses débuts, et que le mime Baptiste Deburau
(1796-1846) s'illustra dans la pantomime jusqu'à sa mort en juin 1846,
peu avant la parution de *La Cousine Bette*.

1. Le mot *poule* désigne l'ensemble des mises déposées par les parti-
cipants à un jeu ou à une épreuve.

2. À la prison centrale de Melun.

3. Au bagne. Victor Hugo avait évoqué l'argot des malfaiteurs dans
Le Dernier Jour d'un condamné (1829), où il parle notamment de
« l'Abbaye-de-Monte-à-Regret » (la guillotine), et Balzac lui-même lui
consacre une importante digression dans la troisième partie de *Splendeurs et misères des courtisanes* (voir *La Comédie humaine*, t. VI, Gallimard, « Bibliothèque de la Pléiade », 1977, p. 828-830).

trempé une soupe ! ah ! l'a-t-elle *giroflettée*[1] !... et qu'elle
a eu perdu le père Thoul qui l'adorait, elle a voulu renoncer aux hommes. Pour lors, M. Grenouville, qui venait
acheter beaucoup chez nous, deux cents écharpes de
Chine brodées par trimestre, l'a voulu consoler ; mais,
vrai ou non, elle n'a voulu entendre à rien qu'avec la
mairie et l'église. – Je veux être honnête !... disait-elle
toujours, ou je me péris ! Et elle a tenu bon. M. Grenouville a consenti à l'épouser, à la condition qu'elle renon-
cerait à nous, et nous avons consenti...

– Moyennant finance ?... dit la perspicace Josépha.

– Oui, Madame, dix mille francs, et une rente à mon
père qui ne peut plus travailler...

– J'avais prié votre fille de rendre le père Thoul heureux, et elle me l'a jeté dans la crotte ! Ce n'est pas bien.
Je ne m'intéresserai plus à personne ! Voilà ce que c'est
que de se livrer à la Bienfaisance !... La Bienfaisance
n'est décidément bonne que comme spéculation. Olympe
devait au moins m'avertir de ce tripotage-là ! Si vous
retrouvez le père Thoul, d'ici à quinze jours, je vous donnerai mille francs...

– C'est bien difficile, ma bonne dame, mais il y a bien
des pièces de cent sous dans mille francs, et je vais tâcher
de gagner votre argent...

– Adieu, madame Bijou.

106

L'ange et le démon chassant de compagnie

En entrant dans son boudoir, la cantatrice y trouva
Mme Hulot complètement évanouie ; mais, malgré la
perte de ses sens, son tremblement nerveux la faisait toujours tressaillir, de même que les tronçons d'une couleuvre coupée s'agitent encore. Des sels violents, de l'eau

---

1. « *Donner à quelqu'un une giroflée à cinq feuilles* : lui donner un
soufflet » (D'Hautel, *Dictionnaire du bas langage*).

fraîche, tous les moyens ordinaires prodigués rappelèrent la baronne à la vie, ou, si l'on veut, au sentiment de ses douleurs.

— Ah ! mademoiselle ! jusqu'où est-il tombé !... dit-elle en reconnaissant la cantatrice et se voyant seule avec elle.

— Ayez du courage, Madame, répondit Josépha qui s'était mise sur un coussin aux pieds de la baronne et qui lui baisait les mains, nous le retrouverons ; et, s'il est dans la fange, eh bien ! il se lavera. Croyez-moi, pour les personnes bien élevées, c'est une question d'habits... Laissez-moi réparer mes torts envers vous, car je vois combien vous êtes attachée à votre mari, malgré sa conduite, puisque vous êtes venue ici !... Dame ! ce pauvre homme ! il aime les femmes... eh bien ! si vous aviez eu, voyez-vous, un peu de notre *chique*, vous l'auriez empêché de courailler ; car vous auriez été ce que nous savons être, *toutes les femmes* pour un homme. Le gouvernement devrait créer une école de gymnastique pour les honnêtes femmes ! Mais les gouvernements sont si bégueules !... ils sont menés par les hommes que nous menons ! Moi, je plains les peuples !... Mais il s'agit de travailler pour vous, et non de rire... Eh bien ! soyez tranquille, Madame, rentrez chez vous, ne vous tourmentez plus. Je vous ramènerai votre Hector, comme il était il y a trente ans.

— Oh ! Mademoiselle, allons chez cette Mme Grenouville ! dit la baronne ; elle doit savoir quelque chose, peut-être verrai-je M. Hulot aujourd'hui, et pourrai-je l'arracher immédiatement à la misère, à la honte...

— Madame, je vous témoignerai par avance la reconnaissance profonde que je garderai de l'honneur que vous m'avez fait, en ne montrant pas la cantatrice Josépha, la maîtresse du duc d'Hérouville, à côté de la plus belle, de la plus sainte image de la Vertu. Je vous respecte trop pour me faire voir auprès de vous. Ce n'est pas une humilité de comédienne, c'est un hommage que je vous rends. Vous me faites regretter, madame, de ne pas suivre votre sentier, malgré les épines qui vous ensanglantent les

pieds et les mains ! Mais, que voulez-vous ! j'appartiens
à l'Art comme vous appartenez à la Vertu...

– Pauvre fille ! dit la baronne émue au milieu de ses
douleurs par un singulier sentiment de sympathie com-
misérative, je prierai Dieu pour vous, car vous êtes la
victime de la Société, qui a besoin de spectacles. Quand
la vieillesse viendra, faites pénitence... vous serez exaucée, si Dieu daigne entendre les prières d'une...

– D'une martyre, Madame, dit Josépha qui baisa respectueusement la robe de la baronne.

Mais Adeline prit la main de la cantatrice, l'attira vers
elle et la baisa au front. Rouge de plaisir, la cantatrice
reconduisit Adeline jusqu'à sa voiture, avec les démonstrations les plus serviles.

– C'est quelque dame de charité, dit le valet de
chambre à la femme de chambre, car *elle* n'est ainsi pour
personne, pas même pour sa bonne amie, Mme Jenny
Cadine !

– Attendez quelques jours, dit-elle, Madame, et vous
le verrez, ou je renierai le dieu de mes pères ; et, pour
une juive, voyez-vous, c'est promettre la réussite.

107

Autre démon

Au moment où la baronne entrait chez Josépha, Victorin recevait dans son cabinet une vieille femme âgée de
soixante-quinze ans environ, qui, pour parvenir jusqu'à
l'avocat célèbre, mit en avant le nom terrible du chef de
la police de sûreté[1]. Le valet de chambre annonça :
« Madame de Saint-Estève ! »

---

1. Le chef de la police de sûreté (ancêtre de la police judiciaire parisienne) est Jacques Collin, *alias* Vautrin, *alias* Trompe-la-Mort, neveu
de Mme de Saint-Estève. On l'a vu dans *Le Père Goriot*, *Illusions perdues* et *Splendeurs et misères des courtisanes*, où Balzac le surnomme
« le Cromwell du bagne ». Au moment où paraît *La Cousine Bette*, les
lecteurs ignorent encore que Vautrin est devenu chef de la police de

– J'ai pris un de mes noms de guerre, dit-elle en s'asseyant [1].

Victorin fut saisi d'un frisson intérieur, pour ainsi dire, à l'aspect de cette affreuse vieille. Quoique richement mise, elle épouvantait par les signes de méchanceté froide que présentait sa plate figure horriblement ridée, blanche et musculeuse. Marat, en femme et à cet âge, eût été, comme la Saint-Estève, une image vivante de la Terreur. Cette vieille sinistre offrait dans ses petits yeux clairs la cupidité sanguinaire des tigres. Son nez épaté, dont les narines agrandies en trous ovales [2] soufflaient le feu de l'enfer, rappelait le bec des plus mauvais oiseaux de proie [3]. Le génie de l'intrigue siégeait sur son front bas

---

sûreté. Dans la dernière partie de *Splendeurs et misères des courtisanes*, publiée en 1847, on apprendra que Vautrin a exercé cette nouvelle fonction environ quinze ans et s'est retiré vers 1845. Le personnage est inspiré, on le sait, par Eugène François Vidocq (1775-1857), dont la vie tumultueuse fascina Balzac comme ses contemporains. Forçat puis évadé du bagne, devenu indicateur, puis policier et chef de la police de sûreté, il est célèbre notamment pour ses méthodes peu orthodoxes, ses déguisements, et les nombreux ennuis que lui suscitèrent ses ennemis, tant parmi la pègre que parmi les gens au pouvoir. Ses *Mémoires*, publiés en 1828, eurent un immense succès. Balzac eut l'occasion de rencontrer Vidocq au printemps 1834 et dans l'été 1844. Sur Vidocq et Vautrin, voir les notes détaillées de l'édition Pléiade, p. 1351-1354.

1. C'est dans *Splendeurs et misères des courtisanes* qu'on découvre les différents « noms de guerre » du sinistre personnage : Asie ; Mme Nourrisson ; marquise de San-Esteban ; Mme de Saint-Estève (Vidocq aurait lui-même, semble-t-il, porté le pseudonyme de M. de Saint-Estève). Le vrai nom de l'atroce vieille, tante de Vautrin, est Jacqueline Collin. Elle a été la maîtresse de Marat, auquel elle est comparée un peu plus loin.

2. Déjà, dans le roman de jeunesse de Balzac *Le Centenaire* (1822), le vieux Beringheld était décrit ainsi : « Le vieillard avait un large nez dont les narines applaties [sic] offraient une ressemblance vague avec celles d'un taureau. »

3. L'animalisation des personnages, très fréquente chez Balzac en général et presque obsessionnelle dans *La Cousine Bette*, atteint ici un paroxysme. Le bestiaire monstrueux de Balzac évoque de plus en plus le bestiaire diabolique du Moyen Âge, et *La Comédie humaine* s'apparente de plus en plus, avec sa violence et son pessimisme croissants, à une comédie infernale.

et cruel. Ses longs poils de barbe poussés au hasard dans tous les creux de son visage, annonçaient la virilité de ses projets. Quiconque eût vu cette femme, aurait pensé que tous les peintres avaient manqué la figure de Méphistophélès...

— Mon cher monsieur, dit-elle d'un ton de protection, je ne me mêle plus de rien depuis longtemps. Ce que je vais faire pour vous, c'est par considération pour mon cher neveu, que j'aime mieux que je n'aimerais mon fils... Or, le préfet de police, à qui le président du conseil a dit deux mots dans le tuyau de l'oreille, rapport à vous, en conférant avec M. Chapuzot, a pensé que la police ne devait paraître en rien dans une affaire de ce genre-là. L'on a donné carte blanche à mon neveu ; mais mon neveu ne sera là-dedans que pour le conseil, il ne doit pas se compromettre...

— Vous êtes la tante de...

— Vous y êtes, et j'en suis un peu orgueilleuse, répondit-elle en coupant la parole à l'avocat, car il est mon élève, un élève devenu promptement le maître... Nous avons étudié votre affaire, et nous avons *jaugé* ça ! Donnez-vous trente mille francs si l'on vous débarrasse de tout ceci ? je vous liquide la chose ! et vous ne payez que l'affaire faite...

— Vous connaissez les personnes ?

— Non, mon cher monsieur, j'attends vos renseignements. On nous a dit : « Il y a un benêt de vieillard qui est entre les mains d'une veuve. Cette veuve de vingt-neuf ans a si bien fait son métier de *voleuse* qu'elle a quarante mille francs de rente pris à deux pères de famille. Elle est sur le point d'engloutir quatre-vingt mille francs de rente en épousant un bonhomme de soixante et un ans ; elle ruinera toute une honnête famille, et donnera cette immense fortune à l'enfant de quelque amant, en se débarrassant promptement de son vieux mari... » Voilà le problème.

— C'est exact ! dit Victorin. Mon beau-père, M. Crevel...

– Ancien parfumeur, un maire ; je suis dans son arrondissement sous le nom de *mame* Nourrisson, répondit-elle.

– L'autre personne est Mme Marneffe.

– Je ne la connais pas, dit Mme de Saint-Estève ; mais, en trois jours, je serai à même de compter ses chemises.

– Pourriez-vous empêcher le mariage ?... demanda l'avocat.

– Où en est-il ?

– À la seconde publication.

– Il faudrait enlever la femme. Nous sommes aujourd'hui dimanche, il n'y a que trois jours, car ils se marieront mercredi, c'est impossible ! Mais on peut vous la tuer...

Victorin Hulot fit un bond d'honnête homme en entendant ces six mots dits de sang-froid.

– Assassiner !... dit-il. Et comment ferez-vous ?

– Voici quarante ans, monsieur, que nous remplaçons le Destin, répondit-elle avec un orgueil formidable, et que nous faisons tout ce que nous voulons dans Paris. Plus d'une famille, et du faubourg Saint-Germain, m'a dit ses secrets, allez ! J'ai conclu, rompu bien des mariages, j'ai déchiré bien des testaments, j'ai sauvé bien des honneurs ! Je parque là, dit-elle en montrant sa tête, un troupeau de secrets qui me vaut trente-six mille francs de rente ; et, vous, vous serez un de mes agneaux, quoi ! Une femme comme moi serait-elle ce que je suis, si elle parlait de ses moyens ? J'agis ! Tout ce qui se fera, mon cher maître, sera l'œuvre du hasard, et vous n'aurez pas le plus léger remords. Vous serez comme les gens guéris par les somnambules, ils croient au bout d'un mois que la nature a tout fait.

Victorin eut une sueur froide. L'aspect du bourreau l'aurait moins ému que cette sœur sentencieuse et prétentieuse du Bagne ; en voyant sa robe lie-de-vin, il la crut vêtue de sang.

– Madame, je n'accepte pas le secours de votre expérience et de votre activité, si le succès doit coûter la vie à quelqu'un, et si le moindre fait criminel s'ensuit.

– Vous êtes un grand enfant, monsieur ! répondit Mme de Saint-Estève. Vous voulez rester probe à vos propres yeux, tout en souhaitant que votre ennemi succombe.

Victorin fit un signe de dénégation.

– Oui, reprit-elle, vous voulez que cette Mme Marneffe abandonne la proie qu'elle a dans la gueule [1] ! Et comment feriez-vous lâcher à un tigre [2] son morceau de bœuf ? Est-ce en lui passant la main sur le dos et lui disant : *minet !... minet !...* Vous n'êtes pas logique. Vous ordonnez un combat, et vous n'y voulez pas de blessures ! Eh bien ! je vais vous faire cadeau de cette innocence qui vous tient tant au cœur. J'ai toujours vu dans l'honnêteté de l'étoffe à hypocrisie ! Un jour, dans trois mois, un pauvre prêtre viendra vous demander quarante mille francs pour une œuvre pie, un couvent ruiné dans le Levant, dans le désert ! Si vous êtes content de votre sort, donnez les quarante mille francs au bonhomme ! vous en verserez bien d'autres au fisc ! Ce sera peu de chose, allez ! en comparaison de ce que vous récolterez.

Elle se dressa sur ses larges pieds à peine contenus dans des souliers de satin que la chair débordait, elle sourit en saluant et se retira.

– Le diable a une sœur, dit Victorin en se levant.

Il reconduisit cette horrible inconnue, évoquée des antres de l'espionnage, comme du troisième dessous de l'Opéra se dresse un monstre au coup de baguette d'une fée dans un ballet-féerie. Après avoir fini ses affaires au

---

1. On trouve dans *Le Lys dans la vallée* (1836) une image très proche à propos de la sensuelle et agressive lady Dudley, qui se bat contre Mme de Mortsauf pour la possession de Félix de Vandenesse, et que Balzac dit « semblable à la lionne qui a saisi dans sa gueule et rapporté dans son antre une proie à ronger ».

2. Voilà que la « chatte » Valérie est devenue – ou plutôt, se révèle – tigresse...

Palais, il alla chez M. Chapuzot, le chef d'un des plus importants services à la Préfecture de police, pour y prendre des renseignements sur cette inconnue.

108

La police

En voyant M. Chapuzot seul dans son cabinet, Victorin Hulot le remercia de son assistance.

– Vous m'avez envoyé, dit-il, une vieille qui pourrait servir à personnifier Paris, vu du côté criminel.

M. Chapuzot déposa ses lunettes sur ses papiers, et regarda l'avocat d'un air étonné.

– Je ne me serais pas permis de vous adresser qui que ce soit sans vous en avoir prévenu, sans donner un mot d'introduction, répondit-il.

– Ce sera donc M. le préfet…

– Je ne le pense pas, dit Chapuzot. La dernière fois que le prince de Wissembourg a dîné chez le ministre de l'Intérieur, il a vu M. le préfet, et il lui a parlé de la situation où vous étiez, une situation déplorable, en lui demandant si l'on pouvait amiablement venir à votre secours. M. le préfet, vivement intéressé par la peine que Son Excellence a montrée au sujet de cette affaire de famille, a eu la complaisance de me consulter à ce sujet. Depuis que M. le préfet a pris les rênes de cette administration, si calomniée et si utile, il s'est, de prime abord, interdit de pénétrer dans la Famille. Il a eu raison et en principe et comme morale ; mais il a eu tort en fait. La police, depuis quarante-cinq ans que j'y suis, a rendu d'immenses services aux familles, de 1799 à 1815. Depuis 1820, la Presse et le Gouvernement constitutionnel ont totalement changé les conditions de notre existence. Aussi, mon avis a-t-il été de ne pas s'occuper d'une semblable affaire, et M. le préfet a eu la bonté de se rendre à mes observations. Le chef de la police de sûreté a reçu devant moi l'ordre de ne pas s'avancer ; et si, par hasard, vous avez reçu quelqu'un de sa part, je le réprimanderai. Ce serait un cas de destitution. On a bientôt dit : La police fera cela ! La police ! la police ! Mais, mon cher maître, le maréchal, le conseil des ministres ignorent ce que c'est que la police. Il n'y a que la police qui se connaisse elle-même. Les Rois, Napoléon, Louis XVIII savaient les affaires de la leur ; mais la nôtre, il n'y a eu que Fouché [1], que M. Lenoir [2], M. de Sartine [3] et quelques préfets, hommes d'esprit, qui s'en sont doutés... Aujourd'hui tout est changé. Nous sommes amoindris, désarmés ! J'ai vu germer bien des malheurs privés que j'aurais empêchés avec cinq scrupules d'arbitraire !... Nous serons regrettés par ceux-là mêmes qui nous ont démolis quand ils seront, comme vous, devant certaines monstruosités morales qu'il faudrait pouvoir enlever comme nous enlevons les boues ! En politique, la police est tenue de tout prévenir, quand il s'agit du salut public ; mais la Famille, c'est sacré. Je ferais tout pour découvrir et empêcher un attentat contre les jours du roi ! je rendrais les murs d'une maison transparents ; mais

---

1. Joseph Fouché (1759-1820) : homme politique français. Sous la Révolution, il vota la mort du roi et participa à la Terreur, puis fut l'un des instigateurs du 9 thermidor an II (27 juillet 1794), qui provoqua la chute de Robespierre. Il participa à la préparation du coup d'État de Bonaparte le 18 brumaire, fut ministre de la Police sous le Consulat, puis sous l'Empire, et de nouveau au début de la Restauration. Il personnifie le crime pour Chateaubriand qui raconte, dans un passage célèbre de ses *Mémoires d'outre-tombe*, qu'étant venu « faire sa cour » au roi Louis XVIII au soir du 7 juillet 1815, il eut tout à coup la « vision infernale » de Talleyrand appuyé sur Fouché, passant lentement devant lui comme « le vice appuyé sur le bras du crime » (livre XXIII, chap. 20).
2. Jean Lenoir (1732-1807) fut deux fois lieutenant général de Police (l'équivalent de notre préfet de police) sous l'Ancien Régime.
3. Antoine Sartinez, devenu chevalier de Sartines (1729-1801), fut lieutenant général de Police avant Lenoir, puis ministre de la Marine sous Louis XVI.

498 La Cousine Bette

aller mettre nos griffes dans les ménages, dans les intérêts privés !... jamais, tant que je siégerai dans ce cabinet, car j'ai peur...

– De quoi ?

– De la Presse ! M. le Député du centre gauche.

– Que dois-je faire ? dit Hulot fils après une pause.

– Eh ! vous vous appelez la Famille ! reprit le chef de Division, tout est dit, agissez comme vous l'entendrez ; mais vous venir en aide, mais faire de la police un instrument des passions et des intérêts privés, est-ce possible ?... Là, voyez-vous, est le secret de la persécution nécessaire, que les magistrats ont trouvée illégale, dirigée contre le prédécesseur de notre chef actuel de la Sûreté. Bibi-Lupin [1] faisait la police pour le compte des particuliers. Ceci cachait un immense danger social ! Avec les moyens dont il disposait, cet homme eût été formidable, il eût été une *Sous-fatalité*.

– Mais à ma place ? dit Hulot.

– Oh ! vous me demandez une consultation, vous qui en vendez ! répliqua M. Chapuzot. Allons donc, mon cher maître, vous vous moquez de moi.

Hulot salua le chef de Division, et s'en alla sans voir l'imperceptible mouvement d'épaules qui échappa au fonctionnaire, quand il se leva pour le reconduire. – Et ça veut être un homme d'État !... se dit M. Chapuzot en reprenant ses rapports.

---

1. Bibi-Lupin est le prédécesseur de Jacques Collin au poste de chef de la Sûreté. C'est lui qui, dans *Le Père Goriot*, arrête Vautrin dans la pension Vauquer. C'est un « ancien forçat, compagnon de Jacques Collin au bagne » et « son ennemi personnel » (*Splendeurs et misères des courtisanes*). Le personnage de Bibi-Lupin est inspiré par Antoine Collet, le prédécesseur de Vidocq. Mais ici, comme le souligne A.-M. Meininger, « Bibi-Lupin est [...] nettement assimilé à Vidocq, et la phrase sur "la persécution nécessaire, que les magistrats ont trouvée illégale" fait évidemment allusion aux procès suscités à Vidocq et aux acquittements qui s'étaient ensuivis » (Pléiade, p. 1356, n. 1).

109

Changement du père Thoul en père Thorec [1]

Victorin revint chez lui, gardant ses perplexités, et ne pouvant les communiquer à personne. À dîner, la baronne annonça joyeusement à ses enfants que, sous un mois, leur père pourrait partager leur aisance et achever paisiblement ses jours en famille.

– Ah ! je donnerais bien mes trois mille six cents francs de rente pour voir le baron ici ! s'écria Lisbeth. Mais ma bonne Adeline, ne conçois pas de pareilles joies par avance !... je t'en prie.

– Lisbeth a raison, dit Célestine. Ma chère mère, attendez l'événement.

La baronne, tout cœur, tout espérance, raconta sa visite à Josépha, trouva ces pauvres filles malheureuses dans leur bonheur, et parla de Chardin, le matelassier, le père du garde-magasin d'Oran, en montrant ainsi qu'elle ne se livrait pas à un faux espoir.

Lisbeth, le lendemain matin, était à sept heures, dans un fiacre, sur le quai de la Tournelle, où elle fit arrêter à l'angle de la rue de Poissy.

– Allez, dit-elle au cocher, rue des Bernardins, au numéro sept, c'est une maison à allée, et sans portier. Vous monterez au quatrième étage, vous sonnerez à la porte à gauche, sur laquelle d'ailleurs vous lirez : « Mlle Chardin, repriseuse de dentelles et de cache-mires. » On viendra. Vous demanderez *le chevalier*. On vous répondra : « Il est sorti. » Vous direz : « Je le sais bien, mais trouvez-le, car *sa bonne* est là sur le quai, dans un fiacre, et veut le voir... »

Vingt minutes après, un vieillard, qui paraissait âgé de quatre-vingts ans, aux cheveux entièrement blancs, le nez rougi par le froid dans une figure pâle et ridée comme

---

1. Anagramme d'Hector.

celle d'une vieille femme, allant d'un pas traînant, les pieds dans des pantoufles de lisière [1], le dos voûté, vêtu d'une redingote d'alpaga chauve, ne portant pas de décoration, laissant passer à ses poignets les manches d'un gilet tricoté, et la chemise d'un jaune inquiétant, se montra timidement, regarda le fiacre, reconnut Lisbeth, et vint à la portière.

– Ah ! mon cher cousin, dit-elle, dans quel état vous êtes !

– Élodie prend tout pour elle ! dit le baron Hulot. Ces Chardin sont des canailles puantes…

– Voulez-vous revenir avec nous ?

– Oh ! non, non, dit le vieillard, je voudrais passer en Amérique…

– Adeline est sur vos traces…

– Ah ! si l'on pouvait payer mes dettes, demanda le baron d'un air défiant, car Samanon me poursuit.

– Nous n'avons pas encore payé votre arriéré, votre fils doit encore cent mille francs…

– Pauvre garçon !

– Et votre pension ne sera libre que dans sept à huit mois… Si vous voulez attendre, j'ai là deux mille francs !

Le baron tendit la main par un geste avide, effrayant.

– Donne, Lisbeth ! Que Dieu te récompense ! Donne ! je sais où aller !

– Mais vous me le direz, vieux monstre ?

– Oui. Je puis attendre ces huit mois, car j'ai découvert un petit ange, une bonne créature, une innocente et qui n'est pas assez âgée pour être encore dépravée.

– Songez à la cour d'assises, dit Lisbeth qui se flattait d'y voir un jour Hulot.

– Eh ! c'est rue de Charonne ! dit le baron Hulot, un quartier où tout arrive sans esclandre. Va, l'on ne me trouvera jamais. Je me suis déguisé, Lisbeth, en père Thorec, on me prendra pour un ancien ébéniste, la petite m'aime, et je ne me laisserai plus manger la laine sur le dos.

---

1. Étoffe rude, utilisée pour tresser des chaussons.

– Non, c'est fait ! dit Lisbeth en regardant la redingote. Si je vous y conduisais, cousin ?...

Le baron Hulot monta dans la voiture, en abandonnant Mlle Élodie sans lui dire adieu, comme on jette un
roman lu.

En une demi-heure pendant laquelle le baron Hulot ne
parla que de la petite Atala Judici à Lisbeth, car il était
arrivé par degrés aux affreuses passions qui ruinent les
vieillards, sa cousine le déposa, muni de deux mille
francs, rue de Charonne, dans le faubourg Saint-Antoine,
à la porte d'une maison à façade suspecte et menaçante.

– Adieu, cousin, tu seras maintenant le *père Thorec*,
n'est-ce pas ? Ne m'envoie que des commissionnaires, et
en les prenant toujours à des endroits différents.

– C'est dit. Oh ! je suis bien heureux ! dit le baron
dont la figure fut éclairée par la joie d'un futur et tout
nouveau bonheur.

– On ne le retrouvera pas là, se dit Lisbeth qui fit arrêter son fiacre au boulevard Beaumarchais, d'où elle
revint, en omnibus, rue Louis-le-Grand.

110

Une scène de famille [1]

Le lendemain, Crevel fut annoncé chez ses enfants, au
moment où toute la famille était réunie au salon, après
le déjeuner. Célestine courut se jeter au cou de son père,
et se conduisit comme s'il était venu la veille, quoique,
depuis deux ans, ce fût sa première visite.

– Bonjour, mon père ! dit Victorin en lui tendant la
main.

---

1. Le titre de ce chapitre, plus parlant dans la version en feuilleton
du *Constitutionnel* que dans l'édition originale en librairie (édition ici
adoptée pour le découpage des chapitres et leurs titres), faisait référence
à un célèbre tableau de Pierre Paul Prud'hon, *La Justice et la Vengeance
divine poursuivant le Crime* (1808).

– Bonjour, mes enfants ! dit l'important Crevel.
Madame la baronne, je mets mes hommages à vos pieds.
Dieu ! comme ces enfants grandissent ! ça nous chasse !
ça nous dit : « Grand-papa, je veux ma place au soleil ! »
– Madame la comtesse, vous êtes toujours admirablement belle ! ajouta-t-il en regardant Hortense. – Et voilà
le reste de nos écus ! ma cousine Bette, la vierge sage.
Mais vous êtes tous très bien ici... dit-il après avoir distri-
bué ces phrases à chacun et en les accompagnant de gros
rires qui remuaient difficilement les masses rubicondes
de sa large figure.

Et il regarda le salon de sa fille avec une sorte de
dédain.

– Ma chère Célestine, je te donne tout mon mobilier
de la rue des Saussayes, il fera très bien ici. Ton salon
a besoin d'être renouvelé... Ah ! voilà ce petit drôle de
Wenceslas ! Eh bien ! sommes-nous sages, mes petits
enfants ? il faut avoir des mœurs.

– Pour ceux qui n'en ont pas, dit Lisbeth.

– Ce sarcasme, ma chère Lisbeth, ne me concerne plus.
Je vais, mes enfants, mettre un terme à la fausse position
où je me trouvais depuis si longtemps ; et, en bon père
de famille, je viens vous annoncer mon mariage, là, tout
bonifacement.

– Vous avez le droit de vous marier, dit Victorin, et,
pour mon compte je vous rends la parole que vous
m'avez donnée en m'accordant la main de ma chère
Célestine...

– Quelle parole ? demanda Crevel.

– Celle de ne pas vous marier, répondit l'avocat. Vous
me rendrez la justice d'avouer que je ne vous demandais
pas cet engagement, que vous l'avez bien volontairement
pris malgré moi, car je vous ai, dans ce temps, fait observer que vous ne deviez pas vous lier ainsi.

– Oui, je m'en souviens, mon cher ami, dit Crevel honteux. Et, ma foi, tenez !... mes chers enfants, si vous vouliez bien vivre avec Mme Crevel, vous n'auriez pas à vous
repentir... Votre délicatesse, Victorin, me touche... On

n'est pas impunément généreux avec moi... Voyons, sapristi ! accueillez bien votre belle-mère, venez à mon mariage !...

— Vous ne nous dites pas, mon père, quelle est votre fiancée ? dit Célestine.

— Mais c'est le secret de la comédie, reprit Crevel... Ne jouons pas à cache-cache ! Lisbeth a dû vous dire...

— Mon cher monsieur Crevel, répliqua la Lorraine, il est des noms qu'on ne prononce pas ici...

— Eh bien ! c'est Mme Marneffe !

— Monsieur Crevel, répondit sévèrement l'avocat, ni moi ni ma femme nous n'assisterons à ce mariage, non par des motifs d'intérêt, car je vous ai parlé tout à l'heure avec sincérité. Oui, je serais très heureux de savoir que vous trouverez le bonheur dans cette union ; mais je suis mû par des considérations d'honneur et de délicatesse que vous devez comprendre, et que je ne puis exprimer, car elles raviveraient des blessures encore saignantes ici...

La baronne fit un signe à la comtesse, qui, prenant son enfant dans ses bras, lui dit : « Allons, viens prendre ton bain, Wenceslas ! – Adieu, monsieur Crevel. »

La baronne salua Crevel en silence, et Crevel ne put s'empêcher de sourire en voyant l'étonnement de l'enfant quand il se vit menacé de ce bain improvisé.

— Vous épousez, monsieur, s'écria l'avocat, quand il se trouva seul avec Lisbeth, avec sa femme et son beau-père, une femme chargée des dépouilles de mon père, et qui l'a froidement conduit où il est ; une femme qui vit avec le gendre, après avoir ruiné le beau-père ; qui cause les chagrins mortels de ma sœur... Et vous croyez qu'on nous verra sanctionnant votre folie par ma présence ? Je vous plains sincèrement, mon cher monsieur Crevel ! vous n'avez pas le sens de la famille, vous ne comprenez pas la solidarité d'honneur qui en lie les différents membres. On ne raisonne pas (je l'ai trop su malheureusement !) les passions. Les gens passionnés sont sourds comme ils sont aveugles. Votre fille Célestine a trop le sentiment de ses devoirs pour vous dire un seul mot de blâme.

– Ce serait joli ! dit Crevel qui tenta de couper court à cette mercuriale.

– Célestine ne serait pas ma femme, si elle vous faisait une seule observation, reprit l'avocat ; mais moi, je puis essayer de vous arrêter avant que vous ne mettiez le pied dans le gouffre, surtout après vous avoir donné la preuve de mon désintéressement. Ce n'est certes pas votre fortune, c'est vous-même dont je me préoccupe… Et pour vous éclairer sur mes sentiments, je puis ajouter, ne fût-ce que pour vous tranquilliser relativement à votre futur contrat de mariage, que ma situation de fortune est telle que nous n'avons rien à désirer…

– Grâce à moi ! s'écria Crevel dont la figure était devenue violette.

– Grâce à la fortune de Célestine, répondit l'avocat ; et si vous regrettez d'avoir donné, comme une dot venant de vous, à votre fille des sommes qui ne représentent pas la moitié de ce que lui a laissé sa mère, nous sommes prêts à vous les rendre…

– Savez-vous, monsieur mon gendre, dit Crevel qui se mit en position, qu'en couvrant de mon nom Mme Marneffe, elle ne doit plus répondre au monde de sa conduite qu'en qualité de Mme Crevel.

– C'est peut-être très gentilhomme, dit l'avocat, c'est généreux quant aux choses de cœur, aux écarts de la passion ; mais je ne connais pas de nom, ni de lois, ni de titre qui puissent couvrir le vol des trois cent mille francs ignoblement arrachés à mon père !… Je vous dis nettement, mon cher beau-père, que votre future est indigne de vous, qu'elle vous trompe et qu'elle est amoureuse folle de mon beau-frère Steinbock, elle en a payé les dettes…

– C'est moi qui les ai payées…

– Bien, reprit l'avocat, j'en suis bien aise pour le comte Steinbock qui pourra s'acquitter un jour ; mais il est aimé, très aimé, souvent aimé…

– Il est aimé !… dit Crevel dont la figure annonçait un bouleversement général. C'est lâche, c'est sale, et petit, et

commun de calomnier une femme !... Quand on avance
ces sortes de choses-là, monsieur, on les prouve...

– Je vous donnerai des preuves...

– Je les attends...

– Après-demain, mon cher monsieur Crevel, je vous
dirai le jour et l'heure, le moment où je serai en mesure
de dévoiler l'épouvantable dépravation de votre future
épouse...

– Très bien, je serai charmé, dit Crevel qui reprit son
sang-froid. Adieu, mes enfants, au revoir. Adieu,
Lisbeth...

– Suis-le donc, Lisbeth, dit Célestine à l'oreille de la
cousine Bette.

– Eh bien ! voilà comme vous vous en allez ?... cria
Lisbeth à Crevel.

– Ah ! lui dit Crevel, il est devenu très fort, mon
gendre, il s'est formé. Le Palais, la Chambre, la rouerie
judiciaire et la rouerie politique en font un gaillard. Ah !
ah ! il sait que je me marie mercredi prochain, et
dimanche, ce monsieur me propose de me dire, dans trois
jours, l'époque à laquelle il me démontrera que ma
femme est indigne de moi... Ce n'est pas maladroit... Je
retourne signer le contrat. Allons, viens avec moi, Lisbeth, viens !... Ils n'en sauront rien ! Je voulais laisser
quarante mille francs de rente à Célestine ; mais Hulot
vient de se conduire de manière à s'aliéner mon cœur à
tout jamais.

– Donnez-moi dix minutes, père Crevel, attendez-moi
dans votre voiture à la porte, je vais trouver un prétexte
pour sortir.

– Eh bien ! c'est convenu...

– Mes amis, dit Lisbeth qui retrouva la famille au
salon, je vais avec Crevel, on signe le contrat ce soir, et
je pourrai vous en dire les dispositions. Ce sera probablement ma dernière visite à cette femme. Votre père est
furieux. Il va vous déshériter...

– Sa vanité l'en empêchera, répondit l'avocat. Il a
voulu posséder la terre de Presles, il la gardera, je le

connais. Eût-il des enfants, Célestine recueillera toujours la moitié de ce qu'il laissera, la loi l'empêche de donner toute sa fortune... Mais ces questions ne sont rien pour moi, je ne pense qu'à notre honneur... Allez, cousine, dit-il en serrant la main de Lisbeth, écoutez bien le contrat.

111

Autre scène de famille

Vingt minutes après, Lisbeth et Crevel entraient à l'hôtel de la rue Barbet, où Mme Marneffe attendait dans une douce impatience le résultat de la démarche qu'elle avait ordonnée. Valérie avait été prise, à la longue, pour Wenceslas de ce prodigieux amour qui, une fois dans la vie, étreint le cœur des femmes. Cet artiste manqué devint, entre les mains de Mme Marneffe, un amant si parfait, qu'il était pour elle ce qu'elle avait été pour le baron Hulot. Valérie tenait des pantoufles d'une main, et l'autre était à Steinbock, sur l'épaule de qui elle reposait sa tête. Il en est de la conversation à propos interrompus dans laquelle ils s'étaient lancés depuis le départ de Crevel, comme de ces longues œuvres littéraires de notre temps, au fronton desquelles on lit : *La reproduction en est interdite*. Ce chef-d'œuvre de poésie intime amena naturellement sur les lèvres de l'artiste un regret qu'il exprima, non sans amertume.

– Ah ! quel malheur que je me sois marié, dit Wenceslas, car si j'avais attendu, comme le disait Lisbeth, aujourd'hui je pourrais t'épouser.

– Il faut être Polonais pour souhaiter faire sa femme d'une maîtresse dévouée ! s'écria Valérie. Échanger l'amour contre le devoir ! le plaisir contre l'ennui !

– Je te connais si capricieuse ! répondit Steinbock. Ne t'ai-je pas entendue causant avec Lisbeth du baron Montès, ce Brésilien ?...

– Veux-tu m'en débarrasser ? dit Valérie.

– Ce serait, répondit l'ex-sculpteur, le seul moyen de t'empêcher de le voir.

– Apprends, mon chéri, répondit Valérie, que je le ménageais pour en faire un mari, car je te dis tout à toi !... Les promesses que j'ai faites à ce Brésilien... (Oh ! bien avant de te connaître, dit-elle en répondant à un geste de Wenceslas.) Eh bien ! ces promesses dont il s'arme pour me tourmenter, m'obligent à me marier presque secrètement ; car s'il apprend que j'épouse Crevel, il est homme à... à me tuer !...

– Oh ! quant à cette crainte !... dit Steinbock en faisant un geste de dédain qui signifiait que ce danger-là devait être insignifiant pour une femme aimée par un Polonais.

Remarquez qu'en fait de bravoure, il n'y a pas la moindre forfanterie chez les Polonais, tant ils sont réellement et sérieusement braves.

– Et cet imbécile de Crevel qui veut donner une fête, et qui se livre à ses goûts de faste économique à propos de mon mariage, me met dans un embarras d'où je ne sais comment sortir.

Valérie pouvait-elle avouer à celui qu'elle adorait que le baron Henri Montès avait, depuis le renvoi du baron Hulot, hérité du privilège de venir chez elle à toute heure de nuit, et que, malgré son adresse, elle en était encore à trouver une cause de brouille où le Brésilien croirait avoir tous les torts ? Elle connaissait trop bien le caractère quasi sauvage du baron, qui se rapprochait beaucoup de celui de Lisbeth, pour ne pas trembler en pensant à ce More de Rio de Janeiro. Au roulement de la voiture, Steinbock quitta Valérie, qu'il tenait par la taille, et il prit un journal dans la lecture duquel on le trouva tout absorbé. Valérie brodait, avec une attention minutieuse, des pantoufles à son futur.

– Comme on *la* calomnie ! dit Lisbeth à l'oreille de Crevel sur le seuil de la porte en lui montrant ce tableau... Voyez sa coiffure ! est-elle dérangée ? À

entendre Victorin, vous auriez pu surprendre deux tourtereaux au nid.

— Ma chère Lisbeth, répondit Crevel en position, vois-
tu, pour faire d'une Aspasie une Lucrèce [1], il suffit de lui
inspirer une passion !...

— Ne vous ai-je pas toujours dit, reprit Lisbeth, que
les femmes aiment les gros libertins comme vous ?

— Elle serait d'ailleurs bien ingrate, reprit Crevel, car
combien d'argent ai-je mis ici ? Grindot et moi seuls nous
le savons !

Et il montrait l'escalier. Dans l'arrangement de cet
hôtel que Crevel regardait comme le sien, Grindot avait
essayé de lutter avec Cleretti [2], l'architecte à la mode, à
qui le duc d'Hérouville avait confié la maison de Josépha.
Mais Crevel, incapable de comprendre les arts, avait
voulu, comme tous les bourgeois, dépenser une somme
fixe, connue à l'avance. Maintenu par un devis, il fut
impossible à Grindot de réaliser son rêve d'architecte. La
différence qui distinguait l'hôtel de Josépha de celui de
la rue Barbet, était celle qui se trouve entre la personnalité des choses et leur vulgarité. Ce qu'on admirait chez
Josépha ne se voyait nulle part ; ce qui reluisait chez
Crevel pouvait s'acheter partout. Ces deux luxes sont
séparés l'un de l'autre par le fleuve du million. Un miroir
unique vaut six mille francs, le miroir inventé par un
fabricant qui l'exploite coûte cinq cents francs. Un lustre
authentique de Boule monte en vente publique à trois
mille francs ; le même lustre surmoulé pourra être fabriqué pour mille ou douze cents francs ; l'un est en Archéo-
logie ce qu'un tableau de Raphaël est en peinture, l'autre

---

1. Aspasie : femme grecque du Ve siècle avant J.-C., célèbre par sa
beauté et son esprit, et compagne de Périclès ; leur maison était le lieu
de rendez-vous des intellectuels d'Athènes. Lucrèce : dame romaine,
épouse de Tarquin Collatin ; déshonorée par Sextus, fils de Tarquin le
Superbe, elle se suicida. La plaisanterie de Crevel signifie probablement : pour faire d'une femme libre de mœurs une épouse fidèle et irréprochable.

2. Nom créé d'après ceux de Claret, Captier et Santi, architectes
de Balzac.

en est la copie. Qu'estimez-vous une copie de Raphaël ?
L'hôtel de Crevel était donc un magnifique spécimen du
luxe des sots, comme l'hôtel de Josépha le plus beau
modèle d'une habitation d'artiste.

— Nous avons la guerre, dit Crevel en allant vers sa
future.

Mme Marneffe sonna.

— Allez chercher M. Berthier, dit-elle au valet de
chambre, et ne revenez pas sans lui. Si tu avais réussi,
dit-elle en enlaçant Crevel, mon petit père, nous aurions
retardé mon bonheur, et nous aurions donné une fête à
étourdir ; mais, quand toute une famille s'oppose à un
mariage, mon ami, la décence veut qu'il se fasse sans
éclat, surtout lorsque la mariée est veuve.

— Moi, je veux au contraire afficher un luxe à la
Louis XIV, dit Crevel qui depuis quelque temps trouvait
le XVIIIᵉ siècle petit. J'ai commandé des voitures neuves ;
il y a la voiture de monsieur et celle de madame, deux
jolis coupés, une calèche, une berline d'apparat avec un
siège superbe qui tressaille comme Mme Hulot.

— Ah ! *je veux ?...* Tu ne serais donc plus mon
agneau ? Non, non. Ma biche, tu feras à ma volonté.
Nous allons signer notre contrat entre nous, ce soir. Puis,
mercredi, nous nous marierons officiellement, comme on
se marie réellement, *en catimini*, selon le mot de ma
pauvre mère. Nous irons à pied, vêtus simplement, à
l'église, où nous aurons une messe basse. Nos témoins
sont Stidmann, Steinbock, Vignon et Massol, tous gens
d'esprit qui se trouveront à la mairie comme par hasard,
et qui nous feront le sacrifice d'entendre une messe. Ton
collègue nous mariera, par exception, à neuf heures du
matin. La messe est à dix heures, nous serons ici à déjeuner à onze heures et demie. J'ai promis à nos convives
que l'on ne se lèverait de table que le soir... Nous aurons
Bixiou, ton ancien camarade de Birotterie du Tillet,
Lousteau, Vernisset, Léon de Lora, Vernou, la fleur des
gens d'esprit, qui ne nous sauront pas mariés, nous les
mystifierons, nous nous griserons un petit brin, et Lisbeth

en sera ; je veux qu'elle apprenne le mariage, Bixiou doit lui faire des propositions et la... la déniaiser.

Pendant deux heures, Mme Marneffe débita des folies qui firent faire à Crevel cette réflexion judicieuse :

— Comment une femme si gaie pourrait-elle être dépravée ? Folichonne, oui ! mais perverse... allons donc !

— Qu'est-ce que tes enfants ont dit de moi ? demanda Valérie à Crevel dans un moment où elle le tint près d'elle sur sa causeuse, bien des horreurs !

— Ils prétendent, répondit Crevel, que tu aimes Wenceslas d'une façon criminelle, toi ! la vertu même !

— Je crois bien que je l'aime, mon petit Wenceslas ! s'écria Valérie en appelant l'artiste, le prenant par la tête et l'embrassant au front. Pauvre garçon sans appui, sans fortune ! dédaigné par une girafe couleur carotte ! Que veux-tu, Crevel ? Wenceslas, c'est mon poète, et je l'aime au grand jour comme si c'était mon enfant ! Ces femmes vertueuses, ça voit du mal partout et en tout. Ah ! ça, elles ne pourraient donc pas rester sans mal faire auprès d'un homme ? Moi, je suis comme les enfants gâtés à qui l'on n'a jamais rien refusé : les bonbons ne me causent plus aucune émotion. Pauvres femmes, je les plains !... Et qu'est-ce qui me détériorait comme cela ?

— Victorin, dit Crevel.

— Eh bien ! pourquoi ne lui as-tu pas fermé le bec, à ce perroquet judiciaire, avec les deux cent mille francs de *la maman* ?

— Ah ! la baronne avait fui, dit Lisbeth.

— Qu'ils y prennent garde, Lisbeth ! dit Mme Marneffe en fronçant les sourcils, ou ils me recevront chez eux, et très bien, et viendront chez leur belle-mère, tous ! ou je les logerai (dis-leur de ma part) plus bas que ne se trouve le baron... Je veux devenir méchante, à la fin ! Ma parole d'honneur, je crois que le Mal est la faux avec laquelle on met le Bien en coupe.

112

Effet de chantage

À trois heures, maître Berthier, successeur de Cardot, lut le contrat de mariage, après une courte conférence entre Crevel et lui, car certains articles dépendaient de la résolution que prendraient M. et Mme Hulot jeunes. Crevel reconnaissait à sa future épouse une fortune composée : 1° de quarante mille francs de rente dont les titres étaient désignés ; 2° de l'hôtel et de tout le mobilier qu'il contenait, et 3° de trois millions en argent. En outre, il faisait à sa future épouse toutes les donations permises par la loi ; il la dispensait de tout inventaire ; et dans le cas où, lors de leur décès, les conjoints se trouveraient sans enfants, ils se donnaient respectivement l'un à l'autre l'universalité de leurs biens, meubles et immeubles. Ce contrat réduisait la fortune de Crevel à deux millions de capital. S'il avait des enfants de sa nouvelle femme, il restreignait la part de Célestine à cinq cent mille francs, à cause de l'usufruit de sa fortune accordé à Valérie. C'était la neuvième partie environ de sa fortune actuelle.

Lisbeth revint dîner rue Louis-le-Grand, le désespoir peint sur la figure. Elle expliqua, commenta le contrat de mariage, et trouva Célestine insensible autant que Victorin à cette désastreuse nouvelle.

– Vous avez irrité votre père, mes enfants ! Mme Marneffe a juré que vous recevriez chez vous la femme de M. Crevel, et que vous viendriez chez elle, dit-elle.

– Jamais ! dit Hulot.

– Jamais ! dit Célestine.

– Jamais ! s'écria Hortense.

Lisbeth fut saisie du désir de vaincre l'attitude superbe de tous les Hulot.

– Elle paraît avoir des armes contre vous !... répondit-elle. Je ne sais pas encore de quoi il s'agit, mais je le saurai… Elle a parlé vaguement d'une histoire de deux cent mille francs qui regarde Adeline.

La baronne Hulot se renversa doucement sur le divan où elle se trouvait, et d'affreuses convulsions se déclarèrent.

– Allez-y, mes enfants !… cria la baronne. Recevez cette femme ! M. Crevel est un homme infâme ! il mérite le dernier supplice… Obéissez à cette femme… Ah ! c'est un monstre ! *elle sait tout* !

Après ces mots mêlés à des larmes, à des sanglots, Mme Hulot trouva la force de monter chez elle, appuyée sur le bras de sa fille et sur celui de Célestine.

– Qu'est-ce que tout ceci veut dire ? s'écria Lisbeth restée seule avec Victorin.

L'avocat, planté sur ses jambes, dans une stupéfaction très concevable, n'entendit pas Lisbeth.

– Qu'as-tu, mon Victorin ?

– Je suis épouvanté ! dit l'avocat, dont la figure devint menaçante. Malheur à qui touche à ma mère, je n'ai plus alors de scrupules ! Si je le pouvais, j'écraserais cette femme comme on écrase une vipère… Ah ! elle attaque la vie et l'honneur de ma mère !…

– Elle a dit, ne répète pas ceci, mon cher Victorin, elle a dit qu'elle vous logerait tous encore plus bas que votre père… Elle a reproché vertement à Crevel de ne pas vous avoir fermé la bouche avec ce secret qui paraît tant épouvanter Adeline.

On envoya chercher un médecin, car l'état de la baronne empirait. Le médecin ordonna une potion pleine d'opium, et Adeline tomba, la potion prise, dans un profond sommeil ; mais toute cette famille était en proie à la plus vive terreur. Le lendemain, l'avocat partit de bonne heure pour le Palais, et il passa par la Préfecture de police, où il supplia Vautrin le chef de la Sûreté de lui envoyer Mme de Saint-Estève.

– On nous a défendu, monsieur, de nous occuper de vous, mais Mme de Saint-Estève est marchande, elle est à vos ordres, répondit le célèbre chef.

De retour chez lui, le pauvre avocat apprit que l'on craignait pour la raison de sa mère. Le docteur Bianchon, le docteur Larabit, le professeur Angard, réunis en consultation, venaient de décider l'emploi des moyens héroïques pour détourner le sang qui se portait à la tête. Au moment où Victorin écoutait le docteur Bianchon, qui lui détaillait les raisons qu'il avait d'espérer l'apaisement de cette crise, quoique ses confrères en désespérassent, le valet de chambre vint annoncer à l'avocat sa cliente, Mme de Saint-Estève. Victorin laissa Bianchon au milieu d'une période et descendit l'escalier avec une rapidité de fou.

— Y aurait-il dans la maison un principe de folie contagieux ? dit Bianchon en se retournant vers Larabit.

Les médecins s'en allèrent en laissant un interne chargé par eux de veiller Mme Hulot.

— Toute une vie de vertu !... était la seule phrase que la malade prononçât depuis la catastrophe. Lisbeth ne quittait pas le chevet d'Adeline, elle l'avait veillée ; elle était admirée par les deux jeunes femmes.

— Eh bien ! ma chère madame de Saint-Estève ! dit l'avocat en introduisant l'horrible vieille dans son cabinet et en en fermant soigneusement les portes, où en sommes-nous ?

— Eh bien ! mon cher ami, dit-elle en regardant Victorin d'un œil froidement ironique, vous avez fait vos petites réflexions ?...

— Avez-vous agi ?...

— Donnez-vous cinquante mille francs ?...

— Oui, répondit Hulot fils, car il faut marcher. Savez-vous que, par une seule phrase, cette femme a mis la vie et la raison de ma mère en danger ? Ainsi, marchez !

— On a marché ! répliqua la vieille.

— Eh ! bien ?... dit Victorin convulsivement.

— Eh bien ! vous n'arrêtez pas les frais ?

— Au contraire.

— C'est qu'il y a déjà vingt-trois mille francs de frais.

Hulot fils regarda la Saint-Estève d'un air imbécile.

– Ah ! çà, seriez-vous un jobard, vous l'une des lumières du Palais ? dit la vieille. Nous avons pour cette somme une conscience de femme de chambre et un tableau de Raphaël, ce n'est pas cher…

Hulot restait stupide, il ouvrait de grands yeux.

– Eh bien ! reprit la Saint-Estève, nous avons acheté Mlle Reine Tonsard, celle pour qui Mme Marneffe n'a pas de secrets…

– Je comprends…

– Mais si vous lésinez, dites-le ?…

– Je paierai de confiance, répondit-il, allez. Ma mère m'a dit que ces gens-là méritaient les plus grands supplices…

– On ne roue plus, dit la vieille.

– Vous me répondez du succès ?

– Laissez-moi faire, répondit la Saint-Estève. Votre vengeance mijote.

Elle regarda la pendule, la pendule marquait six heures.

– Votre vengeance s'habille, les fourneaux du *Rocher-de-Cancale* sont allumés, les chevaux des voitures piaffent, mes fers chauffent. Ah ! je sais votre Mme Marneffe par cœur. Tout est paré, quoi ! Il y a des boulettes dans la ratière, je vous dirai demain si la souris s'empoisonnera. Je le crois ! Adieu, mon fils.

– Adieu, madame.

– Savez-vous l'anglais ?

– Oui.

– Avez-vous vu jouer *Macbeth*, en anglais ?

– Oui.

– Eh bien ! mon fils, tu seras roi [1] ! c'est-à-dire tu hériteras ! dit cette affreuse sorcière devinée par Shakespeare et qui paraissait connaître Shakespeare. Elle laissa Hulot hébété sur le seuil de son cabinet. – N'oubliez pas que le

---

1. Allusion à la célèbre scène 3 de l'acte I de *Macbeth* (1606), lorsque Macbeth et Banquo rencontrent dans la lande les trois sorcières qui leur annoncent leur avenir et prédisent à Macbeth qu'il sera roi.

référé est pour demain ! dit-elle gracieusement en plaideuse consommée. Elle voyait venir deux personnes, et voulait passer à leurs yeux pour une comtesse Pimbêche [1].

– Quel aplomb ! se dit Hulot en saluant sa prétendue cliente.

113

Combabus

Le baron Montès de Montéjanos était un lion, mais un lion inexpliqué. Le Paris de la fashion, celui du turf et des lorettes admiraient les gilets ineffables de ce seigneur étranger, ses bottes d'un vernis irréprochable, ses sticks incomparables, ses chevaux enviés, sa voiture menée par des nègres parfaitement esclaves et très bien battus. Sa fortune était connue, il avait un crédit de sept cent mille francs chez le célèbre banquier du Tillet ; mais on le voyait toujours seul. S'il allait aux premières représentations, il était dans une stalle d'orchestre. Il ne hantait aucun salon. Il n'avait jamais donné le bras à une lorette ! On ne pouvait unir son nom à celui d'aucune jolie femme du monde. Pour passe-temps, il jouait au whist au Jockey-Club. On en était réduit à calomnier ses mœurs, ou, ce qui paraissait infiniment plus drôle, sa personne : on l'appelait Combabus ! Bixiou, Léon de Lora, Lousteau, Florine, Mlle Héloïse Brisetout et Nathan, soupant un soir chez l'illustre Carabine avec beaucoup de lions et de lionnes, avaient inventé cette explication, excessivement burlesque. Massol, en sa qualité de conseiller d'État, Claude Vignon, en sa qualité d'ancien professeur de grec, avaient raconté aux ignorantes lorettes la fameuse anecdote, rapportée dans l'Histoire

---

1. Personnage à l'esprit très procédurier, qui passe son temps à intenter des procès, dans la comédie de Racine intitulée *Les Plaideurs* (1668).

ancienne de Rollin, concernant Combabus [1], cet Abélard
volontaire chargé de garder la femme d'un roi d'Assyrie,
de Perse, Bactriane, Mésopotamie et autres départements
de la géographie particulière au vieux professeur du
Bocage qui continua d'Anville [2], le créateur de l'ancien
Orient. Ce surnom, qui fit rire pendant un quart d'heure
les convives de Carabine, fut le sujet d'une foule de plaisanteries trop lestes dans un ouvrage auquel l'Académie
pourrait ne pas donner le prix Montyon, mais parmi lesquelles on remarqua le nom qui resta sur la crinière touffue du beau baron, que Josépha nommait un *magnifique
Brésilien*, comme on dit un magnifique *Catoxantha* [3] !
Carabine, la plus illustre des lorettes, celle dont la beauté
fine et les saillies avaient arraché le sceptre du Treizième
arrondissement aux mains de Mlle Turquet, plus connue
sous le nom de *Malaga*, Mlle Séraphine Sinet (tel était
son vrai nom) était au banquier du Tillet ce que Josépha
Mirah était au duc d'Hérouville.

Or, le matin même du jour où la Saint-Estève prophéti-
sait le succès à Victorin, Carabine avait dit à du Tillet,
sur les sept heures du matin : « Si tu étais gentil, tu me
donnerais à dîner au *Rocher-de-Cancale*, et tu m'amène-
rais Combabus ; nous voulons savoir enfin s'il a une maîtresse... j'ai parié pour... je veux gagner... – Il est

1. Favori d'Antiochus Ier, roi de Syrie (IIIe siècle av. J.-C.). Chargé
d'accompagner la reine dans un voyage, il se mutila pour conserver son
honneur et celui de la reine, puis remit au roi le coffret contenant la
preuve de son acte.
2. Jean-Baptiste Bourguignon d'Anville (1697-1782) : ce géographe
et cartographe français, dont les cartes sont considérées comme les
meilleures de son époque, publia notamment un *Atlas général*, colla-
bora à l'*Encyclopédie*, et dessina les cartes de l'*Histoire ancienne* publiée
par Charles Rollin de 1730 à 1738. Jean Denis Barbié du Bocage (1760-
1825), lui aussi géographe et cartographe, fut l'unique élève de
d'Anville, et fonda la Société de géographie.
3. Clin d'œil à l'entomologiste Georges Mniszech, qui venait d'épouser, le 13 octobre 1846, Anna Hanska. Balzac était à la recherche depuis
décembre 1845 d'un *bicolor*, coléoptère de Java. Il annonça à Mniszech
le 23 septembre 1846 en avoir trouvé un et l'avoir expédié à Wiesbaden.

toujours à l'hôtel des Princes, j'y passerai, répondit du Tillet ; nous nous amuserons. Aie tous nos *gars* : le *gars* Bixiou, le *gars* Lora ! Enfin toute notre séquelle ! »

À sept heures et demie, dans le plus beau salon de l'établissement où l'Europe entière a dîné, brillait sur la table un magnifique service d'argenterie fait exprès pour les dîners où la Vanité soldait l'addition en billets de banque. Des torrents de lumière produisaient des cascades au bord des ciselures. Des garçons, qu'un provincial aurait pris pour des diplomates, n'était l'âge, se tenaient sérieux comme des gens qui se savent ultra-payés.

Cinq personnes arrivées en attendaient neuf autres. C'était d'abord Bixiou, le sel de toute cuisine intellectuelle, encore debout en 1843, avec une armure de plaisanteries toujours neuves, phénomène aussi rare à Paris que la vertu. Puis, Léon de Lora, le plus grand peintre de paysage et de marine existant, qui gardait sur tous ses rivaux l'avantage de ne jamais se trouver au-dessous de ses débuts. Les lorettes ne pouvaient pas se passer de ces deux rois du bon mot. Pas de souper, pas de dîner, pas de partie sans eux. Séraphine Sinet, dite Carabine, en sa qualité de maîtresse en titre de l'amphitryon, était venue l'une des premières, et faisait resplendir sous les nappes de lumière ses épaules sans rivales à Paris, un cou tourné comme par un tourneur, sans un pli ! son visage mutin et sa robe de satin broché, bleu sur bleu, ornée de dentelles d'Angleterre en quantité suffisante à nourrir un village pendant un mois. La jolie Jenny Cadine, qui ne jouait pas à son théâtre, et dont le portrait est trop connu pour en dire quoi que ce soit, arriva dans une toilette d'une richesse fabuleuse. Une partie est toujours pour ces dames un Longchamp [1] de toilettes, où chacune d'elles

---

1. À l'époque simple lieu de promenades mondaines, rendez-vous des élégances dans le bois de Boulogne (l'hippodrome n'existait pas encore, il fut créé en 1857).

veut faire obtenir le prix à son millionnaire, en disant ainsi à ses rivales : « Voilà le prix que je vaux ! »

Une troisième femme, sans doute au début de la carrière, regardait, presque honteuse, le luxe des deux commères posées et riches. Simplement habillée en cachemire blanc orné de passementeries bleues, elle avait été coiffée en fleurs, par un coiffeur du Genre *Merlan* [1] dont la main malhabile avait donné, sans le savoir, les grâces de la niaiserie à des cheveux blonds adorables. Encore gênée dans sa robe, *elle avait la timidité*, selon la phrase consacrée, *inséparable d'un premier début*. Elle arrivait de Valognes pour placer à Paris une fraîcheur désespérante, une candeur à irriter le désir chez un mourant, et une beauté digne de toutes celles que la Normandie a déjà fournies aux différents théâtres de la capitale. Les lignes de cette figure intacte offraient l'idéal de la pureté des anges. Sa blancheur lactée renvoyait si bien la lumière, que vous eussiez dit d'un miroir. Ses couleurs fines avaient été mises sur les joues comme avec un pinceau. Elle se nommait Cydalise [2]. C'était, comme on va le voir, un pion nécessaire dans la partie que jouait *mame* Nourrisson contre Mme Marneffe.

– Tu n'as pas le bras de ton nom, ma petite, avait dit Jenny Cadine à qui Carabine avait présenté ce chef-d'œuvre âgé de seize ans et amené par elle.

Cydalise, en effet, offrait à l'admiration publique de beaux bras d'un tissu serré, grenu, mais rougi par un sang magnifique.

– Combien vaut-elle ? demanda Jenny Cadine tout bas à Carabine.

---

1. *Merlan* : en langage populaire, perruquier ; se disait surtout quand les perruquiers étaient blancs de poudre, comme les merlans sont blancs de farine quand on va les frire.
2. Le prénom de Cydalise (qui serait un dérivé d'Élisabeth) a été popularisé par la bohème du Doyenné, réunie, vers 1835, autour de Nerval et de Gautier (le premier habitant impasse du Doyenné, l'autre, rue du Doyenné, dans le quartier des Tuileries). Un poème célèbre de Nerval, évoquant les « amoureuses » maintenant « au tombeau », s'intitule « Les Cydalises ».

– Un héritage.
– Qu'en veux-tu faire ?
– Tiens, madame Combabus !...
– Et l'on te donne, pour faire ce métier-là ?...
– Devine !
– Une belle argenterie ?
– J'en ai trois !
– Des diamants ?
– J'en vends...
– Un singe vert !
– Non, un tableau de Raphaël !
– Quel rat te passe dans la cervelle ?
– Josépha me scie l'omoplate avec ses tableaux, répondit Carabine, et j'en veux avoir de plus beaux que les siens...

Du Tillet amena le héros du dîner, le Brésilien ; le duc d'Hérouville les suivait avec Josépha. La cantatrice avait mis une simple robe de velours. Mais autour de son cou brillait un collier de cent vingt mille francs, des perles à peine distinctibles sur sa peau de camélia blanc. Elle s'était fourré dans ses nattes noires un seul camélia rouge (une mouche !) d'un effet étourdissant et elle s'était amusée à étager onze bracelets de perles sur chacun de ses bras. Elle vint serrer la main à Jenny Cadine, qui lui dit : « Prête-moi donc tes mitaines ?... » Josépha détacha ses bracelets et les offrit, sur une assiette, à son amie.

– Quel genre ! dit Carabine, faut être duchesse ! Plus que cela de perles ! Vous avez dévalisé la mer pour orner la fille, monsieur le duc ? ajouta-t-elle en se tournant vers le petit duc d'Hérouville.

L'actrice prit un seul bracelet, rattacha les vingt autres aux beaux bras de la cantatrice et y mit un baiser.

Lousteau, le pique-assiette littéraire, La Palférine et Malaga, Massol et Vaubinet, Théodore Gaillard, l'un des propriétaires d'un des plus importants journaux politiques, complétaient les invités. Le duc d'Hérouville, poli comme un grand seigneur avec tout le monde, eut pour le comte de La Palférine ce salut particulier qui, sans

accuser l'estime ou l'intimité, dit à tout le monde :
« Nous sommes de la même famille, de la même race,
nous nous valons ! » Ce salut, le *shiboleth*[1] de l'aristocratie, a été créé pour le désespoir des gens d'esprit de la
haute bourgeoisie.

Carabine prit Combabus à sa gauche et le duc
d'Hérouville à sa droite. Cydalise flanqua le Brésilien, et
Bixiou fut mis à côté de la Normande. Malaga prit place
à côté du duc.

114

Un dîner de lorettes

À sept heures, on attaqua les huîtres. À huit heures,
entre les deux services, on dégusta le punch glacé. Tout
le monde connaît le menu de ces festins. À neuf heures,
on babillait comme on babille après quarante-deux bouteilles de différents vins, bues entre quatorze personnes.
Le dessert, cet affreux dessert du mois d'avril[2], était
servi. Cette atmosphère capiteuse n'avait grisé que la
Normande qui chantonnait un Noël. Cette pauvre fille

---

1. Balzac, qui a toujours été fasciné par les sociétés secrètes, aime
employer ce terme, qui désigne un signe de reconnaissance entre
membres d'une même tribu, d'un même groupe. Le mot vient du Livre
des Juges, XII, 4-6.

2. On peut émettre l'hypothèse que « cet affreux dessert du mois
d'avril » serait un dessert de Carême (le Carême se poursuivant souvent
début avril), l'obligation de faire maigre obligeant à inventer des des-
serts sans œufs et avec de l'huile au lieu de beurre ; peut-être s'agit-il
du pain perdu, qui était le dessert de Carême en Espagne ainsi que
dans certaines provinces françaises (la Bretagne, notamment). Une
autre possibilité serait que ce dessert d'avril soit « affreux » parce que
c'est une saison où la nature offre peu de choix de fruits frais, où il
n'y a plus guère que les fruits qu'on a fait sécher pour les conserver
en hiver.

exceptée, personne n'avait perdu la raison, les buveurs, les femmes étaient l'élite du Paris soupant. Les esprits riaient, les yeux, quoique brillantés, restaient pleins d'intelligence, mais les lèvres tournaient à la satire, à l'anecdote, à l'indiscrétion. La conversation, qui jusqu'alors avait roulé dans le cercle vicieux des courses et des chevaux, des exécutions à la Bourse, des différents mérites des lions comparés les uns aux autres, et des histoires scandaleuses connues, menaçait de devenir intime, de se fractionner par groupes de deux cœurs.

Ce fut en ce moment que, sur des œillades distribuées par Carabine à Léon de Lora, Bixiou, La Palférine et du Tillet, on parla d'amour.

— Les médecins comme il faut ne parlent jamais médecine, les vrais nobles ne parlent jamais ancêtres, les gens de talent ne parlent pas de leurs œuvres, dit Joséfa, pourquoi parler de notre état... J'ai fait faire relâche à l'Opéra pour venir, ce n'est pas certes pour *travailler* ici. Ainsi ne *posons* point, mes chères amies.

— On te parle du véritable amour, ma petite ! dit Malaga, de cet amour qui fait qu'on s'enfonce ! qu'on enfonce père et mère, qu'on vend femmes et enfants, et qu'on va *dà* Clichy...

— Causez, alors ! reprit la cantatrice. Connais pas !

Connais pas ! ... Ce mot, passé de l'argot des gamins de Paris dans le vocabulaire de la lorette, est, à l'aide des yeux et de la physionomie de ces femmes, tout un poème sur leurs lèvres.

— Je ne vous aime donc point, Joséfa ? dit tout bas le duc.

— Vous pouvez m'aimer véritablement, dit à l'oreille du duc la cantatrice en souriant ; mais moi je ne vous aime pas de l'amour dont on parle, de cet amour qui fait que l'univers est tout noir sans l'homme aimé. Vous m'êtes agréable, utile, mais vous ne m'êtes pas indispensable ; et, si demain vous m'abandonniez, j'aurais trois ducs pour un...

– Est-ce que l'amour existe à Paris ? dit Léon de Lora. Personne n'y a le temps de faire sa fortune, comment se livrerait-on à l'amour vrai qui s'empare d'un homme comme l'eau s'empare du sucre ? Il faut être excessivement riche pour aimer, car l'amour annule un homme, à peu près comme notre cher baron brésilien que voilà. Il y a longtemps que je l'ai déjà dit [1], *les extrêmes se bouchent !* Un véritable amoureux ressemble à un eunuque, car il n'y a plus de femmes pour lui sur la terre ! Il est mystérieux, il est comme le vrai chrétien, solitaire dans sa thébaïde ! Voyez-moi ce brave Brésilien !... Toute la table examina Henri Montès de Montéjanos qui fut honteux de se trouver le centre de tous les regards. – Il pâture là depuis une heure, sans plus savoir que ne le saurait un bœuf, qu'il a pour voisine la femme la plus... je ne dirai pas ici la plus belle, mais la plus fraîche de Paris.

– Tout est frais ici, même le poisson, c'est la renommée de la maison, dit Carabine.

Le baron Montès de Montéjanos regarda le paysagiste d'un air aimable et dit : « Très bien ! je bois à vous ! » Et il salua Léon de Lora d'un signe de tête, inclina son verre plein de vin de porto et but magistralement.

– Vous aimez donc ? dit Carabine à son voisin en interprétant ainsi le toast.

Le baron brésilien fit encore remplir son verre, salua Carabine, et répéta le toast.

– À la santé de madame, dit alors la lorette d'un ton si plaisant que le paysagiste, du Tillet et Bixiou partirent d'un éclat de rire.

Le Brésilien resta grave comme un homme de bronze. Ce sang-froid irrita Carabine. Elle savait parfaitement

---

1. Lorsque le jeune rapin Léon de Lora portait le surnom de Mistigris, dans *Un début dans la vie* (1842), et passait son temps à faire de bons mots. Voir *Un début dans la vie*, dans *La Comédie humaine*, t. I, Gallimard, « Bibliothèque de la Pléiade », 1976, p. 799.

que Montès aimait Mme Marneffe ; mais elle ne s'attendait pas à cette foi brutale, à ce silence obstiné de l'homme convaincu. On juge aussi souvent une femme d'après l'attitude de son amant, qu'on juge un amant sur le maintien de sa maîtresse. Fier d'aimer Valérie et d'être aimé d'elle, le sourire du baron offrait à ces connaisseurs émérites une teinte d'ironie, et il était d'ailleurs superbe à voir : les vins n'avaient pas altéré sa coloration, et ses yeux brillant de l'éclat particulier à l'or bruni, gardaient les secrets de l'âme. Aussi Carabine se disait-elle en elle-même : « Quelle femme ! comme elle vous a cacheté ce cœur-là ! »

— C'est un roc ! dit à demi-voix Bixiou, qui ne voyait là qu'une charge et qui ne soupçonnait pas l'importance attachée par Carabine à la démolition de cette forteresse.

Pendant que ces discours, en apparence si frivoles, se disaient à la droite de Carabine, la discussion sur l'amour continuait à sa gauche entre le duc d'Hérouville, Lousteau, Josépha, Jenny Cadine et Massol. On en était à chercher si ces rares phénomènes étaient produits par la passion, par l'entêtement ou par l'amour. Josépha, très ennuyée de ces théories, voulut changer de conversation.

— Vous parlez de ce que vous ignorez complètement ! Y a-t-il un de vous qui ait assez aimé une femme, et une femme indigne de lui, pour manger sa fortune, celle de ses enfants, pour vendre son avenir, pour ternir son passé, pour encourir les galères en volant l'État, pour tuer un oncle et un frère, pour se laisser si bien bander les yeux qu'il n'ait pas pensé qu'on les lui bouchait afin de l'empêcher de voir le gouffre où, pour dernière plaisanterie, on l'a lancé ! Du Tillet a sous la mamelle gauche une caisse, Léon de Lora y a son esprit, Bixiou rirait de lui-même s'il aimait une autre personne que lui, Massol a un portefeuille ministériel à la place d'un cœur, Lousteau n'a là qu'un viscère, lui qui a pu se laisser quitter par Mme de La Baudraye, M. le duc est trop riche pour pouvoir prouver son amour par sa ruine, Vauvinet ne compte pas, je retranche l'escompteur du genre humain.

Ainsi, vous n'avez jamais aimé, ni moi non plus, ni Jenny, ni Carabine… Quant à moi, je n'ai vu qu'une seule fois le phénomène que je viens de décrire. C'est, dit-elle à Jenny Cadine, notre pauvre baron Hulot, que je vais faire afficher comme un chien perdu, car je veux le retrouver.

– Ah ! çà, se dit en elle-même Carabine en regardant Josépha d'une certaine manière, Mme Nourrisson a donc deux tableaux de Raphaël, que Josépha joue mon jeu ?

– Pauvre homme ! dit Vauvinet, il était bien grand, bien magnifique. Quel style ! quelle tournure ! Il avait l'air de François Ier ! Quel volcan ! et quelle habileté, quel génie il déployait pour trouver de l'argent ! Là où il est, il en cherche, et il doit en extraire de ces murs faits avec des os qu'on voit dans les faubourgs de Paris, près des barrières, où sans doute il s'est caché…

– Et cela, dit Bixiou, pour cette petite Mme Marneffe ! En voilà-t-il une rouée !

– Elle épouse mon ami Crevel ! ajouta du Tillet.

– Et elle est folle de mon ami Steinbock ! dit Léon de Lora.

Ces trois phrases furent trois coups de pistolet que Montès reçut en pleine poitrine. Il devint blême et souffrit tant qu'il se leva péniblement.

– Vous êtes des canailles ! dit-il. Vous ne devriez pas mêler le nom d'une honnête femme aux noms de toutes vos femmes perdues ! ni surtout en faire une cible pour vos lazzis.

Montès fut interrompu par des bravos et des applaudissements unanimes. Bixiou, Léon de Lora, Vauvinet, du Tillet, Massol donnèrent le signal. Ce fut un chœur.

– Vive l'empereur ! dit Bixiou.

– Qu'on le couronne ! s'écria Vauvinet.

– *Un grognement* pour Médor [1], *hurrah* pour le Brésil ! cria Lousteau.

---

1. Médor : personnage du *Roland furieux* de l'Arioste (1516), jeune Sarrasin, ennemi de Roland. On lui associe les notions de fidélité et d'amitié, en raison de son amitié indéfectible pour Cloridan (on a comparé Médor et Cloridan à Nisus et Euryale dans l'*Énéide* de Virgile) et de sa loyauté envers son roi.

– Ah ! baron cuivré, tu aimes notre Valérie ? dit Léon de Lora, tu n'es pas dégoûté !

– Ce n'est pas parlementaire, ce qu'il a dit ; mais c'est magnifique !... fit observer Massol.

– Mais, mon amour de client, tu m'es recommandé, je suis ton banquier, ton innocence va me faire du tort.

– Ah ! dites-moi, vous qui êtes un homme sérieux, demanda le Brésilien à du Tillet.

– Merci pour nous tous, fit Bixiou qui salua.

– Dites-moi quelque chose de positif !... ajouta Montès sans prendre garde au mot de Bixiou.

– Ah ! çà, reprit du Tillet, j'ai l'honneur de te dire que je suis invité à la noce de Crevel.

– Ah ! Combabus prend la défense de Mme Marneffe ! dit Josépha qui se leva solennellement. Elle alla d'un air tragique jusqu'à Montès, elle lui donna sur la tête une petite tape amicale, elle le regarda pendant un instant en laissant voir sur sa figure une admiration comique, et hocha la tête. – Hulot est le premier exemple de l'amour *quand même*, voilà le second, dit-elle ; mais il ne devrait pas compter, car il vient des Tropiques !

Au moment où Josépha frappa doucement le front du Brésilien, Montès retomba sur sa chaise, et s'adressa, par un regard, à du Tillet : – Si je suis le jouet d'une de vos plaisanteries parisiennes, lui dit-il, si vous avez voulu m'arracher mon secret... Et il enveloppa la table entière d'une ceinture de feu embrassant tous les convives d'un coup d'œil où flamba le soleil du Brésil. – Par grâce, avouez-le-moi, reprit-il d'un air suppliant et presque enfantin ; mais ne calomniez pas une femme que j'aime...

– Ah ! çà, lui répondit Carabine à l'oreille, mais si vous étiez indignement trahi, trompé, joué par Valérie, et que je vous en donnasse les preuves, dans une heure, chez moi, que feriez-vous ?

– Je ne puis pas vous le dire ici, devant tous ces Iagos... dit le baron brésilien.

Carabine entendit *magots* !

– Eh bien ! taisez-vous ! lui répondit-elle en souriant, ne prêtez pas à rire aux hommes les plus spirituels de Paris, et venez chez moi, nous causerons...

Montès était anéanti...

– Des preuves !... dit-il en balbutiant, songez !...

– Tu en auras trop, répondit Carabine, et puisque le soupçon te porte autant à la tête, j'ai peur pour ta raison...

– Est-il entêté cet être-là, c'est pis que feu le roi de Hollande [1]. Voyons ? Lousteau, Bixiou, Massol, ohé ! les autres ? n'êtes-vous pas invités tous à déjeuner par Mme Marneffe, après-demain ? demanda Léon de Lora.

– *Ya*, répondit du Tillet. J'ai l'honneur de vous répéter, baron, que si vous aviez, par hasard, l'intention d'épouser Mme Marneffe, vous êtes rejeté comme un projet de loi par une boule du nom de Crevel. Mon ami, mon ancien camarade Crevel a quatre-vingt mille livres de rente, et vous n'en avez pas probablement fait voir autant, car alors vous eussiez été, je le crois, préféré...

Montès écouta d'un air à demi rêveur, à demi souriant, qui parut terrible à tout ce monde. Le premier garçon vint dire en ce moment à l'oreille de Carabine qu'une de ses parentes était dans le salon et désirait lui parler. La lorette se leva, sortit, et trouva Mme Nourrisson sous voiles de dentelle noire.

– Eh bien ! dois-je aller chez toi, ma fille ? A-t-il mordu ?

– Oui, ma petite mère, le pistolet est si bien chargé que j'ai peur qu'il n'éclate, répondit Carabine.

115

Où l'on voit madame Nourrisson à l'ouvrage

Une heure après, Montès, Cydalise et Carabine, revenus du *Rocher-de-Cancale*, entraient rue Saint-Georges,

----

1. Il s'agit du roi Guillaume Ier d'Orange-Nassau (1772-1843).

dans le petit salon de Carabine. La lorette vit Mme Nourrisson assise dans une bergère, au coin du feu.

– Tiens ! voilà ma respectable tante ! dit-elle.

– Oui, ma fille, c'est moi qui viens chercher moi-même ma petite rente. Tu m'oublierais, quoique tu aies bon cœur, et j'ai demain des billets à payer. Une marchande à la toilette, c'est toujours gêné. Qu'est-ce que tu traînes donc après toi ?… Ce monsieur a l'air d'avoir bien du désagrément…

L'affreuse Mme Nourrisson, dont en ce moment la métamorphose était complète, et qui semblait être une bonne vieille femme, se leva pour embrasser Carabine, une des cent et quelques lorettes qu'elle avait lancées dans l'horrible carrière du vice.

– C'est un Othello qui ne se trompe pas, et que j'ai l'honneur de te présenter : M. le baron Montès de Montéjanos…

– Oh ! je connais monsieur pour en avoir beaucoup entendu parler ; on vous appelle Combabus parce que vous n'aimez qu'une femme ; c'est, à Paris, comme si l'on n'en avait pas du tout. Eh bien ! s'agirait-il par hasard de votre objet ? de Mme Marneffe, la femme à Crevel… Tenez, mon cher monsieur, bénissez votre sort au *lieur* de l'accuser… C'est une rien du tout, cette petite femme-là. Je connais ses allures !…

– Ah bah ! dit Carabine à qui Mme Nourrisson avait glissé dans la main une lettre en l'embrassant, tu ne connais pas les Brésiliens. C'est des crânes qui tiennent à s'empaler par le cœur !… Tant plus ils sont jaloux, tant plus ils veulent l'être. Môsieur parle de tout massacrer, et il ne massacrera rien, parce qu'il aime ! Enfin, je ramène ici M. le baron pour lui donner les preuves de son malheur que j'ai obtenues de ce petit Steinbock.

Montès était ivre, il écoutait comme s'il ne s'agissait pas de lui-même. Carabine alla se débarrasser de son crispin en velours, et lut le *fac-similé* du billet suivant :

Mon chat, *il* va ce soir dîner chez Popinot, et viendra me chercher à l'Opéra sur les onze heures. Je partirai sur les cinq

heures et demie, et compte te trouver à notre paradis, où tu
feras venir à dîner de *la Maison d'Or*[1]. Habille-toi de
manière à pouvoir me ramener à l'Opéra. Nous aurons
quatre heures à nous. Tu me rendras ce petit mot, non pas
que ta Valérie se défie de toi, je te donnerais ma vie, ma
fortune et mon honneur ; mais je crains les farces du hasard.

– Tiens, baron, voilà le poulet envoyé ce matin au
comte de Steinbock, lis l'adresse ! L'original vient d'être
brûlé.

Montès tourna, retourna le papier, reconnut l'écriture,
et fut frappé d'une idée juste, ce qui prouve combien sa
tête était dérangée.

– Ah ! ça, dans quel intérêt me déchirez-vous le cœur,
car vous avez acheté bien cher le droit d'avoir ce billet
pendant quelque temps entre les mains pour le faire
lithographier ? dit-il en regardant Carabine.

– Grand imbécile ! dit Carabine à un signe de
Mme Nourrisson, ne vois-tu pas cette pauvre Cydalise...
un enfant de seize ans qui t'aime depuis trois mois à en
perdre le boire et le manger, et qui se désole de n'avoir
pas encore obtenu le plus distrait de tes regards ? (Cydalise se mit un mouchoir sur les yeux, et eut l'air de pleurer.) – Elle est furieuse, malgré son air de sainte-nitouche,
de voir que l'homme dont elle est folle est la dupe d'une
scélérate, dit Carabine en poursuivant, et elle tuerait
Valérie...

– Oh ! ça, dit le Brésilien, ça me regarde !

– Tuer ?... toi ! mon petit, dit la Nourrisson, ça ne se
fait plus ici.

– Oh ! reprit Montès, je ne suis pas de ce pays-ci, moi !
Je vis dans une capitainerie où je me moque de vos lois,
et si vous me donnez des preuves...

– Ah ! çà, ce billet, ce n'est donc rien ?...

1. En fait *La Maison dorée*, restaurant situé 20, boulevard des Italiens, à l'angle de la rue Laffite, ouvert en 1841, célèbre pour son salon
laqué et ses seize cabinets particuliers.

– Non, dit le Brésilien. Je ne crois pas à l'écriture, je veux voir...

– Oh ! voir ! dit Carabine qui comprit à merveille un nouveau geste de sa fausse tante ; mais on te fera tout voir, mon cher tigre, à une condition...

– Laquelle ?

– Regardez Cydalise.

Sur un signe de Mme Nourrisson, Cydalise regarda tendrement le Brésilien.

– L'aimeras-tu ?... lui feras-tu son sort ?... demanda Carabine. Une femme de cette beauté-là, ça vaut un hôtel et un équipage ! Ce serait une monstruosité que de la laisser à pied. Et elle a... des dettes. Que dois-tu ? fit Carabine en pinçant le bras de Cydalise.

– Elle vaut ce qu'elle vaut, dit la Nourrisson. Suffit qu'il y a marchand !

– Écoutez ! s'écria Montès en apercevant enfin cet admirable chef-d'œuvre féminin, vous me ferez voir Valérie ?...

– Et le comte de Steinbock, parbleu ! dit Mme Nourrisson.

Depuis dix minutes, la vieille observait le Brésilien, elle vit en lui l'instrument monté au diapason du meurtre dont elle avait besoin, elle le vit surtout assez aveuglé pour ne plus prendre garde à ceux qui le menaient, et elle intervint.

– Cydalise, mon chéri du Brésil, est ma nièce, et l'affaire me regarde un peu. Toute cette débâcle, c'est l'affaire de dix minutes ; car c'est une de mes amies qui loue au comte de Steinbock la chambre garnie où ta Valérie prend en ce moment son café, un drôle de café, mais elle appelle cela son café. Donc, entendons-nous, Brésil ! J'aime le Brésil, c'est un pays chaud. Quel sera le sort de ma nièce ?

– Vieille autruche ! dit Montès frappé des plumes que la Nourrisson avait sur son chapeau, tu m'as interrompu. Si tu me fais voir... voir Valérie et cet artiste ensemble...

– Comme tu voudrais être avec elle, dit Carabine, c'est entendu.

– Eh bien ! je prends cette Normande, et l'emmène...

– Où ?... demanda Carabine.

– Au Brésil ! répondit le baron, j'en ferai ma femme. Mon oncle m'a laissé dix lieues carrées de pays invendables, voilà pourquoi je possède encore cette habitation ; j'y ai cent nègres, rien que des nègres, des négresses et des négrillons achetés par mon oncle...

– Le neveu d'un négrier !... dit Carabine en faisant la moue, c'est à considérer. Cydalise mon enfant, es-tu négrophile ?

– Ah ! çà, *ne blaguons* plus, Carabine, dit la Nourrisson. Que diable ! nous sommes en affaires, monsieur et moi.

– Si je me redonne une Française, je la veux toute à moi, reprit le Brésilien. Je vous en préviens, mademoiselle, je suis un roi, mais pas un roi constitutionnel, je suis un czar, j'ai acheté tous mes sujets, et personne ne sort de mon royaume, qui se trouve à cent lieues de toute habitation, il est bordé de Sauvages du côté de l'intérieur, et séparé de la côte par un désert grand comme votre France...

– J'aime mieux une mansarde ici ! dit Carabine...

– C'est ce que je pensais, répliqua le Brésilien, puisque j'ai vendu toutes mes terres, et tout ce que je possédais à Rio de Janeiro pour venir retrouver Mme Marneffe.

– On ne fait pas ces voyages-là pour rien, dit Mme Nourrisson. Vous avez le droit d'être aimé pour vous-même, étant surtout très beau... Oh ! il est beau, dit-elle à Carabine.

– Très beau ! plus beau que le postillon de Longjumeau [1], répondit la lorette.

_____

1. Allusion à l'air de l'opéra-comique *Le Postillon de Longjumeau*, œuvre d'Adolphe Adam sur un livret d'Adolphe de Leuven et Léon-Lévy Brunswick, créé le 13 octobre 1836 à la Salle de la Bourse à Paris : « Oh ! oh ! oh ! Qu'il était beau,/ Le postillon de Longjumeau ! »

Cydalise prit la main du Brésilien, qui se débarrassa d'elle le plus honnêtement possible.

– J'étais revenu pour enlever Mme Marneffe ! reprit le Brésilien en reprenant son argumentation, et vous ne savez pas pourquoi j'ai mis trois ans à revenir ?

– Non, Sauvage, dit Carabine.

– Eh bien ! elle m'avait tant dit qu'elle voulait vivre avec moi, seule, dans un désert !...

– Ce n'est plus un Sauvage, dit Carabine en partant d'un éclat de rire, il est de la tribu des Jobards civilisés.

– Elle me l'avait tant dit, reprit le baron insensible aux railleries de la lorette, que j'ai fait arranger une habitation délicieuse au centre de cette immense propriété. Je reviens en France chercher Valérie, et la nuit où je l'ai revue...

– Revue est décent, dit Carabine, je retiens le mot !

– Elle m'a dit d'attendre la mort de ce misérable Marneffe, et j'ai consenti, tout en lui pardonnant d'avoir accepté les hommages de Hulot. Je ne sais pas si le diable a pris des jupes, mais cette femme, depuis ce moment, a satisfait à tous mes caprices, à toutes mes exigences ; enfin, elle ne m'a pas donné lieu de la suspecter pendant une minute !...

– Ça ! c'est très fort ! dit Carabine à Mme Nourrisson.

Mme Nourrisson hocha la tête en signe d'assentiment.

– Ma foi en cette femme, dit Montès en laissant couler ses larmes, égale mon amour. J'ai failli souffleter tout ce monde à table, tout à l'heure.

– Je l'ai bien vu ! dit Carabine.

– Si je suis trompé, si elle se marie, et si elle est en ce moment dans les bras de Steinbock, cette femme a mérité mille morts, et je la tuerai comme on écrase une mouche...

– Et les gendarmes, mon petit... dit Mme Nourrisson avec un sourire de vieille qui donnait la chair de poule.

– Et le commissaire de police et les juges, et la cour d'assises et tout le tremblement !... dit Carabine.

– Vous êtes un fat ! mon cher, reprit Mme Nourrisson qui voulait connaître les projets de vengeance du Brésilien.

– Je la tuerai ! répéta froidement le Brésilien. Ah ! çà, vous m'avez appelé Sauvage !... Est-ce que vous croyez que je vais imiter la sottise de vos compatriotes qui vont acheter du poison chez les pharmaciens ?... J'ai pensé, pendant le temps que vous avez mis à venir chez vous, à ma vengeance, dans le cas où vous auriez raison contre Valérie. L'un de mes nègres porte avec lui le plus sûr des poisons animaux, une terrible maladie qui vaut mieux qu'un poison végétal et qui ne se guérit qu'au Brésil, je la fais prendre à Cydalise, qui me la donnera ; puis, quand la mort sera dans les veines de Crevel et de sa femme, je serai par-delà les Açores avec votre nièce que je ferai guérir et que je prendrai pour femme [1]. Nous autres Sauvages, nous avons nos procédés !... Cydalise, dit-il en regardant la Normande, est la bête qu'il me faut. Que doit-elle ?...

– Cent mille francs ! dit Cydalise.

– Elle parle peu, mais bien, dit à voix basse Carabine à Mme Nourrisson.

– Je deviens fou ! s'écria d'une voix creuse le Brésilien en retombant sur une causeuse. J'en mourrai ! Mais je veux voir, car c'est impossible ! Un billet lithographié !... qui me dit que ce n'est pas l'œuvre d'un faussaire ?... Le baron Hulot aimer Valérie !... dit-il en se rappelant le

---

1. Le Brésilien imite Mme Schontz qui, dans *Béatrix*, se fait inoculer une maladie vénérienne pour la communiquer à Mme Rochefide par l'intermédiaire d'Arthur. Dans *Splendeurs et misères des courtisanes*, Peyrade meurt empoisonné par un poison végétal, « de l'archipel de Java, pris à des arbustes assez peu connus encore, de la nature des Strychnos ». Balzac s'intéresse depuis de longues années à la toxicologie, et plusieurs de ses romans témoignent de ses connaissances dans ce domaine : voir les personnages du Mexicain Maïco dans *Jean-Louis* (roman de jeunesse) et de Ferragus, responsable de la mort de M. de Maulincourt, empoisonné par les cheveux, ainsi que diverses réflexions faites dans *La Confidence des Ruggieri* (IIe partie de *Sur Catherine de Médicis*).

discours de Josépha ; mais la preuve qu'il ne l'aimait pas
c'est qu'elle existe !... Moi je ne la laisserai vivante à personne, si elle n'est pas toute à moi !...

Montès était effrayant à voir, et plus effrayant à
entendre ! Il rugissait, il se tordait, tout ce qu'il touchait
était brisé, le bois de palissandre semblait être du verre.

– Comme il casse ! dit Carabine en regardant la Nourrisson. – Mon petit, reprit-elle en donnant une tape au
Brésilien, Roland furieux[1] fait très bien dans un poème ;
mais, dans un appartement, c'est prosaïque et cher.

– Mon fils ! dit la Nourrisson en se levant et allant se
poser en face du Brésilien abattu, je suis de ta religion.
Quand on aime d'une certaine façon, qu'on s'est *agrafé
à mort*, la vie répond de l'amour. Celui qui s'en va arrache tout, quoi ! c'est une démolition générale. Tu as mon
estime, mon admiration, mon consentement, surtout
pour ton procédé qui va me rendre négrophile. Mais tu
aimes ! tu reculeras !...

– Moi !... si c'est une infâme, je...

– Voyons, tu causes trop à la fin des fins ! reprit la
Nourrisson redevenant elle-même. Un homme qui veut
se venger et qui se dit Sauvage à procédés se conduit
autrement. Pour qu'on te fasse voir ton objet dans son
paradis, il faut prendre Cydalise et avoir l'air d'entrer là,
par suite d'une erreur de bonne, avec ta particulière, mais
pas d'esclandre ! Si tu veux te venger, il faut caponner,
avoir l'air d'être au désespoir et te faire rouler par ta
maîtresse ? Ça y est-il ? dit Mme Nourrisson en voyant
le Brésilien surpris d'une machination si subtile.

– Allons ! l'Autruche, répondit-il, allons... je
comprends.

– Adieu, mon bichon, dit Mme Nourrisson à
Carabine.

---

1. Nouvelle allusion au poème de l'Arioste, le *Roland furieux* (1516),
où Roland devient « furieux » lorsqu'il découvre l'amour d'Angélique
pour le jeune soldat sarrasin Médor.

Elle fit signe à Cydalise de descendre avec Montès, et resta seule avec Carabine.

– Maintenant, ma mignonne, je n'ai peur que d'une chose, c'est qu'il l'étrangle ! Je serais dans de mauvais draps, il ne nous faut que des affaires *en douceur*. Oh ! je crois que tu as gagné ton tableau de Raphaël, mais on dit que c'est un Mignard. Sois tranquille. C'est beaucoup plus beau ; l'on m'a dit que les Raphaël étaient tout noirs, tandis que celui-là, c'est gentil comme un Girodet.

– Je ne tiens qu'à l'emporter sur Josépha ! s'écria Carabine, et ça m'est égal que ça soit avec un Mignard ou avec un Raphaël. Non, cette voleuse avait des perles, ce soir... on se damnerait pour !

116

Ce qu'est une petite maison en 1840

Cydalise, Montès et Mme Nourrisson montèrent dans un fiacre qui stationnait à la porte de Carabine. Mme Nourrisson indiqua tout bas au cocher une maison du pâté des Italiens, où l'on serait arrivé dans quelques instants, car, de la rue Saint-Georges, la distance est de sept à huit minutes ; mais Mme Nourrisson ordonna de prendre par la rue Lepelletier, et d'aller très lentement de manière à passer en revue les équipages stationnés.

– Brésilien ! dit la Nourrisson, vois à reconnaître les gens et la voiture de ton ange.

Le baron montra du doigt l'équipage de Valérie au moment où le fiacre passa devant.

– Elle a dit à ses gens de venir à dix heures, et elle s'est fait conduire en fiacre à la maison où elle est avec le comte Steinbock ; elle y a dîné, et elle viendra dans une demi-heure à l'Opéra. C'est bien travaillé ! dit Mme Nourrisson. Cela t'explique comment elle peut t'avoir attrapé si longtemps.

Le Brésilien ne répondit pas. Métamorphosé en tigre, il avait repris le sang-froid imperturbable tant admiré pendant le dîner. Enfin, il était calme comme un failli, le lendemain du bilan déposé.

À la porte de la fatale maison, stationnait une citadine [1] à deux chevaux, de celles qui s'appellent *Compagnie générale*, du nom de l'entreprise.

– Reste dans ta boîte, dit Mme Nourrisson à Montès. On n'entre pas ici comme dans un estaminet, on viendra vous chercher.

Le paradis de Mme Marneffe et de Wenceslas ne ressemblait guère à la petite maison Crevel, que Crevel avait vendue au comte Maxime de Trailles ; car, dans son opinion, elle devenait inutile. Ce paradis, le paradis de bien du monde, consistait en une chambre située au quatrième étage, et donnant sur l'escalier, dans une maison sise au pâté des Italiens. À chaque étage, il se trouvait dans cette maison, sur chaque palier, une chambre, autrefois disposée pour servir de cuisine à chaque appartement. Mais la maison étant devenue une espèce d'auberge louée aux amours clandestines à des prix exorbitants, la principale locataire, la vraie Mme Nourrisson, marchande à la toilette rue Neuve-Saint-Marc, avait jugé sainement de la valeur immense de ces cuisines, en en faisant des espèces de salles à manger. Chacune de ces pièces, flanquée de deux gros murs mitoyens, éclairée sur la rue, se trouvait totalement isolée, au moyen de portes battantes très épaisses qui faisaient une double fermeture sur le palier. On pouvait donc causer de secrets importants en dînant sans courir le risque d'être entendu. Pour plus de sûreté, les fenêtres étaient pourvues de persiennes au-dehors et

---

1. Les *citadines* étaient des « omnibus (du nom de M. Omnes qui essaya ce mode de transport urbain à Nantes), voitures de couleur jaune, blanche ou rouge, tirées par trois chevaux et desservant des itinéraires précis, dont on annonce les arrêts » (Jean Ygaunin, *Paris à l'époque de Balzac et dans La Comédie humaine*, Nizet, 1992, p. 67). Elles desservaient deux lignes, l'une de Belleville au Gros-Caillou, et l'autre de la place Dauphine à Belleville.

de volets en dedans. Ces chambres, à cause de cette particularité, coûtaient trois cents francs par mois. Cette maison, grosse de paradis et de mystères, était louée vingt-quatre mille francs à Mme Nourrisson Iʳᵉ, qui en gagnait vingt mille, bon an, mal an, sa gérante (Mme Nourrisson IIᵉ) payée, car elle n'administrait point par elle-même.

Le paradis loué au comte Steinbock avait été tapissé de perse. La froideur et la dureté d'un ignoble carreau rougi d'encaustique ne se sentait plus aux pieds sous un moelleux tapis. Le mobilier consistait en deux jolies chaises et un lit dans une alcôve, alors à demi caché par une table chargée des restes d'un dîner fin, et où deux bouteilles à longs bouchons et une bouteille de vin de Champagne éteinte dans sa glace jalonnaient les champs de Bacchus cultivés par Vénus. On voyait, envoyés sans doute par Valérie, un bon fauteuil-ganache à côté d'une chauffeuse, et une jolie commode en bois de rose avec sa glace bien encadrée en style Pompadour. Une lampe au plafond donnait un demi-jour accru par les bougies de la table et par celles qui décoraient la cheminée.

Ce croquis peindra, *urbi et orbi* [1], l'amour clandestin dans les mesquines proportions qu'y imprime le Paris de 1840. À quelle distance est-on, hélas ! de l'amour adultère symbolisé par les filets de Vulcain [2], il y a trois mille ans.

Au moment où Cydalise et le baron montaient, Valérie, debout devant la cheminée, où brûlait une falourde, se faisait lacer par Wenceslas. C'est le moment où la femme qui n'est ni trop grasse ni trop maigre, comme

---

1. Expression latine qui signifie : « à la ville [Rome] et au monde ». Cette expression, tirée des *Fastes* d'Ovide, est employée dans la religion catholique au sujet des bénédictions prononcées par le pape, qui s'adressent à la fois à Rome (dont il est l'évêque) et à l'Église universelle (dont il est le pasteur).

2. Dans la mythologie, le dieu Vulcain prit son épouse Vénus en flagrant délit d'adultère avec le dieu Mars et les emprisonna dans des filets avant de faire venir les autres dieux.

était la fine, l'élégante Valérie, offre des beautés surnaturelles. La chair rosée, à teintes moites, sollicite un regard des yeux les plus endormis. Les lignes du corps, alors si peu voilé, sont si nettement accusées par les plis éclatants du jupon et par le basin [1] du corset, que la femme est irrésistible, comme tout ce qu'on est obligé de quitter. Le visage heureux et souriant dans le miroir, le pied qui s'impatiente, la main qui va réparant le désordre des boucles de la coiffure mal reconstruite, les yeux où déborde la reconnaissance ; puis le feu du contentement qui, semblable à un coucher de soleil, embrase les plus menus détails de la physionomie, tout de cette heure en fait une mine à souvenirs !... Certes, quiconque jetant un regard sur les premières erreurs de sa vie y reprendra quelques-uns de ces délicieux détails, comprendra peut-être, sans les excuser, les folies des Hulot et des Crevel. Les femmes connaissent si bien leur puissance en ce moment qu'elles y trouvent toujours ce qu'on peut appeler le regain du rendez-vous.

117

Dernière scène de haute comédie féminine

– Allons donc ! après deux ans, tu ne sais pas encore lacer une femme ! tu es aussi par trop Polonais ! Voilà dix heures, mon Wences... las ! dit Valérie en riant.

En ce moment, une méchante bonne fit adroitement sauter avec la lame d'un couteau le crochet de la porte battante qui faisait toute la sécurité d'Adam et d'Ève. Elle ouvrit brusquement la porte, car les locataires de ces Éden ont tous peu de temps à eux, et découvrit un de ces charmants tableaux de genre, si souvent exposés au Salon, d'après Gavarni.

---

1. Étoffe croisée dont la chaîne est de fil et la trame de coton.

— Ici, madame ! dit la fille.

Et Cydalise entra suivie du baron Montès.

— Mais il y a du monde !... Excusez, madame, dit la Normande effrayée.

— Comment ! mais c'est Valérie ! s'écria Montès qui ferma la porte violemment.

Mme Marneffe, en proie à une émotion trop vive pour être dissimulée, se laissa tomber sur une chauffeuse au coin de la cheminée. Deux larmes roulèrent dans ses yeux et se séchèrent aussitôt. Elle regarda Montès, aperçut la Normande et partit d'un éclat de rire forcé. La dignité de la femme offensée effaça l'incorrection de sa toilette inachevée, elle vint au Brésilien, et le regarda si fièrement que ses yeux étincelèrent comme des armes.

— Voilà donc, dit-elle en venant se poser devant le Brésilien et lui montrant Cydalise, de quoi est doublée votre fidélité ? Vous ! qui m'avez fait des promesses à convaincre une athée en amour ! vous pour qui je faisais tant de choses et même des crimes !... Vous avez raison, monsieur, je ne suis rien auprès d'une fille de cet âge et de cette beauté !... Je sais ce que vous allez me dire, reprit-elle en montrant Wenceslas dont le désordre était une preuve trop évidente pour être niée. Ceci me regarde. Si je pouvais vous aimer, après cette trahison infâme, car vous m'avez espionnée, vous avez acheté chaque marche de cet escalier, et la maîtresse de la maison, et la servante, et Reine peut-être... Oh ! que tout cela est beau ! Si j'avais un reste d'affection pour un homme si lâche, je lui donnerais des raisons de nature à redoubler l'amour !... Mais je vous laisse, monsieur, avec tous vos doutes qui deviendront des remords... Wenceslas, ma robe.

Elle prit sa robe, la passa, s'examina dans le miroir, et acheva tranquillement de s'habiller sans regarder le Brésilien, absolument comme si elle était seule.

— Wenceslas ! êtes-vous prêt ? allez devant.

Elle avait du coin de l'œil et dans la glace espionné la physionomie de Montès, elle crut retrouver dans sa pâleur les indices de cette faiblesse qui livre ces hommes si forts à la fascination de la femme, elle le prit par la main en s'approchant assez près de lui pour qu'il pût respirer ces terribles parfums aimés dont se grisent les amoureux ; et, le sentant palpiter, elle le regarda d'un air de reproche : « Je vous permets d'aller raconter votre expédition à M. Crevel, il ne vous croira jamais, aussi ai-je le droit de l'épouser ; il sera mon mari après-demain !... et je le rendrai bien heureux !... Adieu ! tâchez de m'oublier... »

– Ah ! Valérie ! s'écria Henri Montès en la serrant dans ses bras, c'est impossible ! Viens au Brésil ?

Valérie regarda le baron et retrouva son esclave.

– Ah ! si tu m'aimais toujours, Henri ! dans deux ans, je serais ta femme ; mais ta figure en ce moment me paraît bien sournoise.

– Je te jure qu'on m'a grisé, que de faux amis m'ont jeté cette femme sur les bras, et que tout ceci est l'œuvre du hasard ! dit Montès.

– Je pourrais donc encore te pardonner ? dit-elle en souriant.

– Et te marierais-tu toujours ? demanda le baron en proie à une navrante anxiété.

– Quatre-vingt mille francs de rente ! dit-elle avec un enthousiasme à demi comique. Et Crevel m'aime tant, qu'il en mourra !

– Ah ! je te comprends, dit le Brésilien.

– Eh ! bien... dans quelques jours, nous nous entendrons, dit-elle.

Et elle descendit triomphante.

– Je n'ai plus de scrupules, pensa le baron, qui resta planté sur ses jambes pendant un moment. Comment ! cette femme pense à se servir de son amour pour se débarrasser de cet imbécile, comme elle comptait sur la destruction de Marneffe !... Je serai l'instrument de la colère divine !

118

La vengeance tombe sur Valérie

Deux jours après, ceux des convives de du Tillet, qui déchiraient Mme Marneffe à belles dents, se trouvaient attablés chez elle, une heure après qu'elle venait de faire peau neuve en changeant son nom pour le glorieux nom d'un maire de Paris. Cette trahison de la langue est une des légèretés les plus ordinaires de la vie parisienne. Valérie avait eu le plaisir de voir à l'église le baron brésilien, que Crevel, devenu mari complet, invita par forfanterie. La présence de Montès au déjeuner n'étonna personne. Tous ces gens d'esprit étaient depuis longtemps familiarisés avec les lâchetés de la passion, avec les transactions du plaisir. La profonde mélancolie de Steinbock, qui commençait à mépriser celle dont il avait fait un ange, parut être d'excellent goût. Le Polonais semblait dire ainsi que tout était fini entre Valérie et lui. Lisbeth vint embrasser sa chère Mme Crevel, en s'excusant de ne pas assister au déjeuner, sur le douloureux état de santé d'Adeline.

– Sois tranquille, dit-elle à Valérie en la quittant, ils te recevront chez eux et tu les recevras chez toi. Pour avoir seulement entendu ces quatre mots : *Deux cent mille francs*, la baronne est à la mort. Oh ! tu les tiens tous par cette histoire ; mais tu me la diras ?...

Un mois après son mariage, Valérie en était à sa dixième querelle avec Steinbock, qui voulait d'elle des explications sur Henri Montès, qui lui rappelait ses phrases pendant la scène du paradis, et qui non content de flétrir Valérie par des termes de mépris, la surveillait tellement qu'elle ne trouvait plus un instant de liberté, tant elle était pressée entre la jalousie de Wenceslas et l'empressement de Crevel. N'ayant plus auprès d'elle Lisbeth, qui la conseillait admirablement bien, elle s'emporta jusqu'à reprocher durement à Wenceslas l'argent qu'elle lui prêtait. La fierté de Steinbock se réveilla si bien qu'il ne revint plus à l'hôtel Crevel. Valérie avait atteint à son but, elle voulait éloigner Wenceslas pendant quelque temps pour recouvrer sa liberté. Valérie attendit un voyage à la campagne que Crevel devait faire chez le comte Popinot afin d'y négocier la présentation de Mme Crevel, et put ainsi donner un rendez-vous au baron, qu'elle désirait avoir toute une journée à elle pour lui donner des raisons qui devaient redoubler l'amour du Brésilien. Le matin de ce jour-là, Reine, jugeant de son crime par la grosseur de la somme reçue, essaya d'avertir sa maîtresse, à qui naturellement elle s'intéressait plus qu'à des inconnus ; mais, comme on l'avait menacée de la rendre folle et de l'enfermer à la Salpêtrière, en cas d'indiscrétion, elle fut timide.

– Madame est si heureuse maintenant, dit-elle, pourquoi s'embarrasserait-elle encore de ce Brésilien ?... Je m'en défie, moi !

– C'est vrai, Reine ! répondit-elle ; aussi vais-je le congédier.

– Ah ! madame, j'en suis bien aise, il m'effraie, ce moricaud ! Je le crois capable de tout...

– Es-tu sotte ! c'est pour lui qu'il faut craindre quand il est avec moi.

En ce moment Lisbeth entra.

– Ma chère gentille chevrette ! il y a longtemps que nous ne nous sommes vues ! dit Valérie, je suis bien malheureuse. Crevel m'assomme, et je n'ai plus de Wenceslas ; nous sommes brouillés.

– Je le sais, reprit Lisbeth, et c'est à cause de lui que je viens : Victorin l'a rencontré sur les cinq heures du soir, au moment où il entrait dans un restaurant à vingt-cinq sous, rue de Valois ; il l'a pris à jeun par les sentiments et l'a ramené rue Louis-le-Grand... Hortense, en revoyant Wenceslas maigre, souffrant, mal vêtu, lui a tendu la main. Voilà comment tu me trahis !

– Monsieur Henri, Madame ! vint dire le valet de chambre à l'oreille de Valérie.

– Laisse-moi, Lisbeth, je t'expliquerai tout cela demain !...

Mais, comme on va le voir, Valérie ne devait bientôt plus pouvoir rien expliquer à personne.

119

Le frère quêteur

Vers la fin du mois de mai, la pension du baron Hulot fut entièrement dégagée par les paiements que Victorin avait successivement faits au baron de Nucingen. Chacun sait que les semestres des pensions ne sont acquittés que sur la présentation d'un certificat de vie, et comme on ignorait la demeure du baron Hulot, les semestres frappés d'opposition au profit de Vauvinet restaient accumulés au Trésor. Vauvinet ayant signé sa mainlevée, désormais il était indispensable de trouver le titulaire pour toucher l'arriéré. La baronne avait, grâce aux soins du docteur Bianchon, recouvré la santé. La bonne Joségpha contribua par une lettre, dont l'orthographe trahissait la collaboration du duc d'Hérouville, à l'entier rétablissement d'Adeline. Voici ce que la cantatrice écrivit à la baronne, après quarante jours de recherches actives :

Madame la Baronne,

M. Hulot vivait, il y a deux mois, rue des Bernardins, avec Élodie Chardin, la repriseuse de dentelle, qui l'avait enlevé à Mlle Bijou ; mais il est parti, laissant là tout ce qu'il possédait, sans dire un mot, sans qu'on puisse savoir où il est allé. Je ne me suis pas découragée, et j'ai mis à sa poursuite un homme qui déjà croit l'avoir rencontré sur le boulevard Bourdon.

La pauvre juive tiendra la promesse faite à la chrétienne. Que l'ange prie pour le démon ! c'est ce qui doit arriver quelquefois dans le ciel.

Je suis, avec un profond respect et pour toujours, votre humble servante,

Josépha Mirah.

Maître Hulot d'Ervy n'entendant plus parler de la terrible Mme Nourrisson, voyant son beau-père marié, ayant reconquis son beau-frère, revenu sous le toit de la famille, n'éprouvant aucune contrariété de sa nouvelle belle-mère, et trouvant sa mère mieux de jour en jour, se laissait aller à ses travaux politiques et judiciaires, emporté par le courant rapide de la vie parisienne, où les heures comptent pour des journées. Chargé d'un rapport à la Chambre des Députés, il fut obligé, vers la fin de la session, de passer toute une nuit à travailler. Rentré dans son cabinet vers neuf heures, il attendait que son valet de chambre apportât ses flambeaux garnis d'abat-jour, et il pensait à son père. Il se reprochait de laisser la cantatrice occupée de cette recherche, et il se proposait de voir à ce sujet le lendemain M. Chapuzot, lorsqu'il aperçut à sa fenêtre, dans la lueur du crépuscule, une sublime tête de vieillard, à crâne jaune, bordée de cheveux blancs.

— Dites, mon cher monsieur, qu'on laisse arriver jusqu'à vous un pauvre ermite venu du désert et chargé de quêter pour la reconstruction d'un saint asile.

Cette vision, qui prenait une voix et qui rappela soudain à l'avocat une prophétie de l'horrible Nourrisson, le fit tressaillir.

— Introduisez ce vieillard, dit-il à son valet de chambre.

— Il empestera le cabinet de Monsieur, répondit le domestique, il porte une robe brune qu'il n'a pas renouvelée depuis son départ de Syrie, et il n'a pas de chemise...

— Introduisez ce vieillard, répéta l'avocat.

Le vieillard entra, Victorin examina d'un œil défiant ce soi-disant ermite en pèlerinage, et vit un superbe modèle de ces moines napolitains dont les robes sont sœurs des guenilles du lazzarone, dont les sandales sont les haillons du cuir, comme le moine est lui-même un haillon humain [1]. C'était d'une vérité si complète que, tout en gardant sa défiance, l'avocat se gourmanda d'avoir cru aux sortilèges de Mme Nourrisson.

— Que me demandez-vous ?

— Ce que vous croyez devoir me donner.

Victorin prit cent sous à une pile d'écus et tendit la pièce à l'étranger.

— À compte de cinquante mille francs, c'est peu, dit le mendiant du désert.

Cette phrase dissipa toutes les incertitudes de Victorin.

— Et le ciel a-t-il tenu ses promesses ? dit l'avocat en fronçant le sourcil.

— Le doute est une offense, mon fils ! répliqua le solitaire. Si vous voulez ne payer qu'après les pompes funèbres accomplies, vous êtes dans votre droit, je reviendrai dans huit jours.

— Les pompes funèbres ! s'écria l'avocat en se levant.

— On a marché, dit le vieillard en se retirant, et les morts vont vite à Paris !

Quand Hulot, qui baissa la tête, voulut répondre, l'agile vieillard avait disparu.

— Je n'y comprends pas un mot, se dit Hulot fils à lui-même... Mais dans huit jours, je lui redemanderai mon père, si nous ne l'avons pas trouvé. Où Mme Nourrisson (oui, elle se nomme ainsi) prend-elle de pareils acteurs ?

120

Propos de médecin

Le lendemain, le docteur Bianchon permit à la baronne de descendre au jardin, après avoir examiné Lisbeth qui,

---

1. Ce déguisement en moine, en pèlerin, était « un des déguisements classiques de Vidocq », source du personnage de Vautrin-Jacques Collin (voir *supra*, p. 491, n. 1, et Pléiade, p. 1363, n. 1).

depuis un mois, était obligée par une légère maladie des bronches de garder la chambre. Le savant docteur, qui n'osa dire toute sa pensée sur Lisbeth avant d'avoir observé des symptômes décisifs, accompagna la baronne au jardin pour étudier, après deux mois de réclusion, l'effet du plein air sur le tressaillement nerveux dont il s'occupait. La guérison de cette névrose affriolait le génie de Bianchon. En voyant ce grand et célèbre médecin assis et leur accordant quelques instants, la baronne et ses enfants eurent une conversation de politesse avec lui.

– Vous avez une vie bien occupée, et bien tristement ! dit la baronne. Je sais ce que c'est que d'employer ses journées à voir des misères ou des douleurs physiques.

– Madame, répondit le médecin, je n'ignore pas les spectacles que la charité vous oblige à contempler ; mais vous vous y ferez à la longue, comme nous nous y faisons tous. C'est la loi sociale. Le confesseur, le magistrat, l'avoué seraient impossibles si *l'esprit de l'état* ne domptait pas *le cœur de l'homme*. Vivrait-on sans l'accomplissement de ce phénomène ? Le militaire, en temps de guerre, n'est-il pas également réservé à des spectacles encore plus cruels que ne le sont les nôtres ? et tous les militaires qui ont vu le feu sont bons. Nous, nous avons le plaisir d'une cure qui réussit, comme vous avez, vous, la jouissance de sauver une famille des horreurs de la faim, de la dépravation, de la misère, en la rendant au travail, à la vie sociale ; mais comment se consolent le magistrat, le commissaire de police et l'avoué qui passent leur vie à fouiller les plus scélérates combinaisons de l'intérêt, ce monstre social qui connaît le regret de ne pas avoir réussi, mais que le repentir ne visitera jamais ? La moitié de la société passe sa vie à observer l'autre. J'ai pour ami depuis bien longtemps un avoué, maintenant retiré, qui me disait que, depuis quinze ans, les notaires, les avoués se défient autant de leurs clients que des adversaires de leurs clients. M. votre fils est avocat, n'a-t-il jamais été compromis par celui dont il entreprenait la défense ?

– Oh ! souvent ! dit en souriant Victorin.

– D'où vient ce mal profond ? demanda la baronne.

– Du manque de religion, répondit le médecin, et de l'envahissement de la finance, qui n'est autre chose que l'égoïsme solidifié. L'argent autrefois n'était pas tout, on admettait des supériorités qui le primaient. Il y avait la noblesse, le talent, les services rendus à l'État ; mais aujourd'hui la loi fait de l'argent un étalon général, elle l'a pris pour base de la capacité politique ! Certains magistrats ne sont pas éligibles, Jean-Jacques Rousseau ne serait pas éligible ! Les héritages perpétuellement divisés obligent chacun à penser à soi dès l'âge de vingt ans. Eh bien ! entre la nécessité de faire fortune et la dépravation des combinaisons, il n'y a pas d'obstacle, car le sentiment religieux manque en France, malgré les louables efforts de ceux qui tentent une restauration catholique. Voilà ce que se disent tous ceux qui contemplent, comme moi, la société dans ses entrailles.

– Vous avez peu de plaisirs, dit Hortense.

– Le vrai médecin, répondit Bianchon, se passionne pour la science. Il se soutient par ce sentiment autant que par la certitude de son utilité sociale. Tenez, en ce moment, vous me voyez dans une espèce de joie scientifique, et bien des gens superficiels me prendraient pour un homme sans cœur. Je vais annoncer demain à l'Académie de médecine une trouvaille. J'observe en ce moment une maladie perdue. Une maladie mortelle, d'ailleurs, et contre laquelle nous sommes sans armes, dans les climats tempérés, car elle est guérissable aux Indes. Une maladie qui régnait au Moyen Âge. C'est une belle lutte que celle du médecin contre un pareil sujet. Depuis dix jours, je pense à toute heure à mes malades, car ils sont deux, la femme et le mari ! Ne vous sont-ils pas alliés, car, madame, vous êtes la fille de M. Crevel, dit-il en s'adressant à Célestine.

– Quoi ! votre malade serait mon père ?… dit Célestine. Demeure-t-il rue Barbet-de-Jouy ?

– C'est bien cela, répondit Bianchon.

– Et la maladie est mortelle ? répéta Victorin épouvanté.

– Je vais chez mon père ! s'écria Célestine en se levant.

– Je vous le défends bien positivement, madame, répondit tranquillement Bianchon. Cette maladie est contagieuse.

– Vous y allez bien, monsieur, répliqua la jeune femme. Croyez-vous que les devoirs de la fille ne soient pas supérieurs à ceux du médecin ?

– Madame, un médecin sait comment se préserver de la contagion, et l'irréflexion de votre dévouement me prouve que vous ne pourriez pas avoir ma prudence.

Célestine se leva, retourna chez elle, où elle s'habilla pour sortir.

121

Le doigt de Dieu et celui du Brésilien

– Monsieur, dit Victorin à Bianchon, espérez-vous sauver M. et Mme Crevel ?

– Je l'espère sans le croire, répondit Bianchon. Le fait est inexplicable pour moi... Cette maladie est une maladie propre aux nègres et aux peuplades américaines, dont le système cutané diffère de celui des races blanches. Or, je ne peux établir aucune communication entre les noirs, les cuivrés, les métis et M. ou Mme Crevel. Si c'est d'ailleurs une maladie fort belle pour nous, elle est affreuse pour tout le monde. La pauvre créature, qui, dit-on, était jolie, est bien punie par où elle a péché, car elle est aujourd'hui d'une ignoble laideur, si toutefois elle est quelque chose !... ses dents et ses cheveux tombent, elle a l'aspect des lépreux, elle se fait horreur à elle-même ; ses mains, épouvantables à voir, sont enflées et couvertes de pustules verdâtres ; les ongles déchaussés restent dans les plaies qu'elle gratte ; enfin toutes les extrémités se détruisent dans la sanie qui les ronge.

— Mais la cause de ces désordres ? demanda l'avocat.

— Oh ! dit Bianchon, la cause est dans une altération rapide du sang, il se décompose avec une effrayante rapidité. J'espère attaquer le sang, je l'ai fait analyser ; je rentre prendre chez moi le résultat du travail de mon ami le professeur Duval, le fameux chimiste, pour entreprendre un de ces coups désespérés que nous jouons quelquefois contre la mort.

— Le doigt de Dieu est là ! dit la baronne d'une voix profondément émue. Quoique cette femme m'ait causé des maux qui m'ont fait appeler, dans des moments de folie, la justice divine sur sa tête, je souhaite, mon Dieu ! que vous réussissiez, monsieur le docteur.

Hulot fils avait le vertige, il regardait sa mère, sa sœur et le docteur alternativement, en tremblant qu'on ne devinât ses pensées. Il se considérait comme un assassin. Hortense, elle, trouvait Dieu très juste. Célestine reparut pour prier son mari de l'accompagner.

— Si vous y allez, madame, et vous, monsieur, restez à un pied de distance du lit des malades, voilà toute la précaution. Ni vous ni votre femme ne vous avisez d'embrasser le moribond ! Aussi devez-vous accompagner votre femme, monsieur Hulot, pour l'empêcher de transgresser cette ordonnance.

Adeline et Hortense, restées seules, allèrent tenir compagnie à Lisbeth. La haine d'Hortense contre Valérie était si violente, qu'elle ne put en contenir l'explosion.

— Cousine ! ma mère et moi nous sommes vengées !… s'écria-t-elle. Cette venimeuse créature se sera mordue, elle est en décomposition !

— Hortense, dit la baronne, tu n'es pas chrétienne en ce moment. Tu devrais prier Dieu de daigner inspirer le repentir à cette malheureuse.

— Que dites-vous ? s'écria la Bette en se levant de sa chaise, parlez-vous de Valérie ?

— Oui, répondit Adeline, elle est condamnée, elle va mourir d'une horrible maladie, dont la description seule donne le frisson.

Les dents de la cousine Bette claquèrent, elle fut prise d'une sueur froide, elle eut une secousse terrible qui révéla la profondeur de son amitié passionnée pour Valérie.

– J'y vais, dit-elle.

– Mais le docteur t'a défendu de sortir !

– N'importe ! j'y vais. Ce pauvre Crevel, dans quel état il doit être, car il aime sa femme...

– Il meurt aussi, répliqua la comtesse Steinbock. Ah ! tous nos ennemis sont entre les mains du diable...

– De Dieu !... ma fille...

Lisbeth s'habilla, prit son fameux cachemire jaune, sa capote de velours noir, mit ses brodequins ; et, rebelle aux remontrances d'Adeline et d'Hortense, elle partit comme poussée par une force despotique.

122

Le dernier mot de Valérie

Arrivée rue Barbet quelques instants après M. et Mme Hulot, Lisbeth trouva sept médecins que Bianchon avait mandés pour observer ce cas unique, et auxquels il venait de se joindre. Ces docteurs, debout dans le salon, discutaient sur la maladie : tantôt l'un tantôt l'autre allait soit dans la chambre de Valérie, soit dans celle de Crevel, pour observer, et revenait avec un argument basé sur cette rapide observation.

Deux graves opinions partageaient ces princes de la science. L'un, seul de son opinion, tenait pour un empoisonnement et parlait de vengeance particulière en niant qu'on eût retrouvé la maladie décrite au Moyen Âge. Trois autres voulaient voir une décomposition de la lymphe et des humeurs. Le second parti, celui de Bianchon, soutenait que cette maladie était causée par une viciation du sang que corrompait un principe morbifique inconnu. Bianchon apportait le résultat de l'analyse du sang faite par le professeur Duval. Les moyens curatifs, quoique désespérés et tout à fait empiriques, dépendaient de la solution de ce problème médical.

Lisbeth resta pétrifiée à trois pas du lit où mourait Valérie, en voyant un vicaire de Saint-Thomas-d'Aquin au chevet de son amie, et une sœur de charité la soignant. La Religion trouvait une âme à sauver dans un amas de pourriture, qui des cinq sens de la créature n'avait gardé que la vue. La sœur de charité, qui seule avait accepté la tâche de garder Valérie, se tenait à distance. Ainsi l'Église catholique, ce corps divin, toujours animé par l'inspiration du sacrifice en toute chose, assistait, sous sa double forme d'esprit et de chair, cette infâme et infecte moribonde en lui prodiguant sa mansuétude infinie et ses inépuisables trésors de miséricorde.

Les domestiques épouvantés refusaient d'entrer dans la chambre de Monsieur ou de Madame ; ils ne songeaient qu'à eux et trouvaient leurs maîtres justement frappés. L'infection était si grande que, malgré les fenêtres ouvertes et les plus puissants parfums, personne ne pouvait rester longtemps dans la chambre de Valérie. La Religion seule y veillait. Comment une femme, d'un esprit aussi supérieur que Valérie, ne se serait-elle pas demandé quel intérêt faisait rester là ces deux représentants de l'Église ? Aussi la mourante avait-elle écouté la voix du prêtre. Le repentir avait entamé cette âme perverse en proportion des ravages que la dévorante maladie faisait à la beauté. La délicate Valérie avait offert à la maladie beaucoup moins de résistance que Crevel, et elle devait mourir la première, ayant été d'ailleurs la première attaquée.

– Si je n'avais pas été malade, je serais venue te soigner, dit enfin Lisbeth après avoir échangé un regard avec les yeux abattus de son amie. Voici quinze ou vingt jours que je garde la chambre, mais en apprenant ta situation par le docteur, je suis accourue.

– Pauvre Lisbeth, tu m'aimes encore, toi ! je le vois, dit Valérie. Écoute ! je n'ai plus qu'un jour ou deux à penser, car je ne puis pas dire *vivre*. Tu le vois ? je n'ai plus de corps, je suis un tas de boue... On ne me permet pas de me regarder dans un miroir... Je n'ai que ce que je mérite. Ah ! je voudrais pour être reçue à merci, réparer tout le mal que j'ai fait.

– Oh ! dit Lisbeth, si tu parles ainsi, tu es bien morte !

– N'empêchez pas cette femme de se repentir, laissez-la dans ses pensées chrétiennes, dit le prêtre.

– Plus rien ! se dit Lisbeth épouvantée. Je ne reconnais ni ses yeux, ni sa bouche ! Il ne reste pas un seul trait d'elle ! Et l'esprit a déménagé ! Oh ! c'est effrayant !...

– Tu ne sais pas, reprit Valérie, ce que c'est que la mort, ce que c'est que de penser forcément au lendemain de son dernier jour, à ce que l'on doit trouver dans le cercueil : des vers pour le corps, mais quoi pour l'âme ?... Ah ! Lisbeth, je sens qu'il y a une autre vie !... et je suis toute à une terreur qui m'empêche de sentir les douleurs de ma chair décomposée !... Moi qui disais en riant à Crevel, en me moquant d'une sainte, que la vengeance de Dieu prenait toutes les formes du malheur... Eh bien ! j'étais prophète !... Ne joue pas avec les choses sacrées, Lisbeth ! Si tu m'aimes, imite-moi, repens-toi !

– Moi ! dit la Lorraine, j'ai vu la vengeance partout dans la nature, les insectes périssent pour satisfaire le besoin de se venger quand on les attaque ! Et ces messieurs, dit-elle en montrant le prêtre, ne nous disent-ils pas que Dieu se venge, et que sa vengeance dure l'éternité !...

Le prêtre jeta sur Lisbeth un regard plein de douceur et lui dit : « Vous êtes athée, madame. »

– Mais vois donc où j'en suis !... lui dit Valérie.

– Et d'où te vient cette gangrène ? demanda la vieille fille qui resta dans son incrédulité villageoise.

– Oh ! j'ai reçu de Henri un billet qui ne me laisse aucun doute sur mon sort... Il m'a tuée. Mourir au moment où je voulais vivre honnêtement, et mourir un objet d'horreur... Lisbeth, abandonne toute idée de vengeance ! Sois bonne pour cette famille, à qui j'ai déjà, par un testament, donné tout ce dont la loi me permet de disposer ! Va, ma fille, quoique tu sois le seul être aujourd'hui qui ne s'éloigne pas de moi avec horreur, je t'en supplie, va-t'en, laisse-moi... je n'ai plus que le temps de me livrer à Dieu !...

— Elle bat la campagne [1], se dit Lisbeth sur le seuil de la chambre.

Le sentiment le plus violent que l'on connaisse, l'amitié d'une femme, pour une femme [2], n'eut pas l'héroïque constance de l'Église. Lisbeth, suffoquée par les miasmes délétères, quitta la chambre. Elle vit les médecins continuant à discuter. Mais l'opinion de Bianchon l'emportait et l'on ne débattait plus que la manière d'entreprendre l'expérience...

— Ce sera toujours une magnifique autopsie, disait un des opposants, et nous aurons deux sujets pour pouvoir établir des comparaisons.

Lisbeth accompagna Bianchon, qui vint au lit de la malade, sans avoir l'air de s'apercevoir de la fétidité qui s'en exhalait.

— Madame, dit-il, nous allons essayer sur vous une médication puissante et qui peut vous sauver...

— Si vous me sauvez, dit-elle, serai-je belle comme auparavant ?...

1. Elle divague, elle extravague. On notera que la folie est un motif insistant du roman. La situation, ici, inverse celle du chapitre 26, où Valérie Marneffe, devant la fureur de Bette à la pensée qu'Hortense lui a pris « son amoureux », pense que la vieille fille est folle et qu'elle ira bientôt à Charenton.

2. Balzac a dépeint ce sentiment, effectivement pour lui « le plus violent que l'on connaisse », dans *La Fille aux yeux d'or* (1835), dernier volet de la trilogie *Histoire des Treize*, où l'on voit l'amour incandescent et destructeur qui lie la marquise de San-Real et Paquita, « la fille aux yeux d'or », laquelle finira assassinée par son amante. Comme l'a remarqué notamment Anne-Marie Baron (*Balzac ou l'Auguste Mensonge*, *op. cit.*, p. 71), Balzac projette ses propres tendances homosexuelles sur certains personnages. Par ailleurs, A.-M. Meininger différencie l'homosexualité de Valérie et celle de Bette : « Valérie semble simplement une courtisane tous terrains, au contraire de Bette qui a basculé d'un seul côté, comme c'est souvent le cas, par peur des hommes et à la suite de sa déception finale avec Wenceslas » (Pléiade, p. 1366-1367).

– Peut-être ! dit le savant médecin.

– Votre peut-être est connu ! dit Valérie. Je serais comme ces femmes tombées dans le feu ! Laissez-moi toute à l'Église ! je ne puis maintenant plaire qu'à Dieu ! Je vais tâcher de me réconcilier avec lui, ce sera ma dernière coquetterie ! Oui, il faut que je *fasse le bon Dieu* [1] !

– Voilà le dernier mot de ma pauvre Valérie, je la retrouve ! dit Lisbeth en pleurant.

123

Les derniers mots de Crevel

La Lorraine crut devoir passer dans la chambre de Crevel, où elle trouva Victorin et sa femme assis à trois pieds de distance du lit du pestiféré.

– Lisbeth, dit-il, on me cache l'état dans lequel est ma femme, tu viens de la voir, comment va-t-elle ?

– Elle est mieux, elle se dit sauvée ! répondit Lisbeth en se permettant ce calembour afin de tranquilliser Crevel [2].

– Ah ! bon, reprit le maire, car j'avais peur d'être la cause de sa maladie… On n'a pas été commis voyageur pour la parfumerie impunément. Je me fais des

---

1. Le personnage de la courtisane repentie ne cesse de préoccuper Balzac d'une édition à l'autre. On lit dans l'édition Chlendowski : « Ce sera ma dernière séduction. » Valérie ne peut formuler de pensées chrétiennes qu'en employant un vocabulaire de courtisane.

2. La fin de Valérie rappelle directement celle de Flore Brazier dans *La Rabouilleuse* : « Quant à ce corps, jadis si ravissant, il n'en restait qu'une ignoble ostéologie. » Bianchon découvre chez Flore « une magnifique maladie qu'on croyait perdue ». Le sinistre calembour de Lisbeth provient probablement d'une lettre d'Aline Moniouszko adressée à Balzac, dont le romancier fait état dans sa missive du 21 novembre 1846 à Mme Hanska : « Allons, adieu, ma bien chérie et mon aimée, ta sœur m'a écrit un mot pour me dire qu'elle avait reçu une lettre de 4 (!) pages de toi où tu lui disais que tu étais *sauvée*, mais qu'as-tu donc eu ? Es-tu bien ? M'as-tu trompé ? Comment te sens-tu ? »

reproches. Si je la perdais, que deviendrais-je ! Ma parole d'honneur, mes enfants, j'adore cette femme-là.

Crevel essaya de se mettre en position, en se remettant sur son séant.

— Oh ! papa, dit Célestine, si vous pouviez être bien portant, je recevrais ma belle-mère, j'en fais le vœu !

— Pauvre petite Célestine ! reprit Crevel, viens m'embrasser !...

Victorin retint sa femme qui s'élançait.

— Vous ignorez, monsieur, dit avec douceur l'avocat, que votre maladie est contagieuse...

— C'est vrai, répondit Crevel, les médecins s'applaudissent d'avoir retrouvé sur moi je ne sais quelle peste du Moyen Âge qu'on croyait perdue, et qu'ils faisaient tambouriner dans leurs Facultés... C'est fort drôle !

— Papa, dit Célestine, soyez courageux et vous triompherez de cette maladie.

— Soyez calmes, mes enfants, la mort regarde à deux fois avant de frapper un maire de Paris ! dit-il avec un sang-froid comique. Et puis, si mon arrondissement est assez malheureux pour se voir enlever l'homme qu'il a deux fois honoré de ses suffrages... (Hein ! voyez comme je m'exprime avec facilité !) Eh bien ! je saurai faire mes paquets. Je suis un ancien commis voyageur, j'ai l'habitude des départs. Ah ! mes enfants, je suis un esprit fort.

— Papa, promets-moi de laisser venir l'Église à ton chevet.

— Jamais, répondit Crevel. Que voulez-vous, j'ai sucé le lait de la révolution, je n'ai pas l'esprit du baron d'Holbach [1], mais j'ai sa force d'âme. Je suis plus que jamais

---

1. Paul Henri, baron d'Holbach (1723-1789) : collaborateur de l'*Encyclopédie*. Il expose dans son *Système de la nature* (1770) une philosophie matérialiste et athée. Il est l'un des quatre philosophes (avec Malebranche, Descartes et Spinoza) pour lesquels nous disposons de notes de lectures du jeune Balzac (voir Balzac, *Lectures de philosophes*, dans *Œuvres diverses*, t. I, Gallimard, « Bibliothèque de la Pléiade », 1990, p. 587-589).

Régence, Mousquetaire gris [1], abbé Dubois [2], et maréchal
de Richelieu ! sacrebleu ! Ma pauvre femme, qui perd la
tête, vient de m'envoyer un homme à soutane, à moi,
l'admirateur de Béranger, l'ami de Lisette [3], l'enfant de
Voltaire et de Rousseau... Le médecin m'a dit, pour me
tâter, pour savoir si la maladie m'abattait : « Vous avez
vu M. l'abbé ?... » Eh bien ! j'ai imité le grand Montesquieu. Oui, j'ai regardé le médecin, tenez, comme cela,
fit-il en se mettant de trois quarts comme dans son portrait et tendant la main avec autorité, et j'ai dit :

.............Cet esclave est venu,
Il a montré son ordre et n'a rien obtenu [4].

Son Ordre est un joli calembour, qui prouve qu'à
l'agonie M. le président de Montesquieu conservait toute
la grâce de son génie, car on lui avait envoyé un

---

1. Nom donné à la première compagnie des mousquetaires (d'abord
au service du cardinal puis, à la mort de Mazarin, en 1661, passée au
service du roi), à cause de la robe de leurs chevaux. La deuxième compagnie, fondée en 1663, porte le nom de Mousquetaires noirs, toujours
en raison de la robe de leurs chevaux. Le roman d'Alexandre Dumas,
Les Trois Mousquetaires (1844), et sa suite, *Vingt Ans après* (1845),
avaient remporté un énorme succès et rendu très populaire la figure du
mousquetaire. Pourquoi Crevel se qualifie-t-il de mousquetaire
« gris » ? Au XVIIIe siècle, les mousquetaires noirs avaient meilleure
réputation : c'est dans cette compagnie que les gens « bien nés » préfé-
raient entrer. C'est peut-être ce qui explique qu'un parvenu se sente plus
proche des « gris », moins bien considérés. D'ailleurs, l'abbé Dubois
(également invoqué par Crevel), fils d'un médecin de province, était très
moqué par l'aristocratie de Versailles qui le considérait précisément
comme un parvenu...
2. Guillaume Dubois, nommé abbé Dubois, puis cardinal Dubois
(1656-1723) : ecclésiastique et homme politique français, il joua un rôle
politique majeur sous la Régence de Philippe d'Orléans, d'abord
comme conseiller du Régent, puis comme principal ministre. Un certain
parfum de scandale, qui semble largement exagéré, est longtemps resté
attaché à son nom, sans doute à cause de sa liaison affichée avec
Mme de Tencin (avant qu'il eût prononcé ses vœux) et du rôle d'entre-
metteur qu'on lui attribue auprès du Régent.
3. Lisette, chantée par le poète et chansonnier Béranger (1780-1857).
4. Citation de Racine, *Bajazet*, I, 1.

Jésuite[1] !… J'aime ce passage… on ne peut pas dire de sa vie, mais de sa mort. Ah ! le passage ! encore un calembour[2] ! Le Passage Montesquieu[3].

Hulot fils contemplait tristement son beau-père, en se demandant si la bêtise et la vanité ne possédaient pas une force égale à celle de la vraie grandeur d'âme. Les causes qui font mouvoir les ressorts de l'âme semblent être tout à fait étrangères aux résultats. La force que déploie un grand criminel serait-elle donc la même que celle dont s'enorgueillit un Champcenetz[4] allant au supplice ?

À la fin de la semaine, Mme Crevel était enterrée, après des souffrances inouïes, et Crevel suivit sa femme à deux

---

1. D'après Voltaire, deux jésuites seraient venus le 10 février 1755 auprès de Montesquieu mourant pour le convertir : « Ces deux énergumènes voulaient se vanter de lui avoir persuadé les mérites de l'attrition et de la grâce suffisante. Nous l'avons converti, disaient-ils ; c'était dans le fond une bonne âme : il aimait fort la compagnie de Jésus. Nous avons eu un peu de peine à le faire convenir de certaines vérités fondamentales ; mais comme dans ces moments-là on a toujours l'esprit plus net, nous l'avons bientôt convaincu » (*Questions sur l'Encyclopédie*, article « Fanatisme », dans *Œuvres complètes de Voltaire*, éd. Nicholas Cronk et Christiane Mervaud, t. XLI, Oxford, Voltaire Foundation, 2010, p. 339). C'est Bernard Routh qui confessa Montesquieu et Louis Bernard Castel, curé de Saint-Sulpice, qui l'interrogea plus avant sur ses convictions religieuses. Voir aussi Robert Shackleton, *Montesquieu : a Critical Biography*, Oxford, 1961, p. 392.

2. On trouve ici, dans l'édition Chlendowski, un passage supprimé dans les éditions postérieures du roman : nous le reproduisons en annexe.

3. Cette galerie, qui n'existe plus, aboutissait à l'actuel numéro 5 de la rue Montesquieu.

4. Louis René Quentin de Richebourg de Champcenetz, dit le chevalier de Champcenetz (1759-1794), publiciste et homme d'esprit, ami et collaborateur de Rivarol, était célèbre pour son élégance, ses mœurs légères, son esprit mordant et satirique. Opposé à la Révolution, il la tourna en ridicule avec beaucoup de verve et une impressionnante témérité ; il garda sa bonne humeur, son aplomb et son goût des bons mots, jusque devant le Tribunal révolutionnaire et Fouquier-Tinville, et mourut avec beaucoup de dignité.

jours de distance [1]. Ainsi, les effets du contrat de mariage furent annulés, et Crevel hérita de Valérie.

Le lendemain même de l'enterrement, l'avocat revit le vieux moine, et il le reçut sans mot dire. Le moine tendit silencieusement la main, et silencieusement aussi, maître Victorin Hulot lui remit quatre-vingts billets de banque de mille francs, pris sur la somme que l'on trouva dans le secrétaire de Crevel. Mme Hulot jeune hérita de la terre de Presles et de trente mille francs de rente. Mme Crevel avait légué trois cent mille francs au baron Hulot. Le scrofuleux Stanislas devait avoir, à sa majorité, l'hôtel Crevel et vingt-quatre mille francs de rente.

124

Un des côtés de la spéculation

Parmi les nombreuses et sublimes associations instituées par la charité catholique dans Paris, il en est une, fondée par Mme de La Chanterie, dont le but est de marier civilement et religieusement les gens du peuple qui se sont unis de bonne volonté. Les législateurs, qui tiennent beaucoup aux produits de l'Enregistrement, la Bourgeoisie régnante, qui tient aux honoraires du Notariat, feignent d'ignorer que les trois quarts des gens du peuple ne peuvent pas payer quinze francs pour leur contrat de mariage. La chambre des notaires est au-dessous, en ceci, de la chambre des avoués de Paris. Les avoués de Paris, compagnie assez calomniée, entreprennent gratuitement la poursuite des procès des

---

1. Un certain nombre de personnages balzaciens meurent en touchant au but de leurs convoitises, de leurs ambitions, comme ce sera le cas pour Balzac lui-même : la mort passe en même temps qu'eux la ligne d'arrivée, comme le dit André Maurois dans *Prométhée ou la Vie de Balzac* (Flammarion, 1974). Leur « peau de chagrin » s'est usée peu à peu, brûlée au feu de leurs désirs ; elle finit par s'anéantir.

indigents, tandis que les notaires n'ont pas encore
décidé de faire gratis les contrats de mariage des
pauvres gens. Quant au Fisc, il faudrait remuer toute
la machine gouvernementale pour obtenir qu'il se relâ-
chât de sa rigueur à cet égard. L'Enregistrement est
sourd et muet. L'Église, de son côté, perçoit des droits
sur les mariages. L'Église est, en France, excessivement
fiscale ; elle se livre, dans la maison de Dieu, à
d'ignobles trafics de petits bancs et de chaises dont
s'indignent les Étrangers, quoiqu'elle ne puisse avoir
oublié la colère du Sauveur chassant les vendeurs du
Temple. Si l'Église se relâche difficilement de ses droits,
il faut croire que ses droits, dits de fabrique, constituent
aujourd'hui l'une de ses ressources, et la faute des
Églises serait alors celle de l'État. La réunion de ces
circonstances, par un temps où l'on s'inquiète beaucoup trop des nègres, des petits condamnés de la police
correctionnelle, pour s'occuper des honnêtes gens qui
souffrent, fait que beaucoup de ménages honnêtes
restent dans le concubinage, faute de trente francs,
dernier prix auquel le Notariat, l'Enregistrement, la
Mairie et l'Église puissent unir deux Parisiens. L'institution de Mme de La Chanterie, fondée pour remettre
les pauvres ménages dans la voie religieuse et légale,
est à la poursuite de ces couples, qu'elle trouve
d'autant mieux qu'elle les secourt comme indigents,
avant de vérifier leur état incivil [1].

Lorsque Mme la baronne Hulot fut tout à fait rétablie,
elle reprit ses occupations. Ce fut alors que la respectable

---

1. Sur les sources réelles de cette institution, voir Jean Ygaunin,
Paris à l'époque de Balzac et dans La Comédie humaine, op. cit., p. 115 :
« Le simple prix d'un mariage élimine ceux et celles qui n'ont aucune
avance. Entre 1826 et 1837, une société charitable, ayant son siège 11,
rue des Fossés-Saint-Jacques, s'occupe du mariage civil et religieux des
indigents : elle a ainsi pourvu à la régularisation de la situation de
8 000 personnes. Balzac a transposé le fait dans l'association fondée par
Mme de La Chanterie pour le mariage civil et religieux des gens du
peuple qui se sont unis de bonne volonté. »

Mme de La Chanterie vint prier Adeline de joindre la légalisation des mariages naturels aux bonnes œuvres dont elle était l'intermédiaire.

Une des premières tentatives de la baronne en ce genre eut lieu dans le quartier sinistre nommé autrefois la *Petite-Pologne*, et que circonscrivent la rue du Rocher, la rue de la Pépinière et la rue de Miroménil. Il existe là comme une succursale du faubourg Saint-Marceau. Pour peindre ce quartier, il suffira de dire que les propriétaires de certaines maisons habitées par des industriels sans industries, par de dangereux ferrailleurs, par des indigents livrés à des métiers périlleux, n'osent pas y réclamer leurs loyers, et ne trouvent pas d'huissiers qui veuillent expulser les locataires insolvables. En ce moment, la Spéculation, qui tend à changer la face de ce coin de Paris et à bâtir l'espace en friche qui sépare la rue d'Amsterdam de la rue du Faubourg-du-Roule, en modifiera sans doute la population, car la truelle est, à Paris, plus civilisatrice qu'on ne le pense ! En bâtissant de belles et d'élégantes maisons à concierges, les bordant de trottoirs et y pratiquant des boutiques, la Spéculation écarte, par le prix du loyer, les gens sans aveu, les ménages sans mobilier et les mauvais locataires. Ainsi les quartiers se débarrassent de ces populations sinistres et de ces bouges où la police ne met le pied que quand la justice l'ordonne.

En juin 1844, l'aspect de la place de Laborde[1] et de ses environs était encore peu rassurant. Le fantassin élégant qui, de la rue de la Pépinière, remontait par hasard dans ces rues épouvantables, s'étonnait de voir l'aristocratie coudoyée là par une infime bohème. Dans ces quartiers, où végètent l'indigence ignorante et la misère aux abois, florissent les derniers écrivains publics qui se voient dans Paris. Là où vous voyez écrits ces deux mots : *Écrivain public*, en grosse coulée, sur un papier blanc affiché à la vitre de quelque entresol ou d'un fangeux rez-de-chaussée vous pouvez hardiment penser que le

---

1. Aujourd'hui place Henri-Bergson.

quartier recèle beaucoup de gens ignares, et partant des malheurs, des vices et des criminels. L'ignorance est la mère de tous les crimes. Un crime est, avant tout, un manque de raisonnement.

125

*Où l'on ne dit pas pourquoi
tous les fumistes de Paris sont italiens*

Or, pendant la maladie de la baronne, ce quartier, pour lequel elle était une seconde Providence, avait acquis un écrivain public établi dans le passage du Soleil [1], dont le nom est une de ces antithèses familières aux Parisiens, car ce passage est doublement obscur. Cet écrivain, soupçonné d'être allemand, se nommait Vyder [2], et vivait maritalement avec une jeune fille, de laquelle il était si jaloux, qu'il ne la laissait aller que chez d'honnêtes fumistes de la rue Saint-Lazare, italiens, comme tous les fumistes, et à Paris depuis de longues années. Ces

---

1. Plus exactement, passage du Soleil-d'Or. Balzac connaît bien les abords de ce quartier également décrit par Eugène Sue (dont la popularité, on le sait, a irrité Balzac et a joué un rôle dans la création des *Parents pauvres*) dans *Les Mystères de Paris* (VIIIe partie, chap. IX) et par Texier dans son *Tableau de Paris*. Le passage du Soleil-d'Or commençait au no 1 de la rue de la Pépinière et finissait au no 1 de la rue de Laborde. Or, l'hôtel de M. de Margonne (ami de la famille Balzac, amant de la mère de Balzac et père du frère de Balzac, Henry) se trouvait rue de la Pépinière.

2. Troisième anagramme créé par Balzac pour le personnage du baron Hulot, cette fois sur le nom de « d'Ervy ». Balzac aimait beaucoup cette forme de jeu de mots : dans *Les Employés* (1838), un personnage, Colleville, passe son temps à faire des anagrammes ; et l'un des pseudonymes utilisés par Balzac pour signer ses romans de jeunesse, Lord R'Hoone, était, par ailleurs, un anagramme d'« Honoré ». Pour une interprétation psychanalytique de l'anagramme, « forme emblématique et affichée du déplacement » très présente dans *La Comédie humaine*, voir l'ouvrage d'Anne-Marie Baron, *Balzac ou l'Auguste Mensonge*, *op. cit.*, p. 193.

fumistes avaient été sauvés d'une faillite inévitable, et qui les aurait réduits à la misère, par la baronne Hulot, agissant pour le compte de Mme de La Chanterie. En quelques mois, l'aisance avait remplacé la misère, et la religion était entrée en des cœurs qui naguère maudissaient la Providence, avec l'énergie particulière aux Italiens fumistes. Une des premières visites de la baronne fut donc pour cette famille. Elle fut heureuse du spectacle qui s'offrit à ses regards, au fond de la maison où demeuraient ces braves gens, rue Saint-Lazare, auprès de la rue du Rocher. Au-dessus des magasins et de l'atelier, maintenant bien fournis, et où grouillaient des apprentis et des ouvriers, tous Italiens de la vallée de Domodossola, la famille occupait un petit appartement où le travail avait apporté l'abondance. La baronne fut reçue comme si c'eût été la Sainte Vierge apparue. Après un quart d'heure d'examen, forcée d'attendre le mari pour savoir comment allaient les affaires, Adeline s'acquitta de son saint espionnage en s'enquérant des malheureux que pouvait connaître la famille du fumiste.

– Ah ! ma bonne dame, vous qui sauveriez les damnés de l'enfer, dit l'Italienne, il y a bien près d'ici une jeune fille à retirer de la perdition.

– La connaissez-vous bien ? demanda la baronne.

– C'est la petite-fille d'un ancien patron de mon mari, venu en France dès la révolution, en 1798, nommé Judici. Le père Judici a été, sous l'empereur Napoléon, l'un des premiers fumistes de Paris ; il est mort en 1819, laissant une belle fortune à son fils. Mais le fils Judici a tout mangé avec de mauvaises femmes, et il a fini par en épouser une plus rusée que les autres, celle dont il a eu cette pauvre petite fille, qui sort d'avoir quinze ans.

– Que lui est-il arrivé ? dit la baronne vivement impressionnée par la ressemblance du caractère de ce Judici avec celui de son mari.

– Eh bien ! madame, cette petite, nommée Atala[1], a quitté père et mère pour venir vivre ici à côté, avec un

1. Le nom de cette jeune fille mineure rappelle celui donné par Balzac à Mme Hanska, d'après l'un des personnages des *Saltim-*

562 *La Cousine Bette*

vieil Allemand de quatre-vingts ans, au moins, nommé
Vyder, qui fait toutes les affaires des gens qui ne savent
ni lire ni écrire. Si au moins ce vieux libertin, qui, dit-on,
aurait acheté la petite à sa mère pour quinze cents francs,
épousait cette jeunesse, comme il a sans doute peu de
temps à vivre, et qu'on le dit susceptible d'avoir quelques
milliers de francs de rente, eh bien ! la pauvre enfant qui
est un petit ange, échapperait au mal, et surtout à la
misère, qui la pervertira.

— Je vous remercie de m'avoir indiqué cette bonne
action à faire, dit Adeline ; mais il faut agir avec prudence. Quel est ce vieillard ?

— Oh ! madame, c'est un brave homme, il rend la petite
heureuse, et il ne manque pas de bon sens ; car, voyez-
vous, il a quitté le quartier des Judici, je crois, pour
sauver cette enfant des griffes de sa mère. La mère était
jalouse de sa fille, et peut-être rêvait-elle de tirer parti de
cette beauté, de faire de cette enfant *une demoiselle* !...
Atala s'est souvenue de nous, elle a conseillé à *son monsieur* de s'établir auprès de notre maison ; et, comme le
bonhomme a vu qui nous étions, il la laisse venir ici ;
mais mariez-la, madame, et vous ferez une action bien
digne de vous... Une fois mariée, la petite sera libre, elle
échappera par ce moyen à sa mère, qui la guette et qui
voudrait, pour tirer parti d'elle, la voir au théâtre ou
réussir dans l'affreuse carrière où elle l'a lancée.

— Pourquoi ce vieillard ne l'a-t-il pas épousée ?...

— Ce n'était pas nécessaire, dit l'Italienne, et quoique
le bonhomme Vyder ne soit pas un homme absolument
méchant, je crois qu'il est assez rusé pour vouloir être
maître de la petite, tandis que marié, dame ! il craint, ce
pauvre vieux, ce qui pend au nez de tous les vieux...

---

banques, parade de Dumersan et de Varin créée en 1831 ; il fait aussi
naturellement penser à Atala, héroïne du *Génie du christianisme* de
Chateaubriand. P. Barbéris souligne « l'effet de déphasage » saisissant
et le caractère « ridicule » de ce prénom en 1841 : « on reste romantique
dans ce milieu où l'on vend les filles » (Folio, p. 448, note).

– Pouvez-vous envoyer chercher la jeune fille ? dit la baronne, je la verrais ici, je saurais s'il y a de la ressource...

126

La nouvelle Atala tout aussi sauvage que l'autre et pas aussi catholique

La femme du fumiste fit un signe à sa fille aînée, qui partit aussitôt. Dix minutes après, cette jeune personne revint, tenant par la main une fille de quinze ans et demi, d'une beauté tout italienne.

Mlle Judici tenait du sang paternel cette peau jaunâtre au jour, qui le soir, aux lumières, devient d'une blancheur éclatante, des yeux d'une grandeur, d'une forme, d'un éclat oriental, des cils fournis et recourbés qui ressemblaient à de petites plumes noires, une chevelure d'ébène, et cette majesté native de la Lombardie qui fait croire à l'étranger, quand il se promène le dimanche à Milan, que les filles des portiers sont autant de reines. Atala, prévenue par la fille du fumiste de la visite de cette grande dame dont elle avait entendu parler, avait mis à la hâte une jolie robe de soie, des brodequins et un mantelet élégant. Un bonnet à rubans couleur cerise décuplait l'effet de la tête. Cette petite se tenait dans une pose de curiosité naïve, en examinant du coin de l'œil la baronne, dont le tremblement nerveux l'étonnait beaucoup. La baronne poussa un profond soupir en voyant ce chef-d'œuvre féminin dans la boue de la prostitution, et jura de la ramener à la Vertu.

– Comment te nommes-tu, mon enfant ?

– Atala, madame.

– Sais-tu lire, écrire ?...

– Non, madame ; mais cela ne fait rien, puisque monsieur le sait...

– Tes parents t'ont-ils menée à l'église ? As-tu fait ta première communion ? Sais-tu ton catéchisme ?

– Madame, papa voulait me faire faire des choses qui ressemblent à ce que vous dites, mais maman s'y est opposée…

– Ta mère !… s'écria la baronne. Elle est donc bien méchante, ta mère ?…

– Elle me battait toujours ! Je ne sais pourquoi, mais j'étais le sujet de disputes continuelles entre mon père et ma mère…

– On ne t'a donc jamais parlé de Dieu ?… s'écria la baronne.

L'enfant ouvrit de grands yeux.

– Ah ! maman et papa disaient souvent : S… n… de Dieu ! Tonnerre de Dieu ! Sacre-Dieu !… dit-elle avec une délicieuse naïveté.

– N'as-tu jamais vu d'église ? ne t'est-il pas venu dans l'idée d'y entrer ?

– Des églises ?… Ah ! Notre-Dame, le Panthéon, j'ai vu cela de loin, quand papa m'emmenait dans Paris ; mais cela n'arrivait pas souvent. Il n'y a pas de ces églises-là dans le faubourg.

– Dans quel faubourg étiez-vous ?

– Dans le faubourg…

– Quel faubourg ?

– Mais rue de Charonne, madame…

Les gens du faubourg Saint-Antoine n'appellent jamais autrement ce quartier célèbre que le *faubourg*. C'est pour eux le faubourg par excellence, le souverain faubourg, et les fabricants eux-mêmes entendent par ce mot spécialement le faubourg Saint-Antoine [1].

– On ne t'a jamais dit ce qui était bien, ce qui était mal ?

– Maman me battait quand je ne faisais pas les choses à son idée…

1. Dans l'édition Chlendowski, Balzac développe ses considérations sur l'arrière-plan social de cette scène : voir annexes.

– Mais ne savais-tu pas que tu commettais une mauvaise action en quittant ton père et ta mère pour aller vivre avec un vieillard ?

Atala Judici regarda d'un air superbe la baronne, et ne lui répondit pas.

– C'est une fille tout à fait sauvage !... se dit Adeline.

– Oh ! madame, il y en a beaucoup comme elle au faubourg ! dit la femme du fumiste.

– Mais elle ignore tout, même le mal, mon Dieu ! Pourquoi ne me réponds-tu pas ?... demanda la baronne en essayant de prendre Atala par la main.

Atala courroucée recula d'un pas.

– Vous êtes une vieille folle ! dit-elle. Mon père et ma mère étaient à jeun depuis une semaine ! Ma mère voulait faire de moi quelque chose de bien mauvais, puisque mon père l'a battue en l'appelant voleuse ! Pour lors, M. Vyder a payé toutes les dettes de mon père et de ma mère et leur a donné de l'argent... oh ! plein un sac !... Et il m'a emmenée, que mon pauvre papa pleurait... Mais il fallait nous quitter !... Eh bien ! est-ce mal ? demanda-t-elle.

127

Continuation du précédent

– Et aimez-vous bien ce M. Vyder ?...

– Si je l'aime ?... dit-elle. Je crois bien, madame ! il me raconte de belles histoires tous les soirs !... Et il m'a donné de belles robes, du linge, un châle. Mais, c'est que je suis nippée comme une princesse, et je ne porte plus de sabots ! Enfin, depuis deux mois, je ne sais plus ce que c'est que d'avoir faim. Je ne mange plus de pommes de terre ! Il m'apporte des bonbons, des pralines ! Oh ! que c'est bon, le chocolat praliné !... Je fais tout ce qu'il veut pour un sac de chocolat ! Et puis, mon gros père Vyder est bien bon, il me soigne si bien, si gentiment, que ça me fait voir comment aurait dû être ma mère... Il va prendre une vieille bonne pour me soigner, car il ne veut pas que je me salisse les mains à faire la cuisine. Depuis un mois, il commence à gagner pas mal d'argent, il m'apporte trois francs tous les soirs... que je mets dans une tirelire ! Seulement, il ne veut pas que je sorte, excepté pour venir ici... C'est ça un amour d'homme ; aussi, fait-il de moi ce qu'il veut... Il m'appelle sa petite chatte ! et ma mère ne m'appelait que petite B..., ou bien f... p...! voleuse, vermine ! Est-ce que je sais !

— Eh bien ! pourquoi mon enfant, ne ferais-tu pas ton mari du père Vyder ?...

— Mais, c'est fait, madame ! dit la jeune fille en regardant la baronne d'un air plein de fierté, sans rougir, le front pur, les yeux calmes. Il m'a dit que j'étais sa petite femme, mais c'est bien embêtant d'être la femme d'un homme !... Allez ! sans les pralines !...

— Mon Dieu ! se dit à voix basse la baronne, quel est le monstre qui a pu abuser d'une si complète et si sainte innocence ? Remettre cette enfant dans le bon sentier, n'est-ce pas racheter bien des fautes ! Moi je savais ce que je faisais ! se dit-elle en pensant à sa scène avec Crevel. Elle ! elle ignore tout !

— Connaissez-vous M. Samanon ?... demanda la petite Atala d'un air câlin.

— Non, ma petite ; mais pourquoi me demandes-tu cela ?

— Bien vrai ? dit l'innocente créature.

— Ne crains rien de madame, Atala !... dit la femme du fumiste, c'est un ange !

— C'est que mon gros chat a peur d'être trouvé par ce Samanon, il se cache... et je voudrais bien qu'il pût être libre...

— Et pourquoi ?...

– Dame ! il me mènerait à Bobino[1] ! peut-être à l'Ambigu[2] !

– Quelle ravissante créature ! dit la baronne en embrassant cette petite fille.

– Êtes-vous riche ?... demanda Atala qui jouait avec les manchettes de la baronne.

– Oui et non, répondit la baronne. Je suis riche pour les bonnes petites filles comme toi, quand elles veulent se laisser instruire des devoirs du chrétien par un prêtre, et aller dans le bon chemin.

– Dans quel chemin ? dit Atala. Je vais bien sur mes jambes.

– Le chemin de la vertu !

Atala regarda la baronne d'un air matois et rieur.

– Vois madame, elle est heureuse depuis qu'elle est rentrée dans le sein de l'Église ?... dit la baronne en montrant la femme du fumiste. Tu t'es mariée comme les bêtes s'accouplent.

– Moi ! reprit Atala, mais si vous voulez me donner ce que me donne le père Vyder, je serai bien contente de ne pas me marier. C'est une scie ! savez-vous ce que c'est ?...

– Une fois qu'on s'est unie à un homme, comme toi, reprit la baronne, la vertu veut qu'on lui soit fidèle.

– Jusqu'à ce qu'il meure ?... dit Atala d'un air fin, je n'en aurai pas pour longtemps. Si vous saviez comme le père Vyder tousse et souffle ! Peuh ! peuh ! fit-elle en imitant le vieillard.

– La vertu, la morale veulent, reprit la baronne, que l'Église qui représente Dieu, et la mairie qui représente

<hr/>

1. Le théâtre Bobino, aujourd'hui situé rue de la Gaîté dans le 14ᵉ arrondissement de Paris, était à l'origine un modeste théâtre situé dans le jardin du Luxembourg, au bout de la rue de Fleurus, où se produisait au début du siècle un clown nommé Bobino. Il était fréquenté par les gens du peuple, les grisettes et les étudiants.
2. Le théâtre de l'Ambigu-Comique, fondé en 1769 par Audinot, ancien comédien de l'Opéra-Comique devenu marionnettiste, se trouvait boulevard du Temple. Il s'était peu à peu spécialisé dans le mélodrame et le vaudeville.

la loi, consacrent votre mariage. Vois, madame, elle s'est
mariée légitimement.

— Est-ce que ça sera plus amusant ? demanda l'enfant.

— Tu seras plus heureuse, dit la baronne, car personne
ne pourra te reprocher ce mariage. Tu plairas à Dieu !
Demande à madame si elle s'est mariée sans avoir reçu
le sacrement du mariage ?

Atala regarda la femme du fumiste.

— Qu'a-t-elle de plus que moi ? demanda-t-elle. Je suis
plus jolie qu'elle.

— Oui, mais je suis une honnête femme, et toi, l'on
peut te donner un vilain nom…

— Comment veux-tu que Dieu te protège, si tu foules
aux pieds les lois divines et humaines ? dit la baronne.
Sais-tu que Dieu tient en réserve un paradis pour ceux
qui suivent les commandements de son Église ?

— Quéqu'il y a dans le paradis ? Y a-t-il des spectacles ? dit Atala.

— Oh ! le paradis, c'est, dit la baronne, toutes les jouissances que tu peux imaginer. Il est plein d'anges, dont les
ailes sont blanches. On y voit Dieu dans sa gloire, on
partage sa puissance, on est heureux à tout moment et
dans l'éternité !…

Atala Judici écoutait la baronne comme elle eût écouté
de la musique ; et, la voyant hors d'état de comprendre,
Adeline pensa qu'il fallait prendre une autre voie en
s'adressant au vieillard.

— Retourne chez toi, ma petite, et j'irai parler à ce
M. Vyder. Est-il français ?

— Il est alsacien, madame ; mais il sera riche, allez ! Si
vous vouliez payer ce qu'il doit à ce vilain Samanon, il
vous rendrait votre argent ! car il aura dans quelques
mois, dit-il, six mille francs de rente, et nous irons alors
vivre à la campagne, bien loin, dans les Vosges…

Ce mot *les Vosges* fit tomber la baronne dans une rêverie profonde. Elle revit son village !

128

Une reconnaissance

La baronne fut tirée de cette douloureuse méditation par les salutations du fumiste qui venait lui donner les preuves de sa prospérité.

– Dans un an, madame, je pourrai vous rendre les sommes que vous nous avez prêtées, car c'est l'argent du bon Dieu ! c'est celui des pauvres et des malheureux ! Si je fais fortune, vous puiserez un jour dans notre bourse, je rendrai par vos mains aux autres le secours que vous nous avez apporté.

– En ce moment, dit la baronne, je ne vous demande pas d'argent, je vous demande votre coopération à une bonne œuvre. Je viens de voir la petite Judici qui vit avec un vieillard, et je veux les marier religieusement, légalement.

– Ah ! le père Vyder ! c'est un bien brave et digne homme, il est de bon conseil. Ce pauvre vieux s'est déjà fait des amis dans le quartier, depuis deux mois qu'il y est venu. Il me met mes mémoires au net. C'est un brave colonel, je crois, qui a bien servi l'Empereur… Ah ! comme il aime Napoléon ! Il est décoré, mais il ne porte jamais de décorations. Il attend qu'il se soit refait, car il a des dettes, le pauvre cher homme !… je crois même qu'il se cache, il est sous le coup des huissiers…

– Dites que je paierai ses dettes, s'il veut épouser la petite…

– Ah ! bien, ce sera bientôt fait. Tenez, madame, allons-y… c'est à deux pas, dans le passage du Soleil !

La baronne et le fumiste sortirent pour aller au passage du Soleil.

– Par ici, **madame**, dit le fumiste en montrant la rue de la Pépinière.

Le passage du Soleil est en effet au commencement de la rue de la Pépinière et débouche rue du Rocher. Au milieu de ce passage de création récente, et dont les boutiques sont d'un prix très modique, la baronne aperçut, au-dessus d'un vitrage garni de taffetas vert, à une hauteur qui ne permettait pas aux passants de jeter des regards indiscrets : ÉCRIVAIN PUBLIC, et sur la porte :

CABINET D'AFFAIRES

Ici l'on rédige les pétitions, on met les mémoires au net, etc.
Discrétion, célérité.

L'intérieur ressemblait à ces bureaux de transit où les omnibus de Paris font attendre les places de correspondance aux voyageurs. Un escalier intérieur menait sans doute à l'appartement en entresol éclairé par la galerie et qui dépendait de la boutique. La baronne aperçut un bureau de bois blanc noirci, des cartons et un ignoble fauteuil acheté d'occasion. Une casquette et un abat-jour en taffetas vert à fil d'archal tout crasseux annonçaient, soit des précautions prises pour se déguiser, soit une faiblesse d'yeux assez concevable chez un vieillard.

— Il est là-haut, dit le fumiste, je vais monter le prévenir et le faire descendre.

La baronne baissa son voile et s'assit. Un pas pesant ébranla le petit escalier de bois, et Adeline ne put retenir un cri perçant en voyant son mari, le baron Hulot, en veste grise tricotée, en pantalon de vieux molleton gris et en pantoufles.

— Que voulez-vous, madame ? dit Hulot galamment. Adeline se leva, saisit Hulot, et lui dit d'une voix brisée par l'émotion : « Enfin, je te retrouve !... »

— Adeline !... s'écria le baron stupéfait qui ferma la porte de la boutique. Joseph ! cria-t-il au fumiste, allez-vous-en par l'allée.

— Mon ami, dit-elle oubliant tout dans l'excès de sa joie, tu peux revenir au sein de ta famille, nous sommes riches ! ton fils a cent soixante mille francs de rente ! ta pension est libre, tu as un arriéré de quinze mille francs à toucher sur ton simple certificat de vie ! Valérie est morte en te léguant trois cent mille francs. On a bien oublié ton nom, va ! tu peux rentrer dans le monde, et tu trouveras d'abord chez ton fils une fortune. Viens, notre bonheur sera complet. Voici bientôt trois ans que je te cherche, et j'espérais si bien te rencontrer, que tu as un appartement tout prêt à te recevoir. Oh ! sors d'ici, sors de l'affreuse situation où je te vois !

– Je le veux bien, dit le baron étourdi ; *mais pourrai-je emmener la petite* ?

– Hector, renonce à elle ! fais cela pour ton Adeline qui ne t'a jamais demandé le moindre sacrifice ! je te promets de doter cette enfant, de la bien marier, de la faire instruire. Qu'il soit dit qu'une de celles qui t'ont rendu heureux soit heureuse, et ne tombe plus ni dans le vice, ni dans la fange !

– C'est donc toi, reprit le baron avec un sourire, qui voulais me marier ?... Reste un instant là, dit-il, je vais aller m'habiller là-haut, où j'ai dans une malle des vêtements convenables...

Quand Adeline fut seule, et qu'elle regarda de nouveau cette affreuse boutique, elle fondit en larmes. – Il vivait là, se dit-elle, et nous sommes dans l'opulence !... Pauvre homme ! a-t-il été puni, lui qui était l'élégance même !

129

Le dernier mot d'Atala

Le fumiste vint saluer sa bienfaitrice, qui lui dit de faire avancer une voiture. Quand le fumiste revint, la baronne le pria de prendre chez lui la petite Atala Judici, de l'emmener sur-le-champ.

– Vous lui direz, ajouta-t-elle, que si elle veut se mettre sous la direction de M. le curé de la Madeleine, le jour où elle fera sa première communion je lui donnerai trente mille francs de dot et un bon mari, quelque brave jeune homme !

– Mon fils aîné, madame ! il a vingt-deux ans et il adore cette enfant !

Le baron descendit en ce moment, il avait les yeux humides.

– Tu me fais quitter, dit-il à l'oreille de sa femme, la seule créature qui ait approché de l'amour que tu as pour moi ! Cette petite fond en larmes, et je ne puis pas l'abandonner ainsi...

– Sois tranquille, Hector ! elle va se trouver au milieu d'une honnête famille, et je réponds de ses mœurs.

– Ah ! je puis te suivre alors, dit le baron en conduisant sa femme à la citadine.

Hector, redevenu baron d'Ervy, avait mis un pantalon et une redingote en drap bleu, un gilet blanc, une cravate noire et des gants. Lorsque la baronne fut assise au fond de la voiture, Atala s'y fourra par un mouvement de couleuvre.

– Ah ! madame, dit-elle, laissez-moi vous accompagner et aller avec vous... Tenez, je serai bien gentille, bien obéissante, je ferai tout ce que vous voudrez ; mais ne me séparez pas du père Vyder, de mon bienfaiteur qui me donne de si bonnes choses. Je vais être battue !...

– Allons, Atala, dit le baron, cette dame est ma femme, et il faut nous quitter...

– Elle ! si vieille que ça, répondit l'innocente, et qui tremble comme une feuille ! Oh ! c'te tête !

Et elle imita railleusement le tressaillement de la baronne. Le fumiste, qui courait après la petite Judici, vint à la portière de la voiture.

– Emportez-la ! dit la baronne.

Le fumiste prit Atala dans ses bras et l'emmena chez lui de force.

– Merci de ce sacrifice, mon ami ! dit Adeline en prenant la main du baron et la serrant avec une joie délirante. Es-tu changé ! comme tu dois avoir souffert ! Quelle surprise pour ta fille, pour ton fils !

Adeline parlait comme parlent les amants qui se revoient après une longue absence, de mille choses à la fois.

130

Retour du père prodigue

En dix minutes, le baron et sa femme arrivèrent rue Louis-le-Grand, où Adeline trouva la lettre suivante :

Madame la Baronne,

M. le baron d'Ervy est resté un mois rue de Charonne, sous le nom de Thorec, anagramme d'Hector. Il est maintenant passage du Soleil, sous le nom de Vyder. Il se dit alsacien, fait des écritures, et vit avec une jeune fille nommée Atala Judici. Prenez bien des précautions, Madame, car on cherche activement le baron, je ne sais dans quel intérêt.

La comédienne a tenu sa parole, et se dit, comme toujours, Madame la baronne,

Votre humble servante,

J. M.

Le retour du baron excita des transports de joie qui le convertirent à la vie de famille. Il oublia la petite Atala Judici, car les excès de la passion l'avaient fait arriver à la mobilité de sensations qui distingue l'enfance. Le bonheur de la famille fut troublé par le changement survenu chez le baron. Après avoir quitté ses enfants encore valide, il revenait presque centenaire, cassé, voûté, la physionomie dégradée. Un dîner splendide, improvisé par Célestine, rappela les dîners de la cantatrice au vieillard qui fut étourdi des splendeurs de sa famille.

— Vous fêtez le retour du père prodigue ! dit-il à l'oreille d'Adeline.

— Chut !... tout est oublié, répondit-elle.

— Et Lisbeth ? demanda le baron qui ne vit pas la vieille fille.

– Hélas ! répondit Hortense, elle est au lit, elle ne se lève plus, et nous aurons le chagrin de la perdre bientôt. Elle compte te voir après dîner.

Le lendemain matin, au lever du soleil, Hulot fils fut averti par son concierge que des soldats de la garde municipale cernaient toute sa propriété. Des gens de justice cherchaient le baron Hulot. Le garde du Commerce, qui suivait la portière, présenta des jugements en règle à l'avocat, en lui demandant s'il voulait payer pour son père. Il s'agissait de dix mille francs de lettres de change souscrites au profit d'un usurier nommé Samanon, et qui probablement avait donné deux ou trois mille francs au baron d'Ervy. Hulot fils pria le garde du Commerce de renvoyer son monde, et il paya. – Sera-ce là tout ? se dit-il avec inquiétude.

131

Éloge de l'oubli

Lisbeth, déjà bien malheureuse du bonheur qui luisait sur la famille, ne put soutenir cet événement heureux. Elle empira si bien, qu'elle fut condamnée par Bianchon à mourir une semaine après, vaincue au bout de cette longue lutte marquée pour elle par tant de victoires. Elle garda le secret de sa haine au milieu de l'affreuse agonie d'une phtisie pulmonaire. Elle eut d'ailleurs la satisfaction suprême de voir Adeline, Hortense, Hulot, Victorin, Steinbock, Célestine et leurs enfants tous en larmes autour de son lit, et la regrettant comme l'ange de la famille. Le baron Hulot, mis à un régime substantiel qu'il ignorait depuis bientôt trois ans, reprit de la force, et il se ressembla presque à lui-même. Cette restauration rendit Adeline heureuse à un tel point que l'intensité de son tressaillement nerveux diminua. – Elle finira par être heureuse ! se dit Lisbeth la veille de sa mort en voyant l'espèce de vénération que le baron témoignait à sa femme dont les souffrances lui avaient été racontées par Hortense et par Victorin. Ce sentiment hâta la fin de la cousine Bette, dont le convoi fut mené par toute une famille en larmes.

Le baron et la baronne Hulot, se voyant arrivés à l'âge du repos absolu, donnèrent au comte et à la comtesse Steinbock les magnifiques appartements du premier étage, et se logèrent au second. Le baron, par les soins de son fils, obtint une place dans un chemin de fer, au commencement de l'année 1845, avec six mille francs d'appointements, qui, joints aux six mille francs de pension de sa retraite et à la fortune léguée par Mme Crevel, lui composèrent vingt-quatre mille francs de rente. Hortense, ayant été séparée de biens avec son mari pendant les trois années de brouille, Victorin n'hésita plus à placer au nom de sa sœur les deux cent mille francs du fidéicommis, et il fit à Hortense une pension de douze mille francs. Wenceslas, mari d'une femme riche, ne lui faisait aucune infidélité ; mais il flânait, sans pouvoir se résoudre à entreprendre une œuvre, si petite qu'elle fût. Redevenu artiste *in partibus* [1], il avait beaucoup de succès dans les salons, il était consulté par beaucoup d'amateurs ; enfin il passa critique, comme tous les impuissants qui mentent à leurs débuts. Chacun de ces ménages jouissait donc d'une fortune particulière, quoique vivant en famille. Éclairée par tant de malheurs, la baronne laissait à son fils le soin de gérer les affaires, et réduisait ainsi le baron à ses appointements, espérant que l'exiguïté de ce revenu l'empêcherait de retomber dans ses anciennes erreurs. Mais, par un bonheur étrange, et sur lequel ni la

---

1. L'expression *in partibus* est l'abréviation de la locution *in partibus infidelium* : « dans les pays des infidèles ». Un évêque *in partibus* n'a qu'un diocèse nominal, purement honorifique (sans la charge d'un diocèse réel). Un artiste *in partibus* est donc quelqu'un qui a le titre d'artiste mais ne le mérite pas, car il n'exerce pas son métier : il fait la roue dans les salons mais n'a plus aucun lien avec les réalités de la création – type de personnage particulièrement exécré par Balzac.

mère ni le fils ne comptaient, le baron semblait avoir renoncé au beau sexe. Sa tranquillité, mise sur le compte de la nature, avait fini par tellement rassurer la famille, qu'on jouissait entièrement de l'amabilité revenue et des charmantes qualités du baron d'Ervy. Plein d'attention pour sa femme et pour ses enfants, il les accompagnait au spectacle, dans le monde où il reparut, et il faisait avec une grâce exquise les honneurs du salon de son fils. Enfin, ce père prodigue reconquis donnait la plus grande satisfaction à sa famille. C'était un agréable vieillard, complètement détruit, mais spirituel, n'ayant gardé de son vice que ce qui pouvait en faire une vertu sociale. On arriva naturellement à une sécurité complète. Les enfants et la baronne portaient aux nues le père de famille, en oubliant la mort des deux oncles ! La vie ne va pas sans de grands oublis !

132

Un dénouement atroce, réel et vrai

Mme Victorin, qui menait avec un grand talent de ménagère, dû d'ailleurs aux leçons de Lisbeth, cette maison énorme, avait été forcée de prendre un cuisinier. Le cuisinier rendit nécessaire une fille de cuisine. Les filles de cuisine sont aujourd'hui des créatures ambitieuses, occupées à surprendre les secrets du chef, et qui deviennent des cuisinières dès qu'elles savent faire tourner les sauces. Donc on change très souvent de filles de cuisine. Au commencement du mois de décembre 1845, Célestine prit pour fille de cuisine, une grosse Normande d'Isigny, à taille courte, à bons bras rouges, munie d'un visage commun, bête comme une pièce de circonstance, et qui se décida difficilement à quitter le bonnet de coton classique dont se coiffent les filles de la Basse-Normandie. Cette fille, douée d'un embonpoint de nourrice, semblait près de faire éclater la cotonnade dont elle entourait son corsage. On eût dit que sa figure rougeaude avait été taillée dans du caillou, tant les jaunes contours en étaient fermes. On ne fit naturellement aucune attention dans la maison, à l'entrée de cette fille appelée Agathe, la vraie fille délurée que la province envoie journellement à Paris. Agathe tenta médiocrement le cuisinier, tant elle était grossière dans son langage, car elle avait servi les rouliers, elle sortait d'une auberge de faubourg, et au lieu de faire la conquête du chef et d'obtenir de lui qu'il lui montrât le grand art de la cuisine, elle fut l'objet de son mépris. Le cuisinier courtisait Louise, la femme de chambre de la comtesse Steinbock. Aussi la Normande, se voyant maltraitée, se plaignit-elle de son sort ; elle était toujours envoyée dehors, sous un prétexte quelconque, quand le chef finissait un plat ou parachevait une sauce. – Décidément, je n'ai pas de chance, disait-elle, j'irai dans une autre maison. Néanmoins, elle resta, quoiqu'elle eût demandé déjà deux fois à sortir.

Une nuit, Adeline, réveillée par un bruit étrange, ne trouva plus Hector dans le lit qu'il occupait auprès du sien, car ils couchaient dans des lits jumeaux, ainsi qu'il convient à des vieillards. Elle attendit une heure sans voir revenir le baron. Prise de peur, croyant à une catastrophe tragique, à l'apoplexie, elle monta d'abord à l'étage supérieur occupé par les mansardes où couchaient les domestiques, et fut attirée vers la chambre d'Agathe, autant par la vive lumière qui sortait par la porte, entrebâillée, que par le murmure de deux voix. Elle s'arrêta tout épouvantée en reconnaissant la voix du baron, qui, séduit par les charmes d'Agathe, en était arrivé par la résistance calculée de cette atroce maritorne, à lui dire ces odieuses paroles : « Ma femme n'a pas longtemps à vivre, et si tu veux tu pourras être baronne. » Adeline jeta un cri, laissa tomber son bougeoir et s'enfuit.

Trois jours après, la baronne, administrée la veille, était à l'agonie et se voyait entourée de sa famille en larmes. Un moment avant d'expirer, elle prit la main de son mari, la pressa et lui dit à l'oreille : « Mon ami, je n'avais plus que ma vie à te donner : dans un moment tu seras libre, et tu pourras faire une baronne Hulot. »

Et l'on vit, ce qui doit être rare, des larmes sortir des yeux d'une morte. La férocité du Vice avait vaincu la patience de l'Ange, à qui, sur le bord de l'Éternité, il échappa le seul mot de reproche qu'elle eût fait entendre de toute sa vie.

Le baron Hulot quitta Paris trois jours après l'enterrement de sa femme. Onze mois après, Victorin apprit indirectement le mariage de son père avec Mlle Agathe Piquetard, qui s'était célébré à Isigny, le 1er février 1846.

– Les ancêtres peuvent s'opposer au mariage de leurs enfants, mais les enfants ne peuvent pas empêcher les folies des ancêtres en enfance, dit maître Hulot à maître Popinot, le second fils de l'ancien ministre du Commerce, qui lui parlait de ce mariage.

A n n e x e s

NOTES DE L'ÉDITION DU *CONSTITUTIONNEL* (1846)

Les notes qui suivent furent insérées par Balzac lors de la première publication du roman, en feuilleton, dans *Le Constitutionnel.*

• Chapitre 41, p. 257

Dans *Le Constitutionnel* du 20 octobre 1846, Balzac inséra la note suivante :

Le profond respect que je porte à la Grande Armée et à l'Empereur m'oblige à répondre à la lettre suivante qui m'est adressée par la voie du *Constitutionnel* :

> Paris, 10 octobre 1846.
> Monsieur,

> Dans votre nouveau roman : *Les Parents pauvres*, il vous plaît de faire conférer par l'Empereur, au général Hulot, le titre de comte de Forzheim. En vérité, l'Empereur n'aurait mieux su s'y prendre pour combler de ridicule un des braves de son armée. Que diriez-vous, Monsieur, d'un personnage qui se ferait appeler le marquis de La Pétaudière ?

> Nous autres Français, nous ne saurons jamais que notre langue. Il n'y aurait donc guère d'inconvénient, si vos œuvres, à juste titre, ne jouissaient d'une vogue européenne.

> Veuillez bien agréer, Monsieur, ces observations de la part d'un de vos admirateurs les plus sincères.

Je déclare ne savoir aucun mot d'allemand. Il m'est d'ailleurs impossible de me livrer à l'étude de cette magnifique et très estimable langue, tant que je ne saurai pas parfaitement la langue française ; et je la trouve si peu maniable après vingt ans d'études, que je ne pense pas, comme mon bienveillant critique, que, nous autres Français, nous sachions notre langue ; si nous ne savions que cela, nous le saurions mieux. Venons au reproche qui taxerait mon Napoléon de *La Comédie humaine* de légèreté. Si je ne sais pas l'allemand, je connais beaucoup l'Allemagne, et j'ai l'honneur d'affirmer à l'auteur de cette lettre que je suis passé environ neuf fois par la ville de Forzheim, située sur les frontières des États de Bade, et du Wurtemberg. Cette ville est une des plus jolies et des plus coquettes de cette contrée, qui en compte tant de charmantes. C'est là qu'en 1809, le héros des *Chouans* a livré le brillant combat en souvenir duquel, après Wagram, Napoléon le nomma comte du nom de cette ville, selon son habitude de rattacher sa nouvelle noblesse à de grands faits d'armes. Cette affaire est le sujet d'une de mes *Scènes de la vie militaire*. Si mon critique anonyme sait l'allemand, je suis fâché de voir qu'il n'est pas plus fort en géographie, que moi sur la langue germanique. Subsidiairement, si Forzheim veut dire *Pétaudière*, *Bicoque* en Italie a immortalisé ce nom bizarre ; puis, nous avons eu des ducs de Bouillon, et nous comptons, nous autres amateurs de vieilles chroniques, plus de vingt noms, célèbres au temps des croisades, qu'on ne peut plus imprimer aujourd'hui, tant ils sont ridicules ou indécents. Cinq familles françaises (entre autres, les Bonnechose) ont été autorisées par lettres-patentes à changer quelques-uns de ces noms qui, dans le vieux temps, avaient bien leur prix. Enfin, Racine, Corneille, La Fontaine, Marot, les deux Rousseau, Cuvier, Piccolomini, Facino Cane, Marceau, Cœur, Bart, etc., ont surabondamment prouvé que les noms deviennent ce que sont les hommes, et que le génie comme le courage transforment en auréole les vulgarités qui les touchent.

Une observation plus grave que celle-ci, et qui m'oblige à grossir cette note, est relative à monsieur Crevel. Ce personnage a dû donner sa démission d'adjoint pour être capitaine de la Garde nationale. Ce défaut de mémoire légale sera réparé.

Je remercie, d'ailleurs, mon critique de l'intérêt qui ressort pour un écrivain de toute observation, même erronée.

L'AUTEUR.

Dans le numéro du 28 octobre 1846, Balzac compléta ainsi la note précédente :

Quand on a passé souvent par cette ville, on ne peut pas ne point avoir lu sur les poteaux *Pforzheim* [*sic*]. Mais nous avons jugé cette orthographe incompatible avec la prononciation française ; et nous avons mis Forzheim comme nous disons Mayence au lieu de *Mainz*. D'ailleurs Forzheim, m'écrit un Allemand, ne veut pas dire *Pétaudière*, il faudrait Furzheim. Pforzheim n'est pas un mot de la langue germanique. Les Romains (au temps de Jules César), fondèrent cette ville et la nommèrent à cause de sa situation : *Porta Herciniae*, c'est-à-dire *Porte de la Forêt Noire*. Au Moyen Âge, on a dit *Phorcae*, par abréviation ; puis le peuple a donné une terminaison germanique au mot latin abrégé ; de là *Pforzheim* ! En tous pays, les noms sont le résultat de ces bizarres transformations. La Ferté-sous-Jouarre et Aranjuez sont, dans chaque pays, la corruption d'*Ara Jovis, Autel de Jupiter.*

Pforzheim, célèbre, d'ailleurs, par ses *trois cents soldats*, qui, dans la guerre de trente ans, succombèrent à la manière des trois cents Spartiates de Léonidas, a vu naître Reuchlin et Gall.

J'ajoute cette note pour en finir sur ce point, car j'ai reçu onze lettres à ce sujet. La géographie a ses périls.

• Chapitre 91, p. 430

Dans *Le Constitutionnel* du 18 novembre 1846, Balzac inséra la note suivante :

Pour éviter les réclamations, nous mettrons ici en note que cet admirable fait d'armes appartient à l'illustre général Legrand, qui alla vers cette triple redoute comme à une fête, ayant au cou une chaîne des cheveux blonds de sa femme, aujourd'hui Mme J... de F... Il y a des héroïsmes qu'on ne peut pas inventer, il faut les prendre tout faits. Napoléon fut jaloux de cette affaire. Il vint et dit : « On aurait pu tourner la position ; vous avez pris le taureau par les cornes. » Après une longue disgrâce, Masséna, dit le général Pelet qui a rapporté ce mot de Napoléon dans son *Histoire de la campagne de 1809*, avait un commandement en chef ; il voulait stupéfier les Allemands par un coup d'éclat, et ce fut le prélude de ses exploits à Gross-Aspern et à Wagram.

Cette précaution oratoire, mise en avant uniquement à cause de l'immense publicité de ce journal, est nécessaire pour prévenir les critiques. On aurait également tort de prêter à l'auteur l'intention de viser au portrait. Le maréchal Cottin, prince de Wissembourg, le directeur du Personnel, etc., sont des personnages nécessaires dans *La Comédie humaine* ; ils y représentent des choses et ne seront jamais des personnalités. Quand Molière introduisait un monsieur Loyal dans *Tartuffe*, il faisait *l'huissier* et non tel huissier. C'était le fait et non un homme.

VARIANTES DE L'ÉDITION CHLENDOWSKI (1847)

Nous reproduisons ici deux passages de l'édition Chlendowski supprimés dans les éditions postérieures du roman.

• Chapitre 123, p. 556

« Eh bien ! le médecin, le grand Bianchon, a regardé le petit jeune homme qu'il m'amenait pour me veiller et pour tenir note des phases d'intoxication, d'incubation, etc., car ils se sont servis de ces grands mots-là, et il lui a dit : – Avec ce moral-là, monsieur le maire pourra s'en tirer ! Et voilà, mes enfants, voilà la cause de cette gaieté ! je veux vivre et les capucinades m'affaibliraient. D'ailleurs je suis devenu gentilhomme, les grands seigneurs, avant et pendant la Révolution, savaient regarder la mort en face ! Je suis français, j'ai l'honneur d'être un des maires de Paris, et s'il faut mourir, je veux qu'on dise dans mon arrondissement : – Notre maire était un fier gaillard ! il est *bien* mort !

– Voilà pourtant le fruit de la bêtise, dit Bianchon à l'oreille de l'avocat qui contemplait tristement son beau-père.

– C'est ce que je me disais, répliqua l'avocat. La confiance de la sottise et celle de l'ignorance approchent du calme et de la grandeur du stoïcisme que donne la force de l'âme.

– Et remarquez, reprit Bianchon, qu'il supporte merveilleusement bien la maladie, *il se comporte bien*, comme on dit d'un vaisseau par une mauvaise mer.

– Je me demandais, dit Victorin à Bianchon, si l'amour devait beaucoup nous enorgueillir de nos grandeurs morales, au moment où la bêtise produit le même effet !

– Ah ! répondit Bianchon, vous me rappelez une réflexion que j'ai faite lors du supplice des trois auteurs de la machine infernale du boulevard du Temple, Morey, le montagnard de 1793, Pépin, l'épicier, le brave Fieschi, tous trois sont allés héroïquement à la mort, le révolutionnaire par stoïcisme, l'autre par les raisons que vient de vous donner votre beau-père, le Corse par forfanterie. Que vous guindiez l'obélisque de Luxor avec des cordes en soie ou en chanvre, par la force de la vapeur ou par celle des bras de l'homme, il se dresse insouciamment ; il semble qu'il en soit de même pour l'âme. Oh ! le lit des mourants inspire d'étranges réflexions ! L'esprit supérieur, ici à côté, va mourir stoïquement soutenu par la Religion ; tandis que le sot mourra là, stoïquement soutenu par la vanité, par l'incrédulité ?

– C'est effrayant ! répondit l'avocat. On n'ose pas conclure. »

• Chapitre 126, p. 564

Et, chose étrange ! dans ce faubourg où vivent cent mille ouvriers de tout état, dans ce faubourg qui fabriquerait des civilisations complètes, qui armerait cent mille combattants de toutes armes en quinze jours, qui enfante des miracles en tout genre, Paris, à qui l'on accorde tant d'intelligence, n'a pas bâti d'église. On ne peut pas appeler une église cette grange nommée Sainte-Marguerite, qui fait honte à la plus obscure fabrique. Or, là où les yeux du peuple devraient être incessamment frappés par un de ces grands monuments religieux qui jettent les idées de Dieu, d'avenir, de religion, la population n'aperçoit que la colonne dite de Juillet ! De la barrière du Trône à l'Hôtel de Ville, on ne voit qu'une église, celle de Saint-Paul ! Dans ce faubourg qui certes vaut Lyon ou Bordeaux, ne serait-il pas de la plus haute politique d'élever une église au moins aussi considérable que celle de Saint-Sulpice, et haute comme Sainte-Geneviève ? Allez à Bourges, et demandez-vous s'il est impossible d'y oublier Dieu !

La Comédie humaine est un monde de passions. Ce vaste cycle romanesque trouve son origine dans la volonté d'un romancier d'écrire les mœurs de son temps en montrant comment certaines individualités hors du commun sont mues par des forces intérieures qui parfois les dépassent. Dans le monde balzacien, les passions sont au centre d'un dispositif moral qui dévoile les actions humaines face aux rouages de la société. Or le mot « passion », si souvent employé par Balzac, recouvre tout un ensemble de significations, des plus concrètes aux plus philosophiques.

ARCHÉOLOGIE DES PASSIONS

Dans l'Avant-propos de *La Comédie humaine*, le terme « passion » est employé à dix reprises, tantôt au singulier, tantôt au pluriel, selon une acception qui varie sensiblement. Balzac utilise « passions » dans sa définition classique, pour désigner les excès et les douleurs que produisent les sentiments impérieux. Ainsi, les « principaux faits des passions [1] » se situent dans l'orbe de la morale : ils accompagnent l'étude des vices et des vertus. Dans un sens plus large, le terme recouvre tous les mouvements intérieurs propres à chaque être. Mais Balzac élargit encore le spectre sémantique du mot, en désignant plus généralement par « passion » les pensées et les sentiments :

---

1. Avant-propos de *La Comédie humaine*, t. I, éd. Pierre-Georges Castex, Gallimard, « Bibliothèque de la Pléiade », 1976, p. 11.

En lisant attentivement le tableau de la Société, moulée, pour ainsi dire, sur le vif avec tout son bien et tout son mal, il en résulte cet enseignement que si la pensée, ou la passion, qui comprend la pensée et le sentiment, est l'élément social, elle en est aussi l'élément destructeur [1].

Selon cette affirmation, la passion est bien ce qui engendre et détruit, ce qui donne vie et mort dans la société dont le romancier se fait le « secrétaire ». Plus loin, Balzac donne plus de surplomb au terme « passion », qui en vient à définir la nature humaine dans sa globalité :

La passion est toute l'humanité. Sans elle, la religion, l'histoire, le roman, l'art seraient inutiles [2].

Il se défend pourtant d'associer l'étude de la passion à quelque philosophie trop « matérialiste ». Sa conception de la passion n'est pas celle d'un monde sans dieux : « En me voyant amasser tant de faits et les peindre comme ils sont, avec la passion pour élément, quelques personnes ont imaginé, bien à tort, que j'appartenais à l'école sensualiste et matérialiste, deux faces du même fait, le panthéisme [3]. » Balzac n'appréhende pas la passion comme les écrivains des Lumières, mais bien comme un moraliste, voire un spiritualiste, qui serait animé d'une pensée religieuse fervente [4]. C'est en ce sens qu'on pourrait comprendre la formule suivante, teintée de judéo-christianisme : « les passions avec leurs fautes et leurs châtiments, avec les vertus que le repentir leur indique [5] ». Appliquée à *La Cousine Bette*, la dialectique passion/péché, crime/châtiment, reste assez peu efficiente,

---

1. *Ibid.*, p. 12.
2. *Ibid.*, p. 16.
3. *Ibid.*
4. Cette interprétation fait débat parmi la critique balzacienne. Certains considèrent que Balzac écrit l'Avant-propos pour se défendre contre l'immoralisme qu'on lui reproche ; d'autres qu'il est animé par des sentiments religieux sincères. Le débat reste ouvert.
5. Avant-propos de *La Comédie humaine*, *op. cit.*, p. 16.

d'autant plus que Balzac admet que le principe de la passion est indissociable de celui du désir (entendu au sens large) : « la Vie elle-même est peinte aux prises avec le Désir, principe de toute Passion », explique-t-il à propos de *La Peau de chagrin* (1831).

La signification de la passion ou des passions procède du monisme chez Balzac, c'est-à-dire d'une volonté de montrer que tout fait sens et que son œuvre forme un tout, les passions étant le centre de cet ensemble. Accusé d'immoralisme parce qu'il peint les effets sordides de la passion dans la sphère privée, Balzac cherche aussi à défendre sa conception de la passion, en la rattachant à un dessein plus vaste, surplombant : le déchiffrement de la nature humaine. Si la peinture des passions est centrale chez l'auteur de *La Comédie humaine*, c'est qu'elle cimente un système que le romancier veut inattaquable et supérieur à tous les autres. Il se fonde sur trois grandes tendances, déclinées dans l'Avant-propos : la démarche scientifique (de nombreuses références à la science moderne émaillent son texte), la visée morale (l'œuvre délivre un « enseignement » pour les contemporains) et l'organisation poétique de son projet (ce qu'on peut appeler l'esthétique du roman). Les passions régissent à la fois le monde de la pensée et le monde des pulsions. Elles désignent les forces irrationnelles qu'animent des sentiments mêlés à des affects envahissants tels que l'amour, la haine, la possession, la jalousie, la monomanie. C'est ici que Balzac fait entrer l'animalité dans l'humanité, montrant comment certains agissements peuvent s'éclairer grâce à la comparaison animale. Lisbeth Fischer, comparée à des animaux, n'est pas la seule héroïne de Balzac à passer par le microscope de l'éthologue. Vautrin, figure centrale de *La Comédie humaine*, est lui-même animalisé et présenté comme plus proche de l'ours que de l'homme.

Balzac cartographie les passions en fonction du lieu où se déroule l'action (Paris, province) et montre parallèlement comment à chaque âge de la vie correspondent certaines tendances profondes de la passion à dominer la

nature humaine ; ainsi, les *Scènes de la vie privée* corres-
pondraient à l'« âge des passions, des calculs, des intérêts, de l'ambition » ; les *Scènes de la vie parisienne*
seraient le « tableau des goûts, des vices, de toutes les
choses effrénées qu'excitent les mœurs particulières aux
capitales [1] ». Selon la sphère décrite et l'âge des protago-
nistes, les passions agissent différemment et se métamor-
phosent. La passion est donc partout chez Balzac et peut
revêtir mille et un visages ; en témoigne le militaire d'*Une
passion dans le désert* (1830) qui noue une relation pas-
sionnelle avec une... panthère, montrant ainsi que
l'homme ne peut vivre sans passions : « Enfin, il se pas-
sionna pour sa panthère, car il lui fallait bien une affection [2]. » Comme toutes les grandes passions, celle du
soldat et de la panthère se termine mal : scènes, violences,
mort, regrets éternels.

Se plaçant dans le sillage des écrivains « moralistes »,
au premier rang desquels Molière, Balzac considère qu'il
faut peindre les passions pour instruire les hommes. En
cela, il se souvient de la doctrine classique, qu'il trans-
pose à son époque. « Corneille écrivait la généreuse
épopée de l'héroïsme, Balzac écrit la triomphante épopée
de la passion », affirmait Hippolyte Taine [3]. Le lecteur,
en découvrant des individualités motivées par des désirs
tenaces, le plus souvent destructeurs, pourra en tirer un
enseignement. Ici, Balzac engage sa vision subjective,
tout en restant garant d'une certaine objectivité morale,
induite par la caractérisation des personnages. Les passions s'incarnent en effet dans des « types » composés
« par la réunion de plusieurs caractères », précise-t-il
dans l'Avant-propos. Comme le note Isabelle Tournier, le
système des personnages reparaissants est en outre d'une
grande nouveauté à l'époque puisque « l'unité de l'œuvre

1. *Ibid.*, p. 18.
2. *Une passion dans le désert*, dans *La Comédie humaine*, t. VIII,
op. cit., p. 1230.
3. Voir Dossier, *infra*, p. 618-619.

cesse d'être le roman [1] » au profit d'une unité d'ensemble qui permet aussi à Balzac de montrer comment évoluent passions et passionnés dans la société de la première moitié du XIXe siècle. Rastignac, par exemple, est d'abord présenté dans *Le Père Goriot* comme un jeune homme en quête d'expérience ; il est le type même de l'arriviste, initié par Vautrin aux méandres de la vie sociale ; d'un volume à l'autre de *La Comédie humaine*, sa passion du pouvoir va grandissant, jusqu'à l'obtention des plus hautes responsabilités et des plus grands honneurs.

En peignant les passions, Balzac porte un jugement plutôt négatif sur la société de son temps, en particulier sur la monarchie de Juillet où dominent l'immoralité des ambitions individuelles, la sordide hypocrisie, l'avidité pécuniaire, les plus bas instincts. Cette société est essentiellement fondée sur l'assouvissement des passions que représente le goût du pouvoir et des richesses. L'argent est le moteur de bien des actions et dévoile les aspects les plus obscurs et les plus dépravés de l'homme et la femme. En somme, les passions dissèquent une société où la vertu et le bien sont gangrénés par la concupiscence et la rapacité.

PASSIONS AMOUREUSES

Dans son acception la plus communément admise, la passion désigne une relation amoureuse intense, le plus souvent marquée par la souffrance : « Amour violent et exclusif inspiré par une personne et dégénérant parfois en obsession », précise le *Trésor de la langue française*. Balzac a abondamment décrit les différentes étapes de la passion amoureuse, au point d'être considéré, à juste titre, comme l'écrivain des passions au XIXe siècle. Or

---

1. Isabelle Tournier, « Le retour des personnages », *Balzac. La Comédie humaine* (texte disponible en ligne).

cette définition traditionnelle de la passion amoureuse ne suffit pas à rendre compte des différents visages qu'elle prend dans son œuvre. Sous sa plume, l'expression désigne en effet un éventail de sentiments et d'affects, du caprice à la folie, de la simple foucade à l'obsession mortifère.

Balzac distingue d'abord l'amour de la passion, comme dans ce passage de *La Duchesse de Langeais* (1834). S'interrogeant sur la nature des sentiments qu'éprouve son héroïne, le romancier établit un diagnostic indiscutable. La duchesse de Langeais est atteinte par la passion, dont il dévoile les signes caractéristiques :

> Est-ce une passion ? est-ce l'amour ? L'amour n'existant pas sans la connaissance intime des plaisirs qui le perpétuent, la duchesse était donc sous le joug d'une passion ; aussi en éprouva-t-elle les dévorantes agitations, les involontaires calculs, les desséchants désirs, enfin tout ce qu'exprime le mot *passion*[1].

Inscrit en italique dans le texte, le mot désigne ici un état émotionnel violent, qui produit une souffrance intense, conformément à l'étymologie (« passion » vient du latin *patior*, la souffrance, le supplice). Il décrit les affres des sentiments extrêmes et le tourment que produit l'entremêlement de la douleur et du désir. *Le Lys dans la vallée*, qui est sans doute l'un des récits qui rend le mieux compte du caractère sublime voire sacré de la passion amoureuse, analyse magistralement cet état. Dans ce roman, la passion se déploie dans le cadre d'une relation platonique entre Félix de Vandenesse et Henriette de Mortsauf. Le jeune homme est tiraillé entre le lien intensément chaste que lui impose Henriette et les désirs qui le poussent vers la sensuelle et perfide lady Dudley. « Existe-t-il donc une heure, une conjonction d'astres, une réunion de circonstances expresses, une certaine

---

1. *La Duchesse de Langeais*, dans *La Comédie humaine*, t. V, *op. cit.*, p. 1003.

femme entre toutes, pour déterminer une passion exclu-
sive, au temps où la passion embrasse le sexe entier ? »
se demande Félix de Vandenesse[1]. Bien qu'Henriette
interdise à Félix d'employer le mot « amour » dans leur
correspondance, la passion envahit ces deux personnages,
submergés malgré eux par cette déferlante qui n'admet
aucun maître, aucune raison. La passion contenue
déborde de sa coupe quand Henriette apprend que Félix
a été initié aux plaisirs par lady Dudley. Elle en meurt de
chagrin. La passion l'a tuée. Comme le note Michel
Lichtlé, « dans *Le Lys*, c'est l'être le plus pur, Henriette,
qui est voué aux souffrances les plus atroces[2] ».

Il n'est pas de passion amoureuse qui n'ait ses ombres
fatales, comme en témoigne la passion trouble que Vautrin voue à Rastignac : « Mais je vous aime, moi. J'ai la
passion de me dévouer pour un autre[3]. » Si Rastignac
n'adhère pas à ce sentiment, Lucien de Rubempré, le
héros d'*Illusions perdues*, entre dans la relation où
l'entraîne Vautrin (*alias* Carlos Herrara, *alias* Jacques
Collin). La violence de la passion de Vautrin pour son
protégé se mesure à la souffrance qu'il éprouve en apprenant sa mort. Marcel Proust l'évoque dans une lumi-
neuse analyse de *Splendeurs et misères des courtisanes* :

> Mais tout, depuis la manière dont Vautrin arrête sur la
> route Lucien qu'il ne connaît pas et dont le physique seul a
> donc pu l'intéresser, jusqu'à ces gestes involontaires par les-
> quels il lui prend le bras, ne trahit-il pas le sens très différent
> et très précis des théories de domination, d'alliance à deux
> dans la vie, etc., dont le faux chanoine (Vautrin) colore aux
> yeux de Lucien, et peut-être aux siens mêmes, une pensée
> inavouée… Mais le plus beau sans conteste est le passage où
> les deux voyageurs passent devant les ruines du château de

1. *Le Lys dans la vallée*, dans *La Comédie humaine*, t. IX, p. 985.
2. Michel Lichtlé, « Crimes et châtiments de la vie privée dans *Le Lys dans la vallée* », *L'Année balzacienne*, 1996, n° 17, p. 282.
3. *Le Père Goriot*, dans *La Comédie humaine*, t. III, *op. cit.*, p. 187.

Rastignac. J'appelle cela la Tristesse d'Olympio [1] de l'Homosexualité : Il voulait tout revoir, l'étang près de la source. On
sait que Vautrin, à la pension Vauquer, dans *Le Père Goriot*,
a formé sur Rastignac, et inutilement, le même dessein de
domination qu'il a maintenant sur Lucien de Rubempré [2].

Pour Balzac, les passions privées, intimes, sont des ressorts romanesques aussi puissants que les grands mouvements de l'Histoire : « La bataille inconnue qui se livre
dans une vallée de l'Indre entre Mme de Mortsauf et la
passion est peut-être aussi grande que la plus illustre des
batailles connues (*Le Lys dans la vallée*) [3] », précise-t-il
dans l'Avant-propos de *La Comédie humaine*.

DE LA PASSION À L'OBSESSION

Dans *Le Père Goriot* (1835), Vautrin fait à son élève
Rastignac un cours sur les passions, en lui révélant l'existence d'un certain type d'individus entièrement soumis
à leurs désirs : « Vous êtes encore trop jeune pour bien
connaître Paris, vous saurez plus tard qu'il s'y rencontre
ce que nous nommons des hommes à passions [4]. » Il ne
s'agit plus ici d'une variante de la passion amoureuse
que décrit Vautrin, mais d'une forme de monomanie qui
atteint certains êtres. La baron Hulot fait partie de cette
catégorie, comme Joséplia se plaît à lui rappeler :

> Crevel est un *rat* ! un rat bonhomme qui dit toujours *oui*,
> et qui n'en fait qu'à sa tête. Il est vaniteux, il est passionné,

1. En référence au poème des *Voix intérieures* (1837) de Victor Hugo
qui porte ce titre. Le motif de la nostalgie amoureuse y est superbement
mis en tension avec le spectacle de la nature :
« Toutes les passions s'éloignent avec l'âge,
L'une emportant son masque et l'autre son couteau,
Comme un essaim chantant d'histrions en voyage
Dont le groupe décroît derrière le coteau. »
2. Marcel Proust, *Contre Sainte-Beuve*, Gallimard, « Folio Essais »,
p. 212-213.
3. Avant-propos de *La Comédie humaine*, *op. cit.*, p. 17.
4. Balzac, *Le Père Goriot*, *op. cit.*, p. 87.

mais son argent est froid. On n'a rien de ces cadets-là que mille ou trois mille francs par mois, et ils s'arrêtent devant la grosse dépense, comme des ânes devant une rivière. Ce n'est pas comme toi, mon vieux, tu es un *homme à passions*, on te ferait vendre ta patrie ! Aussi, vois-tu, je suis prête à tout faire pour toi ! Tu es mon père, tu m'as lancée ! c'est sacré [1].

Balzac montre comment les passions *tournent*, c'est-à-dire comment l'énergie initiale qui les fait naître peut se muer en une obsession, une monomanie. Au début des années 1830, le romancier invente plusieurs personnages de monomaniaques. Le premier, c'est Rafaël de Valentin, héros de *La Peau de chagrin*. En lui s'incarne la passion à l'état pur : son obsession n'est autre que la passion elle-même. Au temps de sa jeunesse pauvre et studieuse, Raphaël de Valentin a écrit une *Théorie de la volonté* qu'il va être conduit à mettre en pratique. Homme aux désirs impétueux – il désire la richesse, la gloire, l'amour de l'énigmatique comtesse Foedora puis celui de la sensible et dévouée Pauline –, il entre en possession d'un talisman qui exauce le moindre de ses vœux mais qui diminue à chaque accomplissement, tandis que les forces vitales de son propriétaire décroissent d'autant. Le récit fantastique devient ainsi une fable symbolique illustrant le conflit de la passion et de la volonté : Raphaël s'efforce, en vain et jusqu'à la folie, de contrôler ses désirs et passions, mais succombe à leur force exténuante.

L'autre figure monomaniaque, c'est Balthazar Claës, héros de *La Recherche de l'absolu*. Balzac montre comment ce bourgeois cultivé devient un chercheur obsessionnel, dont l'idée fixe est de découvrir le mystère de l'or. Le roman dissèque ainsi l'évolution d'une passion qui entraîne la ruine d'une famille entière sur une longue période, de 1810 à 1832. À bien des égards, même si le contexte économique et géographique diffère, Claës annonce le baron Hulot et sa chute progressive. Mais si la

---

1. *La Cousine Bette*, p. 456. Nous soulignons.

monomanie de Claës naît d'une ambition prométhéenne (atteindre l'« absolu »), celle de Hulot reste purement stérile : c'est une passion à vide.

Le père Grandet appartient également à la catégorie des « obsédés balzaciens », pour qui la possession matérielle est une monomanie – terme employé par le narrateur d'*Eugénie Grandet* (1834) pour décrire l'état ultime des passions qui ont envahi ce personnage :

> Depuis deux ans principalement, son avarice s'était accrue comme s'accroissent toutes les passions persistantes de l'homme. Suivant une observation faite sur les avares, sur les ambitieux, sur tous les gens dont la vie a été consacrée à une idée dominante, son sentiment avait affectionné plus particulièrement un symbole de sa passion. La vue de l'or, la possession de l'or était devenue sa monomanie [1].

Dans *La Cousine Bette*, le baron Hulot d'Ervy est, lui aussi, atteint d'une passion qui devient obsession, dans la mesure où elle détruit progressivement tout ce qui faisait sa grandeur, son intelligence, sa position, sa culture [2]. Sa passion des femmes, commuée en obsession sexuelle, en fait un esclave de la chair, l'obligeant à remplir l'éternel tonneau des Danaïdes des plaisirs insatisfaits.

L'écrivain Stefan Zweig, grand lecteur de Balzac, analyse en ces termes le mécanisme des passions, quand elles sont devenues obsessionnelles :

> Les hommes tièdes n'intéressent pas Balzac ; ceux qui l'intéressent sont seulement les hommes tout entiers adonnés à une chose, qui avec tous leurs nerfs, avec tous leurs muscles, avec toutes leurs pensées s'attachent à une des illusions de l'existence, que ce soit n'importe quoi : l'amour, l'art, l'avarice, le dévouement, la bravoure, la paresse, la politique,

---

1. Balzac, *Eugénie Grandet*, dans *La Comédie humaine*, t. III, *op. cit.*, p. 1167.
2. Hippolyte Taine commente la folie du baron Hulot en ces termes : « Sa passion, accrue par l'habitude, s'est transformée en obsession » (*Nouveaux Essais de critique et d'histoire*, Paris, Hachette, 1865, p. 147-148).

l'amitié. Peu importe le symbole choisi, pourvu que son emprise soit absolue. Ces « hommes à passion », ces fanatiques d'une religion qu'ils se sont créée ne regardent ni à droite ni à gauche. Ils parlent entre eux des langues différentes et ils ne se comprennent pas. Offrez au monomane de la collection une femme, la plus belle du monde, il ne fera pas attention à elle ; offrez à l'amoureux une brillante carrière, il la dédaignera ; offrez à l'avare autre chose que de l'argent, il ne détournera pas les yeux de son coffre [1].

La passion de l'art apparaît plus ambivalente sous la plume de Balzac : s'il menace de sombrer dans la folie, l'artiste qui ne vit que pour sa création apparaît aussi comme une figure du génie. En témoigne le personnage de Frenhofer, peintre fictif mis en scène dans *Le Chef-d'œuvre inconnu*. Cette nouvelle, qui relate un épisode de la vie du peintre français Nicolas Poussin, décrit le processus d'aliénation auquel conduit le tempérament passionné de l'artiste. Frenhofer, en quête d'absolu, atteint un tel degré de perfectionnisme qu'il modifie constamment la toile vouée à devenir son chef-d'œuvre. Sous les propos de ce peintre hors du commun, on peut aussi entendre la voix de Balzac définissant ses ambitions et sa conception de la création : « Ma peinture n'est pas une peinture, c'est un sentiment, une passion [2] ! » Mais cette passion pour l'art se teint de reflets inquiétants : Frenhofer est une figure légèrement démoniaque, emportée par sa passion aux confins de la folie. Sous les yeux du jeune Nicolas Poussin, il se métamorphose en créant :

Il travaillait avec une ardeur si passionnée que la sueur se perla sur son front dépouillé ; il allait si rapidement par de petits mouvements si impatients, si saccadés, que pour le jeune Poussin il semblait qu'il y eût dans le corps de ce bizarre personnage un démon qui agissait par ses mains en les prenant fantastiquement contre le gré de l'homme [3].

---

1. Stefan Zweig, *Deux Grands Romanciers : Balzac, Dickens*, trad. A. Hella et O. Bournac, Paris, 1927, p. 41.

2. *Le Chef-d'œuvre inconnu*, dans *La Comédie humaine*, t. X, *op. cit.*, p. 431.

3. *Ibid.*, p. 421-422.

La passion est souvent ambivalente chez Balzac. Condamnable et néfaste, elle constitue l'état indispensable à la recherche de l'absolu dans tous les domaines de la société et de la vie [1].

La vengeance :
l'autre visage de la passion
romantique

« La vengeance est d'abord l'émanation d'une passion », constate Kris Vassilev [1]. Dans *La Cousine Bette*,
le désir de « réparation » résulte du tempérament passionné de Lisbeth Fischer, qui se manifeste en l'occurrence par son obsessionnel besoin de nuire. La revanche
qu'elle prend sur les siens s'enracine dans des passions
qui rongent (la jalousie, l'envie) qu'elle projette sur l'extérieur (les autres, la société). Comme on l'a vu, plusieurs
meurtrissures profondes, lointaines et proches [2], motivent
ses pensées et ses actes. On peut ainsi distinguer trois
« blessures narcissiques [3] » chez ce personnage, qui
déclenchent son ire. La première se situe dans l'enfance :
Lisbeth a grandi dans l'ombre de sa belle cousine, Adeline, et a nourri dès lors un sentiment de vive jalousie.
La deuxième correspond au « rapt » de Wenceslas par
Hortense : cette trahison ravive la première plaie de Lisbeth, puisqu'elle lui rappelle brutalement sa condition,
son âge et son physique. La troisième enfin concerne

---

1. *Le Récit de vengeance au XIXᵉ siècle : Mérimée, Dumas, Balzac,
Barbey*, Toulouse, Presses universitaires du Mirail, « Cribles », 2008,
p. 37. Voir également son article, « Représentation sociale de la vengeance dans un texte réaliste. L'exemple de *La Cousine Bette* », *Romantisme*, nº 127, 2005, p. 45-57.

2. Voir la Présentation, *supra*, p. 24.

3. L'expression « blessure narcissique » est empruntée au vocabulaire
de la psychanalyse. Elle désigne la remise en cause par autrui de l'image
que l'on a de soi-même, entraînant une perte de confiance, voire un
traumatisme plus profond. Dans le cas de la cousine Bette, la principale
blessure narcissique lui est infligée involontairement par Adeline, qui la
renvoie à sa laideur et à sa pauvreté.

l'infériorité matérielle de Lisbeth par rapport à ses riches cousins. Ces trois ressentiments se mêlent pour susciter un puissant désir de vengeance.

La vengeance, dans les récits du XIXe siècle, s'inscrit dans un contexte politico-juridique précis [1]. Après la Révolution française, les nouvelles lois de la Nation garantissent l'égalité face à la justice. Le Code civil prévoit des peines pour les fautes individuelles, selon un principe démocratique face aux lois. Or, la littérature romantique représente bien souvent des individus qui se font justice eux-mêmes. À cet égard, le vengeur incarne pleinement les passions romantiques ; son action témoigne d'une révolte contre un système étatique jugé insuffisant :

> La vengeance individuelle s'érige ainsi face à une loi officielle jugée impuissante et faillible. Le particulier et le social : telle est la relation contradictoire qui sous-tend la pratique de la vengeance et détermine sa nature ambiguë. L'acte vengeur s'établit effectivement comme un système d'échange gouverné selon un régime double. Il touche à deux domaines : celui des affects (le plan individuel), et celui de la signification symbolique (la sphère des rapports sociaux) [2].

Intrinsèquement liée aux passions, la vengeance, à l'ère romantique, questionne le rôle de la société face à l'individu, renvoyant celui-ci à son libre arbitre. *La Cousine Bette* signale ainsi le contrôle impossible de l'État face aux agissements d'une figure singulière, tapie dans l'ombre, dont les forfaits restent non élucidés. La prégnance de la vengeance individuelle, l'un des aspects les plus sombres et les plus romanesques des « passions romantiques », produit un héros paradoxal, d'un genre neuf : un être dont les passions soumettent sa volonté et défient le monde.

---

1. Comme l'a bien montré Kris Vassilev : voir *Le Récit de vengeance au XIXe siècle, op. cit.*, en particulier l'Introduction, p. 15 *sq.*
2. *Ibid.*, p. 37.

MME DE STAËL, THÉORICIENNE
DE LA VENGEANCE

La vengeance n'est cependant pas une découverte de la littérature romantique. Dans *De la littérature* (1800), Mme de Staël fait l'éloge des tragédies italiennes, car elle y lit un sens inné de la vengeance, bien supérieur à celui dont témoignent les tragédies classiques françaises :

> La vengeance est la passion la mieux peinte dans les tragédies des Italiens. Il est dans leur caractère de se réveiller tout à coup par ce sentiment au milieu de la mollesse habituelle de leur vie ; ils expriment le ressentiment avec ses couleurs naturelles, parce qu'ils l'éprouvent réellement [1].

Son analyse pourrait être rapprochée des principes de Balzac, qui attribue telle manifestation des passions à telle région d'origine [2]. Selon Mme de Staël, le processus de la vengeance se fonde à la fois sur la psychologie individuelle, sur la morale des sociétés et sur l'aire géographique. Dans son essai *De l'influence des passions sur le bonheur des individus et des nations* (1796), elle présente la vengeance et l'envie comme deux passions qui se complètent dans un dessein de destruction :

> Il est des passions qui n'ont pas précisément de but, et cependant remplissent une grande partie de la vie ; elles agissent sur l'existence sans la diriger, et l'on sacrifie le bonheur à leur puissance négative ; car, par leur nature, elles n'offrent pas même l'illusion d'un espoir et d'un avenir, mais seulement elles donnent le besoin de satisfaire l'âpre sentiment qu'elles inspirent ; il semble que de telles passions ne sont composées que du mauvais succès de toutes ; de ce nombre, mais avec des nuances différentes, sont l'envie et la vengeance [3].

---

1. *De la littérature*, éd. Stéphanie Genand, in *Œuvres critiques*, t. II, dans *Œuvres complètes*, série I, Honoré Champion, 2013, p. 214.
2. Voir la Présentation, *supra*, p. 18-19.
3. *De l'influence des passions sur le bonheur des individus et des nations*, éd. Florence Lotterie, dans *Œuvres critiques*, t. I, dans *Œuvres complètes*, série I, Honoré Champion, 2008, p. 216.

Mme de Staël souligne ici le caractère stérile de ces passions négatives, qui n'ont d'autre but qu'elles-mêmes. Elles n'engendrent que le plaisir de nuire, ce qui est contraire à l'établissement du bonheur collectif. C'est parce que leur dessein est vain que Mme de Staël les stigmatise. Mme de Staël puise ses exemples dans le théâtre classique, afin de montrer l'importance des passions dans les représentations littéraires : « Les poètes se sont exercés sur tous les emblèmes de malheur qu'il fallait attacher à l'envie. Quel triste sort, en effet, que celui d'une passion qui se dévore elle-même, et, poursuivie sans cesse par l'image de ce qui la blesse, ne peut se représenter une circonstance quelconque où elle trouverait du repos [1] ! » Elle procède enfin à une gradation des passions et montre que la vengeance constitue une sorte de manifestation extrême de l'envie. Or, dans le processus qui voit grandir la vengeance, elle accorde un rôle prépondérant à l'imagination, qui déforme la réalité et crée un ressentiment plus grand encore – on se souviendra ici que Lisbeth Fischer imagine le bonheur d'Hortense, ce qui décuple sa rage. Le désir de vengeance ne procède pas seulement d'un calcul purement mental, mais d'une émotion physique intense – car selon Mme de Staël, cette passion tient à la fois du corps et de l'esprit :

> Il est une passion dont l'ardeur est terrible ; une passion plus redoutable dans ce temps que dans tous les autres, c'est la vengeance. Il ne peut être question de bonheur positif obtenu par elle, puisqu'elle ne doit sa naissance qu'à une grande douleur, qu'on croit adoucir en la faisant partager à celui qui l'a causée ; mais il n'est personne qui, dans diverses circonstances de sa vie, n'ait ressenti l'impulsion de la vengeance ; elle dérive immédiatement de la justice, quoique ses effets y soient souvent si contraires : faire aux autres le mal qu'ils vous ont fait se présente d'abord comme une maxime équitable ; mais ce qu'il y a de naturel dans cette passion ne

---

1. *Ibid.*

rend ses conséquences ni plus heureuses, ni moins coupables ; c'est à combattre les mouvements involontaires qui entraînent vers un but condamnable que la raison est particulièrement destinée ; car la réflexion est autant dans la nature que l'impulsion. Il est certain d'abord qu'on soutient difficilement l'idée de savoir heureux l'objet qui vous a plongé dans le désespoir ; ce tableau vous poursuit, comme, par un mouvement contraire, l'imagination de la pitié offre la peinture des douleurs qu'elle excite à soulager. L'opposition de votre peine, et de la félicité de votre ennemi, produit dans le sang un véritable soulèvement [1].

Le caractère obsessionnel de la vengeance domine dès lors tous les autres sentiments et toutes les autres pensées. Il enferme celui qui l'éprouve dans la prison de ses passions :

> Ce qu'on a le plus de peine aussi à supporter dans l'infortune, c'est l'absorption, la fixation sur une seule idée, et tout ce qui porte la pensée au-dehors de soi, tout ce qui excite à l'action, trompe le malheur ; il semble qu'en agissant on va changer la situation de son âme, et le ressentiment, ou l'indignation contre le crime étant d'abord ce qui est le plus apparent dans sa propre douleur, on croit, en satisfaisant ce mouvement, échapper à tout ce qui doit le suivre ; mais [...] après s'être vengé, l'on reste seul avec sa douleur, sans autre idée que la souffrance ; vous rendez à votre ennemi, par votre vengeance, une espèce d'égalité avec vous ; vous le sortez de dessous le poids de votre mépris, vous vous sentez rapprochés par l'action même de punir ; si l'effort que vous tenteriez pour vous venger était inutile, votre ennemi aurait sur vous l'avantage qu'on prend toujours sur les volontés impuissantes, quels qu'en soient la nature et l'objet : tous les genres d'égarement sont excusables dans les véritables douleurs ; mais ce qui démontre cependant combien la vengeance tient à des mouvements condamnables, c'est qu'il est beaucoup plus rare de se venger par sensibilité, que par esprit de parti ou par amour propre [2].

---

1. *Ibid.*, p. 217.
2. *Ibid.*, p. 217-218.

Ces lignes éclairent l'absence de vraie *catharsis* liée à la vengeance ; le vengeur ne trouve pas le repos après l'accomplissement de sa haine. Il reste seul. La première conséquence de la vengeance envisagée comme une passion, c'est bien l'isolement du sujet face à la société.

Edmond Dantès et Mathias Sandorf, hérauts de la vengeance

C'est le cas d'Edmond Dantès, héros du *Comte de Monte-Cristo* d'Alexandre Dumas, roman entièrement construit sur la vengeance d'un individu. Enfermé dans la prison de l'île d'If pour une conspiration à laquelle il n'a pas participé, il parvient à se libérer et n'a plus qu'une seule pensée : se venger, quinze ans après, de ceux qui ont provoqué sa chute. Dumas présente ici la revanche comme un acte de réparation face à une erreur judiciaire manifeste. Mais la loi d'Edmond fait fi de celle des hommes et de celle de Dieu : il se situe au-dessus de toutes les lois.

Si implacable soit la vengeance de Dantès, elle ne produit pas le même effet sur le lecteur que celle fomentée par la cousine Bette : accusé d'une faute qu'il n'a pas commise, le comte de Monte-Cristo se retourne contre des êtres malfaisants, ce qui, sur le plan ontologique, est légitime ; sa démarche est présentée comme un rétablissement de l'ordre et de la vérité contre le mensonge et la trahison. Le lecteur adhère à sa cause parce qu'il est la victime d'une machination, et parce que, avant de devenir Monte-Cristo, il était un jeune homme bon. À l'inverse, le lecteur de *La Cousine Bette* ne peut adhérer aux passions vengeresses, car l'héroïne n'est pas la proie mais l'instigatrice du mal : elle est la victime de sa propre jalousie et de son envie. Lisbeth Fischer se venge d'êtres capables d'une grande humanité (le baron Hulot) et d'un dévouement absolu (Adeline Hulot). La mise en parallèle des récits de Balzac et de Dumas montre ainsi comment, selon son origine, la vengeance peut apparaître légitime ou non aux yeux du lecteur [1].

Expression d'une passion, la vengeance est en tout cas un fertile terreau romanesque. Se venger implique en effet des calculs, des dissimulations, des stratégies, autant d'éléments qui influent sur la diégèse et sur le rythme du récit. Le roman de Jules Verne, *Mathias Sandorf* (1885), dédié à titre posthume à Alexandre Dumas, illustre de manière exemplaire l'impact du motif de la vengeance sur l'organisation d'un récit à rebondissements. Le comte Sandorf, nationaliste hongrois, s'échappe d'une prison et entreprend de se venger contre ses dénonciateurs ; il se dissimule sous plusieurs identités ; devenu très riche, il acquiert l'île d'Antékirtt et adopte ce nom. La vengeance est le principal ressort romanesque du récit car Sandorf multiplie les actions pour parvenir à ses fins, jusqu'à l'explosion finale qui parachève la revanche du héros et élimine ses ennemis. Les exemples de Monte-Cristo et de Mathias Sandorf montrent comment une passion vengeresse surdétermine toute l'organisation d'un récit, tout en impliquant fortement le lecteur dans la fable, comme l'analyse Kris Vassilev :

> Car ce que le vengeur se fixe comme but, c'est de faire valoir les droits de son individualité et de légitimer les prérogatives de sa liberté face à l'arbitraire du système social. En exploitant la sympathie du lecteur pour tel personnage, les

---

1. Si éloigné soit-il de l'esprit de Dumas et de son écriture, le récit de *Manon des sources* de Marcel Pagnol pose également la question de l'empathie du lecteur quand sa vengeance est animée par des raisons justes : dans ce roman, c'est la source qui est au cœur des enjeux et de la vie d'un village. *Manon des sources* relate la revanche d'une individualité blessée contre une communauté mutique – tous les villageois savaient qu'une source existait aux « Romarins ». Devenue grande, Manon se venge d'Ugolin et de son « Papet », qui jadis menèrent Jean de Florette, son père, à la ruine. La passion d'Ugolin pour Manon le conduit au suicide ; la passion du Papet pour la possession (et la découverte que Jean de Florette était son fils) précipite sa fin. La vengeance procède ici d'une justice distributive, mais elle occupe aussi une fonction de révélation romanesque et tragique : elle dévoile l'histoire secrète d'une famille.

écrivains du XIXe siècle n'ont cessé de révéler l'ambiguïté de la position de ce même lecteur, son déchirement constitutif entre plusieurs mondes ; entre l'ancien et le nouveau, entre le réel et l'imaginaire ; entre le triomphe fantastique de Monte-Cristo et la défaite programmée de la cousine Bette. C'est ainsi qu'un mécanisme narratif particulièrement prévisible [...] s'est trouvé à même de dire aussi fortement la soumission ultime de l'individu aux nouvelles lois de la société, que l'aptitude de ce même individu à s'enfermer dans la contemplation de ses propres désirs [1].

Très largement inspiré du *Comte de Monte-Cristo*, *Mathias Sandorf* montre comment la ténacité d'un individu procède également de la reconquête d'une identité perdue. La condamnation de Sandorf constitue en effet une « mort civile ». Sa quête consiste non seulement à se venger, mais aussi à reconquérir son identité.

VENGEANCE ET DRAME ROMANTIQUE : *LUCRÈCE BORGIA* (1833)

Avant le roman, le théâtre (antique, classique) s'est emparé du motif de la vengeance pour créer de fortes tensions dramatiques. Maintes tragédies de Corneille ou de Racine inscrivent ainsi l'acte vengeur parmi les passions négatives, qui conduisent le plus souvent à l'anéantissement et à la mort. L'intrigue d'*Andromaque* (1667) de Racine en témoigne : pour se venger de Pyrrhus, Hermione utilise l'amour et le bras d'Oreste. La vengeance s'accomplit alors dans le sang [2].

Le théâtre romantique a retenu la leçon des classiques : la vengeance est un puissant ressort dramatique, propre à sidérer les foules et à passionner le public. Dans *Lucrèce*

---

1. *Récits de vengeance, op. cit.*, p. 201.
2. Voir en particulier l'essai de Elliott Forsyth, *La Tragédie française de Jodelle à Corneille (1553-1640). Le thème de la vengeance*, Nizet, 1962, p. 23-53.

Borgia (1833), Victor Hugo sème la graine mortifère de la vengeance dans le personnage historique de Lucrèce Borgia, nourrissant ainsi sa légende noire. La structure du drame dévoile les mécanismes dramatiques et tragiques de la vengeance furieuse. Lucrèce Borgia est à Venise, elle avance masquée sur les pas de son fils, Gennaro, qui ignore qu'elle est sa mère. Lors d'une première rencontre, le jeune homme est charmé par cette femme qui ne veut pas dire son nom... Or Lucrèce a été reconnue par les amis du jeune homme, des soldats, qui surgissent pour le mettre en garde contre cette femme monstrueuse :

DON APOSTOLO. Gennaro, cette femme à qui tu parlais d'amour est empoisonneuse et adultère.
JEPPO. Inceste à tous les degrés. Inceste avec ses deux frères, qui se sont entretués pour l'amour d'elle !
DONA LUCREZIA. Grâce !
ASCANIO. Inceste avec son père, qui est pape !
DONA LUCREZIA. Pitié !
OLOFERNO. Inceste avec ses enfants, si elle en avait ; mais le ciel en refuse aux monstres !
DONA LUCREZIA. Assez ! assez !
MAFFIO. Veux-tu savoir son nom, Gennaro ?
DONA LUCREZIA. Grâce ! grâce messeigneurs !
MAFFIO. Gennaro, veux-tu savoir son nom ?
DONA LUCREZIA. *(Elle se traîne aux genoux de Gennaro)*. N'écoute pas, mon Gennaro !
MAFFIO *(étendant le bras)*. C'est Lucrèce Borgia !
GENNARO *(la repoussant)*. Oh !...
TOUS. Lucrèce Borgia !

Elle tombe évanouie aux pieds de Gennaro [1].

Ici, ce sont moins les insultes qui cristallisent le désir de vengeance que l'amour passionné d'une mère qui se voit avilie aux yeux de son fils : « Oh ! il me hait et me méprise maintenant, et c'est leur faute. – Ah Gubetta ! je me vengerai d'eux [2] ! » Humiliée publiquement par les compagnons

1. *Lucrèce Borgia*, I, 1re partie, 5, dans *Théâtre*, t. I, éd. Anne Ubersfeld, Robert Laffont, « Bouquins », 1985, p. 995.
2. I, 2e partie, 1, *ibid.*, p. 997.

d'armes de Gennaro, Lucrèce n'a qu'une idée fixe : se venger de l'affront subi. Ce puissant moteur dramatique et psychologique aboutit à un désastre spectaculaire : Lucrèce a fait inviter les amis de Gennaro à une fête, au cours de laquelle elle les fait tous empoisonner. Une fois accomplie sa vengeance, elle paraît, majestueuse et triomphante, mais elle ignore que parmi les convives se trouve son fils, qui lui aussi a bu du « vin préparé » :

> DONA LUCREZIA. Ah ! mes jeunes amis du carnaval dernier ! vous ne vous attendiez pas à cela ? Pardieu ! il me semble que je me venge. Qu'en dites-vous, messieurs ? Qui est-ce qui se connaît en vengeance ici ? Ceci n'est point mal, je crois ! – Hein ? Qu'en pensez-vous ? pour une femme [1] !

Les allusions explicites et implicites à *Lucrèce Borgia* dans *La Cousine Bette* renforcent incontestablement la structure symbolique du récit de vengeance. Le lecteur de 1846 sait que *Lucrèce Borgia* est une histoire d'humiliation et de haine, le drame ayant connu treize ans plus tôt un prodigieux succès et de nombreuses reprises à Paris comme en province.

　La représentation littéraire de la vengeance soulève en somme la question du rôle des passions dans l'existence humaine. La vengeance n'est-elle pas, en l'occurrence, l'expression d'une révolte en quête d'absolu ? La littérature romantique s'empare de ce thème séculaire pour révéler l'affrontement entre l'individu romantique et la société, et plus généralement pour exprimer un affranchissement qui émane d'un fort sentiment d'injustice. La vengeance, qui constitue toujours une réponse à une blessure, est en effet un révélateur de passions qui oblige le héros à se surpasser, et parfois même à incarner les lois humaines ou la Loi divine.

---

1. III, 2, *ibid.*, p. 1052.

Chez Balzac, la passion conduit à l'irréparable, pour soi comme pour autrui : la ruine, la mort. Si tous les personnages soumis aux passions ne connaissent pas une fin tragique, deux d'entre eux terminent leur course lamentablement : Valérie Marneffe et Célestin Crevel sont punis par Montès de Montéjanos, qui leur inocule un poison d'autant plus terrible qu'il est défigurant. Ce choix romanesque attire l'attention du lecteur sur le sort réservé aux passions (et aux passionnés) quand elles engendrent désordres et souffrances. Que Valérie demande le pardon divin en sollicitant l'extrême-onction – au grand dam de Bette ! – suggère qu'elle se repent du Mal dont elle est l'incarnation. Le glaive de la Providence, qu'incarne Montès, tranche le cours de sa vie. Or ce n'est pas le Ciel qui la châtie, mais un ancien amant jaloux, excédé par les déportements d'une maîtresse hypocrite et fourbe. La transcendance est ici remise en cause par le caractère contingent du crime : c'est un être de passions et d'instincts, Montès, qui met fin aux agissements d'une femme vénale.

La morale sort-elle indemne d'un tel schéma de réparation ? Balzac utilise ici le vieux ressort de la punition des passions pour traiter avec une forme d'ironie le repentir final de Valérie. Cet élément décisif de l'intrigue renvoie toutefois le lecteur à la dialectique des passions qu'expose Balzac dans l'Avant-propos de *La Comédie humaine*, selon laquelle celles-ci provoquent les fautes, qui à leur tour appellent châtiment ou rédemption.

LA MORT DE VALÉRIE MARNEFFE

La pauvre créature, qui, dit-on, était jolie, est bien punie par où elle a péché, car elle est aujourd'hui d'une ignoble laideur, si toutefois elle est quelque chose !... ses dents et ses cheveux tombent, elle a l'aspect des lépreux, elle se fait horreur à elle-même ; ses mains, épouvantables à voir, sont enflées et couvertes de pustules verdâtres ; les ongles déchaussés restent dans les plaies qu'elle gratte ; enfin toutes les extrémités se détruisent dans la sanie qui les ronge [1].

Au chapitre 121, Balzac place dans la bouche de Bianchon ce commentaire assez moral sur la fin de Valérie Marneffe, punie de ses frasques. En mettant en scène la mort de cette femme de manière aussi spectaculaire qu'il avait décrit ses turpitudes tout au long du roman, Balzac opère un choix esthétique autant que moral. La fin extraordinaire du personnage semble mettre en lumière ses fautes passées, tout en braquant une dernière fois les projecteurs sur cette femme fascinante : plus noires ont été ses passions, plus affreuse sera sa chute. On pourrait ainsi lire l'agonie de Valérie comme un *exemplum* de sanction des passions, d'autant plus terrible qu'il est sans retour. Ce mode de châtiment par la déformation et la déchéance physique n'est pas nouveau dans la fiction et Balzac dispose de modèles bien connus. La punition des passions féminines est un motif traditionnel de la littérature : associée au démon dans la culture chrétienne depuis le mythe d'Adam et Ève [2], la femme inciterait l'homme aux passions et provoquerait sa chute. Deux romans font directement écho à la fin de *La Cousine Bette* et au châtiment de Valérie : *Les Liaisons dangereuses* de Choderlos de Laclos et *Nana* de Zola. Dans les deux cas, l'héroïne, d'une grande beauté, est atteinte d'un mal défigurant qui la condamne à la mort sociale ou à l'anéantissement.

---

1. *La Cousine Bette*, p. 547.
2. Si l'on admet que Valérie Marneffe joue dans le roman le rôle de la « fille d'Ève », Lisbeth se trouve apparentée au serpent qui l'induit en tentation, l'invite à la faute.

LES LIAISONS DANGEREUSES (1782)

Mme de Merteuil, instigatrice des intrigues machiavéliques des *Liaisons dangereuses*, est explicitement punie par où elle a péché : son orgueil démesuré qui consiste à accéder à la maîtrise de soi, à la victoire sur la passion et sur la jouissance. C'est en effet moins sa sexualité que ses stratégies destructrices que semble punir son exil contraint en Hollande – ce personnage mondain est condamné à ne plus paraître dans la société parisienne, à cause de son visage vérolé :

> Le sort de Mme de Merteuil paraît enfin rempli, ma chère et digne amie ; et il est tel que ses plus grands ennemis sont partagés entre l'indignation qu'elle mérite, et la pitié qu'elle inspire. J'avais bien raison de dire que ce serait peut-être un bonheur pour elle de mourir de sa petite vérole. Elle en est revenue, il est vrai, mais affreusement défigurée ; et elle y a particulièrement perdu un œil. Vous jugez bien que je ne l'ai pas revue ; mais on m'a dit qu'elle était vraiment hideuse [1].

La volonté de pouvoir sur soi-même et sur les autres n'est-elle pas l'expression d'une passion, celle de la domination ? Le châtiment de la Merteuil est d'autant plus terrible qu'il paraît à travers le regard du monde. Dans le roman de Laclos, les passions sont doublement condamnées : la punition affecte le corps et éclabousse à jamais la réputation de l'héroïne.

NANA (1880)

Zola s'est souvenu de la mort de Valérie Marneffe pour mettre en scène celle de Nana. La reprise à l'identique de la métaphore hyperbolique « un tas de boue »

---

1. Choderlos de Laclos, *Les Liaisons dangereuses*, « Lettre CLXXV », éd. Catriona Seth, Gallimard, « Bibliothèque de la Pléiade », 2011, p. 457.

(qui apparaît au chapitre 122 de *La Cousine Bette*) pour décrire le visage de l'héroïne de Zola signale explicitement le dialogue entre les œuvres. La fin de *Nana* ne se situe toutefois plus tout à fait dans le même contexte idéologique que la mort de Valérie dans *La Cousine Bette* – sur le plan historique, vingt ans séparent les deux morts dans la fiction.

Dans ses dossiers préparatoires, Zola replace la création de son personnage dans un contexte social et moral où dominent les instincts de possession, animés par les déportements du désir masculin : « Le sujet philosophique, écrit-il, est celui-ci : toute une société se ruant sur le cul. Une meute derrière une chienne qui n'est même pas en chaleur et qui se moque des chiens qui la suivent. Le poème des désirs du mâle, le grand levier qui remue le monde [1]. » La crudité des images signale ici l'intention morale de Zola quand il procède à l'étude naturaliste de la prostitution, thème de son roman qu'incarne la superbe Anna Coupeau. En montrant comment la prostitution gangrène la société du second Empire, il décrit la tension entre passions individuelles et destinées collectives. La fin de l'œuvre propose ainsi une morale et une ouverture politique, au-delà de la superbe description de Nana, qui mêle éloge et horreur :

> Le cadavre commençait à empoisonner la chambre. Ce fut une panique, après une longue insouciance.
> — Filons, filons, mes petites chattes, répétait Gaga. Ce n'est pas sain.
> Elles sortaient vivement, en jetant un regard sur le lit. Mais, comme Lucy, Blanche et Caroline étaient encore là, Rose donna un dernier coup d'œil pour laisser la pièce en ordre. Elle tira un rideau devant la fenêtre ; puis, elle songea que cette lampe n'était pas convenable, il fallait un cierge ; et, après avoir allumé l'un des flambeaux de cuivre de la cheminée, elle le posa sur la table de nuit, à côté du corps.

1. *Nana*, éd. Henri Mitterand, Gallimard, « Bibliothèque de La Pléiade », t. II, 1989, p. 1669.

Une lumière vive éclaira brusquement le visage de la morte. Ce fut une horreur. Toutes frémirent et se sauvèrent.

— Ah ! elle est changée, elle est changée, murmurait Rose Mignon, demeurée la dernière.

Elle partit, elle ferma la porte. Nana restait seule, la face en l'air, dans la clarté de la bougie. C'était un charnier, un tas d'humeur et de sang, une pelletée de chair corrompue, jetée là, sur un coussin. Les pustules avaient envahi la figure entière, un bouton touchant l'autre ; et, flétries, affaissées, d'un aspect grisâtre de boue, elles semblaient déjà une moisissure de la terre, sur cette bouillie informe, où l'on ne retrouvait plus les traits. Un œil, celui de gauche, avait complètement sombré dans le bouillonnement de la purulence ; l'autre, à demi ouvert, s'enfonçait, comme un trou noir et gâté. Le nez suppurait encore. Toute une croûte rougeâtre partait d'une joue, envahissait la bouche, qu'elle tirait dans un rire abominable. Et, sur ce masque horrible et grotesque du néant, les cheveux, les beaux cheveux, gardant leur flambée de soleil, coulaient en un ruissellement d'or. Vénus se décomposait. Il semblait que le virus pris par elle dans les ruisseaux, sur les charognes tolérées, ce ferment dont elle avait empoisonné un peuple, venait de lui remonter au visage et l'avait pourri.

La chambre était vide. Un grand souffle désespéré monta du boulevard et gonfla le rideau.

— À Berlin ! à Berlin ! à Berlin [1] !

Pour Zola comme pour Balzac, décrire la courtisanerie sous la forme d'une charogne, c'est aussi montrer la putrescence sociale, qu'il s'agisse de la fin de la monarchie de Juillet ou du second Empire [2]. Dans tous les cas, le châtiment passe par le corps, vecteur des passions sensuelles dont les femmes seraient les instigatrices et finalement les victimes. Mais là où Balzac décrit une figure

1. *Ibid.*, p. 1485.
2. Voir les passionnantes propositions d'analyse de Corinne Saminadayar-Perrin autour du thème de la dévoration, dans son article « Le théâtre des parasites », *Figures du parasite*, dir. Myriam Roman et Anne Tomiche, Clermont-Ferrand, Presses universitaires Blaise Pascal, 2001, p. 111-132.

sublime de femme avec Adeline Hulot, Zola invente la comtesse Muffat qui incarne le vice mondain tout aussi corrupteur que celui représenté par la belle Nana [1].

1. Voir la comparaison analytique des deux romans dans *Destinées féminines dans le contexte du naturalisme européen*, dir. Juliette Vion-Dury, SEDES, 2008.

Considérée comme l'un des sommets de la création balzacienne, *La Cousine Bette* a donné lieu à de nombreux discours critiques depuis sa parution en 1846.

DE GAUTIER À TAINE

La manière surprenante dont le théâtre s'empare de *La Cousine Bette* dès janvier 1849 est le signe de son succès. Le Gymnase dramatique met en effet à l'affiche *Madame Marneffe, ou le père prodigue* de Clairville, un drame-vaudeville en cinq actes. Cette adaptation nous éclaire sur la manière dont le roman a été lu et compris : Lisbeth Fischer disparaît de la fable au profit de Valérie Marneffe. Clairville recentre l'unité d'intérêt autour des agissements de Valérie et des enjeux matrimoniaux de la fable. Dans le compte rendu qu'il consacre à la pièce, Théophile Gautier saisit l'occasion pour faire l'éloge de Balzac et rappelle que la présence de *Valérie Marneffe* à l'affiche est d'abord liée à la popularité du roman :

L'un des derniers romans de M. de Balzac, *Les Parents pauvres*, a obtenu un succès assez grand pour émouvoir le parquet qui voulait en faire entrer l'héroïne à Saint-Lazare et placer quelques-unes des figures secondaires sous la surveillance de la haute police, craignant les ravages que pourrait faire dans les familles Mme Marneffe et ses hideux acolytes, dont ces naïfs gens de justice ne mettaient pas l'existence en doute une seule minute. [...] Tout le monde a lu *Les*

---

1. Le parcours critique que nous proposons ici n'est pas exhaustif. Nous renvoyons le lecteur à la bibliographie en fin de volume.

Parents pauvres et sait les frasques du baron Hulot, ce tempérament fait baron de l'Empire, ce faune en habit noir ; les douleurs d'Adeline, les jalousies de Bette, les scélératesses de Mme Marneffe, cette Circé qui changeait les hommes en animaux immondes rien qu'en les touchant de sa baguette. Nous n'apprendrions rien à personne en faisant une analyse de ces pages présentes à toutes les mémoires [1].

Résumant l'intrigue de ce vaudeville « à l'eau de rose », Gautier conclut sur une fine analyse portant sur la réception du roman de Balzac. Selon lui, si Clairville invente un *happy end* qui n'a rien à voir avec le roman [2], c'est pour répondre à l'envie qu'éprouve tout lecteur de pardonner à Valérie :

> Mme Marneffe, qui n'est autre qu'une sœur inconnue de Mme Adeline Hulot, s'est mis en tête de venger un outrage quelconque qu'elle croit avoir été fait autrefois à sa famille, et pour cela elle soutire deux cent mille francs à Hulot, une maison à Crevel, qui a aussi quelques peccadilles à solder, aidée par Marneffe, lequel n'est pas son mari, mais simplement un spadassin à ses ordres. Reconnaissant à temps qu'Adeline est sa sœur, elle rend les deux cent mille francs et l'hôtel, et épouse cette fois-ci pour de bon un Brésilien jeune, riche et beau, qui, malgré les apparences, a toujours cru à la pureté de sa Valérie. – N'est-ce pas bien imaginé ?
>
> Eh bien ! cette fin absurde, quand on y réfléchit, répond à un secret sentiment du cœur humain : le désir du pur et de l'honnête, et ce dénouement, ridicule au point de vue de l'art

---

1. Théophile Gautier, *La Presse*, feuilleton du 15 janvier 1849. Nous remercions infiniment Patrick Berthier de nous avoir signalé ce compte rendu et renvoyons le lecteur à son indispensable édition de la *Critique dramatique* de Théophile Gautier (Honoré Champion, 5 volumes parus).

2. *La Cousine Bette* a donné lieu à deux adaptations cinématographiques (1927 et 1998) et deux « dramatiques » pour la télévision (1964, 1971). Dans l'excellent film de Jean-Louis Bory, réalisé par Yves-André Hubert en 1964 et où Alice Sapritch campe une Lisbeth Fischer abattue par l'existence et d'une tristesse infinie, la fin est également sensiblement modifiée par rapport au récit de Balzac : la cousine meurt de rage de n'avoir pu accomplir pleinement sa vengeance.

et de la vérité, se conçoit jusqu'à un certain point : la virginale réhabilitation de l'infâme Mme Marneffe est une espèce de pardon demandé à la pudeur publique de lui avoir présenté ce type honteux et vrai ; c'est l'idéal qui reprend ses droits bêtement, mais non sans quelque apparence de justice.

Théophile Gautier n'a pas cessé de promouvoir l'œuvre de Balzac, y compris après la mort du romancier. En 1858, il évoque à nouveau *La Cousine Bette*, dans un long article qu'il consacre à l'art du romancier :

> Les caractères sont aussi poussés à outrance, comme il convient à des types : si le baron Hulot est un libertin, il personnifie en outre la luxure : c'est un homme et un vice, une individualité et une abstraction ; il réunit en lui tous les traits épars du caractère. Où un écrivain de moindre génie eût fait un portrait, Balzac a fait une figure. Les hommes n'ont pas tant de muscles que Michel-Ange leur en met pour donner l'idée de la force. Balzac est plein de ces exagérations utiles, de ces traits noirs qui nourrissent et soutiennent le contour ; il imagine en copiant, à la façon des maîtres, et imprime sa touche à chaque chose [1].

Dans *L'Art romantique*, Baudelaire utilise également l'analogie picturale pour décrire l'art de Balzac. Le poète commente plus généralement la manière dont le romancier magnifie les genres et les transcende par sa capacité visionnaire à démonter les rouages des plus viles passions :

> Si Balzac a fait de ce genre roturier une chose admirable, toujours curieuse et souvent sublime, c'est parce qu'il y a jeté tout son être. J'ai mainte fois été étonné que la grande gloire de Balzac fût de passer pour un observateur ; il m'avait toujours semblé que son principal mérite était d'être visionnaire, et visionnaire passionné. Tous ses personnages sont doués de l'ardeur vitale dont il était animé lui-même. Toutes ses fictions sont aussi profondément colorées que les rêves.

---

1. Théophile Gautier, « Honoré de Balzac », *L'Artiste*, t. III, 1858, p. 286. Ce texte est repris par Gautier dans *Honoré de Balzac*, Paris, Poulet-Malassis, 1859, p. 141.

Depuis le sommet de l'aristocratie jusqu'aux bas-fonds de la plèbe, tous les acteurs de sa Comédie sont plus âpres à la vie, plus actifs et rusés dans la lutte, plus patients dans le malheur, plus goulus dans la jouissance, plus angéliques dans le dévouement, que la comédie du vrai monde ne nous les montre. Bref, chacun, chez Balzac, même les portières, a du génie. Toutes les âmes sont des armes chargées de volonté jusqu'à la gueule. C'est bien Balzac lui-même. Et comme tous les êtres du monde extérieur s'offraient à l'œil de son esprit avec un relief puissant et une grimace saisissante, il a fait se convulser ses figures ; il a noirci leurs ombres et illuminé leurs lumières. Son goût prodigieux du détail, qui tient à une ambition immodérée de tout voir, de tout faire voir, de tout deviner, de tout faire deviner, l'obligeait d'ailleurs à marquer avec plus de force les lignes principales, pour sauver la perspective de l'ensemble. Il me fait quelquefois penser à ces aquafortistes qui ne sont jamais contents de la morsure et qui transforment en ravines les écorchures principales de la planche [1].

Étudiant l'évolution des pratiques romanesques de son temps selon une approche « comparatiste », le critique Hippolyte Taine insiste quant à lui sur le rôle de Valérie Marneffe dans le monde des passions balzaciennes. Loin de seulement considérer ce personnage comme une ombre noire, il démontre que Balzac s'intéresse particulièrement à Valérie en ce qu'elle incarne la part monstrueuse de la passion sensuelle. Ce qui frappe le critique, c'est moins le portrait de cette courtisane sans pitié, que l'attention que Balzac lui porte, la minutie avec laquelle il compose cette figure du mal, sans totalement la condamner :

> Balzac aime sa Valérie ; c'est pourquoi il l'explique et la grandit. Il ne travaille pas à la rendre odieuse, mais intelligible. Il lui donne une éducation de courtisane, un mari dépravé comme un bagne, l'habitude du luxe, l'insouciance, la prodigalité, des nerfs de femme, des dégoûts de jolie

---

1. Charles Baudelaire, *L'Art romantique*, Paris, Calmann-Lévy, 1885, p. 176-177.

femme, une verve d'artiste. Ainsi née et élevée, sa corruption est naturelle. Elle a besoin d'élégance comme on a besoin d'air. Elle en prend n'importe où, sans remords, comme on boit de l'eau au premier fleuve. Elle n'est pas pire que son métier ; elle en a toutes les excuses innées, acquises, de tempérament, de tradition, de circonstance, de nécessité ; elle en a toutes les forces, l'abandon, la grâce, la gaieté folle, les alternatives de trivialité et d'élégance, l'audace improvisée, les inventions comiques, la magnificence et le succès. Elle est parfaite en son genre, pareille à un cheval dangereux et superbe qu'on admire en le redoutant. Balzac se plaît à la peindre sans autre but que de la peindre. Il l'habille, il lui pose des mouches, il déploie ses robes, il frémit devant ses mouvements de danseuse. Il détaille ses gestes avec autant de plaisir et de vérité que s'il eût été femme de chambre. Sa curiosité d'artiste trouve un aliment dans les moindres traits de caractère et de mœurs. Au bout d'une scène violente, il s'arrête sur un moment vide, et la montre, paresseuse, étendue sur des divans, comme une chatte qui bâille et se détire au soleil. En physiologiste, il sait que les nerfs de la bête de proie s'amollissent et qu'elle ne cesse de bondir que pour dormir. Mais quels bonds ! Elle éblouit, elle fascine, elle tient tête coup sur coup à trois accusations prouvées ; elle réfute l'évidence ; tour à tour elle s'humilie, elle se glorifie, elle raille, elle adore, elle démontre, changeant vingt fois de ton, d'idées, d'expédients, dans le même quart d'heure. [...] Attaquée dans sa fortune par une femme honnête, elle improvise une comédie incomparable, jouée avec l'éloquence et l'exaltation d'un grand poète, et rompue tout d'un coup par l'éclat de rire et la trivialité crue d'une actrice fille de portier. Le style et les actions s'élèvent jusqu'à la grandeur de l'épopée. [...] Le danger la relève et l'inspire et ses nerfs tendus envoient à flots le génie et le courage dans son cerveau Pour achever de peindre cette nature impétueuse, supérieure et mobile, Balzac, au dernier instant, la fait repentante. Pour mesurer sa fortune à son vice, il la conduit triomphante à travers la ruine, la mort ou le désespoir de vingt personnes, et la brise au moment suprême d'une chute aussi horrible que son succès [1].

---

1. Hippolyte Taine, *Nouveaux Essais de critique et d'histoire*, *op. cit.*, p. 127.

LECTURES CONTEMPORAINES

Dans son essai *Une lecture de Balzac*, Maurice Bardèche consacre un chapitre à *La Cousine Bette*, qu'il compare dans un premier temps à *La Recherche de l'absolu*, avant de refermer la comparaison sur un rapprochement particulièrement suggestif avec l'univers de Dostoïevski :

> La fin est très belle et selon ces dénouements de Balzac, toujours semblables, où la passion rentre dans une sorte de zone asociale, ne connaît plus rien et où l'homme, devenu somnambule, s'avance dans une sort de délire. Il y a un moment dans les romans de Balzac où la charpente sociale que Balzac construit autour de ses personnages ne compte plus. Assis parmi les ruines, pareil à Job sur son fumier, le possédé salue cette destruction qui n'oppose plus rien à sa passion. Pauvre enfin, pauvre et sans famille, relevé de ses responsabilités, dépossédé de tout ce qui fut sa vie, de son honneur, de la présence des autres, de tout, nu comme au premier jour, il est enfin lui-même, c'est-à-dire qu'il n'est plus qu'un seul geste, une seule pensée, avec bonheur. La matière même de sa joie, il la prend n'importe où, cela ne compte pas : c'est la joie elle-même, c'est l'abandon qui est le bonheur.

La lecture de Maurice Bardèche insiste sur le dénuement du passionné qui n'a plus que son obsession pour objet. Hulot, réduit à la pauvreté, continue à vivre pleinement sa passion, par-delà la morale et les convenances. Comme le montre le critique, rien n'atteint le « fou », pas même l'image dégradée qu'on lui renvoie. Il est tout à son bonheur :

> Grandet n'a plus besoin de spéculer, c'est le temps où il plonge les bras seulement dans son sac d'or, Balthazar Claës vit comme un petit enfant dans son laboratoire démantelé et il répète à l'infini une expérience à vide qui ne peut plus jamais réussir, Hulot s'est acheté une petite esclave et il est heureux dans sa crasse, heureux dans son bouge, heureux sous son caftan sordide, installé dans un coin de ghetto, mais

serrant avec avidité sur son cœur sa jeune proie à peine nubile. Ils en sont tous à l'essentiel. Ils nous enseignent cette grande leçon, qu'à part une seule possession, rien n'existe pour le possédé. Pour le médecin, pour le dramaturge, ces rechutes sont effrayantes. Et les romans de Balzac semblent tous finir comme un seul roman par une vision d'asile : un maniaque en haillons caressant sa poupée qui représente ses rêves. Mais pour le philosophe, il y a tout Dostoïevski dans cette joie de la dépossession [1].

Pierre Barbéris adopte avec énergie une lecture plus politique du roman, en quoi il voit une manifestation des tensions sociales à la fin de la monarchie de Juillet. Dans la somme que constitue *Le Monde de Balzac*, Barbéris ne s'arrête pas en particulier à *La Cousine Bette*, mais intègre l'analyse de ce roman à une vision d'ensemble de *La Comédie humaine*. On ne s'étonnera pas que le roman soit convoqué pour décrire la bourgeoisie et le paysage révolutionné de *La Comédie humaine*, ou encore « Les passions » auxquelles Barbéris consacre un chapitre particulièrement neuf :

Mais que faire dès lors de la passion, de ce grand élan vital, dans un monde qui lui refuse une pleine possibilité de développement ? C'est le grand problème moral, on serait tenté de dire le seul problème moral, et auquel le ramènent tous les autres de *La Comédie humaine*. Le vouloir-vivre doit bien aller quelque part et l'homme doit savoir quoi faire de soi [2].

Contrairement aux approches trop biographiques, Barbéris met l'accent sur le travail de mise à distance auquel procède Balzac dans le roman, genre creuset d'une pensée et d'une représentation du monde :

Il y a une distance entre Balzac et ses personnages, puisqu'il les juge et puisqu'il les classe, puisqu'il répartit ses souvenirs et ses possibilités. Il voit : il juge. Il crée. Et c'est assez

1. Maurice Bardèche, *Une lecture de Balzac*, Les Sept couleurs, 1964, p. 174-175.
2. Pierre Barbéris, *Le Monde de Balzac, op. cit.*, p. 467.

de dire que la confession ne recouvre pas toute sa littérature personnelle. Un seul et unique destin romanesque ne suffit pas à dire tout ce qu'il fut, tout ce qu'il voulut être, tout ce qu'il faillit être, tout ce qu'il ne put être. L'unicité du héros dit une certaine fatalité, un destin qui ne pouvait être autre. Fromentin ne pouvait être autre que Dominique, Chateaubriand que René. Dès lors, à quoi bon un second Dominique, un second René. Devant Balzac au contraire s'ouvraient de multiples voies, son tempérament s'en ouvrait d'autres encore, et c'est la raison pour laquelle, au lieu de faire le poème du mal du siècle, forgeant un univers héroïque, il en a fait le roman[1].

Plus proche de nous, le critique et romancier Michel Butor s'est passionné pour l'œuvre de Balzac, en particulier pour *Les Parents pauvres* qu'il a commentés à plusieurs reprises. Le point de vue de Butor est tout ensemble celui du romancier qui se questionne sur les rouages de la poétique romanesque, mais aussi celui de l'*amateur*, au sens éclairé, qui tente de percer les arcanes du monde balzacien à travers le temps (l'histoire, les époques) et l'espace (les décors, la ville de Paris) :

> Balzac construit ici ses familles de telle sorte qu'elles soient des modèles en réduction de la ville de Paris. La cousine Bette est à certains égards l'incarnation de la Révolution, et de ce ferment de mort que Balzac diagnostique dans la société de son temps[2].

---

1. *Ibid.*, p. 75.
2. Michel Butor, *Improvisations*, dans *Œuvres complètes*, t. XI, éd. Mireille Calle-Gruber, La Différence, 2010, p. 725.

CHRONOLOGIE

1799 : Naissance, à Tours, le 20 mai, d'Honoré Balzac, fils du
« citoyen Bernard-François Balzac » et de la « citoyenne
Anne-Charlotte-Laure Sallambier, son épouse ». Il sera mis
en nourrice à Saint-Cyr-sur-Loire jusqu'à l'âge de quatre ans.
Il aura deux sœurs : Laure, née en 1800, et Laurence, née en
1802 ; un frère, Henri, né en 1807.

1804 : Il entre à la pension Le Guay, à Tours.

1807 : Il entre, le 22 juin, au collège des Oratoriens de Vendôme,
où il passera six ans d'internat.

1813 : Il quitte Vendôme le 22 avril 1813. En été, il est placé
pour quelques mois comme pensionnaire dans l'institution
Ganser, à Paris.

1814 : Pendant l'été, il fréquente le collège de Tours. En
novembre, il suit sa famille à Paris, rue du Temple.

1815 : Il fréquente deux institutions du quartier du Marais,
l'institution Lepître, puis, à partir d'octobre, l'institution
Ganser et suit vraisemblablement les cours du lycée
Charlemagne.

1816 : En novembre, il s'inscrit à la faculté de droit et entre,
comme clerc, chez Mᵉ Guillonnet-Merville, avoué, rue
Coquillière.

1818 : Il quitte, en mars, l'étude de Mᵉ Guillonnet-Merville
pour entrer dans celle de Mᵉ Passez, notaire, ami de ses
parents et qui habite la même maison, rue du Temple. Il
rédige des *Notes sur l'immortalité de l'âme*.

1819 : Vers le 1ᵉʳ août, Bernard-François Balzac, retraité de
l'administration militaire, se retire à Villeparisis avec sa
famille. Honoré, bachelier en droit depuis le mois de janvier,
obtient de rester à Paris pour devenir homme de lettres.
Installé dans un modeste logis mansardé, rue Lesdiguières, il
y compose une tragédie, *Cromwell*, qui ne sera ni jouée ni
publiée de son vivant.

1820 : Il commence *Falthurne* et *Sténie*, deux récits qu'il n'achèvera pas. Le 18 mai, il assiste au mariage de sa sœur Laure avec Eugène Surville, ingénieur des Ponts et Chaussées. Ses parents donnent congé rue Lesdiguières pour le 1ᵉʳ janvier 1821.

1821 : Il poursuit *Sténie*. Le 1ᵉʳ septembre, sa sœur Laurence épouse M. de Montzaigle.

1822 : Début de sa liaison avec Laure de Berny, âgée de quarante-cinq ans, dont il a fait la connaissance à Villeparisis l'année précédente ; elle sera pour lui la plus vigilante et la plus dévouée des amies. Pendant l'été, il séjourne à Bayeux, en Normandie, avec les Surville. Ses parents emménagent avec lui à Paris, dans le Marais, rue du Roi-Doré. Sous le pseudonyme de Lord R'Hoone (anagramme d'Honoré), il publie, en collaboration, *L'Héritière de Birague* et *Jean-Louis* ; puis, seul, *Clotilde de Lusignan* ; *Le Centenaire* et *Le Vicaire des Ardennes*, parus la même année, sont signés Horace de Saint-Aubin.

1823 : Au cours de l'été, séjour en Touraine.
La Dernière Fée, par Horace de Saint-Aubin.

1824 : Vers la fin de l'été, ses parents ayant regagné Villeparisis, il s'installe rue de Tournon.
Annette et le Criminel (*Argow le Pirate*), par Horace de Saint-Aubin. Sous l'anonymat : *Du droit d'aînesse* ; *Histoire impartiale des Jésuites*.

1825 : Associé avec Urbain Canel, il réédite les œuvres de Molière et de La Fontaine. En avril, bref voyage à Alençon. Début des relations avec la duchesse d'Abrantès. Sa sœur Laurence meurt le 11 août. *Wann-Chlore*, par Horace de Saint-Aubin. Sous l'anonymat : *Code des gens honnêtes*.

1826 : Le 1ᵉʳ juin, il obtient un brevet d'imprimeur. Associé avec Barbier, il s'installe rue des Marais-Saint-Germain (aujourd'hui rue Visconti). Au cours de l'été, sa famille abandonne Villeparisis pour se fixer à Versailles.

1827 : Le 15 juillet, avec Laurent et Barbier, il crée une société pour l'exploitation d'une fonderie de caractères d'imprimerie.

1828 : Au début du printemps, Balzac s'installe 1, rue Cassini, près de l'Observatoire. Ses affaires marchent mal : il doit les liquider et contracter de lourdes dettes. Il revient à la littérature : du 15 septembre à la fin d'octobre, il séjourne à Fougères, chez le général de Pommereul, pour préparer un roman sur la chouannerie.

1829 : Balzac commence à fréquenter les salons : il est reçu chez Sophie Gay, chez le baron Gérard, chez Mme Hamelin, chez la princesse Bagration, chez Mme Récamier. Début de la correspondance avec Mme Zulma Carraud qui, mariée à un commandant d'artillerie, habite alors Saint-Cyr-l'École. Le 19 juin, mort de Bernard-François Balzac.

En mars a paru, avec la signature Honoré Balzac, *Le Dernier Chouan ou la Bretagne en 1800* qui, sous le titre définitif *Les Chouans*, sera le premier roman incorporé à *La Comédie humaine*. En décembre, *Physiologie du mariage*, « par un jeune célibataire ».

1830 : Balzac collabore à la *Revue de Paris*, à la *Revue des Deux Mondes*, ainsi qu'à divers journaux : le *Feuilleton des Journaux politiques*, *La Mode*, *La Silhouette*, *Le Voleur*, *La Caricature*. Il adopte la particule et commence à signer « de Balzac ». Avec Mme de Berny, il descend la Loire en bateau (juin) et séjourne, pendant l'été, dans la propriété de la Grenadière, à Saint-Cyr-sur-Loire. À l'automne, il devient un familier du salon de Charles Nodier, à l'Arsenal. Premières *Scènes de la vie privée* : *La Vendetta* ; *Les Dangers de l'inconduite* (*Gobseck*) ; *Le Bal de Sceaux* ; *Gloire et Malheur* (*La Maison du chat-qui-pelote*) ; *La Femme vertueuse* (*Une double famille*) ; *La Paix du ménage*. Parmi les premiers « contes philosophiques » : *Les Deux Rêves*, *L'Élixir de longue vie*…

1831 : Désormais consacré comme écrivain, il travaille avec acharnement, tout en menant, à ses heures, une vie mondaine et luxueuse, qui ranimera indéfiniment ses dettes. Ambitions politiques demeurées insatisfaites.

La Peau de chagrin, roman philosophique. Sous l'étiquette « Contes philosophiques » : *Les Proscrits* ; *Le Chef-d'œuvre inconnu*…

1832 : Entrée en relations avec Mme Hanska, « l'Étrangère », qui habite le château de Wierzchownia, en Ukraine. Il est l'hôte de M. de Margonne à Saché (où il a fait et fera d'autres séjours) ; puis des Carraud, qui habitent maintenant Angoulême. Il est devenu l'ami de la marquise de Castries,

qu'il rejoint en août à Aix-les-Bains et qu'il suit en octobre à Genève : désillusion amoureuse. Au retour, il passe trois semaines à Nemours auprès de Mme de Berny. Il a adhéré au parti néo-légitimiste et publié plusieurs essais politiques.
La Transaction (*Le Colonel Chabert*). Parmi de nouvelles *Scènes de la vie privée* : *Les Célibataires* (*Le Curé de Tours*) et cinq « scènes » distinctes qui seront groupées plus tard dans *La Femme de trente ans*. Parmi de nouveaux « contes philosophiques » : *Louis Lambert*. En marge de la future *Comédie humaine* : premier dixain des *Contes drolatiques*.

1833 : Début d'une correspondance suivie avec Mme Hanska. Il la rencontre pour la première fois en septembre à Neuchâtel et la retrouve à Genève pour la Noël. Liaison secrète avec Maria du Fresnay, née Daminois. Contrat avec Mme Béchet pour la publication, achevée par Werdet, des *Études de mœurs au XIXe siècle* qui, de 1833 à 1837, paraîtront en douze volumes et qui sont comme une préfiguration de *La Comédie humaine* (I à IV : *Scènes de la vie privée* ; V à VIII : *Scènes de la vie de province* ; IX à XII : *Scènes de la vie parisienne*). *Le Médecin de campagne*. Parmi les premières *Scènes de la vie de province* : *La Femme abandonnée* ; *La Grenadière* ; *L'Illustre Gaudissart* ; *Eugénie Grandet* (décembre).

1834 : Retour de Suisse en février. Le 4 juin naît Maria du Fresnay, sa fille présumée. Nouveaux développements de la vie mondaine : il se lie avec la comtesse Guidoboni-Visconti. *La Recherche de l'absolu*. Parmi les premières *Scènes de la vie parisienne* : *Histoire des Treize* (I. *Ferragus*, 1833. II. *Ne touchez pas la hache* [*La Duchesse de Langeais*], 1833-1834. III. *La Fille aux yeux d'or*, 1834-1835).

1835 : Une édition collective d'*Études philosophiques* (1835-1840) commence à paraître chez Werdet. Au printemps, Balzac s'installe en secret rue des Batailles, à Chaillot. Au mois de mai, il rejoint Mme Hanska, qui est avec son mari à Vienne, en Autriche ; il passe trois semaines auprès d'elle et ne la reverra plus pendant huit ans.
Le Père Goriot (1834-1835). *Melmoth réconcilié*. *La Fleur des pois* (*Le Contrat de mariage*). *Séraphîta*.

1836 : Année agitée. Le 20 mai naît Lionel-Richard Guidoboni-Visconti, qui est peut-être son fils naturel. En juin, Balzac gagne un procès contre la *Revue de Paris* au sujet du *Lys* *dans la vallée.* En juillet, il doit liquider *La Chronique de Paris*, qu'il dirigeait depuis janvier. Il va passer quelques semaines à Turin ; au retour, il apprend la mort de Mme de Berny, survenue le 27 juillet.

Le Lys dans la vallée. L'Interdiction. La Messe de l'athée. Facino Cane. L'Enfant maudit (1831-1836). *Le Secret des Ruggieri* (*La Confidence des Ruggieri*).

1837 : Nouveau voyage en Italie (février-avril) : Milan, Venise, Gênes, Livourne, Florence, le lac de Côme.

La Vieille Fille. Illusions perdues (début). *César Birotteau.*

1838 : Séjour à Frapesle, près d'Issoudun, où sont fixés désormais les Carraud (février-mars) ; quelques jours à Nohant, chez George Sand. Voyage en Sardaigne et dans la péninsule italienne (avril-mai). En juillet, installation aux Jardies, entre Sèvres et Ville-d'Avray.

La Femme supérieure (*Les Employés*). *La Maison Nucingen.* Début des futures *Splendeurs et misères des courtisanes* (*La Torpille*).

1839 : Balzac est nommé, en avril, président de la Société des gens de lettres. En septembre-octobre, il mène une campagne inutile en faveur du notaire Peytel, ancien codirecteur du *Voleur*, condamné à mort pour meurtre de sa femme et d'un domestique. Activité dramatique : il achève *L'École des ménages* et *Vautrin.* Candidat à l'Académie française, il s'efface, le 2 décembre, devant Victor Hugo, qui ne sera pas élu.

Le Cabinet des antiques. Gambara. Une fille d'Ève. Massimilla Doni. Béatrix ou les Amours forcés. Une princesse parisienne (*Les Secrets de la princesse de Cadignan*).

1840 : *Vautrin*, pièce créée le 14 mars à la Porte-Saint-Martin, est interdite le 16. Balzac dirige et anime la *Revue parisienne*, qui aura trois numéros (juillet-août-septembre) ; dans le dernier, la célèbre étude sur *La Chartreuse de Parme.* En octobre, il s'installe 19, rue Basse (aujourd'hui la « Maison de Balzac », 47, rue Raynouard).

Pierrette. Pierre Grassou. Z. Marcas. Les Fantaisies de Claudine (*Un prince de la bohème*).

1841 : Le 2 octobre, traité avec Furne et un consortium de libraires pour la publication de *La Comédie humaine*, qui paraîtra avec un Avant-propos capital, en dix-sept volumes (1842-1848) et un volume posthume (1855).

Le Curé de village (1839-1841). *Les Lecamus* (*Le Martyr calviniste*).

1842 : Le 19 mars, création, à l'Odéon, des *Ressources de Quinola*. *Mémoires de deux jeunes mariées*. *Albert Savarus*. *La Fausse Maîtresse*. *Autre étude de femme*. *Ursule Mirouët*. *Un début dans la vie*. *Les Deux Frères* (*La Rabouilleuse*).

1843 : Juillet-octobre : séjour à Saint-Pétersbourg, auprès de Mme Hanska, veuve depuis le 10 novembre 1841 ; retour par l'Allemagne. Le 26 septembre, création, à l'Odéon, de *Paméla Giraud*.

Une ténébreuse affaire. *La Muse du département*. *Honorine*. *Illusions perdues*, complet en trois parties (I. *Les Deux Poètes*, 1837. II. *Un grand homme de province à Paris*, 1839. III. *Les Souffrances de l'inventeur*, 1843).

1844 : *Modeste Mignon*. *Les Paysans* (début). *Béatrix* (II. *La Lutte de miel*). *Gaudissart II*.

1845 : Mai-août : Balzac rejoint à Dresde Mme Hanska, sa fille Anna et le comte Georges Mniszech ; il voyage avec eux en Allemagne, en France, en Hollande et en Belgique. En octobre-novembre, il retrouve Mme Hanska à Châlons et se rend avec elle à Naples. En décembre, seconde candidature à l'Académie française.

Un homme d'affaires. *Les Comédiens sans le savoir*.

1846 : Fin mars : séjour à Rome avec Mme Hanska ; puis la Suisse et le Rhin jusqu'à Francfort. Le 13 octobre, à Wiesbaden, Balzac est témoin au mariage d'Anna Hanska avec le comte Mniszech. Au début de novembre, Mme Hanska met au monde un enfant mort-né, qui devait s'appeler Victor-Honoré.

Petites Misères de la vie conjugale (1845-1846). *L'Envers de l'histoire contemporaine* (premier épisode). *La Cousine Bette*.

1847 : De février à mai, Mme Hanska séjourne à Paris, tandis que Balzac s'installe rue Fortunée (aujourd'hui rue Balzac). Le 28 juin, il fait d'elle sa légataire universelle. Il la rejoint à Wierzchownia en septembre.

Le Cousin Pons. *La Dernière Incarnation de Vautrin* (dernière partie de *Splendeurs et misères des courtisanes*).

1848 : Rentré à Paris le 15 février, il assiste aux premières journées de la Révolution. *La Marâtre* est créée, en mai, au Théâtre historique ; *Mercadet*, reçu en août au Théâtre-Français, n'y sera pas représenté. À la fin de septembre, il retrouve Mme Hanska en Ukraine et reste avec elle jusqu'au printemps de 1850.
L'Initié, second épisode de *L'Envers de l'histoire contemporaine*.

1849 : Deux voix à l'Académie française le 11 janvier (fauteuil Chateaubriand) ; deux voix encore le 18 (fauteuil Vatout). La santé de Balzac, déjà éprouvée, s'altère gravement : crises cardiaques répétées au cours de l'année.

1850 : Le 14 mars, à Berditcheff, il épouse Mme Hanska. Malade, il rentre avec elle à Paris le 20 mai et meurt le 18 août. Sa mère lui survit jusqu'en 1854 et sa femme jusqu'en 1882. Son frère Henri mourra en 1858 ; sa sœur Laure en 1871.

1854 : Publication posthume du *Député d'Arcis*, terminé par Charles Rabou.

1855 : Publication posthume des *Paysans*, terminés sur l'initiative de Mme Honoré de Balzac. Édition, commencée en 1853, des *Œuvres complètes* en vingt volumes par Houssiaux, qui prend la suite de Furne comme concessionnaire (I à XVIII. *La Comédie humaine*. XIX. *Théâtre*. XX. *Contes drolatiques*).

1856-1857 : Publication posthume des *Petits Bourgeois*, roman terminé par Charles Rabou.

1869-1876 : Édition définitive des *Œuvres complètes* de Balzac en vingt-quatre volumes chez Michel Lévy, puis Calmann-Lévy. Parmi les *Scènes de la vie parisienne* sont réunies pour la première fois les quatre parties de *Splendeurs et misères des courtisanes*.

BIBLIOGRAPHIE

I. ÉDITIONS MODERNES DES ŒUVRES DE BALZAC

La Comédie humaine, édition publiée sous la direction de Pierre-Georges Castex, Gallimard, « Bibliothèque de la Pléiade », 1976-1981, 12 vol.

Romans de jeunesse, Les Bibliophiles de l'originale, 1961-1963.

Une partie des *Romans de jeunesse* est aussi rééditée chez Laffont, « Bouquins », 1999, 2 vol.

Œuvres diverses, édition publiée sous la direction de Pierre-Georges Castex, Gallimard, « Bibliothèque de la Pléiade », 1990 (t. I), 1996 (t. II).

Œuvres complètes de Balzac, Club de l'honnête homme, 1re éd. 1955-1963, 2e éd. 1968-1971.

II. PRINCIPALES ÉDITIONS MODERNES DE *LA COUSINE BETTE*

Œuvres complètes de Balzac, t. XVII, texte établi et annoté par Marcel Bouteron et Henri Longnon, Louis Conard, 1913.

La Cousine Bette, introduction, notes et variantes par Maurice Allem, Garnier Frères, 1937.

La Comédie humaine, t. XIV, notices par Albert Prioult, Hazan, 1951.

L'Œuvre de Balzac, t. IX, préface de Philippe Hériat, Formes et Reflets, 1951.

Œuvres complètes de Balzac, t. XII, éd. Maurice Bardèche, Club de l'honnête homme, 1959.

La Cousine Bette, éd. Pierre-Georges Castex, Club du meilleur livre, 1959. Notice iconographique d'André Lorant.

La Comédie humaine, t. XXI, préfaces et notes de Roland Chollet, Éditions Rencontre, 1960.

La Comédie humaine, t. V, éd. Pierre Citron, Seuil, 1960.

Œuvres complètes illustrées de Balzac, t. XVII, notes par J.-A. Ducourneau, Les Bibliophiles de l'originale, 1968.
La Cousine Bette, éd. Pierre Barbéris, Gallimard, « Folio », 1972.
La Cousine Bette, éd. Roger Pierrot, Le Livre de Poche, 1972, rééd. 2000.
La Comédie humaine, t. VII, éd. Anne-Marie Meininger, Gallimard, « Bibliothèque de la Pléiade », 1977.
La Cousine Bette, éd. Pierre-Louis Rey, Pocket, 1994.
La Comédie humaine, t. VII (contient *La Cousine Bette* et *Le Cousin Pons*), éd. Stéphane Vachon, Classiques Garnier, 2008.

III. CORRESPONDANCE

Correspondance, textes réunis, classés et annotés par Roger Pierrot, Garnier, 1960-1969, 5 tomes : t. I (1809-juin 1832), t. II (juin 1832-1835), t. III (1836-1839), t. IV (1840-avril 1845), t. V (mai 1845-août 1850).
Des suppléments et des lettres inédites ont paru dans *L'Année balzacienne 1972, 1974, 1984, 1991*.
Lettres à madame Hanska, édition établie par Roger Pierrot, Les Bibliophiles de l'originale, 1967, 3 vol.
Lettres à madame Hanska, édition établie par Roger Pierrot, Robert Laffont, « Bouquins », 1990, 2 vol. (t. I : 1832-1844 ; t. II : 1845-1850).

IV. OUVRAGES SUR LA VIE DE BALZAC

BARDÈCHE, Maurice, *Balzac*, Julliard, « Les Vivants », 1980.
BILLY, André, *Vie de Balzac*, Flammarion, 1944.
GENGEMBRE, Gérard, *Balzac. Le Napoléon des lettres*, Gallimard, « Découvertes Gallimard », 1992.
–, *Balzac, le forçat des lettres*, Perrin, 2013.
MAUROIS, André, *Prométhée ou la vie de Balzac*, Flammarion, 1974.
PIERROT, Roger, *Balzac*, Fayard, 1994, rééd. 1999.
SATIAT, Nadine, *Balzac ou la fureur d'écrire*, Hachette littératures, 1999.
SIPRIOT, Pierre, *Balzac sans masque*, Robert Laffont, 1992.
SURVILLE, Laure, *Balzac, sa vie et ses œuvres d'après sa correspondance*, Librairie nouvelle, 1858.
VACHON, Stéphane, *Les Travaux et les Jours d'Honoré de Balzac. Chronologie de la création balzacienne*, Presses du CNRS, de l'université de Vincennes et de l'université de Montréal, 1992.

ZWEIG, Stefan, *Balzac. Le roman de sa vie*, trad. par Fernand Delmas, Albin Michel, 1950, Le Livre de Poche, 1996.

V. DICTIONNAIRES

Index des personnages fictifs (p. 1127-1589) et des personnes réelles (p. 1591-1856) dans *La Comédie humaine*, établis par Pierre Citron et Anne-Marie Meininger, tome XII de *La Comédie humaine*, Gallimard, « Bibliothèque de la Pléiade », 1981.

LONGAUD, Félix, *Dictionnaire de Balzac*, Larousse, 1969.

LOTTE, Fernand, *Dictionnaire biographique des personnages fictifs de La Comédie humaine*, Corti, 1952.

VI. OUVRAGES GÉNÉRAUX SUR L'ŒUVRE DE BALZAC

ALAIN, *Balzac*, Gallimard, « Tel », 1999.

AMBRIÈRE, Madeleine, *Au soleil du romantisme, Quelques voyageurs de l'infini*, PUF, 1998.

ANDRÉOLI, Max, *Le Système balzacien*, Service de publication des thèses, Université de Lille III, « Aux amateurs de livres », 1984, 2 vol.

BALDENSPERGER, Ferdinand, *Orientations étrangères chez Honoré de Balzac*, Lille, Desclée de Brouwer et Cie, 1927.

BARBÉRIS, Pierre, *Aux sources de Balzac*, Les Bibliophiles de l'originale, 1965.

–, *Balzac et le mal du siècle. Contribution à une physiologie du monde moderne*, Gallimard, 1970, 2 vol.

–, *Le Monde de Balzac*, Arthaud, 1971.

–, *Balzac, une mythologie réaliste*, Larousse, « Thèmes et textes », 1971.

–, *Mythes balzaciens*, Armand Colin, 1972.

BARDÈCHE, Maurice, *Balzac romancier. La formation de l'art du roman chez Balzac jusqu'à la publication du Père Goriot, 1820-1835*, Plon, 1940.

BARON, Anne-Marie, *Balzac cinéaste*, Méridiens-Klincksieck, 1990.

–, *Le Fils prodige, L'inconscient de La Comédie humaine*, Nathan, « Le texte à l'œuvre », 1993.

–, *Balzac ou l'Auguste Mensonge*, Nathan, « Le texte à l'œuvre », 1998.

BÉGUIN, Albert, *Balzac lu et relu*, Seuil/La Baconnière, 1965.

BERTHIER, Patrick, « Balzac du côté de Sodome », *L'Année balzacienne 1969*.

BERTHIER, Patrick et GENGEMBRE, Gérard, *L'ABCdaire de Balzac*, Flammarion, 1998.

BORDAS, Éric, *Balzac, discours et détours, pour une stylistique de l'énonciation romanesque*, Presses universitaires du Mirail, 1997.

BORDERIE, Régine, *Balzac peintre de corps. La Comédie humaine ou le sens du détail*, SEDES, « Collection du Bicentenaire », 2002.

BUTOR, Michel, *Improvisations sur Balzac*, t. I : *Le Marchand et le Génie*, t. II : *Paris à vol d'archange*, t. III : *Scènes de la vie féminine*, La Différence, « Les Essais », 1998.

CÉZARI, Paul, *Étude critique des passions dans l'œuvre de Balzac*, Les Presses modernes, 1938.

CHOLLET, Roland, *Balzac journaliste. Le tournant de 1830*, Klincksieck, 1983.

CITRON, Pierre, *Dans Balzac*, Seuil, 1986.

COULEAU-MAIXENT, Christelle, *Balzac. Le roman de l'autorité. Un discours auctorial entre sérieux et ironie*, Champion, « Romantisme et modernités », 2007.

CULLMANN, Emmanuelle, DIAZ, José-Luis et LYON-CAEN, Boris (dir.), *Balzac et la crise des identités*, Christian Pirot, « Collection Balzac », 2005.

CURTIUS, Ernst-Robert, *Balzac* [1923], Fischer Taschenbuch Verlag, 1985. Version abrégée traduite par Henri Jourdan, Grasset, 1935. Nouvelle traduction de l'allemand par Michel Beretti, Éditions des Syrtes, 1999.

DANGER, Pierre, *L'Éros balzacien*, José Corti, 1989.

DONNARD, Jean-Hervé, *Balzac, les réalités économiques et sociales dans La Comédie humaine*, Armand Colin, 1961.

DUCHET, Claude et NEEFS, Jacques (dir.), *Balzac, l'invention du roman*, Actes du colloque de Cerisy-la-Salle, Belfond, 1982.

DUCHET, Claude et TOURNIER, Isabelle, *Balzac, œuvres complètes. Le Moment de La Comédie humaine*, Presses universitaires de Vincennes, 1993.

FERNANDEZ, Ramon, *Balzac ou l'envers de la création romanesque*, Grasset, 1943, rééd. 1980.

FOSCA, François, « Balzac », in *De Diderot à Valéry, Les écrivains et les arts visuels*, Albin Michel, 1960.

FRAPPIER-MAZUR, Lucienne, *L'Expression métaphorique dans La Comédie humaine*, Klincksieck, 1976.

FRAPPIER-MAZUR, Lucienne et ROULIN, Jean-Marie, *L'Érotique balzacienne*, SEDES, « Collection du Bicentenaire », 2001.

GAUTHIER, Henri, *L'Homme intérieur dans la vision de Balzac*, Lille, Service de reproduction des thèses, 1973, 2 vol.

GAUTIER, Théophile, *Portraits contemporains*, Charpentier, 1881.

GENGEMBRE, Gérard, *La Comédie humaine. Analyse de l'œuvre*, Pocket, « Les guides Pocket Classiques », 2004.

GLEIZE, Joëlle, *Honoré de Balzac. Bilan critique*, Nathan Université, n° 128, 1994.

GOZLAN, Léon, *Balzac en pantoufles*, rééd. Lemercier, 1926.

GRANGE, Juliette, *Balzac. L'argent, la prose, les anges*, La Différence, 1990.

GUICHARDET, Jeannine, *Balzac « archéologue » de Paris*, CDU et SEDES réunis, 1986.

–, « Un jeu de l'oie maléfique : l'espace parisien du *Père Goriot* », *L'Année balzacienne 1986*.

GUISE, René, *Balzac*, Hatier, « Thema anthologie », 1972-1973, 2 vol.

GUYON, Bernard, *La Pensée politique et sociale de Balzac*, Armand Colin, 1947 ; réimpression avec une postface en 1968.

HERSCHBERG-PIERROT, Anne (dir.), *Balzac et le style*, SEDES, 1998.

LAFORGUE, Pierre, *L'Éros romantique. Représentation de l'amour en 1830*, PUF, 1998.

LAUBRIET, Philippe, *L'Intelligence de l'art chez Balzac*, Didier, 1961.

LE YAOUANC, Moïse, *Nosographie de l'humanité balzacienne*, Maloine, 1959.

LUKÀCS, Georg, *Balzac et le réalisme français*, La Découverte/Poche, 1999.

LYON-CAEN, Boris, *Balzac et la comédie des signes. Essai sur une expérience de pensée*, Presses universitaires de Vincennes, 2006.

MAHIEU, Robert et SCHUEREWEGEN, Franc (dir.), *Balzac ou la tentation de l'impossible*, SEDES, 1998.

MARCEAU, Félicien, *Balzac et son monde*, Gallimard, 1955, rééd. 1970.

–, *Les Personnages de La Comédie humaine*, Gallimard, 1977.

MASSOL, Chantal, *Une poétique de l'énigme. Le récit herméneutique balzacien*, Genève, Droz, 2006.

MÉNARD, Maurice, *Balzac et le comique dans La Comédie humaine*, PUF, 1983.

MEYER-PETIT, Judith, *Les Mots de Balzac*, Actes Sud/Paris musées, 1999.

MICHEL, Arlette, *Le Mariage chez Honoré de Balzac. Amour et féminisme*, Les Belles Lettres, 1978.

MITTERAND, Henri, « À propos du style de Balzac », *Europe*, janvier 1965, n° 429-430.

MOZET, Nicole, *Balzac au pluriel*, PUF, 1990.

NYKROG, Per, *La Pensée de Balzac, essai sur quelques concepts-clés*, Copenhague, Munksgaard, 1966.

PICON, Gaëtan, *Balzac par lui-même*, Seuil, « Écrivains de toujours », n° 33, 1956.

PITT-RIVERS, Françoise, *Balzac et l'art*, Chêne, 1993.

POMMIER, Jean, « Comment Balzac a nommé ses personnages », *Revue des sciences humaines*, 1953.

REY, Pierre-Louis, *La Comédie humaine. Balzac*, Hatier, « Profil d'une œuvre » n° 64, 1979.

RICHARD, Jean-Pierre, « Corps et décors balzaciens », in *Études sur le romantisme*, Seuil, 1970.

ROSA, Annette et TOURNIER, Isabelle, *Balzac*, Armand Colin, « Thèmes et œuvres », 1992.

VACHON, Stéphane (dir.), *Balzac, une poétique du roman*, Presses universitaires de Vincennes/XYZ, 1995.

VANNIER, Bernard, *L'Inscription du corps. Pour une sémiotique du portrait balzacien*, Klincksieck, 1972.

WURMSER, André, *La Comédie inhumaine*, Gallimard, 1964, rééd. 1970.

YGAUNIN, Jean, *Paris à l'époque de Balzac et dans La Comédie humaine. La ville et la société*, A. G. Nizet, 1992.

Catalogue : *Splendeurs et misères de l'écrivain. Une lecture de La Comédie humaine à la Maison de Balzac*, Paris musées, 1994.

VII. ÉTUDES SUR *LA COUSINE BETTE* ET *LES PARENTS PAUVRES*

ALTSZYLER, Hélène, « Les Polonais dans l'œuvre de Balzac », *Revue d'histoire littéraire de la France*, avril-mai 1918.

BARBÉRIS, Pierre, préface et notes de *La Cousine Bette*, Paris, Gallimard, « Folio », 1972.

BARDÈCHE, Maurice, préface dans les *Œuvres complètes de Balzac*, t. X, Club de l'honnête homme, 1969, p. 241-260.

BARRÈRE, Jean-Bertrand, « Hugo jaugé par Balzac ou l'étrange cas onomastique de *La Cousine Bette* », *Le Mercure de France*, janvier 1950.

CASTEX, Pierre-Georges, « Quand Balzac affronte Eugène Sue », présentation de *La Cousine Bette*, Club du meilleur livre, « Astrée », 1959.

CITRON, Pierre, préface aux *Parents pauvres*, *La Comédie humaine*, t. V, Seuil, « L'Intégrale », 1966.

CLARK, R. J. B., « Balzac, Clairville et Mme Marneffe », *RHLF*, septembre-octobre 1968.

GUISE, René, « Balzac et le roman-feuilleton », *L'Année balzacienne 1964*.

GUYON, Bernard, « La fin de Balzac », *Le Mercure de France*, novembre 1950.

HAVARD DE LA MONTAGNE, Philippe, « Rosalie, Bette, Valérie : trois cousines en une seule », *Le Courrier balzacien*, n° 63, 2e trimestre 1996.

HÉRIAT, Philippe, préface dans *L'Œuvre de Balzac*, t. IX, CFL, 1951, p. 693-705.

LA LONDE, Loïc de, « Hector d'Aure, ordonnateur en chef de l'expédition de Saint-Domingue et héros balzacien », *Le Mercure de France*, janvier 1954.

LORANT, André, « La création d'un personnage balzacien : Wenceslas Steinbock », *Les Études balzaciennes*, n° 10, mars 1960.

–, « Histoire de Lélio », *L'Année balzacienne 1960*.

–, « Présence de Mme de Brugnol dans l'œuvre de Balzac », *Cahiers de l'Association internationale des études françaises*, n° 15, Les Belles Lettres, mars 1963.

–, *Les Parents pauvres d'Honoré de Balzac. La Cousine Bette. Le Cousin Pons. Étude historique et critique*, avec un index et une bibliographie dont chaque entrée est suivie de sa cote à la Bibliothèque nationale de France, Genève, Droz, 1967, 2 vol.

MEININGER, Anne-Marie, « Réalismes et réalités », *Europe*, janvier-février 1965.

–, *Le Cousin Pons*, introduction, appendice critique et notes, Classiques Garnier, 1974.

MOZET, Nicole, *La Cousine Bette*, Éditions de pédagogie moderne, « Lectoguide », 1980.

PIERROT, Roger, introduction de *La Cousine Bette*, Le Livre de Poche, 1972, rééd. 2000.

REH, André, « *La Cousine Bette*, analyse critique », *Quo Vadis*, juillet-septembre 1955.

ROSSUM-GUYON, Françoise van et BREDERODE, Michel van (dir.), *Balzac et Les Parents pauvres*, SEDES, 1981.

SAINT-GIRONS, Pierre, « Les barons Hulot et le comte d'Aure », *Les Études balzaciennes*, n° 2, septembre-décembre 1951.

SAVANT, Jean, « Louise la mystérieuse ou l'essentiel de la vie de Balzac », *Cahiers de l'Académie d'histoire*, n° 25-30, 1972.

WEELEN, Jean-Edmond, « Balzac et le mystérieux Steinbock », *Balzac à Saché*, n° 13, Tours, 1972.

L'édition de *La Cousine Bette* dans le volume VII de la Pléiade donne en annexe (p. 1231-1240) *Ma Cousine Rosalie*, récit de Laure Surville (sœur de Balzac), qui a pu jouer un rôle dans la genèse du roman.

VIII. QUELQUES OUVRAGES SUR LES PASSIONS

CAVALCANTE, Antônio Mourão, *L'Homme jaloux : essai sur la jalousie pathologique*, traduction de Gilles Chartier, Araknoweb Éditions, 2000.

CHARDIN, Philippe, *L'Amour dans la haine ou la jalousie dans la littérature moderne. Dostoïevski, James, Svevo, Proust, Musil*, Droz, 1990.

GIRARD, René, *Shakespeare. Les Feux de l'envie*, Grasset, 1990.

JEFFREY, Denis, *Rompre avec la vengeance. Lecture de René Girard*, Québec, Presses de l'université de Laval, 2001.

LAGACHE, Daniel, *La Jalousie amoureuse, psychologie descriptive et psychanalyse* [1947], PUF, « Quadrige », 2008.

MONNEYRON, Frédéric, *L'Écriture de la jalousie*, Grenoble, Ellug, 1997.

ORAISON, Marc, *Le Célibat, aspect négatif, réalités positives*, Le Centurion, 1966.

SCHŒCK, Helmut, *L'Envie : une histoire du mal*, traduit de l'allemand par Georges Pauline, Les Belles Lettres, 1995.

VASSILEV, Kris, *Le Récit de vengeance au XIXᵉ siècle : Mérimée, Dumas, Balzac, Barbey*, Toulouse, Presses universitaires du Mirail, « Cribles », 2008.

IX. SUR L'IMAGE DE PARIS DANS *LA COUSINE BETTE*

Ouvrages contemporains de Balzac, avec leurs cotes à la Bibliothèque nationale de France :

* *Almanach général de la France et de l'étranger pour l'année 1838 contenant cent mille adresses...*, 2 parties chez d'Urtubie, Wormes et Cⁱᵉ, 1838, in-4° [Lc³¹. 414].

* *Almanach des 25 000 adresses des principaux habitants de Paris...*, éd. par Corby aîné, 32ᵉ année, au Bureau de l'Almanach, 1846, in-16, 634 p. [Lc³¹. 395].

* *Le Diable à Paris*, Hetzel, 1844, vol. in-4° [Li³. 165].

* *Les Français peints par eux-mêmes*, t. I-V, L. Curmer, 1840-1842.

* *Les Français peints par eux-mêmes... Province*, t. I-III, L. Curmer, 1841-1842. *Le Prisme. Encyclopédie morale du XIXᵉ siècle...* Le tout en 9 volumes, gr. in-8° [Li³. 141 E].

GIRAULT DE SAINT-FARGEAU, Eusèbe, *Les Quarante-Huit Quartiers de Paris...*, Firmin-Didot, 1846, in-4°, 200 p. [4° Lk⁷. 6288].

HUART, Louis, *Muséum parisien, histoire physiologique, pittoresque, philosophique et grotesque de toutes les bêtes curieuses de Paris et de la banlieue...*, Beauger, 1841, gr. in-8°, 395 p. [4° Li³. 142].

JOUY, Victor-Joseph ÉTIENNE, dit de, *L'Hermite de la Chaussée d'Antin ou Observations sur les mœurs et les usages parisiens au commencement du XIXᵉ siècle...*, Pillet, 1813-1814, 5 vol. in-12 [8° Li³. 89 A].

LURINE, Louis, *Les Rues de Paris...*, G. Kugelmann, 1844, 2 tomes en
    1 vol. in-4° [4° Li³. 6279].

* *Nouveau tableau de Paris au XIXᵉ siècle*. Mme C. Béchet, 1834-1835,
    7 tomes en 4 vol. in-8° [8° Li³. 132].

* *Paris au XIXᵉ siècle. Recueil de scènes de la vie parisienne...*, Beauger,
    1839, in-fol. [Li³. 134].

* *Paris et les Parisiens au XIXᵉ siècle...*, par MM. Alexandre Dumas,
    Théophile Gautier, Arsène Houssaye, Paul de Musset, Louis Enault
    et Du Fayl, Morizot, 1856, gr. in-8°, 461 p. [Li³. 191].

TEXIER, Edmond-Auguste, *Tableau de Paris...*, Paulin et Le Chevalier,
    1852-1853, 2 vol., gr. in-4° [Fol. Lkˉ. 6328].

VÉRON, Louis-Désiré, *Mémoires d'un bourgeois de Paris*, G. de Gouet,
    1853-1855, 6 vol. in-8° [Ln²ˉ. 20262].

X. Revues

L'Année balzacienne, revue fondée en 1959. Depuis 1959, trois séries se
sont succédé. *L'Année balzacienne 2000* a ouvert la troisième série,
publiée aux PUF.

XI. Quelques ouvrages sur le roman et sur le réalisme

AUERBACH, Erich, *Mimesis*, Paris, Gallimard, « Tel », 1977.

BAKHTINE, Mikhaïl, *Esthétique et théorie du roman*, Galli-
    mard, « Bibliothèque des idées », 1978.

BARTHES, Roland, *Le Plaisir du texte*, Seuil, « Points », 1982.

BECKER, Colette (dir.), *Le Roman*, Bréal, « Grand Amphi », 1996,
    rééd. 2000.

BECKER, Colette, *Lire le réalisme et le naturalisme*, Dunod, « Lettres
    Supérieures », 1992 et édition revue, 1998.

BORIE, Jean, *Le Tyran timide : le naturalisme de la femme au
    XIXᵉ siècle*, Klincksieck, 1973.

–, *Le Célibataire français*, Sagittaire, 1976.

–, *Un siècle démodé. Prophètes et réfractaires au XIXᵉ siècle*, Payot,
    « Essais Payot », 1989.

BORNECQUE, Jacques-Henri et COGNY, Pierre, *Réalisme et natura-
    lisme*, Hachette, 1958.

BRÉMOND, Claude, *Logique du récit*, Seuil, 1973.

BUTOR, Michel, *Essais sur le roman*, Gallimard, 1988.

CABANÈS, Jean-Louis, *Le Corps et la maladie dans les récits réalistes*, Klincksieck, 1991, 2 vol.

–, *Le Négatif. Essai sur la représentation littéraire au XIXᵉ siècle*, Classiques Garnier, 2011.

CHAMPFLEURY, Jules, *Le Réalisme* [1857], Hermann, 1974.

COULET, Henri, *Idées sur le roman. Textes critiques sur le roman français, XIIᵉ-XXᵉ siècle*, Larousse, 1992.

DUBOIS, Jacques, *Les Romanciers du réel*, Seuil, « Points-Lettres », 2000.

DUCHET, Claude, *Sociocritique*, Nathan, 1979.

DUFOUR, Philippe, *Le Réalisme*, PUF, « Premier cycle », 1998.

–, *La Pensée romanesque du langage*, Seuil, « Poétique », 2004.

DUMESNIL, René, *L'Époque réaliste et naturaliste*, Tallandier, 1945.

FORTASSIER, Rose, *Le Roman français au XIXᵉ siècle*, PUF, « Que sais-je ? », 1982.

GENETTE, Gérard, *Figures III*, Seuil, 1973.

–, *Le Nouveau Discours du récit*, Seuil, 1983.

GENGEMBRE, Gérard, *Réalisme et naturalisme*, Seuil, 1997.

–, *Le Romantisme*, Ellipses, 2008.

GIRARD, René, *Mensonge romantique et vérité romanesque*, Grasset, 1961 et Seuil, « Pluriel », 1978.

HAMON, Philippe, *Introduction à l'étude du descriptif*, Hachette, 1981.

KEMPF, Roger, *Sur le corps romanesque*, Gallimard, 1968.

LARROUX, Guy, *Le Réalisme*, Nathan, « 128 », 1995.

LUKÀCS, Georges, *La Théorie du roman* [1920], Gonthier, 1963.

MITTERAND, Henri, *Le Discours du roman*, PUF, « Écriture », 1980.

–, *Le Regard et le Signe*, PUF, « Écriture », 1987.

–, *L'Illusion réaliste. De Balzac à Aragon*, PUF, « Écriture », 1994.

NICOLE, Eugène, « Personnage et rhétorique du nom », in *Poétique*, n° 46, 1985.

POUILLON, Jean, *Temps et roman*, Gallimard, « Tel », 1964.

POULET, Georges, *La Conscience critique*, José Corti, 1971.

–, *Études sur le temps humain*, Pocket, 1989-1990, 4 vol.

RAIMOND, Michel, *Le Roman depuis la Révolution*, Armand Colin, « U », 1967.

–, *Le Roman*, Armand Colin, « Cursus », 1988.

RICHARD, Jean-Pierre, *Études sur le romantisme*, Pierres vives, 1971.

RICŒUR, Paul, *Temps et récit*, Seuil, 1983-1985, 3 vol.

ROBERT, Marthe, *Roman des origines et origines du roman*, Gallimard, « Tel », 1976.

ROY-REVERZY, Éléonore, *Le Roman au XIXᵉ siècle*, SEDES, « Campus », 1998.

–, *Réalisme et naturalisme. Une anthologie*, GF-Flammarion, « Étonnants classiques », 2002, rééd. 2009.

SCHOR, Naomi, *Lectures du détail*, Nathan, « Le texte à l'œuvre », 1994.

THOREL-CAILLETEAU, Sylvie, *Réalisme et naturalisme*, Hachette supérieur, 1998.

VALETTE, Bernard, *Le Roman*, Nathan, « Nathan université », 1992.
VAN ROSSUM-GUYON, Françoise, *Critique du roman*, Gallimard, « Tel », 1995.

« Le Discours réaliste », numéro 16 de la revue *Poétique*.

XII. FILMOGRAPHIE

CINÉMA

La Cousine Bette, Max de Rieux, France, 1927. Interprètes : Alice Tissot, Henry Baudin, Charles Lamy, Germaine Rouer. Très intéressante bande promotionnelle réalisée par l'auteur.
Cousin Bette, Desmond Mac Anuff, États-Unis, 1998. Interprètes : Jessica Lange, Bob Hoskins, Elisabeth Shue, Hugh Laurie.

TÉLÉVISION

La Cousine Bette, Yves-André Hubert, adaptation Jean-Louis Bory, France, 1964. Interprètes : Alice Sapritch, Claudine Coster, Jacques Castelot, Jacques Monod.
Cousin Bette (série), Grande-Bretagne, 1971.

TABLE

La Cousine Bette

Mise en page par Meta-systems
59100 Roubaix

Imprimé par Maury Imprimeur
à Malesherbes (loiret)
en avril 2015